Intermediate Spanish

create.mheducation.com

ISBN-13: 9781307307115

ISBN-10: 1307307116

Contents

Online Supplements

Contents

Online Supplements

iii

PREFACE

As one of the best-selling intermediate Spanish titles, the Third Edition of *¡Avance! Intermediate Spanish* continues to develop students' communicative language skills through reinforcement, expansion, and synthesis of the concepts learned in the introductory course sequence. A natural pairing to *Puntos de partida*, 9th edition, and other similar introductory Spanish titles, *¡Avance!* Third Edition offers contextualized activities that foster continuous skill development, while at the same time, prepares students for Spanish major or minor coursework and for real-life communicative tasks required of them as they move through the ACTFL intermediate proficiency levels, laying a strong foundation for advanced-level proficiency. Additionally, this new edition offers McGraw-Hill's Connect™ and LearnSmart™ with their continuously adaptive learning tools and numerous digital learning resources specifically designed for intermediate Spanish.

What does this mean? Your intermediate Spanish course can now effectively address the challenges of reaching and teaching all your intermediate students and no longer will you need to choose which audience to focus on: the strongest or weakest students in your mixed-ability classroom. As you're likely experiencing, intermediate Spanish classrooms typically contain a mix of continuing students from the introductory Spanish sequence, several students who test in from their high school experiences, and even heritage speakers all in the same classroom. Based on our extensive research, we know that the varying levels of language proficiency among students represent the single greatest course challenge for the majority of intermediate-level Spanish instructors. To address this, the Third Edition of *¡Avance!* offers a powerful, super-adaptive learning system called LearnSmart, which allows students to identify grammatical structures and vocabulary words they haven't yet mastered and to receive an individualized study program for mastering them. No matter what level of understanding they have when they enter the course, they can all benefit from using LearnSmart, which includes built-in reporting and a competitive scoreboard that keeps learning fun for students.

The modern Spanish classroom is changing, as are the teaching and learning experiences we all want to provide our students. Our extensive research shows that Spanish professors seek technological tools to extend learning outside of the classroom in truly effective ways. As such, they seek more types of homework tools, better reporting features, and cutting-edge technology to meet the demands of their courses and the needs of their students. Connect Spanish, McGraw-Hill's digital platform, which accompanies this edition of *¡Avance!*, offers interactive Workbook/Lab Manual content, eBook with integrated tutorials and **Práctica** activities, LearnSmart, as well as oral skills practice, all available from outside of the classroom.

Recognizing other course goals and challenges such as the need for cultural competence development and an introduction to literature at the intermediate level, *¡Avance!* now includes cultural and literary texts in every chapter. The end result is a program that meets instructors' demands for intermediate-level instructional materials that are contextualized as well as content-rich and motivating to today's students, creating a program that better prepares your students for success and retention in the intermediate level and beyond.

What's New for the Third Edition?

There have been many changes made for this edition. However those changes were not made lightly, nor without extensive feedback and confirmation from you, our customers, as evidenced by the lists of reviewers presented earlier in this front matter.

Here are some of the highlights of this revision. For specific details, including a complete list of chapter-by-chapter changes, please see the Instructor's Manual (IM), available online at **www.connectspanish.com**.

General Details

- Exciting new technology, including:

  - **Connect Spanish**—McGraw-Hill's digital platform housing the Workbook/Lab Manual activities, the eBook, LearnSmart, and other new, digital resources—makes the out-of-classroom experience more effective than ever before.

  - **LearnSmart**, the only super-adaptive learning tool on the market, is proven to significantly improve students' learning and course outcomes. With LearnSmart modules, students receive targeted feedback, specific to their individual mistakes, and additional practice on areas where they most need help. As students work on each chapter's grammar and vocabulary modules, LearnSmart identifies the main grammatical structures and vocabulary words that warrant more practice based on each student's performance. In addition, LearnSmart provides an individualized study program that is unique for every student and that pinpoints each student's strengths and weaknesses.

  - **Voice Board** and **Blackboard IM** are two powerful tools integrated into Connect for use no matter which Learning Management System your campus uses (Moodle, D2L, and so on), to promote communication and collaboration outside of the classroom. Voice Board activities allow your students to leave voice messages in a threaded oral discussion board, while Blackboard IM activities facilitate real-time interaction via text instant messaging and/or voice- or video-chat. The white board and screen sharing tools provide opportunities for collaboration, and virtual office hours allow you to meet online with your students either one-on-one or in groups. Whether for an online or hybrid course, or a face-to-face course seeking to expand the oral communication practice and assessment, these tools allow student-to-student or student-to-instructor virtual oral chat functionality.

  - **Blackboard** integration and our additional MH Campus resources simplify and streamline your course materials from right within your campus Learning Management System, no matter which LMS your campus uses, through features such as single sign-on for students and instructors, grade book synchronization, and access to all of McGraw-Hill's content, even from other market-leading titles not currently adopted for your course.

- The new interior design offers color for all image, better use of white space to make the material easier for students to follow and digest, and an overall more colorful and lively design.

- The new **A leer** section provides cultural and literary readings in every chapter and replaces the alternating offering in the previous edition. See the **Culture** and **Literature** paragraphs for more information.

- The new **Cinemateca** section provides pre- and post-viewing activities to accompany scenes from selected Spanish-language films.

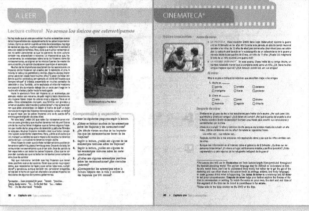

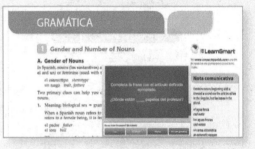

Organizational Changes

- A newly-designed Table of Contents offers an improved, easy-to-navigate chart so that users will easily see how the book is organized and which grammar points are covered within each chapter.

- Chapters are organized in five principle sections:

  - **Vocabulario:** visual **Describir y comentar** activity to jump start the theme, vocabulary list, **Conversación** activities

  - **Gramática:** three to five grammar points with **Práctica** and **Conversación** activities

  - **Un poco de todo: ¡OJO!** targeted vocabulary presentation and practice, and two to three additional culminating activities

  - **A leer:** two readings, **Lectura cultural** (culture) and **Del mundo hispano** (literary)

  - **Cinemateca:** pre- and post-viewing activities for a scene from a Spanish-language film

Culture

- Seventy-five percent of the cultural readings (**Lectura cultural**) in this edition are new to the *¡Avance!* program, offering fresh cultural perspectives in each and every chapter.

- All-new comprehension questions offer a follow-up to each cultural passage to gauge students' comprehension and promote deeper understanding of the cultural information while simultaneously improving their communication skills.

Literature

- Seventy-five percent of the literary readings (**Del mundo hispano**) have been updated and are new to this edition of *¡Avance!* Literary readings are now included in every chapter.

- The **Vocabulario para leer** feature has been significantly updated to reflect the new readings and current vocabulary usage.

- The activity sequences that accompany the literary selections include the following steps:

  - **Aproximaciones al texto** (reading strategy and one activity)
  - **Vocabulario para leer** (vocabulary list and one activity)
  - **Sobre el autor/la autora** (information about the author, with a map)
  - the reading (with one to two drawings)
  - **Comprensión** (three activities)
    - comprehension check
    - **Interpretación**
    - **Aplicación**

Vocabulary

Vocabulary lists and activities have been reviewed and updated, as needed, in the **Vocabulario** sections.

Grammar

¡Avance! continues to offer grammar structure explanations with embedded practice (**Práctica**), followed by the **Autoprueba,** and then the **Conversación** activities, designed for communicative practice. The **Práctica** activities are now available in Connect Spanish, allowing students to complete form-focused practice at home. These can be easily assigned and auto-graded so that you and your students can confirm their understanding and initial production accuracy after reading the presentations at home.

Oral Proficiency

Using the new speaking prompts provided in Connect for this new edition of *¡Avance!* or by customizing your own, you'll be able to evaluate and gauge students' developing oral proficiency or provide additional out-of-class practice to monitor and promote your students' advancement in this critical skill area.

Professors who have been using *¡Avance!* in its previous editions asked us not to make drastic changes to the scope and sequence of the text because, simply put, it works well. And we listened! This edition of *¡Avance!* continues to offer instructors the necessary tools to help their students develop communicative proficiency with a thorough, tried-and-true scope and sequence and numerous opportunities for students to practice and improve from both in and out of the classroom. The new features added to the program in this revision, namely the tools available within Connect Spanish and LearnSmart, enhance an already strong program and allow students to advance and succeed in their language studies like never before.

We invite you to take a closer look at *¡Avance!* Third Edition, and envision a course where your students understand their strengths and weaknesses more accurately, are more engaged, and achieve the course outcomes you and your program desire. Prepare your students for the next level of their language development with *¡Avance!*

Boxed features

Nota comunicativa boxes point out important aspects of Spanish grammar that will be helpful to students not only as they work through the **Conversación** activities but throughout their study of Spanish.

Nota cultural emphasizes the interconnectedness of language and culture, thereby helping students develop their appreciation of the Spanish language.

¿Recuerda Ud.? boxes serve as reminders for language and structures students learned in earlier chapters and/or in previous courses.

Nota literaria in the **Del mundo hispano** section of **A leer** provides a note about a literary convention or term that is relevant to the reading.

Recurring Activities

Intercambios activities, identifiable by their icon, are specifically designed for partner or pair work.

Entre todos are activities designed for whole-class discussion.

Improvisaciones are role-playing activities that provide contextualized practice in grammatical structures and vocabulary as well as in conversational strategies.

Guiones activities allow students to create extended descriptions of drawings and narration for characters and stories.

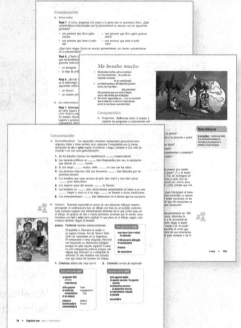

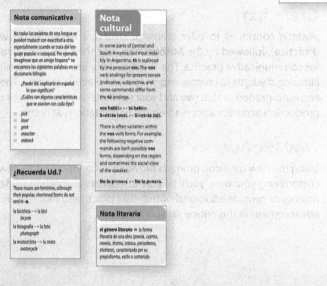

Components

For Instructors and Students:

Workbook / Laboratory Manual

This combined workbook and laboratory manual is coordinated thematically with ¡Avance! and provides students with various controlled and open-ended opportunities to practice the vocabulary and grammatical structures. The activities of the *Workbook / Laboratory Manual* are also available on Connect Spanish. The laboratory section promotes listening comprehension through many short narrative passages and speaking skills through a variety of activities, including pronunciation practice. The **Voces** section includes authentic interviews with men and women from different areas of the Hispanic world. The chapter organization of the *Workbook / Laboratory Manual* follows that of ¡Avance! The workbook section provides guided writing practice to help students develop expository writing skills.

Audio Program

Corresponding to the laboratory portion of the *Workbook / Laboratory Manual*, the *Audio Program* contains activities for review of vocabulary and grammatical structures, passages for extensive and intensive listening practice, guided pronunciation practice, and interviews with men and women from different areas of the Hispanic world.

For Instructors Only:

Instructor's Edition

This special edition of ¡Avance!, specifically designed for instructors, contains on-page annotations with helpful hints and suggestions for working with the many features and activities in ¡Avance!

Instructor Resources on the *Online Learning Center*

The MS Word files of the *Instructor's Manual* (with sample tests), Videoscript, and Adobe PDF files of the *Audioscript* are available on the Instructor's Edition of the *Online Learning Center*. Instructors have full access to this content. Please contact your local McGraw-Hill sales representative for your password to the Instructor's Edition.

Instructor's Manual

This useful manual, now available electronically in the Instructor's Edition of the *Online Learning Center,* includes guidelines for using Connect Spanish, suggestions for using all components of the ¡Avance! program, sample lesson plans and syllabi, and sample chapter tests.

Audioscript

This complete transcript of the material recorded in the *Audio Program* is now available electronically in the Instructor's Edition of the *Online Learning Center.*

Acknowledgments

We are extremely grateful to be publishing the Third Edition of *¡Avance!,* something we could not have predicted when we first began working on these materials many years ago. Various people have helped shape the *¡Avance!* program, keeping it contemporary and of interest to students and instructors.

We wish to acknowledge all of the instructors who participated in the reviews that helped shape *¡Avance!* Their comments, both positive and critical, were instrumental in the development of this edition. The appearance of their names does not necessarily constitute an endorsement of the texts or their methodology.

Daniel Arroyo-Rodriguez, *Colorado College*
Tim Barnett, *Saint Mary's University*
María Elena Bermúdez, *Georgia State University*
Kathleen Bizzarro, *Colorado College*
Eva Bueno, *St. Mary's University*
Eduardo Cabrera, *Millikin University*
Lilian L. Cano, *The University of Texas at San Antonio*
Ame Cividanes, *Yale University*
Angela Cresswell, *Holy Family University*
Diana Frantzen, *University of Wisconsin, Madison*
Diego E. Gómez, *Concordia University*
Todd F. Hughes, *Vanderbilt University*
Lourdes N. Jiménez, *Saint Anselm College*
Frederick Langhorst, *Spelman College*
Peggy McNeil, *Louisiana State University*
Laura Ruiz-Scott, *Scottsdale Community College*
Martha Slayden, *Colorado College*
José Suárez, *University of Northern Colorado*
Clay Tanner, *The University of Memphis*

We are grateful to Katie Stevens and Kim Sallee for their expert guidance and management of this project. We thank the editorial team of Scott Tinetti, Pennie Nichols, and Janet Banhidi for their careful development and management of all print and digital components of *¡Avance!,* and many thanks are also due to our production manager, Mary Powers. Finally, we thank Craig Gill, Jorge Arbujas, and Helen Greenlea, all of whom have been indispensable in their tireless marketing and promotion of this edition.

Acapulco, Guerrero, Mexico

At the beginning of an intermediate language course some of you may be intimidated by a grammar book—"You mean after all those tenses we learned the first year, there are still *more*?!" The Spanish language is indeed rich in verb forms, but one of the purposes of this book is to help you review what you have already learned and then expand on it, while at the same time helping you see that the numerous bits and pieces of grammar—the rules and the exceptions— do in fact form a single, coherent system. *¡Avance!* explains each grammar point carefully and gives numerous examples. **Nota comunicativa** boxes throughout each grammar section provide more information on various points. At the end of each chapter is an **¡Ojo!** section that will help you recognize and learn to avoid common vocabulary errors. It is unlikely that you will acquire a perfect or even near-perfect command of grammatical structures at this stage of language learning. Such command comes slowly. Over time, we hope that exercises, explanations, and activities in this text and in the *Workbook / Laboratory Manual* will help you attain greater grammatical accuracy.

Review, expand, synthesize: This threefold goal is the purpose of many intermediate textbooks. *¡Avance!* wants this and something more. We want you not only to *understand* the system, we want you to *use* it. For us this second goal is actually the first and most important, since the desire to speak, read, or write Spanish is the main reason that many of you sit patiently through grammar lessons in the first place. *¡Avance!* was written to help you make the leap from conjugating to communicating.

Developing the ability to communicate is fun, but also challenging. It requires more than memorization or passive participation. It requires your active, involved participation in *real* communication with your instructor and fellow students. In real communication, people ask questions because they really want to know something about a topic or person. They follow up with more questions to discover in full detail whatever it is they need or want to know. Also, the person who is asked a question doesn't respond with a disinterested "yes" or "no"; he or she shows interest and adds information to keep the conversation going. If some participants in the conversation have a native language other than English, they don't lapse into their native language when they don't understand what is going on; they ask questions, or reword their statements, or draw pictures to clear up the confusion.

At this point, and probably for some time to come, your Spanish may seem "babyish" in comparison with the complexity of the ideas and opinions you want to express. Don't give up on your ideas or on your Spanish. Think of other ways to say what you mean. Simplify, give examples, use whatever you *do* know to bridge the gap. From the **Vocabulario** section that begins each chapter to the **Un poco de todo** section at each chapter's end, there are activities designed to encourage you to think, react, and share your ideas with your instructor and your classmates.

Don't be afraid to make mistakes; don't think that they indicate some failure on your part. Mistakes are a normal, perhaps inevitable, part of language learning. Many of the activities in *¡Avance!* are deliberately designed to challenge you and to make you use all of your Spanish knowledge. We know you will make mistakes, and we want you to learn from them. You won't always be able to say exactly what you want to say, but you *can* learn to deal with that frustration creatively and effectively.

To communicate successfully in Spanish, you will need a strong desire to communicate as well as certain basic skills. We have tried to provide interesting activities and numerous hints to help you acquire those skills. But in the long run your level of success will depend on *you*. The potential rewards for your efforts are indeed great. After Chinese, Spanish is spoken by more people as a native language than any other language in the world. Hispanics are an immensely friendly, interesting, and important people whose culture is rich and varied. Your skill in Spanish is the **pasaje** (*passage, ticket*) that will enable you to communicate with them and to appreciate their culture in a way that a person who knows no Spanish can never experience.

1 Tipos y estereotipos

Oaxaca, México

En este capítulo:

GRAMÁTICA

1. Gender and Number of Nouns
2. Basic Patterns of Adjective Agreement
3. Equivalents of *To Be:* **ser, estar**
4. Subject Pronouns and the Present Indicative
5. Direct Object Pronouns

A LEER

- **Lectura cultural:** No somos los únicos que estereotipamos
- **Del mundo hispano:** «La conciencia» (Ana María Matute)

CINEMATECA

Voces inocentes (México, 2004)

McGraw Hill **connect** | SPANISH

www.connectspanish.com

Describir y comentar*

- En el dibujo A, ¿cómo es la apariencia física de la estudiante de la izquierda? En su opinión, ¿adónde va ella en su tiempo libre?

- En el dibujo A, ¿qué rasgos de personalidad asocia Ud. con la estudiante de la derecha? ¿Qué hace ella en su tiempo libre? ¿Cree que estas estudiantes van a tener problemas como compañeras de cuarto? Explique.

- En el dibujo B, hay varios grupos de estudiantes. ¿Dónde están? ¿Qué hacen? En su opinión, ¿tienen la apariencia física de estudiosos los muchachos de la izquierda? ¿Cómo son?

- En el dibujo B, describa al estudiante que está a la derecha. ¿Qué hace? ¿Con quién está? ¿Qué tipo de persona parece ser? ¿Hay estudiantes coquetas o coquetones en este dibujo? ¿Dónde? Imagínese qué dicen.

---

*Use the **Vocabulario para conversar** on the next page to discuss the drawings.

asociar to associate	**cómico/a** funny
pertenecer (pertenezco) to belong	**coquetón, coqueta** flirtatious
	estudioso/a studious
la apariencia appearance	**extrovertido/a** extroverted, outgoing
el/la atleta athlete	**introvertido/a** introverted, shy
un tipo muy atlético a very athletic person	**listo/a** bright, smart
el/la bromista joker	**perezoso/a** lazy
el/la bromista de la clase class clown	**pesado/a** dull, uninteresting
la característica characteristic	**preconcebido/a** preconceived
la costumbre custom, habit	**sensible** sensitive
el/la deportista sportsman/sportswoman	**serio/a** serious
el estereotipo stereotype	**típico/a** typical
el/la estudioso/a bookworm	**tonto/a** silly, dumb
la imagen image, picture	**torpe** clumsy, awkward
el rasgo trait, feature	**trabajador(a)** hard-working
bruto/a stupid, dense	

Conversación

A. Asociaciones Nombre los tipos o adjetivos de la lista anterior que se asocian con las personas que tienen las siguientes costumbres o características. ¿Qué otros rasgos o costumbres se asocian con cada tipo?

MODELO: un tipo que duerme mucho → perezoso

otras características: trabaja poco, camina despacio, saca malas notas

un tipo que...

1. hace muchas bromas (*jokes*)
2. estudia en la biblioteca todo el tiempo
3. es más bien tímido
4. no se siente incómodo con otras personas y no sabe conversar fácilmente
5. pasa mucho tiempo en el gimnasio
6. siempre está en todas las fiestas
7. nunca se ríe y a quien no le gustan las bromas
8. habla mucho pero nunca dice nada interesante

B. Descripciones Usando la lista de vocabulario u otras palabras, nombre las características que Ud. asocia con los siguientes personajes o personas.

1. los Simpson
2. Arnold Schwarzenegger
3. Jim Carrey
4. Jack Bauer (de «24»)
5. los compañeros de «Friends»

C. Categorías

Paso 1. En parejas, arreglen las siguientes características según las cuatro categorías indicadas en la siguiente tabla. Pueden poner una característica en más de una categoría.

atlético	extrovertido	optimista	sincero
cómico	hablador	perezoso	sofisticado
coquetón	impulsivo	responsable	tonto
egoísta	inmaduro	seguro de sí mismo	torpe
estudioso	intelectual	sensible	trabajador

características que una persona puede controlar	*atlético, estudioso, perezoso,...*
características que una persona *no* puede controlar	
características típicas de los hombres	
características típicas de las mujeres	

Nota comunicativa

No todas las palabras de una lengua se pueden traducir con exactitud a otra, especialmente cuando se trata del lenguaje popular o coloquial. Por ejemplo, imagínese que un amigo hispano* no encuentra las siguientes palabras en su diccionario bilingüe.

¿Puede Ud. explicarle en español lo que significan?

¿Cuáles son algunas características que se asocian con cada tipo?

- jock
- loser
- geek
- moocher
- redneck

Paso 2. Después de clasificar las características, escojan las tres que Uds. consideran las más atractivas en sus amigos. Comparen sus respuestas con las de otros miembros de la clase. ¿Tienen Uds. opiniones muy diferentes? ¿Están todos de acuerdo sobre algunas características? ¿Cuáles? ¿Cuáles de estos rasgos asocian Uds. con sus compañeros de cuarto?

D. Los dibujos Mire otra vez los dibujos de la página 2.

- ¿Cuál de las personas del dibujo A se parece a (*resembles*) la «estudiante típica» de esta universidad? Si ninguna, ¿cómo es la «estudiante típica»? ¿el «estudiante típico»?

- ¿Tiene Ud. un compañero / una compañera de cuarto? ¿Son Uds. semejantes o diferentes? Explique.

- ¿Qué estereotipos se presentan en los dibujos A y B? ¿Son falsas todas esas generalizaciones? ¿Cuáles cree Ud. que son más o menos verdaderas? ¿Hay otros tipos estudiantiles en esta universidad que no estén representados en los dibujos? Descríbalos.

---

*There are various terms in Spanish used to describe people and things from Spanish-speaking countries (**chicano/a, hispano/a, latino/a,** and so on), as there are in English (*Chicano, Hispanic, Latino,* and so on). In *¡Avance!,* **hispano/a** and *Hispanic* will be the preferred terms. You will learn more about these and the other terms in **Capítulo 9.**

GRAMÁTICA

1 Gender and Number of Nouns

A. Gender of Nouns

In Spanish, nouns (**los sustantivos**) are classified as masculine (used with the articles **el** and **un**) or feminine (used with the articles **la** and **una**).

el estereotipo	*stereotype*	la imagen	*image*
un rasgo	*trait, feature*	una característica	*characteristic*

Two primary clues can help you correctly identify the gender of most Spanish nouns.

1. **Meaning:** biological sex = grammatical gender

   When a Spanish noun refers to a male being, it is masculine; when the noun refers to a female being, it is feminine.

el padre	*father*	la madre	*mother*
el toro	*bull*	la vaca	*cow*

   When a noun refers to a being that can be of either sex, the corresponding article indicates gender. Sometimes the word will have a different form for masculine and feminine.

el artista / la artista	*artist*	el estudiante / la estudiante	*student*
el español / la española	*Spaniard*	el profesor / la profesora	*professor*

   The following nouns are exceptions; they may refer to either men or women, but their grammatical gender is fixed.

el ángel	*angel*	la persona	*person*
el individuo	*individual*	la víctima	*victim*

2. **Word Ending**

   - Most nouns that end in **-l, -o, -n, -e, -r,** or **-s** are masculine.

el amor	*love*	el interés	*interest*
el café	*coffee*	el libro	*book*
el examen	*test*	el papel	*paper*

     Some common exceptions are

la gente	*people*	la mano	*hand*
la imagen	*image*	la parte	*part*

   - Most nouns that end in **-a, -d, -ie, -ión, -is, -umbre,** or **-z** are feminine.

la actitud	*attitude*	la nariz	*nose*
la comida	*food*	la serie	*series*
la costumbre	*custom*	la televisión	*television*
la crisis	*crisis*		

   - These are some common exceptions.

el avión	*airplane*	el día	*day*
el camión	*truck*	el sofá	*sofa*

Nota comunicativa

Feminine nouns beginning with a stressed **a** sound use the articles **el/un** in the singular, but **las/unas** in the plural.

el agua fresca
cool water

las aguas frescas
cool waters

un arma automática
an automatic weapon

unas armas automáticas
some (a few) automatic weapons

el hada madrina
fairy godmother

las hadas madrinas
fairy godmothers

¿Recuerda Ud.?

These nouns are feminine, although their popular, shortened forms do not end in **-a**.

la bicicleta → la bici
 bicycle

la fotografía → la foto
 photograph

la motocicleta → la moto
 motorcycle

el atle**ta** *athlete*	el poe**ma** *poem*	el progra**ma** *program*
el dra**ma** *play*	el poe**ta** *poet*	el siste**ma** *system*
el ma**pa** *map*	el proble**ma** *problem*	el te**ma** *theme*

Práctica A   Indique el género de cada sustantivo con **el** o **la,** según el caso. ¡OJO! En los casos de sustantivos que pueden ser o masculino o femenino, dé ambos (*both*) artículos. ¿Hay algunos que no sigan las reglas?

PRÁCTICA
connect
SPANISH
www.connectspanish.com

1. _____ madre	8. _____ detalle	15. _____ sistema
2. _____ bromista	9. _____ atleta	16. _____ tradición
3. _____ dólar	10. _____ superficie	17. _____ persona
4. _____ vez	11. _____ muchedumbre	18. _____ verdad
5. _____ rey (*king*)	12. _____ cliente	19. _____ mes
6. _____ capacidad	13. _____ día	20. _____ tesis
7. _____ mundo	14. _____ águila	21. _____ traje

B. Plural of Nouns

There are three basic patterns for forming plural nouns in Spanish.

1. Nouns that end in a vowel add **-s.**

el hombre   *the man* → los hombres   *the men*
una carta   *a letter* → unas cartas   *some (a few) letters*

2. Nouns that end in a consonant add **-es.**

la mujer   *the woman* → las mujeres   *the women*
la pared   *the wall* → las paredes   *the walls*
el rey   *the king* → los reyes   *the kings*
el mes   *the month* → los meses   *the months*

3. Nouns that end in unstressed **-es** or **-is** have identical singular and plural forms. Their article indicates number.

el lunes   *Monday* → los lunes   *Mondays*
la crisis   *the crisis* → las crisis   *the crises*

Práctica B   Dé las formas plurales de los sustantivos de **Práctica A.**

AUTOPRUEBA   Complete las siguientes oraciones con artículos definidos (**el, la, los, las**).

1. No me gustan _____ esterotipos; prefiero tratar a cada persona como el individuo que es.
2. Después de almorzar, tengo que ir a _____ clase de contabilidad.
3. Me caen muy mal (*I dislike very much*) _____ personas perezosas.
4. ¿Quieres acompañarme a la fiesta de Nicolás _____ viernes que viene?
5. _____ actitudes de los estudiantes universitarios han cambiado (*have changed*) mucho en los últimos veinticinco años.
6. Michael Jordan es quizás _____ atleta más famoso de nuestra época.

---

*See Appendix 1 and Appendix 2 for more information about these kinds of changes.

Conversación

A. Una manifestación (*demonstration*) en contra de una imagen negativa
Complete el siguiente diálogo con artículos definidos (**el, la, los, las**).*

ANA: Dicen por _____¹ televisión que hoy hay una protesta en _____²
Plaza Mayor.

MANUEL: ¡Típico! ¿Quiénes protestan esta vez?

ANA: Un grupo de personas de _____³ barrio San Nicolás.

MANUEL: ¡Ah, sí! ¡Allá viven todos _____⁴ criminales de _____⁵ ciudad!

ANA: Precisamente ese⁺ es _____⁶ problema. Están cansados de _____⁷
estereotipos que muchos tienen sobre su barrio y van a hacer una
manifestación con banderas blancas en _____⁸ mano.

MANUEL: ¿Y quién organizó _____⁹ manifestación?

ANA: _____¹⁰ famoso padre García, que es un activista de _____¹¹ zona.

MANUEL: ¡Interesante! Vamos a ver qué comentarios e imágenes hay en _____¹²
noticias.

Comprensión

- ¿Qué pasa hoy en la Plaza Mayor de la ciudad? ¿Quiénes protestan? ¿Por qué?
- ¿Sabe Ud. de grupos en este país que protestan en contra de los estereotipos
negativos? ¿Cuál es su opinión sobre esos grupos?

B. Juanita y Juan Juanita es la típica estudiante que lo sabe todo. Siempre le
corrige los errores a Juan, el estudiante más perezoso de la clase. Invente su
conversación, según el modelo. **¡OJO!** El nombre de pila (*first name*) de las
personas aparece entre paréntesis para Ud.; supuestamente (*supposedly*) Juan
solo sabe los apellidos de las personas.

MODELO: (Óscar) De la Hoya / una pintora estupenda / ¡Qué va! →

    JUAN: De la Hoya es una pintora estupenda, ¿verdad?

    JUANITA: ¡Qué va! Es un boxeador estupendo.

1. (Fidel) Castro / un político español / ¡Claro que no!
2. (Arantxa) Sánchez Vicario / un atleta inglés / ¡Qué ignorancia!
3. (Sammy) Sosa / un deportista regular / ¡Qué tonto!
4. (Homer) Simpson / un «hombre» muy trabajador / ¡Qué absurdo!
5. (Jennifer) López / un actor famoso / ¡Qué bruto!

---

*Remember that **de** + **el** → **del**.

⁺See Appendix 6 for more information about demonstrative pronouns.

2 Basic Patterns of Adjective Agreement

A. Gender and Number of Adjectives

In Spanish, adjectives (**los adjetivos**) agree in gender and number with the noun they modify, according to the following patterns.

- Adjectives that end in **-o** have four different forms to indicate masculine, feminine, singular, and plural.

-o, -os: el chico **list**o → los chicos **list**os
bright boy → *bright boys*

-a, -as: la chica **list**a → las chicas **list**as
bright girl → *bright girls*

- Most adjectives that end in any other vowel or in a consonant have the same form for masculine and feminine. Like nouns, they show plural agreement by adding **-s** to vowels and **-es** to consonants.

Masculine	Feminine	Plural
el pantalón verde *the green pants*	la bufanda verde *the green scarf*	los zapatos verdes *the green shoes*
el sombrero azul *the blue hat*	la falda azul *the blue skirt*	las medias azules *the blue stockings*
el hombre realista *the realistic man*	la mujer realista *the realistic woman*	las personas realistas *the realistic people*

Note, however, that adjectives of nationality that end in a consonant add **-a** to show feminine agreement.

el hombre franc**és** → la mujer franc**es**a
the French man → *the French woman*

Adjectives that end in **-dor, -ón,** and **-án** also add **-a**.

un niño encanta**dor** → una niña encanta**dor**a
a charming (boy) child → *a charming (girl) child*

- When an adjective modifies two nouns, one masculine and the other feminine, the adjective is masculine plural.

Juan y María son **baj**os.   *Juan and María are short.*
Pedro y sus hermanas están **cansad**os.   *Pedro and his sisters are tired.*

¿Recuerda Ud.?

As with nouns, some adjectives undergo a spelling change in the plural. In adjectives ending in **-z,** the **z** changes to **c.**

un niño feli**z** → unos niños feli**c**es
a happy child → *some (a few) happy children*

una mujer capa**z** → unas mujeres capa**c**es
a capable woman → *some (a few) capable women*

When the masculine singular form of an adjective has a written accent on the last syllable, the accent is omitted in the feminine and plural forms.

el idioma ingl**és** → la lengua ingl**es**a
the English language

un problema com**ún** → unos problemas com**un**es
a common problem → *some (a few) common problems*

Práctica A

Complete las siguientes oraciones con la forma apropiada de los adjetivos indicados.

1. En esta clase (no) hay estudiantes (atlético, francés, listo, perezoso, trabajador).
2. Me caen bien/mal las personas (hablador, inmaduro, optimista, pesado, responsable).
3. (No) Me gustan las películas (cómico, complicado, fantástico, realista, triste).
4. En la televisión (no) hay programas (aburrido, bueno, educativo, español, interesante).
5. Una opinión (absurdo, común, falso, simplista, típico) que tienen los norteamericanos de los hispanos es que son perezosos.

B. Shortening of Certain Adjectives

- The following adjectives have a short form before masculine singular nouns, but follow the usual pattern in all other cases.

alguno:	**algún** síntoma *some symptom*		**algun**os síntomas, **alguna**(s) característica(s) *some symptoms, some characteristic(s)*
bueno:	un **buen** hombre *a good man*		**buen**os hombres, una(s) **buena**(s) mujer(es) *good men, a good woman (some good women)*
malo:	un **mal** día *a bad day*	*but*	**mal**os días, una(s) **mala**(s) actitud(es) *bad days, a bad attitude (some bad attitudes)*
ninguno:	**ningún** problema* *no problem*		**ningun**a pregunta* *no question*
primero:	el **primer** programa *the first program*		los **primer**os programas, la(s) **primera**(s) clase(s) *the first programs, the first class(es)*
tercero:	el **tercer** piso *the third floor*		la **tercer**a calle *the third street*

- The adjective **grande** becomes **gran** before both masculine and feminine singular nouns, but it follows the usual pattern in the plural.

grande:	un **gran** país, una **gran** ciudad *a great country, a great city*	*but*	los **grandes** países, las **grandes** ciudades *great countries, great cities*

C. Numbers

- Most numbers are invariable in form and do not agree with the nouns they precede.

Hay **treinta** hombres y **cuatro** mujeres.   *There are thirty men and four women.*

- **Uno** and larger numbers that end in **-uno**, however, have special forms, depending upon the gender and number of the noun they precede.

un hombre *a (one) man*	**veintiún** hombres *twenty-one men*	**cincuenta y un** hombres *fifty-one men*
una mujer *a (one) woman*	**veintiuna** mujeres *twenty-one women*	**cincuenta y una** mujeres *fifty-one women*

---

*The forms of **ninguno** are used only with singular nouns.

When writing numbers in Spanish, commas (**comas**) are generally used where periods (**puntos**) are used in English, and vice versa.

English: 2,343,000
Spanish: 2.343.000

English: 2.5%
Spanish: 2,5%

■ **Cien** is invariable when used alone or when followed by numbers larger than itself. However, it becomes **ciento** when it precedes numbers smaller than itself.

cien libros	*a (one) hundred books*
cien mil libros	*a (one) hundred thousand books*

but

ciento cincuenta libros	*a (one) hundred fifty books*

■ Number words containing **-cientos** have a feminine form when they precede feminine nouns.

doscientas veces	**novecient**as cuarenta millas
two hundred times	*nine hundred forty miles*

■ The number **mil** is not preceded by the indefinite article (**un/una**).

mil personas	*a (one) thousand people*

■ When used with a noun, the number **millón** always occurs with **de**.

un millón de habitantes	**dos millones de** habitantes
a (one) million inhabitants	*two million inhabitants*

Práctica B   Don Negativo siempre contradice las afirmaciones de don Positivo. Invente conversaciones, según el modelo. ¡OJO! A veces el adjetivo *precede* al sustantivo.

MODELO: Buenos Aires es / ciudad / (grande/insignificante)

   DON POSITIVO: Buenos Aires es una gran ciudad.

   DON NEGATIVO: Ud. se equivoca. (*You are mistaken.*) Buenos Aires es una ciudad insignificante.

1. España es / país / (bello/sucio)
2. «60 minutos» es / programa / (bueno/aburrido)
3. Chile produce / vinos / (magnífico/barato)
4. el ruso es / idioma / (fácil/difícil)
5. los alemanes tienen / carácter / (alegre/serio)

Práctica C   Practique leyendo en voz alta las siguientes combinaciones de números y sustantivos. Después, escríbalas, prestando atención a la ortografía.

1. 31 niños
2. 120 atletas
3. 200 sillas
4. 2.000.000 de víctimas
5. 51 coquetas
6. 300.000 kilómetros

AUTOPRUEBA   Complete las siguientes oraciones con la forma apropiada de los adjetivos entre paréntesis. ¡Cuidado con el género y el número!

1. El ladrón le dio una dirección (falso) al policía.
2. Me encantan las películas (francés).
3. Los españoles fueron los (primero) europeos en llegar a lo que hoy es el estado de Florida.
4. Con la cena vamos a servir un vino chileno (estupendo).
5. Prefiero no trabajar con las personas (irresponsable).
6. El gallo pinto es un plato (típico) de Costa Rica.
7. En la vida, siempre va a haber algunos días (malo).
8. La artista Frida Kahlo era (mexicano).

Conversación

A. Entre todos

Paso 1. A veces, juzgamos (*we judge*) a la gente por su apariencia física. ¿Qué características relacionadas con la personalidad se asocian con las siguientes personas?

- una persona que lleva gafas oscuras
- una persona que tiene el pelo rojo
- una persona que lleva gafas gruesas (*thick*)
- una persona que tiene el pelo rubio

¿Qué otros rasgos físicos se asocian generalmente con ciertas características de la personalidad?

Paso 2. ¿Puede revelar la ropa algo sobre la personalidad? Por ejemplo, ¿con qué nacionalidad o grupo étnico asocian algunos individuos las siguientes prendas (artículos) de ropa?

- un paraguas
- la ropa de poliéster
- zapatos puntiagudos (*pointy*) y elegantes
- un sombrero muy grande

Paso 3. ¿Revela la personalidad el tipo de vehículo que uno maneja? ¿Cuál es el estereotipo más común del conductor / de la conductora (*driver*) de los siguientes vehículos?

- un Ferrari
- un camión pickup
- un Cadillac
- una moto

B. Los estereotipos

Paso 1. Intercambios Con frecuencia, tenemos opiniones e imágenes falsas de otros lugares y grupos de gente. Por ejemplo, muchos neoyorquinos (*New Yorkers*) creen que todos los que viven en Nebraska son agricultores. En parejas, describan la imagen estereotipada que se tiene de los siguientes lugares o grupos. Después, presenten su descripción a la clase para que sus compañeros adivinen el grupo o la región que Uds. describen.

MODELO: Nueva York → La gente es descortés y un poco loca y tiene una vida social muy activa. Todos viven apurados (*in a hurry*) y llevan pistola porque hay muchos criminales.

1. Texas
2. Maine
3. la Florida
4. esta región
5. los atletas
6. los miembros de una *fraternity* o *sorority*
7. las amas de casa
8. los políticos
9. los abogados

Paso 2. Entre todos Según lo que Ud. ha observado (*you have observed*) en estos intercambios, ¿qué piensa de las generalizaciones y los estereotipos? En su opinión, ¿son verdaderos o falsos? ¿Ayudan o son un obstáculo en las relaciones humanas? Explique.

3 Equivalents of *To Be: ser, estar*

Sometimes, two or more words in one language are expressed by a single word in another. For example, English *to do* and *to make* are both expressed by Spanish **hacer.** Likewise, English *to be* has numerous equivalents in Spanish; among them are **ser** and **estar.**

ser		estar	
soy	somos	estoy	estamos
eres	sois	estás	estáis
es	son	está	están

A. Principal Uses of *ser* and *estar*

In general, the uses of **ser** and **estar** are clearly defined, and you must use either one or the other. The following are the most common of these uses.

Ser is used to establish identity or equivalence between two elements of a sentence (nouns, pronouns, or phrases).

Juan **es** médico. ⎱
Juan = médico. ⎰   *John is a doctor.* (profession)

Él **es** mi amigo. ⎱
Él = mi amigo. ⎰   *He is my friend.* (identification)

Dos y dos **son** cuatro. ⎱
Dos y dos = cuatro. ⎰   *Two and two are four.* (equivalence)

Soy mexicana. ⎱
Yo = mexicana. ⎰   *I am Mexican.* (nationality)

El reloj **es** de oro. ⎱
El reloj = de oro. ⎰   *The watch is (made of) gold.* (material)

Ser is also used to indicate

- origin (with **de**).

Los Carrillo **son de** España.   *The Carrillos are from Spain.*
Esta falda **es de** Guatemala.   *This skirt is from Guatemala.*

- time.

Son las seis de la tarde.   *It's six in the evening.*

- dates.

Mañana **es** el 4 de agosto.   *Tomorrow is August 4.*
Hoy **es** lunes.   *Today is Monday.*

- possession (with **de**).

Los libros **son del** profesor.   *The books are the professor's.*
Ese carro **es de** Marta.   *That car is Marta's.*

- the time or location of an event.[†]

El concierto **es** a las ocho.   *The concert is (takes place) at eight.*
¿Dónde **es** el concierto? ¿en el estadio?   *Where is the concert? (Where does it take place?) In the stadium?*

---

*To review tener and hacer constructions, see Appendix 7.

[†]Note the distinction between ¿**Dónde es** (*event*)? and ¿**Dónde está** (*object*)?

Finally, **ser** is used to form constructions with the passive voice (**Gramática 34**).

> Ese libro fue **escrito** por un autor bien conocido.

> *That book was written by a well-known author.*

Estar is used

- to indicate the location of an object.*

> La librería está en la esquina.
> ¿Dónde está la biblioteca?

> *The bookstore is on the corner.*
> *Where is the library?*

- to form the progressive tenses (**Gramática 45**).

> Pedro está **corriendo**.

> *Pedro is running.*

B. *Ser* (Norm) versus *estar* (Change) with Adjectives

In the preceding cases, you must use either **ser** or **estar.** Most adjectives, however, can be used with both verbs, and you must choose between the two.

Ser defines the norm with adjectives. **Estar** indicates a state or condition that is a change from the norm.

Norm: *ser*	Change: *estar*	Notes
El león es feroz. *The lion is ferocious.*	Ahora está manso. *It is tame (behaving tamely) now.*	**Ser** indicates the lion's characteristic temperament (being ferocious). **Estar** indicates an atypical state or behavior (tameness).
El agua de Maine es fría. *The water in Maine is cold.*	Hoy el agua está caliente. *Today the water feels warm.*	**Ser** indicates the expected quality (coldness). **Estar** indicates a quality that the speaker did not expect (warmth).

Similarly, **ser** establishes what is considered objective reality (the norm), and **estar** communicates a judgment or subjective perception on the part of the speaker. Whereas Spanish distinguishes between objective reality and subjective perception by the use of **ser** or **estar,** English often emphasizes the subjectivity of the speaker's observations with verbs such as *to seem, to taste, to feel,* and *to look.*

Objective Reality: *ser*	Subjective Judgment: *estar*	Notes
La niña es bonita. *The child is pretty.*	La niña está bonita hoy. *The child looks pretty today.*	**Ser** indicates that everyone considers her attractive. **Estar** reveals that the speaker perceives her as more attractive than usual today.
Los postres son muy ricos. *Desserts are delicious.*	Este postre está muy rico. *This dessert tastes delicious.*	**Ser** indicates that desserts in general are delicious. **Estar** expresses the speaker's opinion of this particular dessert.

---

*Note the distinction between **¿Dónde** es (*event*)? and **¿Dónde** está (*object*)?

Ser establishes an inherent characteristic of someone or something. **Estar** describes a condition or state. English often uses entirely different words to express this contrast.

Note that the distinction between **ser** and **estar** is not a distinction between temporary and permanent characteristics. For example, the characteristic **joven** is transitory, yet it normally occurs with **ser;** and the phrase **está enfermo** describes even someone with a long-term or incurable illness.

Characteristic: *ser*	Condition: *estar*	Notes
Concha **es** alegre. *Concha is a happy person.*	Concha **está** alegre. *Concha feels glad.*	**Ser** indicates that Concha's happiness is characteristic of her personality. **Estar** indicates that Concha's present state of cheerfulness is the result of some event or circumstance.
Ellos **son** aburridos. *They are boring.*	Ellos **están** aburridos. *They are bored.*	**Ser** indicates that they are boring by nature. **Estar** describes their current state of mind.

connect
SPANISH
www.connectspanish.com

Práctica A   Dé la forma apropiada: **es** o **está.** Si existe más de una posibilidad, explique la diferencia.

Luis _____ (americano, alto, cansado, trabajador, aburrido, en casa, contento, mi hermano, de Cuba, guapo, aquí, estudiante, listo, perezoso, introvertido, bien hoy, sucio, tonto, enfermo, feliz).

C. *Estar* + Past Participles: Resultant Condition

¿Recuerda Ud.?

The past participle is formed by adding **-ado** to the stem of **-ar** verbs and **-ido** to the stem of **-er** and **-ir** verbs.

cerrar → **cerr**ado   vender → **vend**ido   aburrir → **aburr**ido

Many Spanish verbs have irregular past participles. Here are some of the common ones.

abrir:	**abierto**	hacer:	**hecho**	romper:	**roto**
cubrir:	**cubierto**	morir:	**muerto**	ver:	**visto**
decir:	**dicho**	poner:	**puesto**	volver:	**vuelto**
escribir:	**escrito**	resolver:	**resuelto**		

Compounds of these verbs have the same irregularity in the past participle.

describir:	descrito	descubrir:	descubierto	devolver:	devuelto

One type of adjective, the past or perfect participle (**el participio pasado**), occurs particularly frequently with **estar** to describe the state or condition that results when an event or circumstance causes a change. ¡OJO! In this construction, the past participle must agree in gender and number with the noun it modifies. It may also modify nouns directly.

Event/Circumstance	Resultant Condition
Alguien cerró la puerta. → *Someone closed the door.* →	La puerta está **cerrada.** *The door is closed.*
Alguien rompió las sillas. → *Someone broke the chairs.* →	Las sillas están **rotas.** *The chairs are broken.*
La noticia preocupó a mis padres. → *The news worried my parents.* →	Mis padres están **preocupados.** *My parents are worried.*

Práctica B Complete las siguientes oraciones con la forma apropiada del participio pasado del verbo *en letra cursiva azul.*

1. Ayer trabajamos todo el día para *resolver* estos problemas. Esta mañana, por fin, todos los problemas están _____.
2. Los anuncios estereotípicos *enojaron* a los clientes; ahora no van a comprar nada porque están muy _____.
3. Mis amigas siempre se *pierden* (*get lost*). Llevo dos horas esperándolas. Creo que están _____ otra vez.
4. Dicen que cuando las personas *mueren*, van a un lugar hermoso. Mi tía está _____ y estoy seguro de que está en ese lugar.
5. Durante la Edad Media (*Middle Ages*), los europeos *escribían* los documentos importantes en latín. Por eso, estos documentos antiguos están _____ en latín.

AUTOPRUEBA Complete las siguientes oraciones con la forma apropiada de **ser** o **estar,** según el contexto. ¡OJO! Todos los verbos están en el presente.

1. Aquella ventana _____ rota.
2. El baile _____ en el gimnasio de la escuela.
3. Los niños _____ jugando en su recámara.
4. Ya _____ las once de la noche y quiero acostarme.
5. La ciudad de Arecibo _____ en el noreste de Puerto Rico.
6. Ella _____ estadounidense, pero nosotras _____ de Colombia.
7. Nosotros _____ muy contentos de haber visitado (*to have visited*) esta semana.
8. ¿ _____ (Tú) estudiante en esta universidad?

Conversación

A. Generalizaciones Las siguientes oraciones representan generalizaciones (algunas falsas y otras ciertas) muy comunes. Complételas con la forma apropiada de **ser** o **estar,** según el contexto. Luego, comente si Ud. está de acuerdo o no con cada generalización.

1. En los Estados Unidos, los republicanos _____ conservadores.

2. Las escuelas públicas no _____ bien financiadas; por eso, la educación que ofrecen no _____ buena.

3. Si una mujer _____ madre, debe _____ en casa con los niños.

4. Las personas mayores (*old*) con frecuencia _____ más liberales que las personas jóvenes.

5. Los hombres que usan secador de pelo (*hair dryer*) y laca (*hair spray*) _____ poco masculinos.

6. Los mejores autos del mundo _____ de Detroit.

7. Los hombres no _____ muy observadores; normalmente no saben si su casa _____ limpia o sucia ni si su ropa _____ en buenas o malas condiciones.

8. Los norteamericanos _____ más interesados en el dinero que los europeos.

B. Guiones Nuestras expectativas acerca de una situación influyen nuestra percepción. A continuación hay un dibujo con más de un posible contexto; cada contexto sugiere una interpretación diferente de lo que (*what*) pasa en el dibujo. En grupos de tres o cuatro personas, inventen por lo menos cinco oraciones con **ser** o **estar** para explicar lo que pasa en el dibujo, según cada contexto distinto. Sigan el modelo.

MODELO: **Contexto:** turistas estadounidenses

El hombre *es* Howard; la mujer *es* su esposa Louise. *Son* de Nueva York. *Están* de vacaciones en la Argentina. El restaurante *es* muy elegante. Howard *está* buscando su diccionario bilingüe porque no sabe mucho español. Louise no *está* preocupada todavía porque *está* segura que Howard va a encontrar la solución. El otro hombre *está* irritado; cree que todos los turistas *son* brutos.

> **Vocabulario útil**
>
> **encontrar (encuentro) la solución**
>
> **el diccionario bilingüe el restaurante**
>
> **bruto/a**
>
> **de vacaciones**

1. Contexto: telenovela (*soap opera*)

> **Vocabulario útil**
>
> **proponer (*like poner*) matrimonio**
>
> **el/la amante** — lover
> **el anillo de compromiso** — engagement ring
> **el ex esposo**
>
> **celoso/a** — jealous
> **enamorado/a** — in love
> **sorprendido/a**

2. Contexto: novela de espionaje

> **Vocabulario útil**
>
> **el/la agente doble**
> **el agente secreto / la agente secreta**
> **el detective secreto / la detective secreta**
> **la información robada**
> **la pistola**
>
> **asustado/a**

C. Guiones

Paso 1. ¿Qué ocurre cuando Paul y Karen pasan su primer semestre en la universidad? Describa los siguientes dibujos para contar su historia. Use **ser** o **estar,** según el contexto, e incorpore el vocabulario indicado si le parece útil.

1. padres, conservador / hijos, obediente / familia, pequeño, feliz / todos, contento

2. hijos, mayor / dejar a los padres / ir a la universidad / separación difícil, triste

3. padres, triste / perro, triste / recordar a los hijos / extrañarlos (*to miss them*) / querer verlos

4. padres, sorprendido / perro, furioso / apariencia física de los hijos, diferente / hijos, ¿diferente interiormente (*on the inside*)?

Paso 2. ¿Cómo se puede explicar la reacción de los padres cuando Karen y Paul vuelven a casa? ¿Se basa en algún estereotipo asociado con la apariencia física de sus hijos? Explique.

In some parts of Central and South America, but most notably in Argentina, **tú** is replaced by the pronoun **vos**. The **vos** verb endings for present tenses (indicative, subjunctive, and some commands) differ from the **tú** endings.

vos hablás ⟷ **tú habl**as
Sentáte (vos). ⟷ **Siénta**te (tú).

There is often variation within the **vos** verb forms. For example, the following negative commands are both possible **vos** forms, depending on the region and sometimes the social class of the speaker:

No lo pienses. ⟷ **No lo pensés.**

A. Subject Pronouns

Singular	Plural
yo	nosotros, nosotras
tú	vosotros, vosotras
Ud., él, ella	Uds., ellos, ellas

Tú is used with persons with whom you have an informal relationship: family members (in most Hispanic cultures), close friends, and children. **Usted** (abbreviated **Ud.** or **Vd.**) is used in more formal relationships or to express respect. The plural form of both **tú** and **usted** is **ustedes** (**Uds.** or **Vds.**), except in Spain, where **vosotros/as** is used in informal situations.

Subject pronouns (**los sujetos pronominales**) are not used as frequently in Spanish as they are in English, because Spanish verb endings indicate the person. For example, **comemos,** with its **-mos** ending, can only mean *we eat.* Spanish subject pronouns *are* used, however, for clarity, emphasis, or contrast.

Él no come pescado, pero **ella** sí.   *He doesn't eat fish, but she does.*

B. Uses of the Present Indicative

The Spanish present indicative (**el presente de indicativo**) regularly expresses

■ an action in progress or a situation that exists at the present moment.

¿Qué **haces**?   *What are you doing?*

■ an action that occurs regularly (although it may not be in progress at the moment), or a situation that exists through and beyond the current moment.

Todos los días **voy** a la universidad.   *I go to the university every day.*
En Seattle **llueve** con frecuencia.   *It rains frequently in Seattle.*

■ an action or situation that will take place in the near future.

Mañana **salimos** a las tres de la tarde.   *Tomorrow we are leaving (going to leave) at three in the afternoon.*

C. Forms of the Present Indicative of Regular Verbs

Here are the principal parts of stem-constant and stem-changing regular verbs.

	-ar Verbs		-er Verbs		-ir Verbs	
no stem change	**habl**ar		**com**er		**viv**ir	
	hablo	hablamos	como	comemos	vivo	vivimos
	hablas	habláis	comes	coméis	vives	vivís
	habla	hablan	come	comen	vive	viven
e → ie	**cerr**ar		**quer**er		**suger**ir	
	cierro	cerramos	quiero	queremos	sugiero	sugerimos
	cierras	cerráis	quieres	queréis	sugieres	sugerís
	cierra	cierran	quiere	quieren	sugiere	sugieren

	-ar Verbs		-er Verbs		-ir Verbs	
o → ue	*recordar*		*volver*		*dormir*	
	recuerdo	record**amos**	vuelvo	volv**emos**	duermo	dorm**imos**
	recuerda**s**	record**áis**	vuelve**s**	volv**éis**	duerme**s**	dorm**ís**
	recuerda	recuerda**n**	vuelve	vuelve**n**	duerme	duerm**en**
e → i					*pedir*	
					pido	ped**imos**
					pide**s**	ped**ís**
					pide	pid**en**

- The underlined segments in the chart are person/number endings.

  tú **-s** vosotros/as **-is**
  nosotros/as **-mos** Uds./ellos/ellas **-n**

  With the exception of the preterite, you will see the same person/number endings in all of the Spanish verb forms that you will study.

- In the present tense, stem changes occur in all forms except **nosotros** and **vosotros**. There are three patterns: **e → ie, o → ue, e → i**. In vocabulary lists, verbs with stem changes in the present tense show the **yo** form of the present tense in parentheses, with the stem-vowel indicated in color: **cerrar (cierro), volver (vuelvo), pedir (pido) (i).***

- Remember that the stem-changing verbs **decir (i), tener (ie),** and **venir (ie)** also have an irregularity in the **yo** forms: **digo, tengo, vengo.**

¿Recuerda Ud.?

Jugar is the only verb that changes **u → ue.**

juego	jugamos
juegas	jugáis
juega	juegan

Práctica A Laura y su hermano gemelo (*twin brother*) Luis son estudiantes súper serios. ¿Cómo se compara Ud. con ellos? Conteste las siguientes preguntas.

1. Tenemos doce clases este semestre. ¿Y Ud.?
2. Nunca almorzamos. ¿Y Ud.?
3. Volvemos temprano de las vacaciones para estudiar. ¿Y Ud.?
4. Solo dormimos de tres a cuatro horas cada noche. ¿Y Ud.?
5. Preferimos las clases a las ocho de la mañana. ¿Y Ud.?
6. Recordamos todo lo que (*that*) aprendemos. ¿Y Ud.?
7. Pasamos al ordenador (*computer*) nuestros apuntes (*notes*) de clase. ¿Y Ud.?
8. Nunca tomamos cerveza durante la semana. ¿Y Ud.?

D. Forms of the Present Indicative of Irregular Verbs

You have reviewed the conjugations of **ser** and **estar. Ir** and **oír** are two other common Spanish verbs whose conjugations are exceptions to the regular patterns.

ir[†]		*oír*	
voy	vamos	oigo	oímos
vas	vais	oyes	oís
va	van	oye	oyen

---

*A second vowel in parentheses after a verb in a vocabulary list refers to additional stem changes in the preterite and in the present participle: **preferir (prefiero) (i), morir (muero) (u), pedir (pido) (i).** These forms will be described in later chapters.

[†]Infinitives in colored font in paradigms and vocabulary lists are conjugated in their entirety in Appendix 3.

Conocer means *to know* in the sense of *to be familiar with* (*a person, place, or thing*). **Saber** means *to know* (*facts*).

Conozco a Juan, pero no **sé** dónde vive. *I'm acquainted with Juan, but I don't know where he lives.*

When followed by an infinitive, **saber** means *to know how to* (*do something*). As in English, it can be paraphrased using the verb **poder** (*to be able, can*).

Sé esquiar. (**Puedo** esquiar.) *I know how to ski.* (*I can ski.*)

A number of other verbs have an irregular form only in the stem of the first-person singular, whereas their other forms follow the regular pattern. Here are several of the most common ones.

caer:	**cai**go, caes, cae...
conocer:	**cono**zco, conoces, conoce...
dar:	**d**oy, das, da...
hacer:	**ha**go, haces, hace...
pertenecer:	**pertene**zco, perteneces, pertenece...
poner:	**pon**go, pones, pone...
saber:	**s**é, sabes, sabe...
salir:	**sal**go, sales, sale...
traer:	**trai**go, traes, trae...
ver:	**ve**o, ves, ve...

The following verb groups are sometimes classed as "irregular," although their changes are predictable according to normal rules of Spanish spelling (see Appendix 2).

Verbs that end in **-guir:**	si**g**o, si**gue**s, si**gue**...
Verbs that end in **-uir:**	constru**y**o, constru**ye**s, constru**ye**...
Verbs that end in **-ger:**	esco**j**o, esco**ge**s, esco**ge**...

E. *Ir a, acabar de,* and *soler*

There are three verbs that, when followed by the infinitive of another verb, have special meanings.

- **Ir** + **a** + *infinitive* expresses English *to be going to* (*do something*).

Voy a ver una película.	*I am going to watch a movie.*
¿Qué **vas a hacer** este fin de semana?	*What are you going to do this weekend?*

- **Acabar** + **de** + *infinitive* expresses English *to have just* (*done something*).

Acabo de ver una película.	*I have just watched a movie.*
Mi mejor amiga **acaba de llegar.**	*My best friend has just arrived.*

- **Soler** + *infinitive* expresses English *to usually* (*do something*).

¿Dónde **sueles almorzar?**	*Where do you usually have lunch?*
Suelo ir al cine los miércoles.	*I usually go to the movies on Wednesdays.*

Práctica B   Imagínese que Ud. y su familia están visitando al Sr. y a la Sra. de Tal, que son muy aficionados al turismo. Conteste las preguntas que ellos les hacen con la forma apropiada de la primera persona (singular o plural), según el contexto.

1. Cuando viajamos, llevamos ropa de muchos colores. ¿Y Ud.?
2. Les damos muy buenas propinas (*tips*) a los meseros. ¿Y Ud.?
3. Solemos sacar fotos de todo. ¿Y Ud.?
4. Mi esposo consigue muchos mapas y folletos (*brochures*) de cada lugar. ¿Y Uds.?
5. Mi esposa oye todas las explicaciones de los guías. ¿Y Uds.?
6. Traemos muchos recuerdos (*souvenirs*). ¿Y Ud.?
7. Acabamos de regresar de las Islas Canarias. ¿Y Ud.?
8. Conocemos toda Europa y el Caribe. ¿Y Ud.?
9. El próximo año vamos a viajar muchísimo. ¿Y Ud.?

Conversación

A. Oraciones Complete las siguientes oraciones con frases usando verbos que Ud. considere apropiados, según el contexto.

1. Soy un estudiante típico / una estudiante típica de esta universidad. Por las noches, yo normalmente (nunca) _____.

2. Generalmente, los fines de semana mis amigos y yo (nunca) _____.

3. El turista típico / La turista típica, cuando viaja, (nunca/siempre) _____.

4. Por lo general, los políticos (nunca) _____.

5. Ese chico / Esa chica se prepara para ser deportista profesional; por eso (nunca) _____.

B. ¿Qué van a hacer? Haga conjeturas sobre (*Imagine*) lo que van a hacer y lo que acaban de hacer los siguientes individuos.

MODELO: Un estudiante típico está en la librería (*bookstore*) universitaria. →
   Va a comprar una camiseta con el nombre de la universidad.
   Acaba de vender todos los libros del semestre pasado.

1. Un estudiante típico está en el estadio.

2. Ud. y sus amigos están de vacaciones en Cancún.

3. Salimos de clase y estamos muy contentos.

4. El vecino / La vecina de Ud. regresa a casa a las tres de la mañana.

5. Un tipo muy atlético entra en un gimnasio.

6. Los padres de Ud. lo/la llaman por teléfono.

7. Una muchacha muy estudiosa sale de la biblioteca.

8. Dos novios están en el parque.

C. Entrevistas Use las siguientes preguntas para entrevistar a ocho compañeros de clase. (Hágale una pregunta diferente a cada compañero/a.) En su cuaderno o en una hoja de papel aparte, escriba el nombre de cada persona que Ud. entrevista y los datos (información) que le da. Siga el modelo. Luego, compare sus respuestas con las de sus compañeros. ¿Qué tienen en común sus respuestas? ¿Qué diferencias hay?

MODELO: Nombre: Mary S.

Pregunta: 1

Ella suele escuchar música cuando va en coche, cuando viaja y mientras estudia. Prefiere la música clásica.

1. ¿Cuándo sueles escuchar música? ¿Qué clase de música prefieres?
2. ¿Qué sueles hacer cuando vas de viaje?
3. ¿Cuál es tu rutina cuando vuelves a casa después de las clases?
4. ¿Qué aficiones (*hobbies*) tienes? ¿Qué haces para divertirte?
5. ¿Qué clase de película (libro, comida,...) prefieres?
6. ¿A qué grupos o asociaciones perteneces? ¿Qué actividades hacen Uds. allí?
7. ¿En qué circunstancias sueles practicar el español?
8. ¿Qué sueles hacer antes de esta clase? ¿Qué sueles hacer después?

D. ¿Quiénes son?

■ ¿Quiénes son los individuos que están en la foto? ¿Dónde están? ¿Qué hacen?

■ Use su imaginación para inventar un posible diálogo entre estas personas. ¿De qué hablan? ¿Por qué están allí? ¿En qué piensan? ¿Qué van a hacer después?

■ Cuando Ud. sale con sus amigos, ¿es su manera de divertirse parecida a o diferente de la de este grupo? ¿Piensa que esta es una buena forma de divertirse? ¿Por qué sí o por qué no?

Describa los siguientes dibujos con todos los detalles que pueda.

■ ¿Quiénes están en cada dibujo? ¿Cómo son? ¿Qué relación existe entre los varios individuos? ¿Dónde están? ¿Qué hacen? ¿Qué acaba de pasar en cada dibujo? ¿Qué va a pasar después?

■ Cada dibujo presenta una imagen estereotipada de un país o de un grupo de personas. Identifique el país o la nacionalidad de la gente en cada dibujo y explique en qué consiste el estereotipo. Según algunas personas, ¿cómo suelen actuar los individuos de este grupo?

1.   2.

3.

5 Direct Objects

Objects receive the action of the verb. The direct object (**el complemento directo**) is the primary object of the verbal action. It answers the question *who(m)?* or *what?* The direct object can be a single word or a complete phrase.

David oye a **las chicas.**	*David hears* (whom?) *the girls.*
María va a pagar **la cuenta.**	*María is going to pay* (what?) *the bill.*
Javier sabe **que vienes mañana.**	*Javier knows* (what?) *that you're coming tomorrow.*

¿Recuerda Ud.?

Direct objects that refer to specific persons (or animals) are preceded by the object marker **a** (the personal **a**).

Conozco a **su familia.** (specific persons)
I know his family.

Conozco su música.
I know his music.

No quiero ver a **mi amigo** nunca más.
(specific person)
I don't ever want to see my friend again.

Necesito un nuevo amigo. (nonspecific person)
I need a new friend.

The question word **quién** and the pronouns **nadie** and **alguien** are preceded by **a** when used as direct objects. Answers to the question **¿A quién... ?** are preceded by **a.**

—**¿A quién** visita Roberto?
—*Who(m) is Roberto visiting?*

—**A sus hermanos.**
—*His brothers.*

—Debes buscar a **alguien** para ayudarte.
—*You should look for someone to help you.*

—No necesito a **nadie.**
—*I don't need anyone.*

A. Direct Object Pronouns

Direct object pronouns (**los pronombres de complemento directo**) replace nouns or phrases that have been mentioned previously.

me	me	nos	us
te	you (informal)	os	you all (informal)
lo (le)*	him, it, you (formal)	los (les)*	them, you all (formal)
la	her, it, you (formal)	las	them, you all (formal)

David oye a **las chicas,** pero yo no las oigo.
David hears the girls, but I don't hear them.

Javier sabe **que vienes mañana,** pero Jorge no lo sabe.
Javier knows that you are coming tomorrow, but Jorge doesn't know (it).

María va a pagar **la cuenta** porque Camila no la puede pagar.
María is going to pay the bill because Camila can't pay it.

but Necesito **un lápiz.** ¿Tienes **uno**?
I need a pencil. Do you have one?

In the last example, the direct object noun (**un lápiz**) is nonspecific (any pencil) and for this reason cannot be replaced by a direct object pronoun. Expressions that answer the question *how?* or *where?* are not direct objects and cannot be replaced by direct object pronouns either.

—¿Cuándo van a la fiesta?
—*When are you going* (where?) *to the party?*

—Vamos (allí) como a las ocho y media.
—*We're going* (there) *around eight thirty.*

—¿Hablan muy rápidamente?
—*Do they talk* (how?) *rapidly?*

—Sí, hablan rápidamente. (Sí, hablan así.)
—*Yes, they talk rapidly.* (*Yes, they talk that way.*)

B. Placement of Direct Object Pronouns

In Spanish, object pronouns generally precede conjugated verbs. When the conjugated verb is followed by an infinitive or present participle, the object pronoun may attach to the end of either of these forms.

¿La casa?
{ ¿La puedes ver?
{ ¿Puedes verla?
The house? Can you see it?

¿El informe?
{ Está escribiéndolo ahora.
{ Lo está escribiendo ahora.
The report? She's writing it now.

Direct object pronouns attach to affirmative commands, but precede negative commands.

Este candidato parece muy trabajador. **¡Contrátenlo!**
This candidate seems to be a hard worker. Hire him!

El otro candidato parece perezoso. **No lo contraten.**
The other candidate seems lazy. Don't hire him.

Nota comunicativa

Lo (*It*) is never used as the subject of a sentence. The English subject pronoun *it* has no equivalent in Spanish; it is simply not expressed.[†]

Llueve.
It's raining.

Está en la mesa.
It's on the table.

Lo/La corresponds only to the English direct object pronoun *it.*

¿El libro? Debes leer**lo.**
The book? You should read it.

¿La película? Debes ver**la.**
The movie? You should see it.

---

*Le(s) is used instead of lo(s) in many parts of Spain and in some parts of Spanish America as the direct object pronoun.

[†]The subject pronouns **él** and **ella** are occasionally used to express the English subject *it,* but this usage is infrequent.

Práctica Juan el perezoso conversa sobre sus hábitos de estudio con Luis y Laura, los gemelos súper estudiosos. Invente sus diálogos usando los pronombres de complemento directo.

connect SPANISH www.connectspanish.com

MODELO: hacer los ejercicios del cuaderno →

JUAN: ¿Hacen siempre **los ejercicios del cuaderno**?

LAURA: ¡Claro que **los** hacemos siempre! ¿Y tú?

JUAN: No, no **los** hago nunca.

1. recordar la lección
2. seguir los consejos (*advice*) del profesor / de la profesora
3. necesitar usar el diccionario
4. escribir las composiciones
5. llevar el libro a clase
6. repasar los apuntes de clase
7. escuchar CDs en el laboratorio de lenguas
8. saber la fecha del examen

AUTOPRUEBA Complete las siguientes oraciones con pronombres de complemento directo (**me, te, lo, la, nos, los, las**), según el contexto.

1. A Marisol le encantan las novelas de amor y _____ lee todo el tiempo.
2. Respetamos a la Sra. Robles porque _____ consideramos muy trabajadora.
3. Algunas mujeres dicen que los hombres son imposibles porque no _____ entienden.
4. No puedo acompañarte mañana porque Susana ya _____ invitó al cine.
5. Estamos muy contentos esta noche porque Tomás _____ va a entretener con su guitarra.
6. ¡Sergio, mi amigo! ¿Por qué no me saludaste cuando _____ vi en el parque ayer?
7. Pablo hace mucho para ayudar a los pobres, y es por eso que _____ admiramos.

Conversación

A. Diálogos

Paso 1. Los siguientes diálogos presentan dos actitudes muy comunes hoy en día. Cambie los sustantivos *en letra cursiva azul* por pronombres de complemento directo o por sujetos pronominales cuando sea posible, o simplemente elimine la expresión repetida. Luego, comente los diálogos usando las preguntas que siguen.

1. **A:** Quiero este sombrero y voy a comprar *este sombrero*.

   B: ¡Pero *ese sombrero* es muy caro! ¿Por qué no buscas *ese sombrero* en otra tienda?

   A: No, *este sombrero* es exclusivo y no tienen *este sombrero* en ningún otro lugar. Voy a comprar *este sombrero* a cualquier precio: yo merezco (*deserve*) *este sombrero*.

   - ¿Dónde están estas personas? ¿Qué quiere hacer la persona A?
   - ¿Qué opina la persona B? ¿Cómo responde la persona A?
   - ¿Qué opina Ud.? ¿Asocia la actitud de la persona A con un hombre o con una mujer? Explique.

2. C: Todos los abogados son deshonestos. ¡Detesto *a los abogados*!

   D: Pero eso es un estereotipo. Los abogados pueden ayudarte. A veces necesitas *a los abogados*.

   C: No vas a convencerme. Simplemente no soporto (*I can't stand*) *a los abogados*.

- ¿De qué hablan estas personas? ¿Qué opiniones tiene cada una sobre el tema?
- ¿Está Ud. de acuerdo con la persona C o con la persona D? ¿Por qué?

Paso 2. ¿Qué percepción tiene la gente de los médicos? ¿de los mecánicos? ¿de los periodistas? ¿de los atletas profesionales? ¿Qué opina Ud.? En parejas, inventen diálogos en que expresen opiniones generalizadas sobre las personas que tienen estas profesiones.

B. Guiones Describa las diferentes escenas que hay en el parque, usando las palabras y frases indicadas y los siguientes dibujos. Luego, imagínese lo que va a pasar después y conteste las preguntas. Utilice pronombres de complemento directo cuando sea posible. **¡OJO!** En esta actividad y otras actividades similares en *¡Avance!*, los diagonales dobles (*//*) significan: «iniciar una nueva oración».

MODELO: Una pareja de ancianos estar sentado *//* mirar gente y charlar (*to chat*) *//* acabar de comprar pasteles

¿Qué van a hacer ellos con los pasteles? ¿comer en el parque? ¿dejar para los pájaros? ¿llevar a casa y comer allí? →

Una pareja de ancianos está sentada en el parque. Mira a la gente y charla. Ellos acaban de comprar pasteles. No los van a comer en el parque; no los van a dejar para los pájaros tampoco. Van a llevarlos a casa y comerlos allí.

1.   **2.**   **3.**   **4.**

1. José tener tortuga / sacar de paseo *//* los otros niños mirar y señalar *//* José no verlos

    ¿Qué va a hacer José con la tortuga? ¿llevar a casa? ¿regalar? ¿dejar libre (*free*)?

2. María pasear en bicicleta / perder cartera *//* su amigo ver y saludar *//* María no ver

    ¿Qué va a hacer su amigo? ¿recoger (to *pick up*)? ¿guardar (to *keep*)? ¿llamar?

3. jóvenes jugar al béisbol *//* Nora y Enrique tratar de coger (*to try to catch*) pelota *//* Enrique no ver a Nora *//* Nora tampoco ver a Enrique *//* Jorge mirar alarmado

    ¿Qué va a pasar? ¿chocar (*to collide*)? ¿coger?

4. ladrón correr con el maletín *//* policía seguir *//* la gente mirar

    ¿Qué va a pasar? ¿ladrón escaparse? ¿policía atrapar? ¿gente ayudar?

UN POCO DE TODO

¡OJO!

¡OJO!	Examples	Notes
trabajar **funcionar**	Todos **trabajamos** mucho para vivir. *We all work hard for a living.* Mi reloj ya no **funciona.** *My watch doesn't work (run) anymore.* ¿Sabes cómo **funciona** este aparato? *Do you know how this gadget works?*	In Spanish, *to work* meaning *to do physical or mental labor* is expressed by the verb **trabajar.** *To work* meaning *to run* or *to function* is expressed by the verb **funcionar.**
bajo **corto** **breve**	Mis padres son **bajos** y por eso yo solo mido cinco pies. *My parents are short, and so I'm only five feet tall.* Tus pantalones son demasiado **cortos.** *Your pants are too short.* La conferencia fue muy **breve** (**corta**). *The lecture was very brief (concise, short).*	Shortness of height is expressed in Spanish with **bajo.** Shortness of length is expressed by **corto.** *Short* in the sense of *concise* or *brief* is expressed with either **corto** or **breve.** (Note that all these adjectives are generally used with **ser.**)
mirar **buscar (qu)** **parecer (parezco)**	Quiero **mirar** la televisión. *I want to watch TV.* **¡Mira!** Allí hay un Rolls Royce. *Look! There's a Rolls Royce.* ¿Qué **buscas**? *What are you looking for?* **Parece** que va a llover. *It looks like it's going to rain.*	*To look* is expressed in Spanish by **mirar** when it means *to look at* or *to watch.* The command form of **mirar** is often used to call someone's attention to something. *To look for* is expressed by **buscar.** When *to look* expresses a hypothesis (*to look like, to seem,* or *to appear*), **parecer** is used.

A. Volviendo al dibujo Indique la palabra que mejor complete cada oración.

Carmen es una estudiante muy atlética que (funciona/trabaja)[1] *muy duro para mantenerse en forma.*[a] *Ahora está en su cuarto haciendo gimnasia y escuchando música. Alguien toca a la puerta. Carmen la abre y ve a una joven* (baja/corta)[2] *con maletas y libros, que la* (mira/parece)[3] *con una expresión de pregunta. «*(Mira/Parece)[4] *una estudiosa», piensa Carmen.*

ROSA: Hola. Me llamo Rosa. Estoy (buscando/mirando)[5] la habitación 204.

CARMEN: Aquí es. Yo soy Carmen. Vamos a ser compañeras de cuarto. ¡Entra!

Después de una (baja/breve)[6] *pausa, durante la cual ella* (busca/mira)[7] *la habitación con curiosidad, Rosa habla.*

ROSA: ¡Tu estéreo (funciona/trabaja)[8] muy bien!

CARMEN: ¡Ah, sí! ¿Te molesta la música?

ROSA: ¡Qué va! Me gusta mucho. En el restaurante donde (funciono/trabajo)[9] tocan ese tipo de música... También veo que tienes equipo para hacer ejercicio. ¿Puedo usarlo?

CARMEN: ¡Claro! ¿Haces ejercicio con frecuencia?

ROSA: ¡Sí, sí! Es muy importante para mí. Todas las mañanas salgo a correr.

CARMEN: ¡Qué bien! Pues podemos correr juntas.

La conversación continúa, y en (bajo/corto)[10] *tiempo Carmen y Rosa se llevan muy bien.* (Mira/Parece)[11] *que van a tener buenas relaciones después de todo. Muchas veces las personas no son lo que* (miran/parecen)[12]*.*

[a]en... *in shape*

B. ¿Cómo se dice? Exprese en español las palabras y expresiones *en letra cursiva azul*.

1. *We aren't working* today because *it looks* as if it's going to rain.
2. My watch *looks* expensive, but *it doesn't work* very well.
3. *Look!* There's an insect in my soup!
4. *I'm looking for* a *short* man. His name is Pedro Ramírez.
5. Yes, I know him. He *works* at the university.
6. It's a very *short* movie, but it's boring.

C. Los estereotipos, ¿inevitables?* Complete el siguiente párrafo con la forma apropiada de los verbos. Cuando se dan varias palabras entre paréntesis, escoja la palabra apropiada.

Los estereotipos (ser/estar/haber)[1] malos —todos (ser/estar/haber)[2] de acuerdo en eso. (Ser/Estar/Haber)[3] necesario pensar en (las/los)[4] personas como individuos y no como representantes de distintos grupos. Cuando alguien (considerar)[5] a un individuo como miembro de un determinado grupo, siempre (expresar)[6] generalizaciones que en su mayor parte[a] (ser/estar/haber)[7] falsas. Estas generalizaciones, a su vez,[b] (producir)[8] estereotipos que luego (causar)[9] (muchas/muchos)[10] problemas. Pero cuando nosotros (intentar)[11] eliminar las generalizaciones, pronto (estar)[12] ante[c] (un/una)[13] dilema: En realidad, ¿(ser/estar/haber)[14] posible pensar en cada uno de los 7 mil millones[d] de habitantes del mundo como individuos? Hasta cierto punto, las generalizaciones (ser/estar/haber)[15] inevitables.

También, todos (comprender)[16] que el ser humano no (vivir)[17] aislado, sino que[e] (formar)[18] parte de un grupo cultural. Y (ser/estar/haber)[19] (gran/grandes)[20] diferencias entre los grupos. Decir que no (ser/estar/haber)[21] grupos diferentes o que todos los grupos (ser/estar/haber)[22] iguales es, en el fondo,[f] la peor[g] de las generalizaciones.

[a]en... *largely* [b]a... *in turn* [c]*faced with* [d]7... *7 billion* [e]sino... *but rather* [f]en... *if the truth be told* [g]la... *the worst*

D. En el espejo

Paso 1. Describa cómo *son* las personas que están delante del espejo. Luego describa cómo *están* reflejadas las personas en el espejo. ¿Están ambos contentos con su nueva apariencia física?

Paso 2. Imagínese que Ud. está delante de un espejo que cambia su apariencia física o personalidad de una manera favorable. ¿Cómo está Ud. reflejado/a en el espejo? ¿Y cómo es Ud. en realidad?

---

*The answers to this **Un poco de todo** paragraph (usually the third activity) are found in Appendix 8.

Lectura cultural *No somos los únicos que estereotipamos*

No hay duda que en este país existen muchos estereotipos acerca de los hispanohablantes. especialmente de los países hispanoamericanos. Como es común cuando se trata de estereotipos, hay algo de verdad en algunos, muchos se exageran o deforman la realidad y otros son totalmente falsos. Pero, de lo que muchos norteamericanos no están conscientes es que las personas de otras culturas también nos estereotipan a nosotros. Lo interesante es que, frecuentemente, los estereotipos sobre tanto los hispanos como los norteamericanos, se originan en las mismas fuentes: los medios de comunicación y la opinión de personas que viajan al extranjero.

Muchas de las impresiones que tienen los norteamericanos no hispanos de los hispanos son creadas por la televisión, el cine, la música, la radio y los periódicos y revistas. Algunas de esas impresiones persisten desde hace muchos años,[a] a pesar de haber evidencia que las contradice, por ejemplo: el cliché del hispano que siempre rehuye[b] el trabajo, presentado en muchas comedias de televisión o cine. También, se ha explotado el mito del mexicano que pasa el día durmiendo debajo de un cacto para luego en la noche salir a beber y bailar hasta la madrugada.

Hasta la apariencia física del hispano es un estereotipo, por ejemplo: «todos son morenos, de pelo negro y bajos de estatura», «las mujeres llevan trajes de colores vivos y algunas, flores en el pelo». Otros estereotipos incluyen: «sus familias son grandes» y «viven en pueblos adormecidos y polvorientos[c]». Hay quienes opinan que estos estereotipos se deben al hecho de que[d] un buen número de inmigrantes hispanos viene de zonas rurales. La verdad es que al viajar por los países hispanos uno se da cuenta de[e] la enorme generalización de estas ideas.

Por otro lado,[f] ¿sabía Ud. que todos los norteamericanos vivimos en casas grandes y que muchos tenemos más de una? Esta es una de las muchas falsas imágenes que se forman algunos hispanos por medio de los programas de televisión y películas filmados en este país. Muchos hispanos también creen que todos manejamos lujosos automóviles deportivos. Pero, ¿cómo es el coche que Ud. maneja? La realidad es que la mayoría de nosotros no tenemos coche de lujo —y muchos no tenemos ningún coche.

Otros hispanos creen que la dieta norteamericana consiste solamente en pollo frito, pizza y hamburguesas. Después de todo, los restaurantes norteamericanos que sirven esta clase de comida se han exportado a casi todos los países hispanos. ¡Claro que se sorprenden cuando ven que no todos los norteamericanos comemos esta clase de comida!

Hay que mencionar también que hay hispanos que tienen ideas positivas acerca de nosotros. Dicen que somos muy organizados, que respetamos las leyes y que somos laboriosos, cumplidores[g] y generosos, aunque también nos consideran arrogantes, tal vez por la forma en que han afectado a los países hispanos las decisiones de algunos de nuestros gobernantes.

[a]persisten… *have persisted for years* [b]*avoids* [c]*pueblos… sleepy, dusty towns* [d]al… *to the fact that* [e]se… *realizes* [f]*Por… On the other hand* [g]*reliable*

Un McDonald's en La Paz, Bolivia

Comprensión y expansión

Conteste las siguientes preguntas según la lectura.

1. ¿Cómo se forman muchos de los estereotipos sobre los hispanos y los norteamericanos?

2. ¿De dónde vienen muchas de las impresiones que los norteamericanos tienen de los hispanos?

3. Según la lectura, ¿cuáles son algunos de los estereotipos comunes sobre los hispanos?

4. Según la lectura, ¿cuáles son algunos de los estereotipos comunes sobre los norteamericanos?

5. ¿Cuáles son algunos estereotipos positivos sobre los norteamericanos? ¿Son acertados (*accurate*)?

6. ¿Corresponden los estereotipos sobre la cultura hispana con la vida y carácter de los hispanos que Ud. conoce?

Del mundo hispano

La conciencia (Parte 1)

Aproximaciones al texto

Convenciones literarias (Parte 1)

Many types of literature follow certain rules that lead to typical or even stereotypical patterns in the development of the characters and the plot. These rules, known as *literary conventions* (**convenciones literarias**), occur in all types of literature.

Every genre (**género**) and subgenre (**subgénero**)* have their own set of predetermined literary conventions that essentially establishes a "contract" between the author and the reader. For example, we know that a western follows different conventions than a murder mystery. Each genre is characterized by different kinds of characters, plots, settings (**ambientes**), and endings (**desenlaces**). Once identified, the genre allows the reader to make predictions about each of these elements.

Some kinds of literature follow the rules of their genre more closely than others. "Popular literature" that is aimed at a wider audience is usually more bound by literary convention than other kinds of literature. A well-known type of popular literature is the suspense story, or in Spanish **el cuento de suspenso.** It is similar to an Agatha Christie mystery or an Alfred Hitchcock episode of the classic television era in which the elements of surprise and irony play a vital role in the outcome of the plot.

> ### Nota literaria
>
> **el género literario =** la forma literaria de una obra (poesía, cuento, novela, drama, crónica, periodismo, etcétera), caracterizada por su propia forma, estilo o contenido

Preguntas   Lea las siguientes preguntas y contéstelas brevemente, basándose en su propia experiencia.

1. ¿Qué sabe Ud. del cuento de suspenso? ¿Cómo son los personajes? ¿Cómo es el argumento? Generalmente, ¿cómo termina?

2. ¿Cuáles son algunos de los problemas y conflictos que se tratan en esta clase de cuentos?

3. ¿Cómo es el lenguaje de estos cuentos? ¿popular? ¿serio? ¿emotivo? En su opinión, ¿refleja la forma de hablar de la clase baja? ¿de la clase media? ¿de los intelectuales?

4. ¿Cómo es el típico lector / la típica lectora del cuento de suspenso?

---

*Genre refers to a class or category of literature. The major genres are the novel, poetry, drama, the short story, and the essay. Within a given genre there are many types of *subgenre;* for example, within the genre of the novel, there is the adventure story, the romance, science fiction, the murder mystery, and so on.

Vocabulario para leer

aguantar   to tolerate

amanecer (amanezco)   to break the dawn

arremolinar   to whirl around

azotar   to whip against

estremecerse (me estremezco) to shiver

marcharse   to leave, go away

mendigar (gu)   to beg

no poder más   to be at the end of one's rope

pedir (pido) (i) hospitalidad   to ask for hospitality

reponer (like poner) fuerzas   to get back one's strength

soportar   to support, tolerate

la broma   joke

la calma   calm

la conciencia   conscience

la cuadra   stable

la huerta   garden

el huerto   orchard; garden

la ira   anger

la llamada   call

el Miércoles de ceniza*   Ash Wednesday

la neblina   mist, thin fog

el posadero / la posadera   innkeeper

el pozo   well

la sorpresa   surprise

la tiranía   tyranny

la tormenta   storm

el vagabundo   vagabond, bum

el viento   wind

andrajoso/a   ragged

boquiabierto/a   stunned (from **boca abierta**)

desamparado/a   homeless

extraño/a   unknown; strange

negruzco/a   blackish in color

odioso/a   hateful

siguiente   following

sorprendido/a   surprised

Asociaciones   ¿Qué se asocia con las siguientes palabras y conceptos o pares de palabras? Explique.

1. la conciencia
2. pedir hospitalidad
3. una tormenta
4. el vagabundo / el posadero
5. la calma / la tormenta
6. aguantar / no poder más

---

*Miércoles… *Ash Wednesday:* This day, which signals the beginning of observance of Lent in the Roman Catholic Church, or forty days before Easter, is marked by restraint, abstinence, and sobriety in accordance with church beliefs and customs.

España

La conciencia

1 Ya no podía (←)* más. Estaba (←) convencida de que no podría (→) resistir más tiempo la presencia de aquel odioso vagabundo. Estaba decidida a terminar. Acabar de una vez, por malo que fuera, antes que soportar su

5 tiranía.

Llevaba (←) cerca de quince días en aquella lucha. Lo que no comprendía (←) era (←) la tolerancia de Antonio para con aquel hombre. No: verdaderamente, era extraño.

El vagabundo pidió (←) hospitalidad por una noche: la

10 noche del Miércoles de ceniza,† exactamente, cuando se batía (←) el viento arrastrando (ꟷ) un polvo negruzco,[1] arremolinado, que azotaba (←) los vidrios de las ventanas con un crujido[2] reseco. Luego, el viento cesó (←). Llegó (←) una calma extraña a la tierra y ella pensó (←), mientras

15 cerraba (←) y ajustaba (←) los postigos:[3] «No me gusta esta calma.»

Efectivamente, no había echado (←) aún el pasador[4] de la puerta cuando llegó aquel hombre. Oyó (←) su llamada sonando (ꟷ) atrás, en la puertecilla de la cocina:

[1]viento… *blackish wind* [2]*creaking sound* [3]*shutters* [4]*bolt, lock*

Vocabulary, grammatical structures, and verb tenses that may be unfamiliar to you are glossed at the bottom of the page. The past tenses, the future, and the present participle (-ing*) are indicated with following symbols through **Capítulo 5:**

future → past ← present participle ꟷ

20   —Posadera…

Mariana tuvo (←) un sobresalto.[5] El hombre, viejo y andrajoso, estaba allí, con el sombrero en la mano, en actitud de mendigar.

Dios le ampare… empezó (←) a decir. Pero los ojillos del vagabundo le miraban (←) de un modo extraño.[6] De un modo que le
25 cortó las palabras.[7]

Muchos hombres como él pedían la gracia del techo[8] en las noches de invierno. Pero algo había (←) en aquel hombre que la atemorizó[9] sin motivo.

El vagabundo empezó a recitar su cantinela:[10] «Por una noche,
30 que le dejaran (→) dormir en la cuadra; un pedazo de pan y la cuadra: no pedía más. Se anunciaba la tormenta[11] … »

En efecto, allá afuera, Mariana oyó el redoble de la lluvia[12] contra los maderos de la puerta. Una lluvia sorda, gruesa,[13] anuncio de la tormenta próxima.

35   —Estoy sola —dijo (←) Mariana secamente.[14] Quiero decir… cuando mi marido está por los caminos no quiero gente desconocida[15] en casa. Vete, y que Dios te ampare.

Pero el vagabundo se estaba quieto, mirándola (ꙅ). Lentamente, se puso (←) su sombrero y dijo: —Soy un pobre viejo, po-
40 sadera. Nunca (←) hice mal a nadie.[16] Pido bien poco: un pedazo de pan…

En aquel momento las dos criadas, Marcelina y Salomé, entraron corriendo (ꙅ). Venían (←) de la huerta, con los delantales [17] sobre la cabeza, gritando (ꙅ) y riendo (ꙅ). Mariana sintió (←) un
45 raro alivio al verlas.[18]

—Bueno —dijo. Está bien… Pero sólo por esta noche. Que mañana cuando me levante no te encuentre aquí…

El viejo se inclinó (←), sonriendo (ꙅ), y dijo un extraño romance de gracias.[19]
50 Mariana subió (←) la escalera y fue (←) a acostarse. Durante la noche la tormenta azotó (←) las ventanas de la alcoba y tuvo un mal dormir.[20]

A la mañana siguiente, al bajar a la cocina, daban (←) las ocho en el reloj de sobre la cómoda.[21] Sólo entrar se quedó (←) sorpren-
55 dida e irritada. Sentado a la mesa, tranquilo y reposado, el vagabundo se desayunaba opíparamente:[22] huevos fritos, un gran trozo de pan tierno,[23] vino.… Mariana sintió un coletazo de ira,[24] tal vez entremezclado de temor, y se encaró con[25] Salomé, que tranquilamente se afanaba (←) en el hogar:
60   —¡Salomé! —dijo y su voz le sonó (←) áspera, dura—. ¿Quién te ordenó (←) dar a este hombre… y cómo no se ha marchado (←) al alba[26]?

Sus palabras se cortaban (←), se enredaban (←) por la rabia[27] que la iba dominando (ꙅ). Salomé se quedó (←) boquiabierta…
65   —Pero yo… dijo. Él me dijo…

El vagabundo se había levantado (←) y con lentitud se limpiaba (←) los labios contra la manga.[28]

—Señora —dijo—, señora, Ud. no recuerda… Ud. dijo anoche: «Que le den al pobre viejo una cama en el altillo,[29] y que le den de
70 comer cuanto pida.» ¿No lo dijo anoche la señora posadera? Yo lo oí (←) bien claro… ¿O está arrepentida ahora?

Mariana quiso (←) decir algo, pero de pronto se le había helado la voz.[30] El viejo la miraba (←) intensamente, con sus ojillos negros y penetrantes. Dio media vuelta[31] y desasosegada[32] salió (←) por
75 la puerta de la cocina, hacia el huerto.

El día amaneció (←) gris, pero la lluvia había cesado (←). Mariana se estremeció (←) de frío. La hierba estaba empapada,[33] y allá lejos la carretera se borraba[34] en una neblina sutil. Oyó detrás de ella la voz del viejo, y sin querer, apretó (←) las manos una contra otra.

80   —Quisiera hablarle algo, señora posadera… Algo sin importancia.

Mariana siguió (←) inmóvil, mirando (ꙅ) hacia la carretera.

—Yo soy un viejo vagabundo… pero a veces, los viejos vagabundos se enteran de[35] las cosas. Sí: yo estaba allí. «Yo lo vi (←)»,
85 señora posadera. «Lo vi, con estos ojos… »

Mariana abrió (←) la boca. Pero no pudo (←) decir nada.

—¿Qué estás hablando (ꙅ) ahí,[36] perro? —dijo—. ¡Te advierto que mi marido llegará (→) con el carro a las diez, y no aguanta bromas[37] de nadie!
90   —¡Ya lo sé, ya lo sé que no aguanta bromas de nadie! —dijo el vagabundo—. Por eso, no querrá (→) que sepa nada… nada de lo que yo vi aquel día. ¿No es verdad?

Mariana se volvió (←) rápidamente. La ira había desaparecido.[38] Su corazón latía,[39] confuso. «¿Qué dice? ¿Qué es lo que sabe… ?
95 ¿Qué es lo que vio (←)?» Pero ató (←) su lengua. Se limitó (←) a mirarle, llena de odio y de miedo. El viejo sonreía (←) con sus encías sucias y peladas.[40]

—Me quedaré (→) aquí un tiempo, buena posadera: sí, un tiempo, para reponer fuerzas, hasta que vuelva el sol. Porque ya
100 soy viejo y tengo las piernas muy cansadas. Muy cansadas…

Mariana echó (←) a correr. El viento, fino, le daba en la cara.[41] Cuando llegó (←) al borde del pozo,[42] se paró (←). El corazón parecía (←) salírsele del pecho.

---

[5]*shock, fright* [6]*de… in a strange way* [7]*le… cut off her words, left her speechless* [8]*pedían… asked for the favor of shelter, a roof over their heads* [9]*frightened* [10]*plea* [11]*Se… The storm was stirring* [12]*redoble… pounding of the rain* [13]*sorda… deafening, heavy* [14]*dryly* [15]*unknown* [16]*Nunca… I never harmed anyone* [17]*aprons* [18]*raro… strange relief upon seeing them* [19]*romance… expression of gratitude* [20]*mal… bad night's sleep* [21]*chest of drawers* [22]*sumptuously, lavishly, abundantly* [23]*freshly baked* [24]*coletazo… lash of anger* [25]*se… confronted* [26]*al… at sunrise* [27]*anger, rage* [28]*sleeve* [29]*loft, attic* [30]*se… her voice caught (lit. froze)* [31]*Dio… She turned around* [32]*uneasy, anxious* [33]*soaked* [34]*se… disappeared* [35]*se… find out about* [36]*there* [37]*no… doesn't put up with nonsense* [38]*disappeared* [39]*was beating* [40]*encías… dirty, toothless gums* [41]*le… was blowing in her face* [42]*al… at the edge of the well*

Comprensión*

Escenas del cuento   Los siguientes dibujos ilustran elementos mencionados en la primera parte de «La conciencia». ¿Cuáles de ellos corresponden exactamente a ciertos pasajes del texto? ¿Cuáles de ellos no corresponden exactamente? Explique por qué. ¿En qué pasaje o escena del texto está presente cada elemento?

1.   2.   3.

4.   5.

La conciencia (Parte 2)

Aproximaciones al texto

Adivinar (Guessing) *el significado por contexto*

Even though you do not know every word in the English language, you can probably read and understand almost anything in English without having to look up many unfamiliar words. You can do this because you have learned to make intelligent guesses about word meanings, based on the meaning of the surrounding passage (the context).

You can develop the same guessing skill in Spanish. Two techniques will help you. The first is to examine unfamiliar words to see whether they remind you of words in English or another language you know. Such words are called *cognates* (for example, *nation* and **nación**). The second technique is the same one you already use when reading in English, namely, scanning the context for possible clues to meaning.

---

*Answers to select **Comprensión** actitivies can be found in Appendix 8.

¿Que significa?   Las siguientes oraciones están basadas en la primera parte de «La conciencia». Las palabras en letra cursiva (*italics*) son cognados. Las palabras subrayadas (*underlined*) pueden entenderse por el contexto; trate de adivinar su significado.

1. Estaba *convencida* de que no podría *resistir* más tiempo <u>la presencia de aquel odioso</u> *vagabundo*.

2. El hombre viejo y <u>andrajoso</u> estaba allí, con *el sombrero* en la mano, *en actitud* de <u>mendigar.</u>

3. <u>¡Te advierto</u> que mi marido llegará con *el carro* a las diez, y no <u>aguanta bromas</u> de nadie!

Vocabulario **para leer**

amenazar (c) to threaten	**vigilar** to watch, keep a look out
casarse (con) to marry	**la aldea** village
dar(le) lástima (a alguien) to pity (someone)	**el aparcero** sharecropper
dormitar to doze, snooze	**el comercio** business
estar harto/a (de) to be fed up (with)	**la empalizada** fence
hacer algo gordo to do something drastic	**la holganza** leisurely stay
pasar hambre to go hungry	**la niebla** fog, haze
pedir (pido) (i) dinero to ask for money	**el pordiosero** beggar
sonreír (*like* reír) (i) to smile	**decidido/a** resolute, determined
sentir (siento) (i) piedad to feel compassion, pity	**desesperado/a** desperate
subir mercancías to pick up merchandise	**enamorado/a (de)** in love (with)
	hosco/a sullen, gloomy
temblar (tiemblo) to tremble, shake	**temido/a** fearsome
tener fama (de) to be known (for, as)	**ni siquiera** not even

¿Cierto o falso?   Complete las oraciones con palabras de la lista. Luego indique si cada una es cierta (**C**) o falsa (**F**), según lo que ha leído en la primera parte del cuento.

MODELO: Mariana ya estaba _____ de la presencia de aquel viejo. →
          (C) Mariana ya estaba *harta* de la presencia de aquel viejo.

aldea	comercio	harta	piedad
azotar	desesperada	hosco	temible

1. _____ Antonio y Mariana, además de ser posaderos, eran dueños del único _____ en la aldea.

2. _____ Durante la noche, la tormenta dejó de _____ las ventanas de su alcoba y por eso Mariana durmió tranquilamente.

3. _____ Cuando el viejo vagabundo le dijo a Mariana: «Yo lo vi, con estos ojos», ella no podía decir nada porque se sentía _____.

4. _____ El viejo vagabundo siente _____ por la posadera cuyo esposo es _____ y _____.

5. _____ El vagabundo dice que se quedará hasta que vuelva Salomé de la _____.

La conciencia (cont.)

1 Aquél fue el primer día. Luego, llegó Antonio con el carro. Antonio subía (←) mercancías de Palomar cada semana. Además de posaderos tenían (←) el único comercio de la aldea. Su casa, ancha y grande, rodeada por el huerto, estaba a la entrada del pueblo. Vi-
5 vían (←) con desahogo[1] y en el pueblo Antonio tenía (←) fama de rico. «Fama de rico», pensaba (←) Mariana, desazonada.[2] Desde la llegada del odioso vagabundo, estaba pálida, desganada. «Y si no lo fuera,[3] ¿me habría casado (←) con él, acaso[4]?» No. No era difícil comprender por qué se había casado (←) con aquel hombre bru-
10 tal, que tenía 14 años más que ella. Un hombre hosco y temido, solitario. Ella era guapa. Sí: todo el pueblo lo sabía (←) y decía que era guapa. También Constantino, que estaba enamorado de ella. Pero Constantino era un simple aparcero, como ella. Y ella estaba harta de pasar hambre, y trabajos, y tristezas. Sí: estaba harta. Por
15 eso se casó (←) con Antonio.

Mariana se sentía (←) un temblor extraño. Hacía (←) cerca de quince días que el viejo entró (←) en la posada. Dormía (←), comía (←) y se despiojaba descaradamente[5] al sol, en los ratos en que éste lucía (←), junto a la puerta del huerto. El primer día Antonio
20 preguntó (←):

—Y ése, ¿qué pinta ahí?[6]

—Me dio (←) lástima —dijo ella, apretando (↻) entre los dedos los flecos de su chal.[7]

—Es tan viejo... y hace tan mal tiempo...

25 Antonio no dijo nada. Le pareció (←) que se iba (←) hacia el viejo como para echarle de allí. Y ella corrió (←) escaleras arriba. Tenía miedo. Sí: tenía mucho miedo... «Si el viejo vio a Constantino subir al castaño[8] bajo la ventana. Si le vio saltar a la habitación, las noches que iba Antonio con el carro, de camino... ¿Qué podía que-
30 rer decir, si no, con aquello de[9]... "lo vi todo, sí, lo vi con estos ojos"?»

Ya no podía más. No: ya no podía más. El viejo no se limitaba (←) a vivir en la casa. Pedía dinero, ya. Había empezado (←) a pedir dinero, también. Y lo extraño es que Antonio no volvió a hablar de él. Se limitaba a ignorarle. Sólo que, de cuando en cuando, la

miraba (←) a ella. Mariana sentía (←) la fijeza[10] de sus ojos grandes, 35 negros y lucientes, y temblaba (←).

Aquella tarde Antonio se marchaba (←) a Palomar. Estaba terminando (↻) de uncir los mulos al carro y oía (←) las voces del mozo mezcladas a[11] las de Salomé, que le ayudaba (←). Mariana sentía frío. «No puedo más. Ya no puedo más. Vivir así es imposible. 40 Le diré (→) que se marche, que se vaya. La vida no es vida con esta amenaza.» Se sentía enferma. Enferma de miedo. Lo de Constantino, por su miedo, había cesado (←). Ya no podía verlo. La sola idea le hacía castañetear[12] los dientes. Sabía (←) que Antonio la mataría (→). Estaba segura de que la mataría. Le conocía (←) bien. 45

Cuando vio el carro perdiéndose (↻) por la carretera bajó a la cocina. El viejo dormitaba (←) junto al fuego. Le contempló (←), y se dijo: «Si tuviera valor[13] le mataría.» Allí estaban las tenazas de hierro,[14] a su alcance. Pero no lo haría. Sabía que no podía hacerlo. «Soy cobarde. Soy una gran cobarde y tengo amor a la vida.» Esto 50 la perdía (←): «Este amor a la vida... »

—Viejo —exclamó. Aunque habló en voz queda, el vagabundo abrió uno de sus ojillos maliciosos. «No dormía», se dijo Mariana. «No dormía. Es un viejo zorro»[15].

—Ven conmigo —le dijo. Te he de hablar.[16] 55

El viejo la siguió (←) hasta el pozo. Allí Mariana se volvió a mirarle.

—Puedes hacer lo que quieras,[17] perro. Puedes decirlo todo a mi marido, si quieres. Pero tú te marchas. Te vas de esta casa, en seguida... 60

El viejo calló (←) unos segundos. Luego, sonrió (←).

—¿Cuándo vuelve el señor posadero?

Mariana estaba blanca. El viejo observó (←) su rostro hermoso, sus ojeras.[18] Había adelgazado (←).

—Vete —dijo Mariana. —Vete en seguida. 65

Estaba decidida. Sí: en sus ojos lo leía (←) el vagabundo. Estaba decidida y desesperada. Él tenía experiencia y conocía esos ojos. «Ya no hay nada qué hacer», se dijo, con filosofía. «Ha terminado (←) el

[1]con... *comfortably* [2]*restless* [3]si... *if he were not* [4]*perchance* [5]se... *was delousing himself shamelessly* [6]¿qué... *what is he doing here?* [7]flecos... *fringes of her shawl* [8]subir... *climbing the chestnut tree* [9]con... *with that stuff about* [10]*stare, gaze* [11]mezcladas... *mixed with* [12]*chatter* [13]Si... *If I were brave (enough)* [14]tenazas... *iron tongs* [15]*fox* [16]Te... *I need to talk to you.* [17]lo... *whatever you wish, desire* [18]*bags under the eyes*

buen tiempo. Acabaron (←) las comidas sustanciosas,[19] el col-
70 chón,[20] el abrigo. Adelante, viejo perro, adelante. Hay que seguir.»
   —Está bien —dijo—. Me iré (→). Pero él lo sabrá (→) todo…
   Mariana seguía (←) en silencio. Quizás estaba aun más pálida.
De pronto, el viejo tuvo un ligero temor.[21] «Ésta es capaz[22] de hacer
algo gordo. Sí: es de esa clase de gente que se cuelga de un árbol[23]
75 o cosa así.» Sintió piedad. Era joven, aún, y hermosa.
   —Bueno —dijo—. Ha ganado (←) la señora posadera. Me
voy… ¿qué le vamos a hacer? La verdad, nunca me hice (←) dema-
siadas ilusiones… Claro que pasé (←) muy buen tiempo aquí. No
olvidaré (→) los guisos[24] de Salomé ni el vinito[25] del señor posa-
80 dero… No lo olvidaré. Me voy.
   —Ahora mismo —dijo ella, de prisa—. Ahora mismo, vete… Y
ya puedes correr, si quieres alcanzarle a él! Ya puedes correr, con
tus cuentos sucios,[26] viejo perro…
   El vagabundo sonrió con dulzura. Recogió (←) su cayado[27] y su
85 zurrón.[28] Iba a salir, pero ya en la empalizada, se volvía (←):

   —Naturalmente, señora posadera, yo no vi nada. Vamos: ni siquiera sé si había algo que ver. Pero llevo muchos años de camino,
¡tantos años de camino! Nadie hay en el mundo con la conciencia
pura, ni siquiera los niños. No: ni los niños siquiera, hermosa posadera. Mira a un niño a los ojos, y dile: «¡Lo sé todo! ¡Anda con cui- 90
dado!» Y el niño temblará (→). Temblará como tú, hermosa posadera.
   Mariana sintió algo extraño, como un crujido, en el corazón. No
sabía si era amargo o lleno de una violenta alegría. No lo sabía.
Movió (←) los labios y fue a decir algo. Pero el viejo vagabundo
cerró la puerta de la empalizada tras él, y se volvió a mirarla. Su risa 95
era maligna, al decir:
   —Un consejo, posadera: vigila a tu Antonio. Sí: el señor posadero también tiene motivos para permitir la holganza en su casa a
los viejos pordioseros. ¡Motivos muy buenos, juraría yo,[29] por el
modo como me miró!   100
   La niebla, por el camino, se espesaba (←), se hacía baja.[30]
Mariana le vio partir, hasta perderse en la lejanía.

[19]*substantial, nourishing* [20]*bedding, mattress* [21]*fear* [22]*capable* [23]*se… hangs themselves from a tree* [24]*dishes* [25]*nice wine*
[26]*cuentos… filthy stories, gossip* [27]*walking stick, cane* [28]*shepherd's bag, pouch* [29]*juraría… I would promise/swear* [30]*se… was
closing in*

Comprensión

A. ¿Cierto o falso?   Junte las palabras usando **ser**, **estar** o **tener** en el tiempo imperfecto. Luego explique si la afirmación es cierta (**C**) o falsa (**F**), según el cuento.

1. _____ su casa, ancha y grande
2. _____ desde la llegada del vagabundo, ella, contenta y tranquila
3. _____ Antonio, hosco y temido; además él, 14 años más que ella
4. _____ ella, joven y guapa
5. _____ Constantino, un simple aparcero; él, enamorado de ella también
6. _____ el señor posadero, motivos para permitir esto
7. _____ ninguno de ellos, la conciencia pura

B. Interpretación   Conteste las siguientes preguntas según el cuento.

1. El ambiente

- ¿Dónde ocurre la acción? ¿Parece que sucede en un pueblo o país en particular o puede suceder en muchos otros lugares? Explique.
- ¿Cómo es la posada? ¿y la aldea? ¿Qué indica sobre la vida de los personajes su domicilio actual?
- ¿Cuándo ocurre la acción? ¿En qué década o siglo? ¿En qué estación del año o fecha especial? ¿Cree Ud. que esto tiene alguna importancia simbólica?

2. El conflicto

- ¿Por qué pidió el viejo hospitalidad aquella noche? ¿Qué tiempo hacía?
- ¿Cómo reacciona Mariana cuando oye la llamada en la puertecilla de la cocina?
- Aunque al principio ella rechaza la petición del viejo, Mariana le da permiso cuando insiste por segunda vez. ¿Por qué?
- ¿Cómo es el esposo de Mariana? ¿y el hombre que estaba enamorado de ella antes de su matrimonio? ¿Por qué decidió ella casarse con Antonio?
- ¿Cuál es el conflicto entre Mariana y su esposo? ¿entre ella y el vagabundo? ¿entre ella y su conciencia? ¿Cómo se intensifica a lo largo de los quince días?
- En sus propias palabras, ¿cuál es el conflicto básico del cuento?

C. Aplicación   Papel y lápiz   Según la conversación en clase, ¿cómo se imagina Ud. el fin de la historia de Mariana? ¿Prefiere Ud. un fin realista según el cual ella sigue casada con Antonio o un fin romántico en el cual ella se va con Constantino y abandona su vida actual? Explore esto en su cuaderno de apuntes. Describa en uno o dos párrafos cómo terminaría Ud. la obra. Indique el formato (telenovela / película de cine / programa de televisión / drama) que llevaría a cabo su versión y cómo sería el público al que se dirigiera.

CINEMATECA*

Voces inocentes

Antes de mirar

- **LA PELÍCULA** *Voces inocentes* (2004) tiene lugar (*takes place*) durante la guerra civil en El Salvador en los años 80. Durante este período, el ejército (*army*) nacional tomaba a los niños de 12 años de edad para entrenarlos (*train them*) para ser soldados. La película está basada en la autobiografía de un sobreviviente de la guerra y narrada desde la perspectiva de Chava, un niño de 11 años. ¿Puede Ud. imaginarse la vida de un niño durante una guerra civil?

- **LA ESCENA (6:24–8:07)**[†] En esta escena, Chava habla de su amigo Ancha, un hombre retardado mental que se comporta (*acts*) como un niño. ¿Ud. tiene muchos amigos mayores que Ud.? ¿Qué tiene en común Ud. con sus amigos?

Al mirar

Mire la escena e indique los adjetivos que describan mejor a los amigos.

1. Ancha es _____.

- ☐ grande
- ☐ inteligente
- ☐ amable
- ☐ fuerte
- ☐ perezoso
- ☐ protector

2. Chava es _____.

- ☐ serio
- ☐ bromista
- ☐ joven
- ☐ egoísta
- ☐ sincero
- ☐ chiquito

Después de mirar

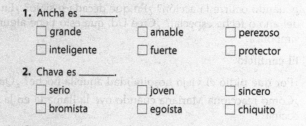

- Divídanse en grupos de dos o tres estudiantes para hablar de la escena. ¿Por qué creen Uds. que Ancha y Chava son amigos? ¿Qué tienen en común? ¿Por qué la gente del pueblo le dice a Ancha «cerebro (*brain*) de pescado»? Escriban unas frases para resumir sus conclusiones y compártanlas con la clase.

- Chava va a cumplir 12 años y admira a Ancha porque «no le daba miedo de cumplir un año más». ¿Cómo cambiamos con los años? Complete las siguientes frases.

    Los niños son… Los adultos son…

  Después, escriba dos o tres oraciones más explicando cómo y por qué los niños cambian con los años.

- Busque más información en el Internet, sobre el gobierno de El Salvador. ¿Quiénes son las personas importantes? ¿Es ahora un lugar políticamente estable y pacífico (*peaceful*)? ¿Están regresando a su país algunos de los refugiados (*refugees*) de la guerra?

---

*The scenes you will see in **Cinemateca** are from feature-length films produced throughout the Spanish-speaking world. The spoken language may be difficult to understand at first. As you watch them, don't try to understand every word, but rather try to get the gist of the meaning and use other clues in the scenes (such as settings, actions, and body language) to make guesses about what is happening. Use **Antes de mirar** as a warm-up and **Al mirar** to test your comprehension. **Después de mirar** helps you further explore the themes of the film in conversation or writing. To watch the scene on your own, the start and end time of this segment of the film can be found in parentheses in **La escena.**

†Times refer to the time counter on the DVD of the film.

2

La comunidad humana

Jóvenes de La Habana, Cuba

En este capítulo

SPANISH

www.connectspanish.com

Describir y comentar

- Describa a las personas del dibujo. ¿Cómo son? ¿Qué hacen? ¿Qué grupos puede Ud. identificar? ¿Qué semejanzas y diferencias nota Ud. entre los diversos grupos?

- ¿Observa Ud. en el dibujo ejemplos de conflicto entre los individuos? ¿Dónde? ¿Qué hacen? ¿Hay ejemplos de cooperación o colaboración entre las personas? ¿Dónde? ¿Qué pasa en estos intercambios?

- En el dibujo hay una mezcla de lo tradicional y lo moderno. ¿Qué cosas representan lo tradicional? ¿lo moderno? ¿Se puede ver algún aprecio por la cultura indígena? ¿Dónde, y en qué sentido? En este país, ¿existe la misma actitud hacia la cultura indígena? Explique.

apreciar to hold in esteem, think well of	**el desprecio** scorn, contempt
compartir to share	**el/la indígena** native (indigenous) inhabitant
despreciar to look down on	**el/la indio/a** Native American
discriminar (contra) to discriminate (against)	**la mezcla** mixture
(no) llevarse bien (con) (not) to get along well (with)	**la población** population
respetar to respect	**la raza** race (*ethnic*)
el antepasado ancestor	**la tradición** tradition
el aprecio esteem	
el contraste contrast	**con respecto a** with respect to
el/la descendiente descendant	**lo moderno*** modern things
	lo tradicional* traditional things

Conversación

A. Ensalada de palabras   ¿Qué palabra o frase del cuadro asocia Ud. con cada palabra o frase de la lista? Explique en qué basa su asociación. ¿Son sinónimos? ¿antónimos? ¿Es una palabra o frase un ejemplo de la otra?

1. el antepasado
2. el/la descendiente
3. el/la indígena
4. apreciar
5. compartir
6. lo tradicional
7. la raza
8. la mezcla
9. el conflicto
10. la población

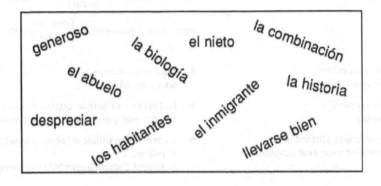

generoso
la biología   el nieto   la combinación
el abuelo
despreciar   la historia
los habitantes   el inmigrante   llevarse bien

Nota cultural

Hay muchas palabras y expresiones en inglés que tienen su origen en las culturas indígenas norteamericanas. Imagínese que un amigo hispano no conoce las siguientes palabras. ¿Cómo le explicaría Ud. (*would you explain*) su significado en español?

■ *kayak*
■ *tepee*
■ *papoose*

Ciertas expresiones indígenas han adquirido (*have acquired*) un sentido especial para nosotros. ¿Cómo explicaría Ud. el significado de las siguientes expresiones?

■ *to bury the hatchet*
■ *to have a pow-wow*
■ *to pass the peace pipe*

---

*Any adjective combined with **lo** expresses an abstract idea or quality. The English equivalent generally uses the adjective + *thing(s)* (in the sense of *aspect* or *part*).

Prefiero lo tradicional a lo moderno.	*I prefer traditional things over modern ones.*
¡Eso es lo más interesante!	*That's the most interesting part!*

B. ¿Y Ud.? En el pueblo donde vive Ud., ¿existen lugares como la plaza del dibujo de la página 42? En este país, ¿dónde se puede ver una situación como esa? ¿Qué hace la gente en ese lugar? ¿Qué grupos (étnicos, generacionales, etcétera) suelen estar presentes? ¿Qué tiene Ud. en común con los miembros de esos grupos? ¿la cultura? ¿la religión? ¿la edad? ¿otra cosa?

C. Sus antepasados ¿Conoce Ud. a sus abuelos? ¿a sus bisabuelos (*great-grandparents*)? ¿Qué sabe Ud. de ellos? ¿De dónde son? ¿Es Ud. descendiente de indígenas norteamericanos? ¿de otro grupo étnico?

D. Sus relaciones familiares ¿Se lleva Ud. bien con sus parientes? ¿Los visita con frecuencia? ¿Lo/La visitan ellos a Ud.? En general, entre los miembros de su familia, ¿de qué asuntos (*issues*) hablan y de qué asuntos *no* hablan? ¿políticos? ¿religiosos? ¿económicos? ¿sociales? ¿otros? Explique su respuesta.

GRAMÁTICA

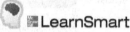

LearnSmart

Visit **www.connectspanish.com** to practice the vocabulary and grammar points covered in this chapter.

6 Impersonal *se* and Passive *se*

The pronoun **se** has many uses in Spanish. Here are two of the most frequent uses.*

Impersonal *se*	Passive *se*[†]
se + third-person singular verb	se + third-person $\left\{\begin{array}{l}\text{singular}\\\text{plural}\end{array}\right\}$ verb + noun noun + se + third-person $\left\{\begin{array}{l}\text{singular}\\\text{plural}\end{array}\right\}$ verb
1. **Se dice** que la comunicación es clave. *They say that communication is key.*	**4.** Aquí **se venden** zapatos. *Shoes are sold here.*
2. En esta ciudad **se vive** muy bien. *One lives very well in this city.*	**5.** En Cataluña **se hablan** catalán y español. *Catalan and Spanish are spoken in Catalonia.*
3. En algunos países no **se respeta** a los indígenas. *In some countries, people don't respect the indigenous people.*	**6.** En general, **se utiliza** el catalán en las conversaciones familiares. *In general, Catalan is used in family conversations.*

In semantic terms, the impersonal **se** (**se impersonal**) and the passive **se** (**se pasivo**) are related in that in both constructions, the agent of an action is either unknown or unimportant. That is, the speaker merely wishes to communicate that

---

*You will learn more uses of **se** in **Gramática 8, 32,** and **36.**

[†]You will learn more about the passive **se** construction (and another way to form the passive voice, using **ser**) in **Gramática 34.**

an action took, is taking, or will take place. The grammatical differences between the two constructions are as follows.

In the impersonal **se** (**se impersonal**) construction, the **se** is acting as the indefinite (unknown or unimportant) subject. Some common English equivalents of this **se** are: *one*, *you* (general), *people* (general), or *they* (general). In Spanish this **se** is always considered to be third-person singular, and therefore, the verb will always be in the third-person singular as well. (See examples 1–3 in the preceding chart.)

In the passive **se** (**se pasivo**) construction, the **se** is considered an unchanging part of the verb, and the thing being acted upon becomes the subject (i.e., a passive construction). Since the subject (the thing being acted upon) can be either third-person singular or plural, the verb must also be in the third-person singular or plural in order to agree with its subject. (See examples 4–6 in the preceding chart, paying special attention to the verb agreements.)

PRÁCTICA
■ connect
SPANISH
www.connectspanish.com

Práctica A   Las siguientes oraciones tienen un sujeto expresado. Cámbielas por oraciones impersonales, utilizando el **se** impersonal y haciendo otras modificaciones necesarias como en el modelo.

MODELO: Los indígenas luchan por mantener (*strive to maintain*) sus tradiciones. →

Se lucha por mantener las tradiciones indígenas.

1. Algunos jefes menosprecian (*underrate*) a sus empleados.

2. Aun en el siglo XXI, hay personas que discriminan contra otras razas.

3. Por lo general, los estudiantes respetan a los profesores de esta universidad.

4. Mucha gente aprecia lo que hicieron nuestros antepasados para mejorar nuestra vida.

5. Algunos creen que todos deben compartir con los demás (*others*) lo que tienen.

Práctica B   Las siguientes preguntas tienen un sujeto expresado. Primero, reformúlelas sustituyendo el sujeto por el **se** pasivo o el **se** impersonal. ¡OJO! A veces usará (*you will use*) un verbo en singular y otras veces uno en plural. Luego, indique con **P** (pasivo) o con **I** (impersonal) el tipo de construcción que Ud. ha utilizado (*you have used*) en cada caso.

MODELO: P ① ¿Creen muchas personas que la vida estudiantil es fácil? →

¿Se cree que la vida estudiantil es fácil?

1. P I   ¿Creen muchas personas que todos los estudiantes universitarios consumen drogas?

2. P I   En este país, ¿consideran muchas personas la diversidad como algo positivo?

3. P I   En esta universidad, ¿habla la gente mucho de asuntos políticos o sociales?

4. P I   ¿Dan aquí fiestas en las residencias cada semana los estudiantes de primer año?

5. P I   En esta universidad, ¿escriben los estudiantes composiciones en todas las clases o solamente en las clases de inglés?

6. P I   Normalmente en esta universidad la gente no trabaja mucho, ¿verdad?

7. P I   En esta universidad, ¿vende mucha gente sus libros al final del curso?

8. P I   En esta universidad, ¿respetan muchos estudiantes a los profesores?

Nota cultural

Creyendo que su viaje a través del océano Atlántico lo había llevado (*had taken him*) a la India, Cristóbal Colón llamó «indios» a los habitantes de las tierras recién descubiertas. En este país, hoy en día el término «indio» ha sido (*has been*) sustituido por el término «indígena norteamericano» (*Native American*). Asimismo (*Similarly*), en Hispanoamérica se usa la palabra «indígena» en vez de «indio» en la mayoría de los contextos.

Nota comunicativa

Many common expressions in Spanish incorporate the impersonal **se** or the passive **se.** Here are a few common ones that you can use to ask for information.

¿Cómo **se dice** _____ en español?
How do you say _____ *in Spanish?*

¿Cómo **se deletrea** _____ ?
How do you spell _____ *?*

¿Cómo **se hace** _____ ?
How do you make/do _____ *?*

Conversación

A. Preguntas Utilice el **se** pasivo o impersonal para contestar las preguntas de **Práctica B** de la página 45. Luego, diga si Ud. está de acuerdo o no con esas opiniones y explique por qué.

MODELO: ¿Se cree que la vida estudiantil es fácil? →
Sí, se cree que la vida estudiantil es fácil, pero no es cierto.
Se presentan muchas dificultades y problemas.
Por ejemplo...

B. Intercambios En parejas, completen las siguientes oraciones con el **se** pasivo o impersonal. Luego, compartan sus opiniones con el resto de la clase.

MODELO: En Italia _____. →
En Italia se come mucho espagueti.

1. En la clase de español _____.
2. En esta universidad _____.
3. En las calles de una ciudad grande _____.
4. En las escuelas secundarias _____.
5. En los países hispanos _____.
6. En mi residencia estudiantil (apartamento, casa) _____.
7. ¿ ?

C. Entre todos

- ¿En qué países del mundo se vive bien? ¿Qué se necesita para vivir bien? ¿Se puede vivir en este país sin coche? ¿sin saber inglés? ¿sin saber leer?
- ¿Qué clase de comida se come en este país? ¿en los barrios asiáticos? ¿en los barrios hispanos? ¿en otras partes? ¿en su casa?

7 Indirect Objects

Remember that objects receive the action of the verb. The direct object is the primary object of the verbal action, answering the question *what?* or *whom?*

Los niños llevan **regalos** a la fiesta.	*The children take* (what?) *gifts to the party.*
¿Conocen Uds. a **la señora**?	*Do you know* (whom?) *the lady?*

The indirect object (**el complemento indirecto**) is the person or thing involved in or affected by the action in a secondary capacity. The indirect object frequently answers the question *to whom?, for whom?,* or *from whom?*

Los niños le llevan regalos a **su amigo**.	*The children take gifts* (to whom?) *to their friend.*
Ellos le piden dinero al **gobierno**.	*They request money* (from whom?) *from the government.*
Paula les abre la puerta a **los niños**.	*Paula is opening the door* (for whom?) *for the children.*

Note that in Spanish the indirect object noun is preceded by the preposition **a**, regardless of the corresponding English preposition.

Indirect Object Pronouns

The Spanish indirect object pronouns (**los pronombres de complemento indirecto**) are identical to the direct object pronouns, except in the third-person singular and plural.

me	me, to me	nos	us, to us
te	you, to you	os	you all, to you all
le	him, to him her, to her you, to you	les	them, to them you all, to you all

Mis padres me prestan dinero.	*My parents lend me money.*
Los Sres. García le escriben a **su hijo** con frecuencia.	*Mr. and Mrs. García write to their son frequently.*
«Dear Abby» les da consejos a **muchas personas**.	*"Dear Abby" gives advice to many people.*

In sentences with **le** or **les**, as in the latter two examples, both the indirect object pronoun and its corresponding noun appear in the sentence together when the indirect object is mentioned. If the meaning of the indirect object pronoun is clear, however, the indirect object noun can be dropped.

—¿Qué le escribes **a tu madre**?	*—What are you writing to your mother?*
—Le escribo una carta.	*—I'm writing her a letter.*

Like direct object pronouns, indirect object pronouns

■ precede conjugated verbs and negative commands.

Siempre me escriben a principios del mes.	*They always write (to) me at the beginning of the month.*
No me escriba a esta dirección.	*Don't write (to) me at this address.*

¿Recuerda Ud.?

Since third-person object pronouns may have more than one meaning, the ambiguity is often clarified by using a prepositional phrase with **a**.

Le doy el libro	{ a él. a ella.
I'm giving the book	{ to him. to her.
Les escribo	{ a ellos. a Uds.
I'm writing	{ to them. to you all.

The prepositional phrase with **a** is also used for emphasis.

Me da el libro **a mí**, no **a ella**.
He's giving the book to me, not to her.

■ attach to affirmative commands.

Escríbame a mi nueva dirección.　　　*Write (to) me at my new address.*

■ can precede or attach to infinitives and present participles.*

No le voy a prestar el dinero.⎫
No voy a prestarle el dinero. ⎭　　　*I'm not going to lend him the money.*

Les estoy escribiendo ahora mismo.⎫
Estoy escribiéndoles ahora mismo.⎭　　*I'm writing (to) them right now.*

Práctica A　Forme oraciones nuevas utilizando los diferentes sujetos entre paréntesis.

MODELO: *Yo* te comprendo bien. ¿Por qué no *me* cuentas tu problema? (Juan) →
Juan te comprende bien. ¿Por qué no le cuentas tu problema?

1. Allí viene *Pablo.* ¿Por qué no *le* pides ayuda? (María y Juan)
2. Aquí estoy *yo,* pues. ¿Por qué no *me* dicen nada Uds.? (Fernando)
3. *Juan* no tiene las entradas. ¿Por qué no *le* compran algunas Uds.? (yo)
4. *Ellos* salen pronto para España. ¿Vas a escribir*les*? (nosotros)

Práctica B　Conteste las siguientes preguntas con las palabras entre paréntesis.

MODELO: ¿Qué les das a los niños? (dulces) →
Les doy dulces.

1. ¿Qué te dan tus padres (hijos, amigos)? (dinero)
2. ¿Qué le explicas a tu amiga? (mis problemas)
3. ¿Qué nos dice el profesor / la profesora? («Buenos días.»)
4. ¿Qué me traen mis hermanos? (libros)

AUTOPRUEBA　Complete las siguientes oraciones con el pronombre de complemento indirecto (**me, te, le, nos, les**) apropiado, según el contexto.

1. Hoy en día los estudiantes no _____ escriben cartas a sus padres. Prefieren usar el correo electrónico o los llaman por teléfono.
2. Creemos que el compañero de Rafael no puede hablar. Nunca _____ dice nada.
3. Cuando mis padres regresan de un viaje, siempre _____ traen un recuerdo.
4. Un hombre cortés siempre _____ abre la puerta a una mujer.
5. Escucha, mi hijo, y _____ cuento una historia.
6. A Uds. _____ voy a dar mi dirección porque quiero que me visiten.

---

*All object pronouns *must* be attached to infinitives and present participles when these are not accompanied by a conjugated verb; for example, with an infinitive that follows a preposition: **Voy a su casa para *darle* el dinero.**

Conversación

A. El producto perfecto

Paso 1. Este dibujo hace una crítica a la sociedad. Presenta a un grupo de consumidores de un producto especial. Conteste las preguntas según el dibujo.

1. ¿Quiénes son los clientes de esta fábrica? ¿Qué «producto» les ofrece la fábrica?
2. ¿Qué hacen el hombre y la mujer qué están al fondo (*background*) con el técnico de computadoras? ¿Qué le explican? ¿Qué les muestra el técnico en la pantalla (*screen*) de la computadora?
3. ¿Qué crea el científico en su laboratorio que las personas esperan con tanto interés?
4. Cuando los bebés llegan a la sala de espera de los clientes, ¿qué les hace inmediatamente las empleadas? (curar el ombligo, poner talco, poner el pañal [*diaper*])
5. Al final, ¿qué le dan los nuevos padres a la empleada? ¿Y qué les da ella a ellos a cambio (*in return*)?

Paso 2. Entre todos

- ¿Qué opina Ud. del mensaje de este dibujo? ¿Es cómico? ¿triste? ¿prometedor (*hopeful*)? ¿aterrador (*frightening*)? ¿Por qué?
- ¿Qué problemas le puede traer a una sociedad una «fábrica de niños»? ¿Qué beneficios le puede traer? ¿Cómo sería (*would be*) la comunidad resultante? ¿Sería más diversa o más uniforme? Explique.

B. Guiones En grupos de tres o cuatro personas, contesten las siguientes preguntas generales para describir los dibujos. Incorporen complementos pronominales cuando sea posible. ¡Usen la imaginación!

- ¿Quiénes son estas personas?
- ¿Cuál es la relación entre ellas?
- ¿Cómo son físicamente?
- ¿Dónde están?
- ¿Qué hacen?
- ¿Por qué lo hacen?

1. escuchar, explicar, hacer una pregunta, pasar un recado (*note*)

2. acabar de, dar las gracias, escribir, mandar

3. gritar, hacer la tarea, jugar

4. dar, leer, pedir

C. Las dependencias

Paso 1. Una comunidad depende de la ayuda mutua, la cual refleja las necesidades y las capacidades de sus miembros. Por ejemplo: Yo te presto mis discos de jazz y tú me llevas al supermercado en tu coche. ¿En qué consiste la ayuda mutua en los siguientes casos? ¡**OJO!** En la mayoría de los casos hay que usar un pronombre de complemento directo o indirecto.

MODELO: el pueblo y el gobierno →

El pueblo le da dinero al gobierno. El gobierno le da servicios al pueblo.

1. el perro (o el gato) y el ser humano

2. los jóvenes y los mayores

3. la nación en general y un grupo con el cual Ud. se identifica o al cual pertenece

4. los estudiantes y los profesores

5. Ud. y su hermano/a (compañero/a de cuarto, esposa/o, mejor amigo/a)

Paso 2. Compartan sus ideas del **Paso 1.**

8 Sequence of Object Pronouns

When both a direct and an indirect object pronoun appear in a sentence, the indirect object pronoun (which usually refers to a person) precedes the direct object pronoun (which usually refers to a thing).

—No entiendo el problema. ¿**Me lo** puedes explicar?	—*I don't understand the problem. Can you explain it to me?*
—Sí, **te lo** explico ahora mismo.	—*Yes, I'll explain it to you right now.*

When the direct and indirect object pronouns are both in the third person, the indirect object pronoun (**le/les**) is replaced by **se**.

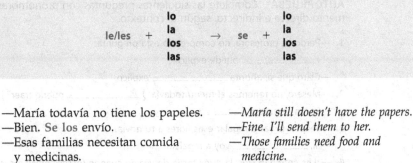

le/les + lo / la / los / las → se + lo / la / los / las

—María todavía no tiene los papeles.	—*María still doesn't have the papers.*
—Bien. **Se los** envío.	—*Fine. I'll send them to her.*
—Esas familias necesitan comida y medicinas.	—*Those families need food and medicine.*
—De acuerdo. La agencia puede mandár**selas**.*	—*Fine. The agency can send them to them.*

Práctica A En los siguientes diálogos entre Voz y Eco, hay una repetición innecesaria de algunos sustantivos. Cambie los sustantivos repetidos por complementos pronominales.

MODELO: VOZ: ¿Les venden los indígenas su artesanía a los turistas?
ECO: Sí, les venden su artesanía a los turistas. →
Sí, se la venden.

1. VOZ: ¿Les explican los indígenas sus costumbres a los europeos?
   ECO: Sí, les explican sus costumbres a los europeos.

2. VOZ: ¿Les quitan las tierras a los indígenas?
   ECO: Sí, les quitan las tierras a los indígenas.

3. VOZ: ¿Prometen los europeos devolverles las tierras a los indígenas?
   ECO: Sí, prometen devolverles las tierras a los indígenas, pero nunca les entregan las tierras a los indígenas.

4. VOZ: ¿Le piden los indígenas cambios al gobierno?
   ECO: Sí, le piden cambios al gobierno, pero este (*the latter*) no quiere hacer los cambios muy pronto.

---

*When two object pronouns attach to an infinitive, a written accent must be added to the infinitive so that the stress remains on the last syllable of the infinitive.

Práctica B Conteste las siguientes preguntas con las palabras entre paréntesis. Elimine la repetición innecesaria utilizando complementos pronominales.

MODELO: ¿Quién le da los regalos a Gloria? (sus padres) →
Sus padres se los dan.

1. ¿Quién les explica los complementos pronominales a los estudiantes? (la profesora)
2. ¿Quién te mandó esas cartas? (mi novia)
3. ¿Quién nos va a prestar el dinero? (el banco)
4. ¿Quién le dice mentiras a Alicia? (su compañera)

AUTOPRUEBA Complete las siguientes preguntas con pronombres de complemento directo e indirecto, según el contexto.

1. —Perdone, profesora, no comprendo esta pregunta.

   ¿_____ _____ puede explicar?

   —Claro que sí, ahorita _____ _____ explico.
2. —Mesero, no tenemos el menú todavía. ¿_____ _____ puede traer?

   —En un segundo _____ _____ doy.
3. —Felipe, ¿le vas a regalar esas flores a tu novia?

   —Sí, _____ _____ voy a regalar.
4. —¿Les entregan Uds. la tarea tarde de vez en cuando (*occasionally*) a sus profesores?

   —¡Claro que no! ¡Nunca _____ _____ entregamos tarde!
5. —Ana, ¿me prestas tu lápiz?

   —No, no _____ _____ puedo prestar porque _____ necesito yo.

Conversación

A. Intercambios

Paso 1. Imagínese que un amigo / una amiga le pregunta a Ud.: «¿A quién debo darle las siguientes cosas, a ti o a mi mejor amigo/a?» Contéstele según su preferencia. ¡OJO! Es preferible guardar lo mejor para sí mismo/a (*yourself*) y darle el resto a la otra persona, como se hace en los modelos.

MODELOS: ¿mucho trabajo? → Se lo debes dar a él/ella.

¿un día de vacaciones? → Me lo debes dar a mí.

Paso 2. Y ahora, imagínese que el mismo amigo / la misma amiga le pregunta: «¿A quiénes les debo hacer los siguientes favores, a ti y a tu mejor amigo/a o a otras dos personas?» Conteste según los modelos.

MODELOS: ¿lavar la ropa? →

Nos la debes lavar a nosotros.

¿regalar un CD de Frank Sinatra? →

Se lo debes regalar a ellos.

Cosas

un boleto de lotería
una botella de champaña
unos CDs de música clásica
un diccionario bilingüe
dinero
una foto del presidente
los libros de física
un pasaje de ida (*one way*) a Universal Studios
un reloj despertador alarm clock

Favores

conseguir (*like* seguir) entradas para la última (*latest*) película
dar una casa en Acapulco
enviar (envío) unas flores
limpiar el cuarto
preparar la cena
regalar unos calcetines morados (*purple*)
servir (sirvo) (i) pulpo (*octopus*)

B. La comunicación La comunicación entre la gente permite el intercambio de opiniones diversas. También permite apreciar las diferencias que existen entre todos. Con dos o tres compañeros de clase, háganse las siguientes preguntas y contéstenlas para averiguar cómo se comunican con otras personas. Luego compartan lo que han aprendido (*you have learned*) con los demás grupos. Usen los complementos pronominales siempre que puedan.

1. ¿Qué le dices a una persona en el momento de conocerla? ¿Le estrechas la mano o le das un beso en la mejilla (*cheek*)? ¿Cómo saludas a las personas cuando llegas a una fiesta? ¿A quiénes sueles saludar con uno o dos besos?

2. ¿Tienes amigos de otros países? ¿De dónde son? ¿Les hablas en su propio idioma? ¿Te hablan ellos en inglés? ¿Te hablan de su país? ¿Qué te cuentan? ¿Qué información sobre este país compartes con ellos? ¿Qué clase de información les interesa más? ¿Les mandas mensajes de correo electrónico o los llamas por teléfono? ¿Por qué?

3. ¿A quién le pides ayuda cuando tienes un problema de salud? ¿un problema económico? ¿un problema en tus estudios? ¿un problema sentimental? ¿Para qué clase de problema te piden ayuda tus amigos?

4. ¿Cómo reaccionas si una persona desamparada te pide dinero en la calle? ¿si te pide comida? ¿si un miembro de una secta religiosa te pide dinero? ¿si un predicador de barricada (*soapbox preacher*) te ofrece consejos?

C. Entre todos

- ¿Le da Ud. sus CDs favoritos a su mejor amigo/a si se los pide? ¿Le da su suéter más nuevo? ¿Qué más le pide él/ella? ¿Se lo da? ¿Qué *no* le da en ninguna circunstancia? ¿Qué le da él/ella a Ud.?

- ¿Le compra flores a su novio/a? ¿Le canta canciones de amor? ¿Le compra diamantes? ¿Le escribe cartas románticas? ¿Se las escribe en español? ¿Qué le va a regalar para su cumpleaños?

- ¿Siempre les hablo a Uds. en español? ¿En qué circunstancias no les hablo en español? Explíquenme por qué. Cuando Uds. me hacen preguntas, ¿me las hacen en español? ¿Eso está bien? ¿Por qué sí o por qué no? ¿Siempre me entregan (*do you hand in*) la tarea a tiempo? ¿En qué circunstancias no me la entregan a tiempo? ¿Y cuáles son algunas buenas excusas que saben para esos momentos? Si me entregan algo tarde, ¿me piden disculpas? ¿Cómo me las piden? Denme algunos ejemplos.

9 The Imperfect Indicative

Events or situations in the past are expressed in two simple past tenses in Spanish: the imperfect (**el imperfecto**) and the preterite.*

A. Forms of the Imperfect

Almost all Spanish verbs have regular forms in the imperfect tense.

-ar Verbs		-er/-ir Verbs			
tomaba	tomábamos	quería	queríamos	escribía	escribíamos
tomabas	tomabais	querías	queríais	escribías	escribíais
tomaba	tomaban	quería	querían	escribía	escribían

---

*You will review the forms and uses of the preterite in **Gramática 12** and **14**.

In the imperfect, the first- and third-person singular forms are identical. There is no stem change or **yo** irregularity in any verb. Note the placement of accents. Only three Spanish verbs are irregular in the imperfect.

ser		ir		ver	
era	éramos	iba	íbamos	veía	veíamos
eras	erais	ibas	ibais	veías	veíais
era	eran	iba	iban	veía	veían

The verb **ver** is irregular only in that its stem retains the **e** of the infinitive ending in all persons. Note the placement of accents.

B. Uses of the Imperfect

The imperfect tense derives its name from the Latin word meaning *incomplete*. It is used to describe actions or situations that were not finished or that were in progress at the point of time in the past that is being described. The use of the imperfect tense to describe the past closely parallels the use of the present tense to describe actions in the present.

¿Recuerda Ud.?

The imperfect form of **hay (haber)** is **había** (*there was/were*).

When the imperfect tense is used, attention is focused on the action in progress or on the ongoing condition, with no mention made of or attention called to the beginning or end of that situation. For this reason, the imperfect is used to describe the background for another action: the time, place, or other relevant information.

Description of	Present	Past
an action or condition in progress	**Leo** el periódico. *I'm reading the paper.*	**Leía** el periódico. *I was reading the paper.*
an ongoing action or condition	La casa **está** en la esquina. *The house is on the corner.*	La casa **estaba** en la esquina. *The house was on the corner.*
the hour (telling time)	**Son** las ocho. *It is eight.*	**Eran** las ocho. *It was eight.*
habitual or repeated actions	**Salgo** con mi novio los viernes. *I go out with my boyfriend on Fridays.*	**Salía** con mi novio los viernes. *I used to go out with my boyfriend on Fridays.*
	Estudio por la mañana. *I study in the morning.*	**Estudiaba** por la mañana. *I used to study in the morning.*
an anticipated action	Mañana **tengo** un examen. *Tomorrow I have an exam.*	Al día siguiente **tenía** un examen. *On the next day I had (was going to have) an exam.*
	Vamos a la playa. *We're going to the beach.*	**Íbamos** a la playa. *We were going to the beach.*

Práctica   Cambie los verbos en el presente al imperfecto.

Durante el siglo pasado y la primera parte de este, las diferencias entre la vida urbana y la rural son[1] más notables que en la época actual ya que[a] hay[2] menos contacto entre las dos zonas. En aquel entonces,[b] la gente que vive[3] en el campo no tiene[4] la ventaja de los rápidos medios de comunicación; no ve[5] la televisión, ni escucha[6] la radio ni va[7] al cine. Estos tres medios de comunicación todavía no existen.[8] Muchos no saben[9] leer y por eso no leen[10] ni periódicos ni revistas. Las noticias culturales, políticas y científicas que reciben[11] los habitantes de las ciudades llegan[12] al campo con mucho retraso.[c] Los campesinos, especialmente si están[13] a bastante distancia de una ciudad, no se dan[14] cuenta de los cambios sociales que ocurren[15] en los centros urbanos. Al mismo tiempo, los de la ciudad muchas veces no entienden[16] ni pueden[17] apreciar los asuntos que les preocupan[18] a las personas que viven[19] en el campo.

[a]ya... *since*   [b]En... *Back then*   [c]*delay*

AUTOPRUEBA   Manuel habla de cómo era su vida cuando tenía 6 años. Complete las siguientes oraciones con la forma apropiada del imperfecto del verbo entre paréntesis.

Cuando yo tenía 6 años,...

1. ...mis padres no me (permitir) salir de la casa solo.

2. ...mis hermanos me (acompañar) a la escuela todos los días.

3. ...mis hermanos y yo (ver) dibujos animados en la televisión los sábados.

4. ...yo no (comer) legumbres.

5. ...yo (pasar) mucho tiempo con mis abuelos.

6. ...los domingos todos (ir) al cine.

Conversación

A. Intercambios

Paso 1. En parejas, completen las siguientes oraciones. Primero cambien los verbos entre paréntesis al imperfecto y luego digan si las oraciones expresan sus recuerdos personales de cuando tenían 10 años.

Cuando yo tenía 10 años...

1. ...la vida me (parecer) muy complicada.

2. ...(tener) los mismos intereses que tengo ahora.

3. ...(ser) consciente de ser miembro de un grupo étnico.

4. ...(obedecer) a mis padres en todo.

5. ...(preferir) estar con otros; no me (gustar) estar solo/a.

6. ...me (interesar) la historia de mis antepasados.

Paso 2. Y ahora ¿cómo son Uds.? Identifiquen por lo menos una oración que les inspire diferentes sentimientos ahora.

■ ¿Qué no podía hacer la mujer en 1900 que sí puede hacer ahora? ¿Qué otros grupos tienen más derechos/oportunidades ahora de los que tenían en 1900? ¿los indígenas norteamericanos? ¿los grupos inmigrantes? ¿los afroamericanos? ¿los obreros? ¿los viejos? ¿los jóvenes? ¿los hombres? ¿la policía? Justifique su opinión con ejemplos concretos.

■ ¿Qué sabemos ahora que no sabíamos en 1900? ¿Qué inventos tenemos ahora que no teníamos en aquel entonces? ¿Qué problemas tenemos ahora que no teníamos? ¿Qué problemas teníamos que ya no tenemos?

C. **Intercambios**

Paso 1. Hágale preguntas a su compañero/a para averiguar a quién acudía él/ella (*he/she turned to*) a la edad indicada en los siguientes casos y por qué. Se debe usar el imperfecto del verbo y tratar de incorporar complementos pronominales en las respuestas.

MODELO: pedir dinero (13)

¿A quién le pedías dinero cuando tenías 13 años? →
Se lo pedía a mi hermano mayor porque él siempre lo tenía y no les decía nada a mis padres.

1. pedir dinero (13)
2. pedir consejos (académicos/sentimentales) (16)
3. dar consejos (académicos/sentimentales) (16)
4. contar chistes (10)
5. hacer favores especiales (10)
6. pedir protección/ayuda en caso de peligro (*danger*) o injusticia (8)

Paso 2. Entre todos Hagan una tabla de las respuestas más frecuentes. ¿Qué indican los resultados?

D. **Guiones** Los siguientes dibujos representan los recuerdos de cuatro adultos de lo que hacían cuando eran niños. Describa los recuerdos usando las palabras sugeridas. No olvide que se usa el imperfecto para describir en el pasado.

1. jugar, estar contento, tener amigos, ser popular, llevar ropa vieja

2. estar sola, leer, ser triste, llevar gafas, no tener amigos

3. estar con familia, ser feliz, llevar ropa nueva, ir a la iglesia

4. ser malo, tirar bolas de papel, asustar a otros niños, no respetar

10 Reflexive Structures

A structure is reflexive (**reflexivo**) when the subject and object of the action are the same.

Yo puedo ver**me** en el espejo.   *I can see myself in the mirror.*

A. Reflexive Pronouns

The reflexive concept is signaled in English and in Spanish by a special group of pronouns. The English reflexive pronouns end in -*self*/-*selves*; the Spanish reflexive pronouns (**los pronombres reflexivos**) are identical to other object pronouns except in the third-person singular and plural.

Subject	Reflexive	Subject	Reflexive
yo	me	I	myself
tú	te	you	yourself
él		he	himself
ella	se	she	herself
usted		you	yourself
nosotros/as	nos	we	ourselves
vosotros/as	os	you	yourselves
ellos		they	themselves
ellas	se	you	yourselves
ustedes			

Like other object pronouns, reflexive pronouns

- precede conjugated verbs and negative commands.

  Me levanto.   *I get up (I'm getting up).*
  No **te** levantes.   *Don't get up.*

- attach to affirmative commands.

  Levánte**se**, por favor.   *Get up, please.*

- can attach to or precede infinitives and present participles.

  Voy a levantar**me** ahora. ⎫
  Me voy a levantar ahora. ⎭   *I'm going to get up now.*

  ¿Por qué estás levantándo**te** ahora? ⎫
  ¿Por qué **te** estás levantando ahora? ⎭   *Why are you getting up now?*

¿Recuerda Ud.?

Reflexive pronouns *must* be used when the subject does some action to a part of his or her own body.

¡Cuidado! Vas a cortarte **el dedo.**
Careful! You're going to cut your finger.

Since reflexive actions, by definition, indicate that the subject is doing something to himself/herself, the definite article—not the possessive adjective—is used with the body part or the possession in this structure.

B. Reflexive Meaning

Many verbs in Spanish may be used reflexively* or nonreflexively, depending on the speaker's intended meaning. Compare the following pairs of sentences.

Nonreflexive	Reflexive
El niño **mira** el juguete. *The child is looking at the toy.*	El niño **se mira.** *The child is looking at himself.*
Los pacientes **aprecian** a los médicos. *The patients think highly of the doctors.*	Los médicos **se aprecian.** *The doctors think highly of themselves.*
Le escribiste a Carlos, ¿no? *You wrote to Carlos, didn't you?*	**Te escribiste** un recado, ¿no? *You wrote yourself a note, right?*

Nota comunicativa

Some reflexive verbs may take a direct object in addition to the reflexive pronoun. Thus, you may need to use two pronouns together. The reflexive pronoun will always precede the direct object pronoun.

—¿Va a **quitarse los zapatos** Manuel?
—*Is Manuel going to take off his shoes?*

—Sí, va a **quitárselos.**
—*Yes, he's going to take them off.*

Here are some of the most common reflexive verbs used for talking about daily routines.

afeitarse	*to shave*	peinarse	*to comb one's hair*
bañarse	*to bathe*	pintarse	*to put on makeup*
(des)**vestirse**	*to (un)dress*	**ponerse**	*to put on (clothing)*
ducharse	*to shower*	quitarse	*to take off (clothing)*
lavarse	*to wash*	secarse (qu)	*to dry*

Me afeito todos los días.   *I shave every day.*
¿Por qué no te pones el suéter?   *Why don't you put on your sweater?*

C. The Reciprocal Reflexive

The plural reflexive pronouns (**nos, os,** and **se**) can be used to express mutual or reciprocal actions, expressed in English with *each other.*

Nosotros nos escribimos muy a menudo.   *We write to each other very frequently.*

Vosotros os veis con frecuencia, ¿no?   *You (all) see each other a lot, don't you?*

Van a encontrarse en el bar.   *They're going to meet (each other) in the bar.*

¿Recuerda Ud.?

When context is not sufficient to determine whether a construction is reciprocal or reflexive, the reciprocal is indicated by the clarifying phrase **uno a otro (una a otra / unos a otros / unas a otras).**

Jorge y Olga se respetan (**el**) **uno a(l) otro.**[†]
Jorge and Olga respect each other.

Paloma y Olga se respetan (**la**) **una a (la) otra.**[†]
Paloma and Olga respect each other.

Many sentences can be interpreted as having either reciprocal or reflexive meanings, as in this example.

Leonardo y Estela se miran en el espejo.
{ *Leonardo and Estela look at each other in the mirror.* (reciprocal)
{ *Leonardo and Estela look at themselves in the mirror.* (reflexive)

---

*Many verbs and expressions that use reflexive pronouns, such as **llevarse mal,** do *not* convey the idea of the subject doing something to or for itself. This section focuses on the use of reflexive pronouns to express (1) true reflexive actions and (2) reciprocal actions. You will study other functions of reflexive pronouns in **Gramática 32** and **36.**

[†]Masculine forms are used unless both subjects are feminine, and use of definite articles in the clarifying phrase is optional.

Práctica A
Conteste las siguientes preguntas, primero según el dibujo y luego según los demás sujetos indicados.

connect SPANISH
www.connectspanish.com

Vocabulario **útil**

el espejo
el jabón
el pañuelo

1. ¿Qué hace? (la mujer, yo, tú)

2. ¿Qué hacían? (ellos, Uds., nosotros)

3. ¿Qué va a hacer? (la señora, tú, Ud.)

Práctica B
Conteste las siguientes preguntas negativamente como si fuera (*as if you were*) Manuel, un papá moderno con tres hijos. Indique que las personas mencionadas en las preguntas se hacen la acción. Recuerde usar los pronombres de complemento directo cuando pueda.

MODELO: —¿Siempre despiertas a tu esposa Olga? →
—No, ella se despierta.

1. —¿Siempre bañas a Luisito?
2. —¿Siempre le quitas el pijama a Alfonsito?
3. —¿Siempre le pones los calcetines a Carmencita?
4. —¿Siempre les preparas el desayuno a tus hijos?

AUTOPRUEBA Complete las siguientes oraciones con la forma apropiada del presente o el infinitivo del verbo entre paréntesis. **¡OJO!** En algunos casos, debe usar el reflexivo y en otros no.

1. Marta (peinar) todos los días.
2. Ana es muy creída (*self-centered*); siempre (mirar) en el espejo.
3. Los militares tienen que (afeitar) todos los días.
4. Voy a (bañar) al perro porque huele (*he smells*) muy mal.
5. Uds. necesitan (quitar) los zapatos antes de entrar en la casa.
6. Mis amigos colombianos y yo (ver) una vez al año.
7. El bebé está durmiendo. No hablo porque no lo quiero (despertar).
8. Elena (comprar) un coche nuevo porque el coche que tiene no funciona bien.

Conversación

A. Guiones

Paso 1. Describa los dibujos con la forma apropiada —o reflexiva o no reflexiva— usando los verbos indicados.

Vocabulario útil

la bota
la Nevada
la reina
la serpiente
el vaquero

1. matar **2.** poner **3.** quitar **4.** bañar

Paso 2. Ahora, elija uno de los dibujos e invente una historia explicando por qué el individuo del dibujo hace lo que hace y describiendo las consecuencias de lo que hace.

B. Intercambios

Paso 1. Todos tenemos costumbres muy particulares, ¿verdad? En parejas, háganse preguntas para averiguar en qué circunstancias cada uno de Uds. hace las siguientes acciones. Usen la forma de **tú** en las preguntas y los complementos pronominales para evitar la repetición innecesaria en las respuestas.

1. lavarse la cara con agua muy fría/caliente
2. comprarse un regalito
3. ponerse ropa vieja
4. ponerse ropa muy elegante
5. escribirse recados para recordar algo
6. darse un baño largo y caliente
7. darse palmadas en la espalda (*pats on the back*)
8. gritarse

Paso 2. ¿Son Uds. muy similares o muy diferentes? Cuando compartan su información con la clase, mencionen por lo menos *una* acción que *los dos* hacen cuando están en circunstancias semejantes.

C. Guiones

Describa los siguientes dibujos usando los verbos indicados. Luego, elija uno de los dibujos e invente una «catástrofe» que resulta de la acción descrita.

1. ladrar, mirar **2.** abrochar **3.** dar de comer **4.** servir

D. Guiones Examine los siguientes dibujos y haga oraciones usando el vocabulario indicado. ¿Cuáles de las acciones son reflexivas? ¿Cuáles no son reflexivas? ¿Hay también acciones recíprocas?

1. el vendedor / la cliente / pelear, gritar

2. los chicos / las chicas / saludar, abrazar

3. la mujer / bañar, relajar

4. las muchachas / mirar, hablar

5. la niña / las uñas / pintar

6. el mesero / el cliente / servir, devolver

UN POCO DE TODO

¡OJO!

¡OJO!	Examples	Notes
pensar (pienso) **pensar en** **pensar de** **pensar que**	**Pienso;** luego existo. *I think; therefore, I am.*	Used alone, **pensar** means *to think*, referring to mental processes.
	Piensa (Cree) que se ha asimilado muy bien. *He thinks (He believes) that he has assimilated very well.*	**Pensar** is also synonymous with **creer**, meaning *to have an opinion about something*.
	¿Piensan venir con nosotros? *Are they planning to come with us?*	Followed by an infinitive, **pensar** means *to intend* or *to plan (to do something)*.
	Pienso en mi novio. *I'm thinking about my boyfriend.*	**Pensar en** means *to have general thoughts (about someone or something)*.
	¿Qué **piensas de** mi familia? *What do you think of (about) my family? (What is your opinion of it?)*	**Pensar de** indicates an opinion or point of view; it is generally used in questions.
	Pienso que es una familia divertida. *I think it's a fun family.*	**Pensar de** is frequently answered with **pensar que**.
consistir en **depender de**	La clase **consiste en** ejercicios prácticos. *The class consists of practical exercises.*	The English expression *to consist of* is expressed in Spanish with **consistir en**.
	Dependen de sus hijos económica y emocionalmente. *They depend on their children financially and emotionally.*	*To depend on* corresponds to Spanish **depender de**.
enamorarse de **casarse con** **soñar con (sueño)**	**Se enamoró de** la hija de unos exiliados chilenos. *He fell in love with the daughter of Chilean exiles.*	*To fall in love with someone* is expressed by **enamorarse de alguien**.
	Mi abuelo **se casó** por segunda vez **con** una rusa. *My grandfather got married for the second time to a Russian woman.*	*To marry* is expressed by **casarse**, followed by **con** when the person one marries is specified.
	Soñó con su esposo muerto. *She dreamed about (of) her dead husband.*	English *to dream about (of)* is expressed in Spanish with **soñar con**.

A. Volviendo al dibujo   Este dibujo es de **Describir y comentar.** Examínelo y luego escoja la palabra que mejor complete cada oración de acuerdo con el contexto. **¡OJO!** También hay palabras del capítulo anterior.

1. El chico en el centro mira a las chicas que pasan. Él se enamora (a/con/de)[1] una de ellas y quiere casarse (a/con/de)[2] ella en el futuro. Piensa (de/en/que)[3] ella todo el día. Sus amigos dicen que (busca/mira/parece)[4] enfermo porque no come ni duerme bien. Su vida consiste (con/de/en)[5] ir al trabajo y pensar (a/de/en)[6] su novia. Dice que su felicidad depende (a/de/en)[7] ella y por eso él sueña (con/de/en)[8] ella todas las noches. ¡Vaya chico!

2. Los hombres detrás del joven enamorado juegan al ajedrez. El juego consiste (a/de/en)[9] mover las piezas para hacer un jaque mate[a] al rey. Cada persona piensa (de/en/que)[10] sus jugadas y las analiza con cuidado porque la victoria puede depender (a/de/en)[11] su decisión.

3. Por generaciones, la gente de esta ciudad usó el reloj del ayuntamiento[b] para organizar su vida. Ahora el reloj ya no (funciona/trabaja)[12] y desde entonces todos siempre llegan atrasados a sus citas. En este momento, ellos piensan (de/en/que)[13] son las seis y diez de la tarde y por eso, nadie (funciona/trabaja).[14] En realidad, son las tres y diez.

[a]jaque... *check mate* [b]*town hall*

B. **Nuestra imagen de los indígenas norteamericanos*** Complete el siguiente párrafo con el presente de **ser** y **estar,** según el contexto.

Para muchos estadounidenses, los indígenas norteamericanos _____[1] figuras muy conocidas y misteriosas a la vez. Cuando los jóvenes todavía _____[2] en la escuela primaria, estudian la historia de estos «primeros americanos». Pocahontas, Hiawatha y Sitting Bull _____[3] nombres tan familiares como George Washington, Betsy Ross y Abraham Lincoln. Para ellos, los indígenas norteamericanos _____[4] solamente personajes históricos, románticos; _____[5] en los libros pero no en la vida real. Por eso ellos se sorprenden cuando leen sobre los conflictos entre los indígenas norteamericanos y el gobierno federal. Aunque muchos indígenas norteamericanos prefieren _____[6] invisibles, no todos _____[7] contentos con el estatus inferior que esto implica, y algunos lo rechazan.[a] _____[8] triste notar que los conflictos de hoy _____[9] los mismos de años pasados: tierra y libertad.

[a]*reject*

C. **Intercambios** En parejas, háganse y contesten preguntas sobre su origen étnico. Luego, compartan con la clase lo que han aprendido (*have learned*). Usen los siguientes puntos como guía y recuerden usar las formas de **tú.**

- el origen étnico de sus padres y otros parientes
- si algunos parientes todavía viven en otro país
- si conoce a alguno de ellos
- si tiene un antepasado famoso o interesante y cómo era
- si se habla o hablaba otro idioma en su casa
- si toda su familia suele o solía reunirse con frecuencia
- las costumbres —fiestas, comidas, etcétera— que hay o había en su familia que conservan rasgos de un grupo étnico determinado

---

***Un poco de todo B** focuses on material from previous lessons; **Un poco de todo C** reviews structures in the current lesson.

A LEER

Lectura cultural *La diversidad hispana*

En este país muchos creen que todos los hispanos se parecen y que hasta son idénticos físicamente. Tienen la imagen de una persona baja de estatura, de pelo y ojos oscuros y de piel morena. En parte, esta idea se basa en el hecho de que muchos de los inmigrantes hispanos que llegan a este país tienen ascendencia indígena, lo cual se refleja en sus rasgos. Pero la verdad es que en el mundo hispano hay tanta variedad física entre sus habitantes como en este país. Hay hispanos cuyos[a] antepasados llegaron (por su propia voluntad o forzosamente[b]) de África, Asia y Europa. Algunos de ellos buscaban libertad religiosa u oportunidades económicas. Otros eran perseguidos políticamente en su país de origen. A continuación se presentan algunos ejemplos de la riqueza racial, étnica y lingüística de los paises hispanohablantes.

La Argentina: Se dice que la Argentina es el país más europeo de Sudamérica. Hay argentinos cuyos antepasados emigraron a Sudamérica de Francia, Alemania, Suiza, España y sobre todo de Italia. Hoy en día el 40 por ciento de los argentinos dice que tiene raíces italianas. La primera ola[c] de inmigrantes llegó alrededor de 1880 en busca de trabajo. Algunos grupos llegaron en los años 30, huyendo[d] del régimen de Hítler mientras que otros refugiados se establecieron en la Argentina poco después de la Segunda Guerra Mundial.

Costa Rica: En la década de 1870, varios jamaiquinos de descendencia africana llegaron a la costa caribeña de Costa Rica para trabajar en las compañías bananeras. Hoy en día en la ciudad de Limón, se oye todavía el inglés criollo que hablaban esos inmigrantes.

México: En un pueblo llamado Cuauhtémoc, cerca de la ciudad de Chihuahua, viven más de 30.000 menonitas, miembros de una secta religiosa que se originó en Suiza en el siglo XVI. Para escaparse de la persecución religiosa en Europa primero huyeron al Canadá en el siglo XIX. Luego, un grupo de ellos se estableció en México después de que el gobierno mexicano les ofreció tierra para cultivar. Se distinguen por su manera de vestir tradicional, su apariencia física (son altos, de pelo rubio y piel blanca) y son conocidos por dedicarse a la producción de queso y otros productos lácteos.[e] Aunque muchos menonitas hoy hablan español, algunos de ellos retienen el dialecto alemán que hablaban sus antepasados en Suiza hace siglos.

El Perú: En el Perú hay una colonia de personas de origen japonés cuyos antepasados empezaron a llegar después del año 1899. Primero encontraron trabajo en las minas y plantaciones, pero con el tiempo, muchos de ellos abrieron su propio negocio. El antiguo presidente peruano Alberto Fujimori es de descendencia japonesa.

[a]*whose* [b]*por... voluntarily or by force* [c]*wave* [d]*fleeing* [e]*dairy*

Una pareja de Lima, Perú

La República Dominicana: El pueblo de Samaná fue fundado por un grupo de esclavos que huyó de los Estados Unidos en la década de 1820. Hoy en día, sus descendientes se llaman «americanos» y algunos todavía hablan un dialecto que se parece al inglés hablado en el siglo XIX. Se nota la influencia de los inmigrantes originales en la comida y la arquitectura de Samaná también.

Comprensión y expansión

Conteste las siguientes preguntas.

1. ¿Por qué en este país se cree que todos los hispanos son bajos, de pelo y ojos oscuros y piel morena?

2. ¿Por qué se dice que la Argentina es el país más europeo de Sudamérica?

3. ¿Cuáles son tres ejemplos de la inmigración hispana por razones económicas?

4. ¿Cuáles son razones no económicas por la inmigración de varios grupos a Hispanoamérica? ¿Sabe Ud. de otros grupos que han inmigrado a Hispanoamérica que no se mencionan en la lectura?

Del mundo hispano

La Llorona

Aproximaciones al texto

Convenciones literarias (Parte 2)

Myths, legends, fairy tales, and folktales are forms of popular literature that have developed across the centuries in many cultures. Myths usually involve divine beings and serve to explain some fundamental mystery of life. For example, the Greek myth of Persephone explains the cycle of the four seasons. Persephone was the beautiful daughter of Demeter, the goddess of the harvests. When Persephone was kidnapped by Hades (the god of the underworld) and forced to marry him, Demeter swore that she would never again make the earth green. Zeus (the king of the gods) intervened in the dispute. As a result, Persephone was allowed to return to the earth for part of the year but was obliged to spend the other part with her husband Hades in the underworld. Consequently, Demeter makes the earth flower, then go brown, according to the presence or absence of her beloved daughter.

Folktales and legends involve people and animals. They sometimes explain natural phenomena (how the skunk got its stripes, for example) or justify the existence of certain social and cultural practices, thus underscoring cultural values and ideals. In our own culture, for instance, there are many stories about Abraham Lincoln. Although some are based in fact, all are embellished to bring out certain American values, such as honesty, individual freedom, and the belief that hard work will lead to success, regardless of economic and social status.

An important characteristic of myths, folktales, and legends is that they were originally transmitted orally, rather than in writing. This is obviously the case in cultures that have no written language, but even in many modern cultures, folktales and legends continue to be passed from one generation to the next through speech rather than writing. For this reason, the form and content of such tales are frequently modified.

Personajes ¿Cuál de los tipos de personaje a continuación le parece a Ud. más característico de una leyenda o un mito? ¿Por qué?

1. un personaje actual (contemporáneo) o un personaje de otra época

2. un personaje que representa solo una o dos características o un personaje de gran complejidad sicológica

3. un personaje que representa una mezcla de características positivas y negativas o un personaje que es totalmente malo (o totalmente bueno)

4. un personaje «estereotípico» o un personaje original, que no sigue ningún modelo conocido

Vocabulario para leer

ahogar(se) (gu)   to drown

amonestar   to warn

arrepentirse de (me arrepiento) (i)   to regret

atreverse a   to dare

gritar   to shout

hacer caso (de)   to pay attention to, heed

parar(se)   to stop, detain

traicionar   to betray

el/la amante   lover

la boda   wedding

la calleja   narrow street

la capa   cape

la cathedral   cathedral

la conquista   conquest

la época   epoch, age

el fantasma   ghost, phantom

el lago   lake

el lamento   cry, lament

la leyenda   legend

el llanto   lament, weeping

la Llorona   legendary figure of a weeping woman

la luna   moon

la orilla   shore

el rostro   face

la sangre   blood

enloquecido/a   crazed, insane

indígena   indigenous, native

lleno/a   full

mestizo/a   of mixed race

muerto/a   dead

oscuro/a   dark, obscure

Oraciones   Complete las siguientes oraciones lógicamente, usando la forma correcta de las palabras de la lista de vocabulario.

1. Durante la _____ colonial de la Nueva España, especialmente en las noches de luna _____, se podían oír los _____ de una mujer agonizante.

2. Según la _____ de «La Llorona», esta mujer vestida de blanco parecía una aparición o un _____.

3. El _____ de la mujer no se podía ver porque se cubría con un blanco velo.

4. Aunque mucha gente tenía miedo de mirarla, algunos valientes _____ a ver a la aparición desde sus ventanas.

5. En vez de seguir caminando, La Llorona _____ ante cruces, templos y cementerios.

6. Algunos pensaban que La Llorona era una diosa azteca que lloraba por la destrucción de _____ indígena.

7. Otros afirmaban que era «La Malinche», una mujer que _____ a su gente al ayudar a los españoles durante la conquista.

8. Según una mujer anciana, La Llorona lamentaba la muerte de sus hijos, que ella misma había _____ en un momento de desesperación.

SOBRE EL AUTOR

NO SE PUEDE DARLE CRÉDITO a ningún escritor determinado por la creación de la leyenda de La Llorona. Como toda leyenda o cuento folclórico, viene de una creación colectiva, cuyo estilo y detalles se han transmitido, pulido (*polished*) y refinado de generación en generación. La versión de «La Llorona» reproducida aquí trata de una versión antigua y colonial que le hace pensar al lector / a la lectora en los eventos históricos de la época colonial y su efecto en la conciencia colectiva de una nación.

México

La Llorona

1   **DURANTE LA EPOCA DEL VIRREINATO**[1] de la Nueva España, en lo que es ahora la gran ciudad de México, se oía hablar con frecuencia de la triste historia de una mujer que andaba por las calles lamentándose (ᴖᴖ) en voz alta y llorando (ᴖᴖ). Aunque la gente sentía curio-
5 sidad de saber la causa de este llanto, muchos ni se atrevían a salir a las callejas coloniales porque tenían miedo de verla. Pero, ¿por qué temían verla y qué es lo que habrían visto?

   Pues, se ha dicho (←) que era una dama que andaba por las calles y plazas con un vestido blanco y vaporoso. Su pelo oscuro, muy
10 largo, se movía con el viento. Llevaba también un velo[2] blanco que le cubría el rostro. Esta mujer agónica tenía la costumbre de pararse y gritar delante de las iglesias, delante de las imágenes de santo o cruces en nichos iluminadas y, en particular, enfrente de la gran catedral en la Plaza Mayor. Los testigos afirman que siempre lan-
15 zaba[3] un triste lamento antes de correr hacia las orillas de un lago cercano, como si estuviera[4] buscando (ᴖᴖ) algo o a alguien. La gente se preguntaba quién sería aquella figura fantasmagórica.[5] Algunos creían que era una diosa azteca que lloraba por la destruc- ción de su raza, mientras que otros aseguraban que era «la Malin-
20 che», la mujer que había regresado (←) del más allá[6] para pagar por su traición[7] contra su pueblo. Sólo una anciana en toda la ciudad sa- bía quién era en realidad aquel fantasma y había visto a esta figura un par de veces durante sus largos años. Ella les contaba a sus nie- tos esta historia para que todo el mundo se enterara del[8] origen de
25 la leyenda colonial.

   Según ella, hace mucho tiempo, y poco después de la con- quista de México, había una mujer muy bella y esbelta[9] que vivía en un barrio humilde de la capital. Esta mujer se llamaba doña Luisa de Olveros y era de raza mestiza, es decir, descendiente de
30 madre indígena y padre español. Un día, mientras paseaba por la Plaza Mayor, conoció (←) a un joven capitán español, don Nuno, miembro de la prestigiosa y noble familia de los Montesclaros.

   Poco tiempo después, los dos se enamoraron (←). Doña Luisa quería casarse con el apuesto[10] capitán aunque, al principio, no estaban claras las intenciones del capitán. Al en- terarse del romance entre su hija y el capitán español, el pa- dre de doña Luisa, preocu- pado por la situación, la amonestaba severamente.

   —Hija mía, un capitán español de sangre pura nunca se casa- ría[11] con una mujer de raza mestiza, aunque sea la más bella y es- belta del mundo.

   Así que le recomendó (←) a su hija que sería mejor que no vol- viera a pensar en el capitán.[12] A pesar de estas amonestaciones, doña Luisa, quien estaba profundamente enamorada del apuesto capitán, sin hacerle caso a su padre, seguía sus relaciones apasio-
50 nadas. Poco después, ella se fue a vivir en un barrio elegante, donde don Nuno la había instalado (←) para visitarla todos los días. Aunque la pareja parecía feliz, todo empezó (←) a cambiar poco a poco. La pareja tuvo (←) tres hijos en muy poco tiempo, pero a pesar de las promesas, doña Luisa y don Nuno no legaliza-
55 ron (←) su unión. Todos los que los conocían decían que doña Luisa trataba de complacer[13] a don Nuno en todo, pero, a pesar de esto, parece que don Nuno iba perdiendo (ᴖᴖ) interés en ella. Cada vez que ella le pedía que se casaran (→), don Nuno le daba una excusa para no hacerlo. Aunque él seguía manteniéndola a ella y
60 a sus niños pequeños de la misma forma que antes, don Nuno se iba distanciando (ᴖᴖ).

   El tiempo pasaba y doña Luisa se sentía cada día más sola y dolorida sin las atenciones de Nuno. Su amante casi no la visitaba y evitaba a los niños también. Sus pobres hijos sólo contaban con

Nota literaria

35

el folklore = las creencias, costumbres e historias tradicionales de una comuni- dad, pasadas oralmente de generación en generación

40

45

50

55

60

[1]*vice-royalty, colony governed by the viceroy* [2]*veil* [3]*let out* [4]*como… as if she were* [5]*quién… who that ghostly figure could be* [6]*del… from the great beyond* [7]*treason* [8]*se… would know about* [9]*slender* [10]*dashing* [11]*se… would marry* [12]*que… to forget about the captain* [13]*please*

65 su madre, que se ponía cada vez más triste y deprimida. Un día, movida por un terrible presentimiento, doña Luisa decidió (←) visitar la casa elegante donde vivía su amante con sus padres. Al acercarse a la casa elegante, notó que había una fiesta. Se cele-
70 braba la próxima boda de don Nuno con una joven española de sangre noble. Desesperada e histérica, doña Luisa entró (←) para confrontar al padre de sus hijos. Delante de todos los invitados, le pidió (←) a su novio que no se olvidara de sus promesas y responsabilidades con sus hijos. Pero don Nuno, altivo y arrogante, la echó (←) de la casa con un comentario cruel, diciéndolo que
75 nunca se casaría (→) con una mujer mestiza de sangre india. Doña Luisa se puso enloquecida. Humillada y desconsolada, no podía aceptar que su amante la hubiera abandonado (←) después de sus promesas de amor. Llorando, corrió (←) hasta su casa, y entre muchas lágrimas y gritos, maldecía[14] su sangre indígena y su
80 linaje.[15] Su tristeza fue (←) más grande cuando entró en la casa y vio (←) a sus tres hijos inocentes que la miraban bien asustados por el aspecto que tenía. Doña Luisa, entre sollozos[16] y gritos, los acusó (←) de ser la causa de su ruptura con don Nuno. «Han arruinado (←) mi vida con Nuno», pensaba doña Luisa, y empezó a tratarlos mal.
85 Los niños lloraban desconsoladamente, pero la mujer enloquecida no les hacía caso. En un momento de desesperación y locura, pensó que tal vez pudiera[17] recuperar a su amante si pudiera dedicarse solamente a él, sin el estorbo de sus hijos. Lo que pasó (←) después es como una pesadilla.[18] Llevó (←) a sus hijos hasta las orillas del
90 lago y, trastornada, los tiró[19] a las aguas frías y turbulentas. Los pobrecitos se ahogaron (←) bajo la luz de una luna llena. Ella volvió (←) a casa y empezó (←) a esperar que don Nuno volviera (→). Cada día esperaba verlo llegar, pero él nunca volvió. Cada noche escuchaba ella los gritos de sus niños muertos, y se arrepentía de
95 sus acciones. Por eso, empezó a pasear por las orillas del lago llorando y gimiendo:[20] «Ay, ay, ay, mis pobres hijitos… ¿dónde los encontraré (→)?» Por fin, una noche, ya no pudo (←) más y se tiró a las aguas frías del mismo lago, donde murió (←) ahogada.

Desde aquella noche, su alma sigue llorando, lamentándose y sufriendo (ᘓ).
100 Muchos testigos dicen que durante las noches de luna, se puede oír una voz femenina que lamenta su soledad y repite: «Ay, mis hijos. Aquí los tiré (←), aquí los tiré, pero ¿adónde han ido (←)? ¿cuándo los encontraré?» Luego, dicen que una figura de mujer agonizante aparece, con los ojos rojos por el llanto
105 y la figura de un cadáver. Recorre caminos, visita los pueblos y las grandes ciudades, cruza arroyos y ríos, sube montes y montañas, pero no deja de llorar. Algunos creen que ella va en busca de niños inocentes para robarlos. Otros piensan que llega a las ventanas de las casas para hablar con los niños adentro. No se detiene en nin-
110 gún lugar el tiempo suficiente para que alguien la pueda ver de cerca, pero todos dicen que inspira miedo. Ya que siempre está llorando (ᘓ), gimiendo(ᘓ), buscando (ᘓ), gritando (ᘓ) y lamentándose (ᘓ) por sus pobres hijos, la llaman «La Llorona». Su historia no tiene fin, puesto que todos la cuenta de diferentes
115 maneras. Desde aquel entonces, su fama sigue aumentando (ᘓ) con cada generación. Nadie sabe dónde y cuándo aparecerá (→) la figura de La Llorona otra vez.

[14]*cursed*   [15]*lineage*   [16]*moans*   [17]*tal… perhaps she could*   [18]*nightmare*   [19]*threw*   [20]*moaning*

Comprensión

A. Asociaciones

Paso 1. Indique el personaje o personajes que se asocian con cada una de las palabras.

a. doña Luisa de Olveros   **c.** el padre de doña Luisa
b. don Nuno   **d.** los hijos de doña Luisa y don Nuno

1. _____ un capitán
2. _____ una madre
3. _____ un esposo
4. _____ triste y desconsolado/a
5. _____ un padre dedicado
6. _____ de raza mestiza
7. _____ de sangre pura
8. _____ la caballerosidad (*chivalry*)
9. _____ enamorado/a
10. _____ desenamorado/a

11. _____ maltratado/a
12. _____ traicionero/a
13. _____ culpable (*guilty*)
14. _____ orgulloso/a y arrogante
15. _____ condenado/a a muerte
16. _____ responsable
17. _____ irresponsable
18. _____ bien conocido/a en la mitología

Paso 2. Papel y lápiz Ahora, haga una descripción detallada de uno de los personajes principales de la lista y explique su papel en la leyenda. En su opinión, ¿cuál de ellos es culpable de esta tragedia tan horrible? ¿Por qué? ¿Cree Ud. que podría pasar algo semejante hoy en día? Explique.

B. Interpretación
Las leyendas y los mitos normalmente sirven tanto para explicar ciertas creencias y opiniones o para reforzar valores culturales.

- ¿Qué creencias sobre la época colonial de México se explican en la leyenda de La Llorona? Busque en el texto el lugar concreto donde se encuentra la información.
- ¿Qué valores o creencias culturales (o humanas) —especialmente los que tratan del amor apasionado, los lazos familiares y la justicia— se exaltan? Piense, por ejemplo, en las características de los personajes y del ambiente y en las relaciones entre los mestizos y los españoles de sangre pura.
- En su opinión, ¿presenta la leyenda una visión positiva o negativa de los españoles durante la época colonial de México? Explique.

C. Aplicación
Conteste las preguntas.

- ¿En qué sentido se puede decir que el cuento folclórico, la leyenda y el cuento de suspenso tienen algunas características en común? Piense en el tipo de lectores que los leen, en los personajes, en el lenguaje y en los tipos de conflicto que presentan.
- ¿Cree Ud. que las leyendas, los mitos y el folklore tienen sentido en el mundo moderno o que son géneros para generaciones pasadas? Explique. ¿Puede Ud. nombrar algunas leyendas todavía populares en la cultura norteamericana? ¿Son leyendas conocidas por todos o forman parte de la herencia étnica o geográfica de ciertos grupos determinados?

CINEMATECA

Machuca

Antes de mirar

- **LA PELÍCULA** *Machuca* (2004) narra la historia de Gonzalo y Pedro, dos niños chilenos de clases sociales distintas que forman una amistad en un momento histórico importante de Chile: los meses antes del golpe de estado y asesinato del presidente Salvador Allende en 1973. ¿Por qué sería difícil iniciar y mantener una amistad así en aquel momento? ¿Qué tienen que ver las desigualdades (*inequalities*) sociales con los movimientos socialistas del siglo XX?

- **LA ESCENA (03:05–6:55)** En esta escena el Padre McEnroe, director de un colegio privado (*private school*), presenta un grupo de nuevos alumnos frente a una clase de inglés. Gonzalo (ya en la clase) observa a Pedro (uno de los nuevos). ¿Alguna vez Ud. ha entrado en un grupo como «la nueva persona»? ¿Cómo lo/la recibieron? ¿Como recibiría Ud. a unos nuevos alumnos?

Al mirar

Mire la escena, e indique la respuesta que mejor termina la oración.

1. Los nuevos alumnos _____.
   a. son del barrio donde está la escuela
   b. llegan en camiones de otra parte de la ciudad

2. La madre de uno de los nuevos alumnos _____.
   a. limpia la casa de otro de los alumnos
   b. trabaja en la escuela

3. El Padre McEnroe les pide a los alumnos _____.
   a. recordar que vienen de lugares diferentes
   b. integrarse y tratarse bien entre ellos

4. Cuando Pedro Machuca grita su nombre y el resto de la clase se ríe, el padre McEnroe le dice _____.
   a. que no es necesario gritar
   b. que siempre es necesario ser escuchado

Después de mirar

- Divídanse en grupos de dos o tres estudiantes para hablar de la escena. ¿Cuáles son las diferencias visibles entre los nuevos alumnos y el resto de la clase? ¿Qué diferencias hay entre Gonzalo y Pedro por su aspecto físico? ¿Por qué puede ser esto importante para la historia? Escriban unas frases para resumir sus conclusiones y compártanlas con la clase.

- ¿Cómo interpreta Ud. las palabras del Padre McEnroe al final de la escena? ¿Por qué le dice eso a Pedro? Piense en algún momento histórico en que una voz raramente escuchada se hizo escuchar (*made itself heard*). Escriba un breve párrafo (al menos cinco oraciones) sobre dicho momento.

- Busque en el Internet más información sobre el golpe de estado de Chile en 1973. ¿Quién era Salvador Allende? ¿y Augusto Pinochet? ¿Cuánto tiempo duró este momento difícil en Chile?

3

Costumbres y tradiciones

Pamplona, España

En este capítulo

McGraw Hill **connect**
|SPANISH
www.connectspanish.com

Describir y comentar

- ¿Qué hacen las personas del dibujo A? ¿Sabe Ud. con qué religión se asocia esta tradición?

- ¿Qué celebran los jóvenes del dibujo B? ¿Qué actividades asocia Ud. con esta celebración?

- ¿Qué están celebrando los niños del dibujo C? ¿Qué objetos son importantes en esta celebración? ¿Cómo celebraba Ud. este evento de niño/a y cómo lo celebra ahora?

- ¿Cuáles de las actividades de las tres escenas le parecen normales a Ud.? ¿Cuáles le parecen un poco extrañas? ¿Hacía Ud. o hace cosas parecidas?

aceptar to accept	**el Día de los Muertos (de los Difuntos)*** All Souls' Day
asustar to frighten	**el Día de Todos los Santos*** All Saints' Day
cumplir to complete, fulfill	**el disfraz** costume, disguise
cumplir _____ **años** to turn _____ years old	**los dulces** candy; sweets
disfrazarse (c) (de) to disguise oneself (as)	**el esqueleto** skeleton
festejar to celebrate; to "wine and dine"	**el fantasma** ghost
gastar una broma to play a prank	**el más allá** the hereafter; life after death
hacer travesuras (a) to play tricks (on)	**el miedo** fear
morir (muero) (u) to die	**el monstruo** monster
rechazar (c) to reject	**la muerte** death
tener miedo to be afraid	**el/la muerto/a** dead person
	la Semana Santa Holy Week (_week prior to Easter_)
la bruja witch	**la vela** candle
el Día de las Brujas* Halloween	
el cementerio cemetery	**lo sobrenatural** the supernatural
el cumpleaños birthday	**travieso/a** mischievous

Conversación

A. ¡Busque al intruso! ¿Qué palabra no pertenece al grupo? Explique por qué. **¡OJO!** A veces hay más de una respuesta.

1. el cumpleaños, el Día de los Difuntos, la Navidad, las Pascuas (_Easter_)
2. aceptar, apreciar, despreciar, querer
3. asustar, los dulces, el miedo, el monstruo
4. hacer travesuras, el más allá, travieso, gastar una broma
5. cumplir… años, la vela, el cumpleaños, rechazar
6. la muerte, el fantasma, el monstruo, el más allá

---

*The customs associated with these celebrations in this country and in Hispanic countries are quite different. All Saints' Day (November 1) and All Souls' Day (November 2) are days when Hispanic Catholics, in general, honor the memory of dead friends and relatives by visiting the cemetery and placing flowers on their graves, celebrating Mass, and lighting candles to pray for their souls. These are solemn occasions, but in some countries they include elements that would seem out of place in this country: for instance, taking children to the cemetery to have a picnic there. It is important to remember that, even though many religious beliefs are shared throughout the Hispanic world, the specific customs celebrated during these days vary from country to country.

Although the disguises and pranks of Halloween have long been a peculiarly North American tradition, they have begun to appear among the middle and upper-middle classes in parts of the Hispanic world. In Puerto Rico, Peru, and Colombia, for example, children celebrate **el Día de las Brujas** just like their North American counterparts. In many parts of the Hispanic world, particularly in the Caribbean, it is common to celebrate **Carnaval** (Mardi Gras) with several days of street dancing, large meals, and costume parties.

B. Mapa semántico

Paso 1. Sigan el modelo para hacer un mapa semántico para las siguientes palabras. Primero, pongan en el centro la palabra objeto (*target*); luego, completen el mapa con todas las palabras o ideas que asocien con ella, según las categorías indicadas. No es necesario limitarse a las palabras de la lista de vocabulario.

MODELO: asustar →

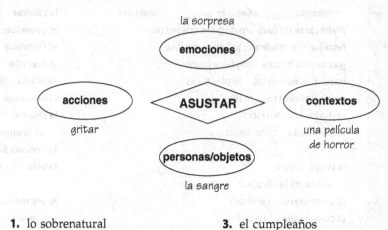

1. lo sobrenatural
2. disfrazarse

3. el cumpleaños
4. la muerte

Paso 2. Ahora, comparen sus mapas con los de los demás grupos. ¿Revelan experiencias muy semejantes o muy diferentes?

C. Entre todos

■ Cuando Ud. era niño/a, ¿celebraba el Día de las Brujas? ¿de qué manera? ¿Salía disfrazado/a? ¿Qué disfraz solía llevar? ¿Prefería salir disfrazado/a de personaje real o ficticio? ¿Por qué? ¿Cuál era su disfraz favorito?

■ ¿Gastaba Ud. bromas el 31 de octubre? ¿de qué tipo? ¿Sabían sus padres lo que hacía?

■ Ahora que Ud. es mayor, ¿celebra el 31 de octubre con sus amigos? ¿Cómo lo celebran Uds.?

Nota cultural

Hay muchas expresiones en inglés en que se usa la palabra *dead* pero que no tienen nada que ver con la muerte. Explique en español el significado de las siguientes frases.

1. *dead wrong*
2. *dead set against*
3. *a dead ringer for...*
4. *a deadbeat*
5. *dead center*
6. *the dead of winter*

En cambio, muchas frases que sí se relacionan con la muerte y la vejez (*old age*) disfrazan su verdadero significado. Ahora explique la relación que tienen las siguientes expresiones con la muerte.

1. *a funeral home/parlor*
2. *to buy the farm*
3. *a rest home*
4. *a memorial park*

GRAMÁTICA

11 *Gustar* and Similar Verbs

English has several verb pairs in which one verb expresses a positive feeling and the other a related negative feeling.

POSITIVE	NEGATIVE
I like that./That pleases me.	*I dislike that./That displeases me.*

Occasionally, in any given language, a positive form exists without the corresponding negative form, or vice versa. For example, English has no direct opposite for *disgust*. Following the pattern of the other word pairs, however, we could invent such a word: **gust*, meaning *to cause a positive reaction* (the opposite of *disgust*).

That *gusts me./He *gusts you.   *That disgusts me./He disgusts you.*

In the hypothetical sentence *That *gusts me*, the pronoun *that* is the subject and *me* is the object.

A. Use of *gustar*

Spanish actually has such a word pair: **disgustar** has a counterpart, **gustar**, the equivalent of our invented English verb *to *gust*. The Spanish sentence that corresponds to *That *gusts me* is **Eso me gusta.** Here, **eso** is the subject and **me** is the object. Changing the subject to **libro** produces the following sentence.

El libro **me gusta.**   *The book *gusts me.*

If the subject changes from **libro** to **libros,** the verb also changes from singular to plural, just as you would expect.

Los libros **me gustan.**   *The books *gust me.*

In contrast to the English construction, in which the verb generally follows the subject, in the Spanish **gustar** construction the usual word order is to have the subject following the verb. The meaning, however, remains the same.

Me gusta **eso.**   *That *gusts me.*
Me gustan **los libros.**   *The books *gust me.*

Indirect object pronouns are used with **gustar.** As in other sentences that contain indirect objects, a prepositional phrase may be used to clarify or emphasize an object pronoun. This phrase may either follow or precede the verb.

A ti **te gusta** el libro.   *The book *gusts you.*
Nos gusta esquiar a nosotros.*   *Skiing *gusts us.**
No **le gustan** a Lupe los perros.   *Dogs don't *gust Lupe.*

---

*When the subject is an action, Spanish uses the infinitive (**esquiar**), whereas English uses the gerund (*skiing*).

LearnSmart

Visit **www.connectspanish.com** to practice the vocabulary and grammar points covered in this chapter.

¿Recuerda Ud.?

A number of Spanish verbs follow the same pattern as **gustar.** Some of the ones you will hear and use most frequently are **caer bien/mal, disgustar, importar, interesar,** and **preocupar.**

Me caen muy **bien** todos mis vecinos.
I really like all of my neighbors.

Me disgusta la música «heavy».
Heavy metal music annoys me.

No **me importa** su reacción.
I don't care about his reaction.

Me interesa muchísimo la política.
I find politics very interesting.

Me preocupan los estudios.
I'm worried about my studies.

Nota comunicativa

When a noun is the subject of **gustar** or verbs like **gustar,** the definite article is always used even though you are not referring to any specific item. If you want to indicate a specific item that you like, use demonstrative adjectives (**este, esa, esos,** and so on).

Me gusta **la** música.
I like music.

Me gusta **esta** canción.
I like this song.

B. Meaning of *disgustar*, *gustar*, and *caer bien/mal*

There are important differences in the meaning of the verbs **disgustar** and **gustar**. **Disgustar** is not as emphatic as English *to disgust*; the verbs *to annoy* or *to upset* express its meaning more accurately. When referring to individuals, **gustar** expresses a strongly positive reaction or physical attraction. The expressions **caer bien** and **caer mal** are commonly used to refer to individuals that one likes or dislikes.

Ese hombre me cae bien, pero aquel tipo me cae muy mal.	*That man strikes me positively, but that guy over there strikes me all wrong (rubs me the wrong way).*
En serio, Diego no me cae bien.	*Really, I just do not like Diego.*

Práctica   Forme oraciones nuevas, sustituyendo las palabras *en letra cursiva azul* por las que aparecen entre paréntesis.

1. Me gusta *la película*. (los libros de historia, comer, los deportes, lo moderno, las vacaciones, escribir composiciones en español)
2. *A nosotros nos* gustan las fiestas. (ella, ti, Ud., mí, ellos, él)
3. Me cae bien *tu primo*. (tus hermanos, mis compañeros de cuarto, el profesor, Antonio)

Conversación

A. Los gustos

Paso 1. Conteste las siguientes preguntas, según sus propias preferencias y experiencias.

1. ¿Qué (no) le gusta a Ud.? (comer chiles, la comida de la cafetería universitaria, la gente mentirosa, los libros de historia, las películas románticas, ¿ ?)
2. ¿Qué (no) le preocupa? (la cuenta telefónica, el futuro, las notas en la clase de español, ¿ ?)
3. ¿Qué (no) le interesa? (aprender otro idioma, los clubes exclusivos, los deportes, los programas en la televisión, ¿ ?)

Paso 2. Entre todos

- ¿Le gustan las fiestas? ¿Qué le gusta hacer en las fiestas?
- ¿Le gustan las personas honestas? ¿el líder de este país? ¿los políticos en general? ¿los atletas profesionales?
- ¿A quién(es) en la clase le(s) gustan las personas ruidosas? ¿chistosas? ¿serias?

B. Reacciones Describa la reacción de cada persona hacia la cosa indicada. Use los verbos **caer bien/mal, disgustar, gustar, importar, interesar** y **preocupar** para hablar de las reacciones. Luego, justifique sus opiniones.

MODELO: yo: los deportes →

Me interesan mucho los deportes porque juego en el equipo de baloncesto universitario.

1. mi mejor amigo/a: el invierno
2. Papá Noel: los niños
3. mi mejor amigo/a y yo: los exámenes finales
4. mis abuelos (padres, hijos): la música moderna
5. mi novio/a (esposo/a, mejor amigo/a): los animales
6. yo: lo tradicional
7. tú: los regalos
8. los bibliotecarios: el ruido

C. De pequeño/a

Paso 1. De pequeño/a, ¿era Ud. un niño típico / una niña típica o era diferente de sus amigos/as? Conteste las siguientes preguntas, indicando su propia reacción y también la de otros de su edad. Use las formas apropiadas de **disgustar, gustar, interesar** y **preocupar** en el imperfecto.

MODELOS: De niño/a, ¿le gustaba dormir la siesta por la tarde? →

Era un niño típico / una niña típica: a mí no me gustaba y a los otros niños tampoco les gustaba.

Era un niño / una niña diferente: a mí me gustaba, pero a los otros niños no les gustaba.

De niño/a, ¿le gustaba(n)...

1. ... las verduras (*vegetables*)?
2. ... las películas animadas de Disney?
3. ... la escuela?
4. ... la tarea?
5. ... tomar lecciones de música o de baile?
6. ... leer?
7. ... estar solo/a?
8. ... las tiras cómicas con Batman?
9. ... hacer cosas peligrosas?
10. ... ponerse ropa elegante?

Paso 2. Ahora, nombre dos preferencias más: una que lo/la *diferenciaba* de los otros de su edad y otra que lo/la *identificaba* con ellos.

D. Intercambios

Paso 1. Háganse y contesten preguntas para describir su vida, sus gustos y sus preferencias de niño/a. Usen verbos en el imperfecto. Pueden incluir también sus propios detalles.

MODELO: vivir: el campo / la ciudad →
—¿Vivías en el campo?
—Sí, y me gustaba mucho porque...

1. vivir: con quién
2. llevarte bien: con los otros miembros de tu familia
3. gustar: ir al cine / al parque
4. tener: un perro / un gato; llamarse: el animal
5. gustar: asistir a la escuela
6. preferir: estar con tus amigos / estar solo/a
7. practicar: deporte; tomar: lecciones de baile o de música
8. apreciar más que nadie (*more than anyone*): a quién

Paso 2. Entre todos En general, ¿era Ud. más feliz cuando era niño/a? ¿Era su vida más fácil o más difícil? ¿En qué sentido? ¿Cree Ud. que su vida era más interesante que ahora? Explique.

12 Forms of the Preterite

In **Capítulo 2,** you reviewed the forms and uses of the imperfect tense. The preterite (**el pretérito**) is the other simple form of the past tense in Spanish.* It is used when the speaker focuses on the beginning or the end of an action in the past.

A. Verbs That Are Regular in the Preterite

All regular verbs and all **-ar** and **-er** verbs that have stem changes in the present have the regular preterite forms shown in the following chart. Note that the preterite **tú** form ends in **-ste** instead of the normal **-s** ending you've seen for **tú** in other tenses.

-ar Verbs	-er Verbs	-ir Verbs
hablé	corrí	escribí
hablaste	corriste	escribiste
habló	corrió	escribió
hablamos	corrimos	escribimos
hablasteis	corristeis	escribisteis
hablaron	corrieron	escribieron

Note the written accents on the first- and third-person singular forms. The **nosotros/as** forms of **-ar** and **-ir** verbs are identical in the present tense and in the preterite; context will determine meaning. **-Er** verbs, however, do show a present/preterite contrast in the **nosotros/as** form (**corremos/corrimos**).

---

*The uses of the preterite and the imperfect tenses are contrasted in **Gramática 14.**

[†]These spelling changes and accent rules are practiced in the *Cuaderno de práctica.* They are also discussed in more detail in Appendices 1 and 2.

B. -*Ir* Stem-Changing Verbs

In **Gramática 4** you reviewed the forms of **-ir** stem-changing verbs in the present tense. These verbs show a slightly different stem change in the preterite, but *in the third-person singular and plural forms only.*

Present Tense e → ie Preterite e → i		Present Tense o → ue Preterite o → u		Present Tense e → i Preterite e → i	
preferí	preferimos	dormí	dormimos	pedí	pedimos
preferiste	preferisteis	dormiste	dormisteis	pediste	pedisteis
prefirió	prefirieron	durmió	durmieron	pidió	pidieron

Here are some of the most common verbs of this type. The first vowel(s) in parentheses refer(s) to the stem change in the present tense. The last vowel in parentheses refers to the stem change in the preterite.

divertirse (me divierto) (i) (*to have a good time*)	morir (muero) (u)	seguir (sigo) (i) (g)
dormir (duermo) (u)	pedir (pido) (i)	servir (sirvo) (i)
medir (mido) (i)	preferir (prefiero) (i)	sonreír (sonrío) (i) (*to smile*)
mentir (miento) (i)	reír(se) ([me] río) (i) (*to laugh*)	sugerir (sugiero) (i)
	repetir (repito) (i)	vestir(se) ([me] visto) (i)

¿Recuerda Ud.?

The verbs **reír(se)** and **sonreír** drop the **i** of the stem in the third-person singular and plural forms of the preterite.

(son)ri + ió → (son)rió

They also have a written accent in the second-person singular and plural and first-person plural forms.

(son)reíste, (son)reísteis, (son)reímos

C. Verbs with Irregular Preterite Stems and Endings

All verbs in this category have irregular stems and share the same set of irregular endings. Note that these forms have *no written accents.* The preterite forms of **tener** and **venir** are examples of verbs of this category.

tener		*venir*	
tuve	tuvimos	vine	vinimos
tuviste	tuvisteis	viniste	vinisteis
tuvo	tuvieron	vino	vinieron

The following verbs—and any compounds ending in these verbs (**poner** → **componer**, **hacer** → **deshacer**, and so on)—share the same endings as **tener** and **venir**.

andar:	anduv-	hacer:	hic-	querer:	quis-
decir:	dij-	poder:	pud-	saber:	sup-
-ducir:	-duj-*	poner:	pus-	traer:	traj-
estar:	estuv-				

The preterite of **hay (haber)** is **hubo** (*there was/were*).

¿Recuerda Ud.?

The third-person singular form of **hacer** has an irregular spelling in the preterite: **hizo.**

Verbs whose preterite stem ends in **-j** drop the **i** from the third-person plural endings.

dij + ieron → dijeron

produj + ieron → produjeron

traduj + ieron → tradujeron

traj + ieron → trajeron

---

*Verbs with this form include **traducir** (**traduje, tradujiste,...**), **conducir** (**conduje, condujiste,...**), and **reducir** (**redujo, redujiste,...**), among others.

D. *Dar, ir,* and *ser*

Dar is an **-ar** verb that uses the regular **-er** verb preterite endings. **Ser** and **ir** have identical preterite forms; context will determine meaning.

dar		ir/ser	
di	dimos	fui	fuimos
di<u>ste</u>	disteis	fui<u>ste</u>	fuisteis
dio	dieron	fue	fueron

Práctica

Paso 1. Complete las siguientes oraciones, según el modelo.

MODELO: Hoy no pienso *comer*, pero ayer _____ mucho. →
Hoy no pienso comer, pero ayer comí mucho.

1. Hoy no pienso *estudiar* (correr, dormir, leer, manejar), pero ayer _____ mucho.
2. Este año los estudiantes no *estudian* (ganan, juegan, pierden, salen), pero el año pasado _____ mucho.
3. Este año tú no *festejas a muchos amigos* (gastas muchas bromas, sigues muchos cursos, vas a Centroamérica, vienes a clase conmigo), pero el año pasado _____.

Paso 2. Ahora complete las siguientes oraciones, poniendo los verbos en el pretérito y también cambiando los sustantivos por complementos pronominales.

MODELO: Pablo no quería *escuchar las cintas*, pero ayer _____. →
Pablo no quería escuchar las cintas, pero ayer las escuchó.

1. Pablo no quería *traducir el párrafo* (darme los dulces, decirles la verdad, hacerle el favor, reírse, repetir las palabras), pero ayer _____.
2. Esta vez ellos no van a *asustarnos* (rechazar las ideas, servirles cerveza a los niños, sonreírnos, traerle regalos a Marta, ver los disfraces), pero la vez pasada sí, _____.
3. Este año mi sobrinita no *se disfraza* (hacerle travesuras a su hermano, pedirles dulces a los vecinos, sacarles fotos a los amiguitos), pero el año pasado sí, _____.

AUTOPRUEBA Complete el siguiente párrafo con la forma apropiada del pretérito de los verbos entre paréntesis, según el contexto.

Para el primer día de escuela María Elena, una niña de 5 años, (vestirse)[1] con un vestido rojo muy bonito. (Ponerse)[2] los zapatos, y su mamá le (servir)[3] el desayuno. Sus padres le (dar)[4] una mochila nueva para sus libros y toda la familia (salir)[5] para la escuela. Rumbo[a] a la escuela, (ellos: encontrarse)[6] con la familia Pérez, que también acompañaba a su hija Graciela a la escuela. Cuando todos (llegar)[7] a la escuela, los padres (saludar)[8] a la maestra. La mamá de María Elena les (prometer)[9] regresar a mediodía a recoger[b] a las dos niñas. Todos (despedirse),[10] los padres (irse)[11] y María Elena y Graciela (comenzar)[12] su primer día de escuela.

[a]*On the way*   [b]*pick up*

Conversación

A. El Día de los Inocentes*

Paso 1. Todos los años, el 28 de diciembre, Pepito celebra el Día de los Inocentes gastando bromas a sus familiares y amigos. Cambie los verbos del presente al pretérito para indicar lo que Pepito hizo el año pasado. Luego, conteste las preguntas que siguen.

Pepito se levanta[1] temprano y pone[2] un insecto de plástico en el desayuno de su hermanita. Después, llama[3] por teléfono a un amigo y le cuenta[4] una mentira.[a] Su mamá se enoja[5] mucho. Luego, Pepito va[6] a la escuela para gastar más bromas. En la escuela, Pepito esconde[7] una rana[b] en la mochila de su compañera, dibuja[8] una caricatura insultante de la maestra en una pared y finalmente le miente[9] a su maestra. Cuando vuelve[10] a casa, se viste[11] con la ropa de su papá, cierra[12] la puerta de su cuarto, se ríe[13] y se duerme[14c] feliz.

[a]*lie*　[b]*frog*　[c]se... *he falls asleep*

Paso 2. Entre todos

- ¿Se parece el Día de los Inocentes a algún día en particular en este país? ¿A qué día se parece? ¿En qué se parecen los dos días?

- Piense en un primero de abril inolvidable (*unforgettable*) de cuando era niño/a. ¿Qué hizo? ¿Qué hicieron sus amigos?

B. Una noche de Brujas Guiones
En grupos de tres o cuatro personas, narren en el pretérito la siguiente secuencia de acciones. Usen el vocabulario indicado y otras palabras que Uds. crean necesarias. Cuando sea posible, traten de evitar la repetición innecesaria, usando complementos pronominales.

1. vestirse, peinarse, disfrazarse de

2. vestirla, pintarle la cara, disfrazarla de

3. ir de casa en casa, pedirles dulces a los vecinos, darles dulces a los vecinos

4. asustar a los vecinos, hacer travesuras, divertirse mucho

5. volver a casa, comer demasiados dulces, ponerse enfermos

---

*The origin of the **Día de los Inocentes** stems from when King Herod, upon hearing of the birth of Jesus, ordered the death of every child under the age of 2. (Note the proximity in dates between the celebration of Christmas and the **Día de los Inocentes:** December 25 and 28, respectively). Arguably, it would be rather gruesome to commemorate the death of thousands of innocent children with a special holiday. However, the word **inocente** has a double meaning in Spanish. It can mean *not guilty*, or it can mean *naive*. Thus in modern times, the **Día de los Inocentes** is set aside for playing tricks on others in order to take advantage of the naiveté in everyone.

C. **Guiones**

Paso 1. En parejas, narren en el pretérito la siguiente secuencia de acciones. Incorporen las expresiones sugeridas y otras y usen complementos pronominales cuando sea posible.

1. **2.** **3.** **4.**

1. un día el jefe, confiarle (*to entrust*) dinero a la empleada
2. la mujer, decidir guardar (*to keep*) el dinero / poner el dinero en la bolsa / hacer las maletas
3. después, salir del pueblo en coche
4. llegar al Motel Bates

5. **6.** **7.** **8.**

5. allí conocer a Norman / hablarse un rato / entonces ella, firmar su nombre / Norman, darle la llave de su habitación
6. en seguida ir a su habitación / decidir ducharse
7. Norman, disfrazarse de su madre / abrir la puerta / entrar al cuarto de la mujer
8. sorprenderla en la ducha / matarla a puñaladas (*to stab to death*)

Paso 2. La secuencia incluye una famosa escena de muerte de una película estadounidense muy conocida ¿Pueden Uds. identificarla?

D. **Entre todos**

- ¿Qué hizo Ud. ayer? ¿Hizo algo interesante el mes pasado? ¿el año pasado? Piense en un día festivo como el Cuatro de Julio o el Día de Acción de Gracias. ¿Qué sucedió? Ahora piense en un día horrible. ¿Qué pasó?

- ¿Miró Ud. la televisión anoche? ¿Qué programas vio? ¿Cuál le gustó más? ¿menos? ¿Por qué? ¿Qué pasó en el programa? ¿Qué más hizo anoche?

- Piense en la primera vez que salió con un chico / una chica. ¿Con quién salió? ¿Adónde fueron? ¿Cómo llegaron allí? ¿Qué hicieron? ¿Quién pagó la cuenta? ¿A qué hora volvieron a casa? ¿Besó Ud. al chico / a la chica? ¿Salió con él/ella otra vez? ¿Por qué sí o por qué no?

13 *Hacer* in Expressions of Time

The verb **hacer** is used in two different constructions related to time: to describe the duration of an action or event, and to describe the amount of time elapsed since the end of an action or event.

A. *Hacer:* Duration of an Action in the Present

To describe the length of time that an action has been in progress in the present, Spanish uses either of two constructions.

> **hace** + *period of time* + **que** + *conjugated verb in present tense*
>
> OR
>
> *conjugated verb in present tense* + **desde hace** + *period of time*

Hace dos años **que** trabajo aquí. ⎫ *I've been working (I've worked) here*
Trabajo aquí **desde hace** dos años. ⎭ *for two years.**

Questions about the duration of events can be phrased in two ways.

¿**Cuánto tiempo hace que** ⎫
trabajas aquí? ⎪ *How long have you been*
¿**Hace cuánto tiempo que** ⎬ *working here?*
trabajas aquí? ⎭

Other time expressions may be used to ask more specific questions.

¿**Hace** mucho/poco tiempo **que**   *Have you been working here for*
trabajas aquí?   *a long/short time?*

B. *Hacer:* Time Elapsed Since Completion of an Action

To describe the amount of time that has passed since an action ended (corresponding to English *ago*), Spanish uses either of two patterns. Both are very similar to those used for actions in progress.

> **hace** + *period of time* + **que** + *conjugated verb in preterite*
>
> OR
>
> *conjugated verb in preterite* + **hace** + *period of time*

---

*Note that English uses a perfect-tense form to describe the same situation: *I have been working, I have worked.*

Since the focus is on a completed action, the verb for that action is conjugated in the preterite. However, the present-tense form **hace** is always used to measure the time.

Hace cuatro años que* vi esa
película.
Vi esa película **hace** cuatro años. } *I saw that film four years ago.*

Questions with the *ago* structure can be phrased in two ways.

¿Cuánto tiempo hace que viste
esa película?
¿Hace cuánto tiempo que viste
esa película? } *How long ago did you see that movie?*

Other time expressions may be used to ask more specific questions.

¿Hace mucho/poco tiempo **que**
viste esa película? *Did you see that movie a long/short time ago?*

Práctica   Combine las dos oraciones de dos formas, usando expresiones con **hacer.**

MODELOS: Tengo 10 años. Aprendí a leer a los 6 años. →

Hace cuatro años que sé leer. (Sé leer desde hace cuatro años.)

Hace cuatro años que aprendí a leer. (Aprendí a leer hace cuatro años.)

1. Tengo 25 años. Empecé a asistir a la universidad cuando tenía 20 años.
2. Raúl tiene 12 años. Aprendió a montar en bicicleta a los 6 años.
3. Berenice fue a España en 1994 y todavía está allí.
4. La clase empezó a las once y ya son las doce menos diez.
5. El padre de Rafael se murió cuando Rafael tenía 12 años. Ahora Rafael tiene 20 años.
6. Julio se enfermó en 2004. Todavía está enfermo.

AUTOPRUEBA   Vuelva a escribir las siguientes oraciones con una construcción con **hace + que, desde hace** o **hace** en la oración nueva, según el contexto.

1. Fidel Castro, el dictador de Cuba desde 1959, cedió su presidencia a su hermano Raúl en 2008.
2. México se independizó de España en 1821.
3. Juan Carlos I llegó a ser rey de España en 1975, y todavía lo es.
4. La famosa Evita Perón murió en 1951.
5. La ciudad de Santo Domingo fue fundada en 1498.

---

*In spoken Spanish, **que** is frequently omitted in this structure: **Hace cuatro años vi esa película.**

Conversación

Paso 1. Estas esquelas (*death notices*) son típicas de la cultura norteamericana (1 y 2) e hispana (3 y 4). Examínenlas con cuidado e indique los datos que se encuentran en cada una.

Jane Anderson Stone

A graveside service for Jane Anderson Stone, 58, will be held at 1 p.m. Friday at the Smalltown Cemetery. A resident of Smalltown, Mrs. Stone died Sunday at Smalltown Hospital.

Born June 17, 1947, in Kingsland, the daughter of John J. Anderson and the late Mary Burns Anderson, Mrs. Stone graduated from the University of Ourstate and taught in the Clearlake School District for 20 years.

Her survivors include her husband of 33 years, Peter M. Stone; her son William B. Stone of Shelton; daughters Roberta Crandall of Riverside and Margaret Westrick of Smalltown; and 7 grandchildren.

The family suggests that remembrances in Mrs. Stone's name be made to the National Cancer Foundation.

American Memorial is in charge of arrangements.

1.

Mark Brown

Gooden's sales manager

On Tuesday, Mark Brown, 73, died in Sunflower Hospital after a long battle with cancer.

Born in Chicago on December 15, 1932, he served in the U.S. Navy and was a longtime employee of Gooden's.

An avid golfer, Mr. Brown also enjoyed playing cards and was devoted to his family.

Mr. Brown was preceded in death by his wife, Louise Morrow Brown, and was the beloved father of Richard A. Brown of Albuquerque, N.M.

Friends may call at the Roses Funeral Home, 11234 Blues Ave. in Sunflower, on Thursday from 2 to 4 and 7 to 9 p.m. Funeral services will be held at 1 p.m. Friday at St. Paul's Church in Sunflower. Interment will be in St. Paul's Cemetery.

2.

✝

EL SEÑOR
DON JOSÉ MOCHÓN SANTIAGO
HA FALLECIDO EN LEÓN
EL DÍA 29 DE JULIO DE 2005
a los sesenta y tres años de edad
Habiendo recibido los Santos Sacramentos y la bendición de Su Santidad

D. E. P.

Su esposa, doña Carmen Toha Abella; hijos, don Popi, don Paco, doña Marisa, doña María del Carmen y don Juanjo Mochón Toha; hijos políticos, don Amador, doña Lía y don Yeyo; madre política, doña María Rebull; hermanas, doña Anita, doña María Luisa y doña Consuelo; hermanos políticos, don Pedro, doña Monse, doña Conchita, doña Toñeta, doña Daidi, don Juan, doña María José, doña Teresa, don Álvaro, doña Adriana, don Manuel, don Rafael y don Vicente; nietos, tíos, sobrinos, primos y demás familia.

Suplican a usted asistan a las exequias y misa de funeral que tendrán lugar hoy, lunes, día 30 del corriente, a las doce de la mañana, en la iglesia parroquial de Santa Marina la Real, y seguidamente a dar sepultura al cadáver.

Capilla ardiente: Sala número 3. Calle Julio del Campo.
Casa doliente: San Juan de Prado, 3.

3.

	NORTEAMÉRICA		ESPAÑA	
¿Qué información se incluye?	1	2	3	4
1. el nombre de la persona que murió	☐	☐	☐	☐
2. su dirección	☐	☐	☐	☐
3. la fecha (día y mes) en que murió	☐	☐	☐	☐
4. el lugar específico donde falleció (murió)	☐	☐	☐	☐
5. la causa de su muerte	☐	☐	☐	☐
6. la edad que tenía cuando murió	☐	☐	☐	☐
7. el lugar de su nacimiento	☐	☐	☐	☐
8. la profesión de sus hijos	☐	☐	☐	☐
9. el nombre de sus parientes cercanos	☐	☐	☐	☐
10. alguna información sobre su vida	☐	☐	☐	☐
11. la hora y el lugar del entierro	☐	☐	☐	☐
12. la hora y el lugar de la ceremonia fúnebre	☐	☐	☐	☐

✝

DON ENRIQUE CRIADO CRESPO
NOTARIO JUBILADO
FALLECIÓ CRISTIANAMENTE EN BARCELONA
a los setenta y tres años de edad
EL DÍA 29 DE JULIO DE 2005

D. E. P.

Sus afligidos esposa, hijos y demás familia, al participar a sus amigos y conocidos tan sensible pérdida, les suplican un recuerdo en sus oraciones y la asistencia al acto del entierro, que tendrá lugar mañana, día 31, a las once de la mañana, en las capillas del I.M.S.F., área de Collserola (provincia de Barcelona), donde se celebrará la ceremonia religiosa. No se invita particularmente.

4.

Paso 2. Ahora, analicen la información del **Paso1.** ¿Qué información encontraron Uds. en las esquelas de ambas culturas? ¿Qué información o elementos encontraron solo en las esquelas de una cultura? Expliquen.

Paso 3. Entre todos

■ ¿Nota Ud. algún vocabulario especial en estas esquelas? Con respecto al estilo o formato, ¿qué semejanzas y diferencias nota entre las esquelas de ambas culturas?

■ En su opinión, ¿qué sugieren estas semejanzas y diferencias con respecto a las culturas norteamericana e hispana?

B. **Relatos**   Use información personal sobre sus amigos o gente conocida para formar oraciones, según el contexto. Use también una expresión de tiempo con **hacer.** Luego, explique brevemente cada oración.

MODELOS: una experiencia con lo sobrenatural →

Leí un libro de cuentos de Edgar Allan Poe hace varios años.
Los cuentos son buenos, pero ¡no me gusta lo sobrenatural!

una preferencia personal →
Hace muchos años que me gustan las alcachofas (*artichokes*).
De niña, no me gustaban para nada.

1. una experiencia con lo sobrenatural
2. un episodio de gran importancia personal
3. una preferencia personal
4. una habilidad o capacidad común y corriente
5. un talento especial
6. la muerte de alguien importante
7. una experiencia feliz
8. una experiencia que Ud. prefiere olvidar
9. un episodio de gran importancia política o económica
10. ¿ ?

C. **Intercambios**   Háganse y contesten preguntas para descubrir la siguiente información. Luego, compartan lo que han aprendido (*you have learned*) con la clase.

1. ¿Cuánto tiempo hace que *aprendiste a leer* (aprender a cocinar, conocer a una persona realmente estupenda, darle un regalo a alguien, hacer un viaje en avión, leer una buena novela, llevar disfraz, sacar la licencia de conducir)?

2. ¿Cuánto tiempo hace que *vives en esta ciudad* (asistir a esta universidad, conocer a tu mejor amigo/a, estudiar español, no hacer un viaje, no ver a tus padres/hijos, no tomar vacaciones, tener esa ropa que llevas, vivir en esta ciudad)?

When describing events or situations in the past, Spanish speakers must choose between the preterite and the imperfect. The choice depends on the aspect of the event or situation that the speaker wants to describe.

A. Beginning/End versus Middle

In theory, every action has three phases or aspects: a beginning (**un comienzo**), a middle (**un medio**), and an end (**un fin**). When a speaker focuses on the beginning or the end of an action, the preterite is used. When he or she focuses on the middle (a past action in progress, a repeated past action, or a past action that has not yet happened), the imperfect is used. Read the following text carefully, paying attention to the uses of the preterite and the imperfect.

Nota comunicativa

Although English sometimes uses a progressive verb form—*was approaching, was wagging*—to signal an action in progress, the simple past tense—*it seemed, it had, it wore*—may also have this meaning, depending on the context. Learning to use the preterite and imperfect correctly does not involve matching English forms to Spanish equivalents but rather paying attention to contextual clues that signal middle (imperfect) or non-middle (preterite).

Era[1] marzo, y toda Sevilla celebraba[2] el Jueves Santo. Era[3] una noche estrellada, hacía[4] un poco de fresco y había[5] tantos turistas como sevillanos. Algunos, los que venían[6] a participar en las celebraciones todos los años, estaban[7] muy emocionados, pero los otros simplemente querían[8] ver las actividades de ese día tan especial.

El evento comenzó[9] cuando varios grupos de hombres sacaron[10] figuras religiosas de las iglesias y empezaron[11] a llevarlas en procesión por las calles de Sevilla. Mientras los hombres caminaban,[12] la gente que orillaba[13] las calles gritaba:[14] «¡Guapa!» Al momento en que la procesión pasaba[15] enfrente de la catedral, todas las campanas sonaron.[16]

Después de la procesión, los hombres devolvieron[17] las figuras a las iglesias y cada quien se encontró[18] con su familia. Muchos fueron[19] a tomar algo en algún bar o restaurante, pero otros regresaron[20] a casa donde tuvieron[21] una reunión familiar. Como siempre, fue[22] un día lleno de emociones para toda la ciudad.

It was[1] March, and all of Seville was celebrating[2] Holy Thursday. It was[3] a starry night, it was[4] a little cool, and there were[5] as many tourists as Sevillians. Some, the ones that came[6] to participate in the celebrations every year, were[7] very excited, but the others merely wanted[8] to see the activities of that special day.

The event started[9] when several groups of men removed[10] religious figures from the churches and started[11] to take them in a procession through the streets of Seville. While the men walked,[12] the people that lined[13] the streets shouted,[14] "Beautiful!" At the moment that the procession was passing[15] in front of the cathedral, all the bells rang.[16]

After the procession, the men returned[17] the figures to the churches and each one met up with[18] his family. Many went[19] to have something in a bar or restaurant, but others returned[20] home where they had[21] a family gathering. As always, it was[22] an exciting day for the whole city.

---

[1]middle: in progress [2]middle: in progress [3]middle: in progress [4]middle: in progress [5]middle: in progress [6]middle: repeated [7]middle: in progress [8]middle: in progress [9]beginning [10]end [11]beginning [12]middle: simultaneous [13]middle: in progress [14]middle: simultaneous [15]middle: in progress [16]end [17]end [18]end [19]end [20]end [21]end [22]end

B. Context of Usage

The contrast between middle and non-middle helps to explain why certain meanings are usually expressed in the preterite, whereas others are generally expressed in the imperfect.

- Emotions, mental states, and physical descriptions are generally expressed in the imperfect. This information is usually included as background or explanatory material—conditions or circumstances that were *ongoing* or *in progress* at a particular time.

  Algunos, los que venían a participar en las celebraciones todos los años, estaban muy emocionados, pero los otros simplemente querían ver las actividades de ese día tan especial.

  Descriptions of weather and feelings are often included as background "circumstances" or "explanations."*

  Era una noche estrellada, hacía un poco de fresco y había tantos turistas como sevillanos.

- When a story is narrated, several successive actions in the past are expressed in the preterite. Here the focus is usually on each individual action's having *taken place* (i.e., having begun or been completed) before the next action happens.

  El evento comenzó cuando varios grupos de hombres sacaron figuras religiosas de las iglesias y empezaron a llevarlas en procesión por las calles de Sevilla.

- Actions that are considered simultaneous are expressed in the imperfect. The focus is on two (or more) actions *in progress* at the same time.

  Mientras los hombres caminaban, la gente que orillaba las calles gritaba: «¡Guapa!»

- When an ongoing action in the past is interrupted by another action, the ongoing action is expressed in the imperfect. The interrupting action is expressed in the preterite.

  Al momento en que la procesión pasaba enfrente de la catedral, todas las campanas sonaron.

- When the endpoint or the duration of an action is indicated, the preterite is used, regardless of whether the action lasted a short time or a long time.

  Como siempre, fue un día lleno de emociones para toda la ciudad.

---

*See Appendix 7 for a review of some of these common idiomatic expressions with **hacer** and **tener.**

C. Meaning Changes with Tense Used

In a few cases, two distinct English verbs are needed to express what Spanish can express by the use of the preterite or the imperfect of just one verb. Note that, in all of the following examples, the preterite expresses an action at either its beginning or ending point, and the imperfect expresses an ongoing condition.

	Preterite: Action	Imperfect: Ongoing Condition
conocer	Conocí a mi mejor amigo en 1999. *I met* (action that marked the beginning of our friendship) *my best friend in 1999.*	Ya conocía a mi mejor amigo en 2000. *I already knew* (ongoing state) *my best friend in 2000.*
pensar	De repente, pensé que era inocente. *Suddenly it dawned on me* (action that marked the beginning of the thought) *that he was innocent.*	Pensaba que era inocente. *I thought* (ongoing opinion) *that he was innocent.*
poder	Pude dormir a pesar del ruido de la fiesta. *I managed (was able) to sleep* (action of sleeping took place) *despite the noise from the party.*	Podía hacerlo, pero no tenía ganas. *I was able* (had the ability) *to do it, but I didn't feel like it.* (Being able to do something and actually doing it are two separate things.)
no querer	Me invitó al teatro, pero no quise ir. *She invited me to the theater, but I refused to go.* (Action—saying no—took place.)	Me invitó al teatro, pero no quería ir. *She invited me to the theater, but I didn't want to go.* (This describes only what your mental state was; wanting or not wanting to do something and actually doing it are separate things.)
querer	El vendedor quiso venderme seguros; me costó mucho trabajo deshacerme de él. *The salesman tried to sell me insurance* (act of trying to sell took place); *it took a lot of hard work to get rid of him.*	El vendedor quería venderme seguros, pero se le olvidaron los formularios. *The salesman wanted to sell me insurance* (mental state only), *but he forgot the forms.*
saber	Elvira supo que Jaime estaba enfermo. *Elvira found out* (action that marked the beginning of knowing) *that Jaime was sick.*	Elvira sabía que Jaime estaba enfermo. *Elvira knew* (ongoing awareness) *that Jaime was sick.*
tener	Tuve una fiesta ayer. *I had* (action took place) *a party yesterday.*	Tenía varios buenos amigos mientras estaba en la escuela. *I had* (ongoing situation) *several good friends while I was in school.*
tener que	Tuve que ir a la oficina anoche. *I had to go* (and did go) *to the office last night.*	Tenía que ir a la oficina. *I was supposed to go* (mental state of obligation, no action is implied one way or the other) *to the office.*

Práctica   Lea el siguiente párrafo y decida si los verbos entre paréntesis indican el medio de la acción o una acción habitual, o si es una acción completa o el comienzo de una acción. Luego, dé la forma correcta de cada verbo (pretérito o imperfecto), según el caso.

La historia de un ex novio

I used to have (tener)[1] a boyfriend named Hector. He was (ser)[2] very tall and handsome, and we used to spend (pasar)[3] a lot of time together. We would go (ir)[4] everywhere together. That is, until he met (conocer)[5] a new girl, Jane. He talked to her (hablarle)[6] once and then invited her (invitarla)[7] to a big dance. He told me (decirme)[8] that it was because he felt sorry for her (tenerle compasión),[9] but I didn't believe him (creérselo).[10] I wanted (querer)[11] to kill him! But I decided (decidir)[12] to do something else. Since I knew (saber)[13] where she lived (vivir),[14] I went (ir)[15] over to her house to tell her what a rat Hector was (ser).[16] But when I got there (llegar),[17] I saw (ver)[18] that his car was (estar)[19] parked in front. I got (ponerme)[20] so angry that I started (empezar)[21] to slash his tires. Just then, Hector came out (salir)[22] of the house. When he saw me (verme),[23] he yelled (gritar)[24] and ran (correr)[25] toward me . . .

(*Continúa en **Un poco de todo**, Capítulo 6.*)

AUTOPRUEBA   Complete la siguiente narración con la forma apropiada de los verbos entre paréntesis. **¡OJO!** Debe usar el pretérito o el imperfecto, según el contexto.

Un día, mientras yo (manejar)[1] por la autopista, (oír)[2] un ruido muy fuerte y (darse)[3] cuenta que apenas (poder)[4] controlar el coche. (Lograr[a])[5] parar el coche al lado de la autopista y (bajar[b])[6] para ver qué (pasar).[7] ¡(Tener)[8] una llanta[c] desinflada!

(Abrir)[9] el baúl[d] para sacar la llanta auxiliar. Pero (tener)[10] un problema: ¡No (haber)[11] ninguna llanta auxiliar! ¿Qué iba a hacer? Dichosamente,[e] en ese momento (detenerse)[12] otro vehículo cerca del mío. El chófer me (preguntar)[13] si me (poder)[14] ayudar, y le (*yo: explicar*)[15] cuál (ser)[16] el problema. El hombre me (invitar)[17] a subir a su coche e/y (*nosotros: ir*)[18] a la estación de servicio para comprar una llanta nueva. Finalmente (*nosotros: regresar*)[19] a mi coche, donde el hombre me (ayudar)[20] a cambiar la llanta. (*Yo: Estar*)[21] muy agradecido por su ayuda.

[a]*To manage*   [b]*to get out*   [c]*tire*   [d]*trunk*   [e]*Luckily*

Conversación

A. El Día de los Muertos

Paso 1. Esta historia describe los recuerdos de una puertorriqueña acerca del Día de los Muertos durante los primeros años de su vida, antes de mudarse (*moving*) a los Estados Unidos. Lea la historia por completo y luego escoja la forma correcta del los verbos, según el contexto. Al final, conteste las preguntas.

Hace trece años que vivo en los Estados Unidos, pero los primeros diecisiete años de mi vida los viví en una casa grande de madera frente al cementerio. Desde una de las ventanas de mi cuarto siempre (pude/podía)[1] ver los portones[a] del cementerio. Casi cada día, había uno o dos entierros y desde mi ventana (conté/contaba)[2] las coronas[b] de flores y (observé/observaba)[3] a mucha gente llorar.

[a]*gates*   [b]*wreaths*

Una costumbre de mi abuela paterna (fue/era)[4] ir al cementerio el Día de los Muertos. Ella siempre (puso/ponía)[5] flores y velas en las tumbas de nuestros parientes muertos, parientes que yo nunca (conocí/conocía)[6] porque habían fallecido antes de que yo naciera.[c] Frente a alguna tumba, yo (vi/veía)[7] que los labios de mi abuela se (movieron/movían).[8] Ella (rezó/rezaba)[9d] por el descanso de las almas[e] de nuestros parientes. (Fue/Era)[10] muy devota.

Recuerdo una vez, cuando yo (tuve/tenía)[11] 8 años, mis primos, e inclusive mi padre, (compraron/compraban)[12] velas. Pero ellos no las (pusieron/ponían)[13] en las tumbas ni tampoco (rezaron/rezaban).[14] Sin que nadie los observara,[f] las (pusieron/ponían)[15] en la carretera,[g] se (escondieron/escondían)[16] detrás de las murallas[h] del cementerio y (empezaron/empezaban)[17] a hacer ruidos extraños. La gente que esa noche pasaba por allí y (vio/veía)[18] las velas encendidas y (oyó/oía)[19] los ruidos (comenzó/comenzaba)[20] a correr asustada, mientras que detrás de las murallas del cementerio, mis primos y mi papá se (rieron/reían)[21] sin parar. Todavía nos reímos cuando recordamos esa noche.

[c]habían… *they had passed away before I was born*   [d]*rezar = to pray*   [e]*souls*   [f]*Sin… Without anyone observing them*   [g]*road*   [h]*walls*

Paso 2. Conteste las preguntas.

- ¿A Ud. le han contado (*have [they] told*) sus padres la historia de alguna travesura que ellos hicieron cuando eran jóvenes? ¿Qué travesura hicieron?
- Cuando Ud. escuchó esa historia por primera vez, ¿pensó que era cómica? ¿Qué piensa ahora?

B. En la biblioteca

Paso 1. Lea el siguiente párrafo y conjugue los verbos indicados, según el contexto.

Cuando yo (ser)[1] más joven, (gustarme)[2] mucho ir a leer a la vieja biblioteca de mi pueblo. Yo (creer)[3] que la biblioteca (ser)[4] un lugar misterioso porque (haber)[5] muchos libros antiguos y porque todo el mundo (hablar)[6] en voz baja. En días lluviosos y oscuros, el edificio (parecer)[7] embrujado.[a] Generalmente yo (ir)[8] por las tardes porque entonces (ver)[9] al Sr. Panteón, un bibliotecario muy extraño y algo lúgubre,[b] tan flaco[c] que (parecer)[10] esqueleto. Siempre me (hablar)[11] de la historia de la biblioteca y me (ayudar)[12] a alcanzar los libros en los estantes más altos.

Un día cuando yo (llegar),[13] (notar)[14] que el Sr. Panteón no (estar).[15] (Poner)[16] mi mochila en una mesa; (ir)[17] a pedirle ayuda a otro bibliotecario. Pero todos (estar)[18] ocupados y nadie (poder)[19] ayudarme. Frustrado, (*yo:* decidir)[20] regresar a casa y (volver)[21] a la mesa para recoger mi mochila. Pero, ¡qué raro! Al lado de la mochila, amontonados[d] con cuidado, (estar)[22] los libros… ¿Cómo (llegar)[23] a estar allí?

[a]*bewitched*   [b]*gloomy*   [c]*skinny*   [d]*piled up*

Paso 2. Entre todos

- ¿Qué pasó? ¿Cómo explica Ud. que los libros estaban en la mesa? ¿Quién los puso allí?
- ¿A quién en la clase le ha pasado (*has happened*) algo semejante? Cuénteselo a la clase.

C. Psycho ¿Recuerda Ud. la secuencia de acciones que se describió en la página 82? Debajo de los dibujos, se han agregado (*have been added*) algunos detalles descriptivos que sirven de fondo (*background*) a las acciones principales. Narre el cuento de nuevo, cambiando los verbos *en letra cursiva azul* al imperfecto o al pretérito, según el contexto. Si puede, añada más detalles a la historia.

1.   2.   3.   4.

1. un día, el jefe, *confiarle* dinero a la empleada / ella, *llamarse* Marian / *ser* una mujer joven y ambiciosa / pero no *estar* satisfecha / *querer* un cambio en su vida

2. la mujer, *deber* depositar el dinero / *decidir* guardarlo / ya que *tener* miedo de las autoridades / *necesitar* salir del pueblo inmediatamente / *poner* el dinero en la bolsa / *hacer* las maletas

3. después, ella, *salir* del pueblo en coche / *estar* nerviosa

4. la mujer, *estar* cansada / *llegar* al Motel Bates / en el motel, *haber* habitaciones vacantes / ella, *pensar* que allí *poder* descansar un poco antes de continuar su viaje / *haber* una enorme casa cerca / *llover* y *hacer* mal tiempo

5.   6.   7.   8.

5. en el hotel, la mujer, *conocer* a Norman / él, *ser* un joven guapo y tímido / *parecer* simpático / ellos, *hablarse* un rato / entonces ella, *firmar* su nombre en el registro / no *haber* otros huéspedes (*guests*) en el motel / Norman, *darle* la llave de su habitación

6. en seguida, ella, *ir* a su habitación / *tener* hambre / *pensar* salir a comer algo más tarde / por eso, *decidir* ducharse

7. Norman, *vivir* solo con su madre / madre, *estar* muerta / Norman, *estar* un poco demente (loco) / *tener* dos personalidades / *disfrazarse* de su madre / *abrir* la puerta / *entrar* al cuarto de la mujer mientras ella *ducharse*

8. ella, no *darse* cuenta del peligro / Norman, *sorprenderla* en la ducha / *matarla* a puñaladas

D. Intercambios Usando los verbos sugeridos y añadiendo otros detalles necesarios, narren una pequeña historia para cada uno de los dibujos. (Para el número 6, tienen que hacer un dibujo e inventar su propia historia.) Antes de empezar, decidan qué aspecto de cada acción (el medio de la acción o no) quieren indicar y conjuguen cada verbo en el pretérito o en el imperfecto, según el caso.

1. ser las doce / jugar / llamar / no tener hambre / preferir jugar

2. recibir corbata de su tía / ser muy fea / no gustarle / decidir devolverla / hablar con la dependienta / ver a su tía

3. tener unos 10 años / ser un muchacho travieso / siempre hacer cosas que no deber hacer / encontrar unos cigarrillos / fumar / llegar su madre

4. ser una noche oscura / hacer muy mal tiempo / estar solos en la casa / leer / oír unos ruidos extraños / estar asustados / no querer ir a investigar

5. ser su aniversario / ir a comer a un restaurante elegante / pedir una gran comida / estar muy contentos / abrir la cartera para pagar la cuenta / descubrir / no tener / no aceptar tarjetas de crédito / tener que lavar los platos

6. ¿ ?

E. Intercambios Háganse y contesten preguntas para obtener la siguiente información sobre la niñez de un compañero / una compañera de clase. Recuerden usar las formas de **tú** en las preguntas. Luego, compartan con la clase lo que han aprendido (*you have learned*) sobre la niñez de su compañero/a.

1. una cosa que le gustaba muchísimo
2. un lugar que le parecía especial
3. una persona que influía mucho en su vida de una manera positiva
4. algo que tenía que hacer todos los días y que no le gustaba
5. algo que hizo solo una vez pero que le gustó mucho
6. una cosa con la que siempre tenía mucho éxito
7. una ocasión en que estaba muy orgulloso/a de sí mismo/a
8. una cosa buena que hizo para otra persona

15 Relative Pronouns: *que, quien*

A series of short sentences in a row sounds choppy; often there are no smooth transitions from one idea to another. By linking several short sentences together to make longer ones, you can form sentences that have a smoother, more fluid sound.

A. Simple versus Complex Sentences

A *simple sentence* (**oración sencilla**) consists of a subject and a predicate (verb with or without a complement).

David compró el disfraz.	*David bought the costume.*
El disfraz estaba en la tienda.	*The costume was in the store.*
El muerto era médico.	*The deceased was a doctor.*
Enterraron al muerto ayer.	*They buried the deceased man yesterday.*

A *complex sentence* (**oración compleja**) is really two simple sentences that share a common element and are combined into one. The first simple sentence, which communicates the main idea, becomes the independent or main clause (**cláusula independiente/principal**). (An independent clause can stand alone as a coherent sentence.) In the second simple sentence, the element in common with the first (e.g., **el disfraz** in the following table) is replaced by a relative pronoun (**pronombre relativo**) creating a dependent or subordinate clause (**cláusula dependiente/subordinada**). (A dependent clause *cannot* stand alone as a coherent sentence.)

	Spanish	English
two simple sentences	David compró **el disfraz.**	*David bought the costume.*
	El disfraz estaba en la tienda.	*The costume was in the store.*
independent clause	David compró **el disfraz**	*David bought the costume*
dependent clause	que estaba en la tienda	*that was in the store*
complex sentence	David compró **el disfraz** que estaba en la tienda.	*David bought the costume that was in the store.*

B. *Que* versus *quien*

There are three principal relative pronouns in English: *that, which,* and *who/whom.* In Spanish, all three are usually expressed by the relative pronoun **que.**

Laura leyó el libro que compró.	*Laura read the book that she bought.*
Mi coche, que está estacionado allí, es azul.	*My car, which is parked there, is blue.*
Este es el artículo de que te hablé.	*This is the article that I spoke to you about.*
Vi al hombre que estaba aquí ayer.	*I saw the man who was here yesterday.*

Although *who/whom* is usually expressed in Spanish by **que,** in two cases *who/whom* may be expressed by **quien(es).**

1. When *who/whom* introduces a nonrestrictive clause

Julia, quien (que) no estuvo ese día, fue el líder del grupo.	*Julia, who was not there that day, was the leader of the group.*
Carmen y Loren, quienes (que) hoy viven en Newark, son de Cuba.	*Carmen and Loren, who today live in Newark, are from Cuba.*

Nonrestrictive clauses, which are always set off by commas, are embedded in sentences almost as an afterthought or an aside. If they are removed, the essential meaning of the sentence remains unchanged. When the replaced element is a person, either **que** or **quien(es)** may be used to introduce the clause. Although **que** is more common in spoken language, **quien(es)** is preferred in writing.

2. When *whom* follows a preposition or is an indirect object*

No conozco al hombre de quien hablaba.	*I don't know the man he was talking about (about whom he was talking).*
La persona a quien vendimos el coche nos lo pagó en seguida.	*The person we sold the car to (to whom we sold the car) paid us for it immediately.*

In colloquial English we often end sentences and clauses with prepositions: *I don't know the man he was talking **about;** The person we sold the car **to** paid us for it immediately.* In Spanish, however, a sentence may *never* end with a preposition. When a prepositional object is replaced by a relative pronoun, the preposition and pronoun are both moved to the front of the embedded sentence, as in the following examples from more formal English: *I don't know the man **about whom** he was talking; The person **to whom** we sold the car paid us for it immediately.*

En resumen

■ When it is *possible* to use a relative pronoun in English, it is *necessary* to use one in Spanish.

■ Unless there is a preposition or a comma, always use **que.**

¿Recuerda Ud.?

Relative pronouns are often omitted in English.

The car (that) we bought isn't worth anything.
He doesn't know the man (that) we were talking with.

In contrast, relative pronouns are *never* omitted in Spanish.

El coche que compramos no vale nada.
No conoce al hombre con quien hablábamos.

---

*When *whom* is a direct object, **quien** can be used, but in contemporary speech it is more common to omit the object marker **a** and introduce the embedded element with **que: La persona a quien vimos allí es muy famosa.** → **La persona que vimos allí es muy famosa.**

Práctica   Complete las siguientes oraciones con **que** o **quien(es)**, según el contexto.

1. Mucha gente desprecia a las personas _____ son algo diferentes.
2. Las películas _____ más me asustan son las de Stephen King.
3. Hay muchos rasgos _____ compartimos con esos grupos étnicos.
4. Estoy segura de que la mujer con _____ hablan es bruja.
5. ¿Cuáles son las características _____ se asocian con lo sobrenatural?
6. Los indígenas de _____ hablábamos son descendientes de los primeros habitantes del continente.
7. La noche del 31 de octubre muchos niños, _____ llevan disfraces distintos, van de casa en casa pidiendo dulces.
8. Los esqueletos y calaveras con _____ se decora la casa simbolizan la muerte.

AUTOPRUEBA   Combine los siguientes pares de oraciones sencillas para formar una sola oración compleja, usando **que** o **quien(es)**, según el contexto.

1. Los padres de Gloria son de Puerto Rico. Los padres de Gloria viven en Nueva York.
2. Nuestra casa se encuentra en la esquina de la próxima calle. Nuestra casa es roja.
3. Teresa hablaba del vecino. Pero no conocíamos al vecino.
4. Vimos un anillo de diamantes en la tienda. Pablo me compró un anillo de diamantes.
5. Le compré chocolates a Rosalva. Rosalva ya comió los chocolates.

Conversación

A. En otras palabras   Junte los siguientes pares de oraciones, omitiendo la repetición innecesaria por medio de pronombres relativos apropiados.

MODELO: El cementerio es el famoso Forest Lawn. Hablaron del cementerio. →
El cementerio de que hablaron es el famoso Forest Lawn.

1. Los disfraces representan brujas, piratas y animales. Los jóvenes llevan los disfraces en Carnaval.
2. En México hay mucha gente. Esta gente celebra el Día de la Independencia el 16 de septiembre.
3. Pienso invitar a la fiesta a todas las personas. Trabajo con estas personas.
4. La edad es un tema. La edad asusta a mucha gente en las fiestas de cumpleaños.
5. Todas las personas eran parientes del niño. Estas personas asistieron a su fiesta de cumpleaños.
6. La mezcla de razas constituye un elemento característico de la cultura nacional. Esta mezcla resultó de la conquista.

B. Guiones En grupos de tres o cuatro personas, narren una breve historia para los siguientes dibujos. Utilicen el pretérito y el imperfecto y traten de usar complementos pronominales y los pronombres relativos para evitar la repetición innecesaria.

1.

2.

3.

4.

5.

6.

¡OJO!

	Examples	Notes
hora **vez** **tiempo**	¿Qué **hora** es? ¿No es **hora** de comer? *What time is it? Isn't it time to eat?* Estudié dos **horas** anoche. *I studied for two hours last night.* He estado en Nueva York muchas **veces.** *I've been in New York many times.* No tengo **tiempo** para ayudarte. *I don't have time to help you.* Nunca llegan **a tiempo.** *They never arrive on time.*	The specific time of day or a specific amount of time is expressed with the word **hora.** *Time* as an *instance* or *occurrence* is **vez,** frequently used with a number or other indicator of quantity. **Tiempo** refers to *time* in a general or abstract sense. The Spanish equivalent of *on time* is **a tiempo.**
el cuento **la cuenta**	**El cuento** es largo pero muy interesante. *The story is long but very interesting.* Mi padre me pidió **la cuenta** y después me la devolvió; no la pagó él. *My father asked me for the bill and then gave it back to me; he didn't pay it.*	**Cuento** means *story, narrative,* or *tale.* **Cuenta** means *bill (money owed), calculation,* or *account.*
pagar (gu) **prestar atención** **hacer caso (de)** **hacer (una) visita**	Tuvimos que **pagar** todos los gastos de su educación. *We had to pay all the expenses related to his education.* Algunos estudiantes nunca les **prestan atención** a sus maestros. *Some students never pay attention to their teachers.* No le **hagas caso;** es tonto. *Don't pay any attention to him; he's a fool.* Vamos a **hacerle visita** este verano. *We're going to pay her a visit this summer.*	The verb **pagar** expresses *to pay for (something).* *To pay attention* (and *not let one's mind wander*) is expressed with **prestar atención.** *To pay attention* in the sense of *to heed* or *to take into account* is **hacer caso (de).** The equivalent of *to pay a visit* is **hacer (una) visita.**

A. Volviendo al dibujo Los siguientes párrafos se refieren al dibujo de **Describir y comentar**. Elija la palabra o expresión que mejor complete cada oración. ¡OJO! También hay palabras de los capítulos anteriores.

1. La procesión consistía (en/de/con)[1] un grupo de hombres que llevaban figuras religiosas. El recorrido[a] dependía (en/de/con)[2] las circunstancias. Si estaba lloviendo, el recorrido iba a ser más (bajo/corto).[3] Durante la procesión, un turista quería sacar una foto, pero los hombres no le (prestaban/pagaban)[4] atención. Los hombres (miraban/parecían)[5] muy serios y no tenían (hora/vez/tiempo)[6] para distracciones.

2. Los tres jóvenes se divertían tanto que no (realizaron / se dieron cuenta de)[7] que su amiga no estaba con ellos. Ella (miraba/parecía)[8] muy confundida y (buscaba/miraba)[9] a sus amigos. Ella pensó: «Ya me perdí (otro tiempo / otra vez / otra hora).[10]»

3. El niño que celebraba su cumpleaños recibió un robot, pero no (funcionaba/trabajaba).[11] La niña no (pagaba/prestaba)[12] atención porque leía y soñaba (en/de/con)[13] el príncipe (del cuento / de la cuenta).[14] Ella estaba enamorada (en/de/con)[15] él y quería casarse (en/de/con)[16] él. La madre del niño pensaba (de/en/que)[17] era tarde. Ya era (hora/tiempo/vez)[18] de regresar a casa.

[a]*route*

B. Entre todos

■ De niño/a, ¿le leían cuentos sus padres (abuelos, tíos,...) en voz alta a Ud.? ¿Qué cuentos le gustaban más: los de hadas, los de acción y de aventuras, los de fantasmas o los de horror? ¿Todavía le gusta ese tipo de cuento? ¿Le gusta escuchar los cuentos narrados (por ejemplo, en los libros grabados en cinta [*books on tape*]) o prefiere leerlos?

■ Cuando Ud. era más joven, ¿le pagaban sus padres todos sus gastos? En general, ¿qué tipo de gasto tenía que pagar Ud. personalmente? En su opinión, ¿quién debe pagar la cuenta cuando un hombre y una mujer salen juntos? Cuando Ud. quiere pagar (o insiste en pagar), ¿qué hace su pareja? ¿Se molesta o le da igual (*does he/she care*)? En los siguientes casos, ¿quién debe pagar, Ud. o la persona con quien está? ¿Por qué?

la primera cita   una cita con unos amigos íntimos
una cita con su novio/a   una cita con sus padres
  (de hace algún tiempo)

¿Hay situaciones en que el uno o el otro *deba* pagar? Explique.

C. Una conversación en la clase de español del profesor O'Higgins En el siguiente diálogo, hay mucha repetición innecesaria de complementos. Léalo por completo y luego elimine los complementos innecesarios, sustituyéndolos por los pronombres y adjetivos apropiados.

O'HIGGINS: Bueno, estudiantes, es hora de entregar[a] la tarea de hoy. Todos tenían que escribirme una breve composición sobre la originalidad, ¿no es cierto? ¿Me escribieron la composición?

JEFF: Claro. Aquí tiene Ud. la composición mía.

O'HIGGINS: Y Ud., Sra. Chandler, ¿también hizo la tarea?

CHANDLER: Sí, hice la tarea, profesor O'Higgins, pero no tengo la tarea aquí.

O'HIGGINS: Ajá. Ud. dejó la tarea en casa, ¿verdad? ¡Qué original!

CHANDLER: No, no dejé la tarea en casa. Sucede que mi hijo tenía prisa esta mañana, el coche se descompuso[b] y mi marido llevó el coche al garaje.

O'HIGGINS: Ud. me perdona, pero no veo la relación. ¿Me quiere explicar la relación?

CHANDLER: Bueno, anoche, después de escribir la composición, puse la composición en mi libro como siempre. Esta mañana salimos, mi marido, mi hijo y yo, en el coche. Siempre dejamos a Paul —mi hijo— en su escuela primero, luego mi marido me deja en la universidad y entonces él continúa hasta su oficina. Esta mañana, como le dije, mi hijo tenía mucha prisa y cogió mi libro con sus libros cuando bajó del coche. Desgraciadamente no vi que cogió mi libro. Supe que cogió mi libro cuando llegamos a la universidad. Como ya era tarde, no pude volver a la escuela de mi hijo. Así que mi marido se ofreció a buscarme el libro. Pero el coche se descompuso y...

O'HIGGINS: Bueno, Ud. me puede traer la tarea mañana, ¿no?

CHANDLER: Sin duda, profesor.

[a]*to turn in*   [b]*se... broke down*

D. Frente a San Pedro

Paso 1. Imagínese que acaban de morirse las siguientes personas. Al llegar al más allá, tienen que justificar, frente a San Pedro, su comportamiento en la Tierra para poder entrar al cielo. Es necesario comentar lo bueno... y también lo malo. Para comenzar, complete las siguientes oraciones de la forma en que lo harían (*would do*) estas personas recién muertas. Añada información para completar las historias.

Yo siempre _____, pero una vez _____.

Yo nunca _____, pero un día _____.

Yo solía _____, pero en 2011 _____.

1. un hombre muy rico y muy tacaño (*stingy*)
2. un donjuán
3. una mujer que miente mucho
4. el dictador de un país muy pobre
5. una mujer que no cree en Dios

Paso 2. Y Ud., ¿qué le diría (*would you say*) a San Pedro sobre su vida para que él le permitiera entrar al cielo?

Lectura cultural *La cocina es una tradición que merece celebrarse*

En el mundo hispano, hay un gran número de fiestas y ferias dedicadas a la celebración de la cocina regional o local. Aunque se celebran fiestas gastronómicas en todos los países hispanos, las de España y México son más numerosas y conocidas. Lo mejor de estas fiestas es que casi siempre tienen lugar en los pueblos o ciudades pequeñas donde uno puede disfrutar de una muestra de la comida regional y de la cultura auténtica.

España

La Gran Festa de la Calçotada de Valls, celebrada a fines de enero en la región de Cataluña en el noreste del país, es dedicada al «calçot», un tipo de cebolla. Esta cebolla se parece mucho a las cebollas verdes de nuestros supermercados aunque es mucho más grande y larga. Se preparan al estilo de barbacoa con salsa romesco* y se comen enteras. Entre las diversiones de la fiesta, hay una competencia para elegir a quien come más «calçots», bailes y música tradicionales y la construcción de «torres» humanas.

En el extremo noroeste del país en la región de Galicia, se encuentra Sada, un pueblo de la costa Atlántica que se especializa en la pesca y, sobre todo, en la pesca de sardinas. Es natural, entonces, que cada agosto, cuando es la temporada alta, se celebre la pesca de las sardinas. El día de la fiesta, llamada «Sardinada», los organizadores colocan[a] gigantescas barbacoas al aire libre y empiezan a cocinar las sardinas. También preparan un pan de maíz, el acompañamiento tradicional de las sardinas. ¿Y para tomar? Barriles del vino tinto de la región. Además, hay música y bailes de la región y un espectáculo de luces. Al final, se cuenta con[b] el consumo de 3000 kilos de sardinas, 2000 kilos de pan y 4000 litros de vino, ¡todo en un día!

México

Aunque mucha gente no lo sabe, una gran cantidad de la mejor vainilla del mundo viene del estado de Veracruz, México. Los indígenas de la región han cultivado esta planta desde los tiempos precolombinos y hoy en día el pueblo de Papantla es sede[c] del Festival de la Vainilla cada 18 de junio. Hay danzas y bailes típicos ejecutados por los indígenas de toda la región, danzas que representan la orgullosa cultura totonaca. Se encuentran también muchos productos regionales en que destaca[d] la esencia de vainilla. No solo hay comidas y bebidas con vainilla, sino también artesanías como cestos[e] y figuritas de animales, todos hechos de varias partes de la planta. ¡Es todo un espectáculo para los cinco sentidos!

El nopal, una especie de cacto, es uno de los ingredientes esenciales de muchos platos mexicanos y por lo tanto no es sorprendente

Poniendo los «calçots» al fuego

que entre el 29 y 30 de abril se celebre el Festival de los Nopales en Tlaxcalancingo en el estado de Puebla. Este pueblo, con volcanes cubiertos de nieve al fondo,[f] parece una tarjeta postal. Se celebra la cosecha[g] con una feria de comestibles hechos de nopal, entre ellos ensaladas, guisos,[h] nopales[i] rellenos y ¡hasta helado de nopal! También hay todo tipo de especialidades regionales durante los dos días del festival. Si Ud. piensa ir algún día a esta fiesta única, no se pierda la música de uno de los órganos más grandes de México que se encuentra en la antigua iglesia del pueblo.

[a]*place, put* [b]*se… it includes/consists of* [c]*headquarters* [d]*stands out* [e]*large baskets* [f]*al… in the background* [g]*harvest* [h]*stews* [i]*prickly pear cactus*

Comprensión y expansión

1. Con respecto a las fiestas hispanas dedicadas a la celebración de comida, ¿por qué son especiales las de España y México?

2. ¿Le gustaría a Ud. asistir a una de estas fiestas? ¿A cuál(es)? ¿Por qué?

3. La comida casi siempre juega un papel importante en las costumbres y tradiciones de un lugar. ¿Por qué cree Ud. que es así?

*Salsa romesco** is a popular Spanish sauce originating in Tarragona, northeastern Spain, consisting mainly of roasted red peppers, tomato, ground almonds, garlic, olive oil, and vinegar, which can accompany meat and vegetables.

Del mundo hispano
Como agua para chocolate

Aproximaciones al texto

La novela

An important strategy for reading and understanding the novel is to consider the narrative conventions used and socio-historical settings of the narrative. In *Como agua para chocolate* (1989), Mexican novelist Laura Esquivel combines magical realism (**el realismo mágico**) with concrete, sensory details to convey the provincial family psyche during the turbulent years of the Mexican Revolution (1910–1920). Additionally, Esquivel uses a collection of recipes to frame the narrative. These recipes are pregnant with memories, family history, and magic. As the narrator leads the reader through the history of a recipe, she also explores the inner psychological turmoil generated by strict adherence to an archaic family tradition that requires the youngest daughter to refrain from courtship and marriage in order to care for her mother until the latter's death.

El nacimiento de Tita

Paso 1. Lea el siguiente fragmento de *Como agua para chocolate*. Apunte las palabras y expresiones que crean imágenes visuales, auditivas y cinéticas para establecer el ambiente.

Dicen que Tita era tan sensible que desde que estaba en el vientre[1] de mi bisabuela[2] lloraba y lloraba cuando ésta picaba cebolla: su llanto[3] era tan fuerte que Nacha, la cocinera de la casa, que era medio sorda,[4] lo escuchaba sin esforzarse.[5] Un día los sollozos[6] fueron tan fuertes que provocaron que el parto[7] se adelantara. Y sin que mi bisabuela pudiera decir ni pío,[8] Tita arribó a este mundo prematuramente, sobre la mesa de la cocina entre los olores de una sopa de fideos que se estaba cocinando, los del tomillo,[9] el laurel,[10] el cilantro, el de la leche hervida,[11] el de los ajos y, por supuesto, el de la cebolla. Como se imaginarán, la consabida nalgada[12] no fue necesaria pues Tita nació llorando de antemano,[13] tal vez porque ella sabía que su oráculo[14] determinaba que en esta vida le estaba negado el matrimonio. Contaba Nacha que Tita fue literalmente empujada a este mundo por un torrente impresionante de lágrimas que se desbordaron[15] sobre la mesa y el piso de la cocina.

[1]*womb* [2]*great-grandmother* [3]*crying* [4]*deaf* [5]*sin... without exerting herself* [6]*sobs* [7]*childbirth* [8]*ni... anything at all* [9]*thyme* [10]*bay leaf* [11]*boiling* [12]*consabida... usual slap on the buttocks* [13]*de... beforehand* [14]*oracle* [15]*se... overflowed*

Paso 2. Conteste las preguntas.

1. ¿Qué cree Ud. que va a ocurrir en la vida de los personajes? ¿Por qué? ¿Cuál es el tono narrativo?

2. ¿Habla en primera persona o en tercera? ¿Habla de sí mismo/a o de otros? ¿Es omnisciente o tiene una perspectiva parcial de los sucesos?

3. ¿Participa en la acción o solo la observa? ¿Expresa su propia opinión y sus sentimientos o se mantiene a distancia?

4. ¿Qué relación puede existir entre la narradora y el ambiente y los personajes que observa?

5. ¿Cree Ud. que la narradora tiene interés en el arte culinario? ¿Por qué razones?

Nota literaria

el realismo mágico = la convención narrativa de presentar lo real y lo mágico o fantástico al mismo nivel, es decir, lo mágico o fantástico en un contexto real

---

Vocabulario para leer

acabar(se)   to finish, end

acudir (a)   to come to

agradar   to please, be agreeable

asegurar   to assure

atender (atiendo) (a)   to attend, take care of

bordar   to embroider

casarse (con)   to marry

conformarse   to conform, adapt

contar (cuento) con   to be [so many] years old

coser   to sew

cuidar (de)   to take care of

desistir (de)   to desist (from)

disculparse   to excuse oneself

doblegar (gu)   to bend, force

llevar a cabo   to carry out

obligar(se) (gu)   to obligate

opinar   to think, to be of the opinion

pedir (pido) (i) la mano   to propose marriage

pelar   to peel

planchar   to iron

protestar   to protest

repartir   to distribute

rezar (c)   to pray

sobrevivir   to survive

velar   to watch over, protect

el desconcierto   disorder, confusion

el destino   destiny

el entendedor   one who understands

la esperanza   hope

la estufa   stove

la falla   flaw

el fallecimiento   death, demise

la inquietud   anxiety, restlessness

la interrogación   interrogation

la juventud   youth

la lágrima   tear

el mandato   order

la oposición   opposition

el pozo   well

el recado   message

la senectud   senility; old age

la recámara   bedroom

la vejez   old age

amargo/a   bitter

conforme   agreeable, resigned

disponible   available

dulce   sweet

interminable   unending

irremediablemente   hopelessly

ligero/a   light, unburdened

plenamente   fully, completely

tembloroso/a   trembling

Mamá Elena

Paso 1. Lea la siguiente selección de la novela y explique el significado de las palabras en letra azul.

Entonces Mamá Elena decía:

—Por hoy ya terminamos con[1] esto.

Dicen que al buen entendedor pocas palabras,[2] así que después de escuchar esta frase todas sabían qué era lo que tenían que hacer. Primero recogían[3] la mesa y después se repartían las labores:[4] una metía a las gallinas, otra sacaba agua del pozo[5] y la dejaba lista[6] para utilizarla en el desayuno y otra se encargaba de la leña para la estufa. Ese día ni se planchaba[7] ni se bordaba[8] ni se cosía ropa.[9] Después todas se iban a sus recámaras[10] a leer, rezar y dormir.

Paso 2. Vuelva a leer el párrafo. En su opinión, ¿cuál es la idea principal de la selección? ¿Cómo describiría Ud. la vida diaria de los personajes? En su opinión, ¿cómo serían las relaciones entre Mamá Elena y las demás? Describa su tono y el control que ejerce sobre las otras mujeres de la familia.

México

SOBRE LA AUTORA

La escritora mexicana Laura Esquivel (1950–) comenzó su carrera literaria como guionista cinematográfica (*screenwriter*). Con la publicación de su novela *Como agua para chocolate* (1989), que se convirtió en libro de mayor venta (*best-selling*), su obra tuvo una gran acogida (*reception*) y fue objeto de una crítica favorable. La novela emplea un estilo de *realismo mágico* para combinar lo doméstico y mundano con lo sobrenatural, elevando el arte culinario a un nivel simbólico que sirve para interpretar las fuentes de emociones generadas por diversas situaciones. Poco después de su publicación, Esquivel alcanzó fama mundial como guionista cinematográfica por la película del mismo título que tuvo gran éxito taquillero (*box-office*). La película fue galardonada (*awarded*) con un total de diez premios «Ariel» de la Académica Mexicana de Ciencias y Artes Cinematográficas. Tanto la novela como la película han sido traducidas a más de treinta idiomas.

Como agua para chocolate

En esta selección las mujeres de la familia matriarcal De la Garza se han reunido en la cocina del rancho para llevar a cabo el rito de la preparación del chorizo: Mamá Elena, sus hijas Gertrudis, Rosaura y Tita, Nacha la cocinera y Chencha la sirvienta. Por lo general, el tiempo se va volando rápidamente mientras hablan y gastan bromas. En cuanto se oscurece, todas escuchan atentamente mientras la figura dominante de Mamá Elena se dirige a ellas, indicándoles con voz determinada que su labor se ha terminado por hoy.

1 Dicen que al buen entendedor pocas palabras,[1] así que después de escuchar esta frase todas sabían qué era lo que tenían que hacer. Primero recogían la mesa y después se repartían las labores: una metía a las gallinas, otra sacaba agua del pozo y la dejaba lista para
5 utilizarla en el desayuno y otra se encargaba de la leña[2] para la estufa. Ese día ni se planchaba ni se bordaba ni se cosía ropa. Después todas se iban a sus recámaras a leer, rezar y dormir. Una de esas tardes, antes de que Mamá Elena dijera (←) que ya se podían levantar de la mesa, Tita, que entonces contaba con quince años, le
10 anunció con voz temblorosa que Pedro Muzquiz quería venir a hablar con ella…

—¿Y de qué me tiene que venir a hablar ese señor?
Dijo Mamá Elena luego de un silencio interminable que encogió el alma[3] de Tita.
Con voz apenas perceptible[4] respondió: 15
—Yo no sé.
Mamá Elena le lanzó una mirada[5] que para Tita encerraba todos los años de represión que habían flotado (←) sobre la familia y dijo:
—Pues más vale que le informes (→) que si es para pedir tu mano, no lo haga. Perdería (→) su tiempo y me haría (→) perder el 20 mío. Sabes muy bien que por ser la más chica de las mujeres a ti te corresponde cuidarme hasta el día de mi muerte.

[1]Dicen… *A word to the wise is enough (proverb)* [2]*firewood* [3]*soul* [4]apenas… *scarcely audible* [5]le… *gave her a look*

Dicho esto, Mamá Elena se puso lentamente de pie, guardó sus lentes dentro del delantal y a manera de orden final repitió:

25 —¡Por hoy, hemos terminado (←) con esto!

Tita sabía que dentro de las normas de comunicación de la casa no estaba incluido el diálogo, pero aun así, por primera vez en su vida intentó protestar a un mandato de su madre.

—Pero es que yo opino que…

30 —¡Tú no opinas nada y se acabó! Nunca, por generaciones, nadie en mi familia ha protestado (←) ante esta costumbre y no va a ser una de mis hijas quien lo haga.

Tita bajó la cabeza y con la misma fuerza con que sus lágrimas cayeron sobre la mesa, así cayó sobre ella su destino. Y desde ese
35 momento supieron ella y la mesa que no podían modificar ni tantito la dirección de estas fuerzas desconocidas que las obligaban, a la una, a compartir con Tita, su sino, recibiendo sus amargas lágrimas desde el momento en que nació, y a la otra a asumir esta absurda determinación.

40 Sin embargo, Tita no estaba conforme. Una gran cantidad de dudas e inquietudes acudían a su mente. Por ejemplo, le agradaría tener conocimiento de quién había iniciado esta tradición familiar. Sería (→) bueno hacerle saber a esta ingeniosa persona que en su perfecto plan para asegurar la vejez de las mujeres había una ligera

falla. Si Tita no podía casarse ni tener hijos, ¿quién la cuidaría (→) 45 entonces al llegar a la senectud? ¿Cuál era la solución acertada en estos casos? ¿O es que no se esperaba que las hijas que se quedaban a cuidar a sus madres sobrevivieran mucho tiempo después del fallecimiento de sus progenitoras[6]? ¿Y dónde se quedaban las mujeres que se casaban y no podían tener hijos, quién se encargaría 50 de atenderlas? Es más, quería saber, ¿cuáles fueron las investigaciones que se llevaron a cabo para concluir que la hija menor era la más indicada para velar por su madre y no la hija mayor? ¿Se había tomado (←) alguna vez en cuenta la opinión de las hijas afectadas? ¿Le estaba permitido al menos, si es que no se podía casar, el conocer 55 el amor? ¿O ni siquiera eso[7]?

Tita sabía muy bien que todas estas interrogantes tenían que pasar irremediablemente a formar parte del archivo[8] de preguntas sin respuesta. En la familia De la Garza se obedecía y punto. Mamá Elena, ignorándola por completo, salió muy enojada de la cocina y 60 por una semana no le dirigió la palabra.

[…]

Mamá Elena se sentía reconfortada con el pensamiento de que tal vez ya estaba logrando doblegar el carácter de la más pequeña de sus hijas. Pero desgraciadamente albergó[9] esta esperanza por 65 muy poco tiempo pues al día siguiente se presentó en casa Pedro Muzquiz acompañado de su señor padre con la intención de pedir la mano de Tita. Su presencia en la casa causó gran desconcierto. No esperaban su visita. Días antes, Tita le había mandado (←) a Pedro un recado con el hermano de Nacha pidiéndole que desis- 70 tiera de sus propósitos. Aquél juró que se lo había entregado a don Pedro, pero el caso es que ellos se presentaron en la casa. Mamá Elena los recibió en la sala, se comportó muy amable y les explicó la razón por la que Tita no se podía casar.

—Claro que si lo que les interesa es que Pedro se case (→), 75 pongo a su consideración a mi hija Rosaura, sólo dos años mayor que Tita, pero está plenamente disponible y preparada para el matrimonio…

Al escuchar estas palabras, Chencha por poco tira[10] encima de Mamá Elena la charola[11] con café y galletas que había llevado (←) 80 a la sala para agasajar[12] a don Pascual y a su hijo. Disculpándose, se retiró apresuradamente hacia la cocina, donde la estaban esperando Tita, Rosaura y Gertrudis para que les diera (←) un informe detallado de lo que acontecía en la sala. Entró atropelladamente y todas suspendieron de inmediato sus labores para no perderse 85 una sola de sus palabras.

[6]*ancestors* [7]*ni… not even that* [8]*archive, file* [9]*harbored* [10]*spills* [11]*tray, serving platter (Mex.)* [12]*entertain*

Comprensión

A. ¿Cierto o falso?   Cambie los verbos entre paréntesis por la forma apropiada del pretérito o el imperfecto, según el contexto. Luego diga si las oraciones son ciertas (**C**) o falsas (**F**) y corrija las falsas.

1. _____ No (caber) duda que esta tradición familiar no les (agradar) a las hijas de Mamá Elena.

2. _____ Tita (querer) saber cuáles (ser) las investigaciones que (llevarse) a cabo para llegar a esta conclusión irremediable.

3. _____ Como de costumbre, Mamá Elena (responder) con calma a todas las preguntas de su hija menor.

4. _____ Antes de la llegada de Pedro, Tita le (haber) mandado un mensaje pidiéndole que no viniera a la casa, pero a pesar de todo, Pedro no (desistir) de su propósito.

5. _____ El ambiente emocional de la casa (cambiarse) precipitadamente durante la visita.

6. _____ Delante de todas las mujeres, Pedro le (pedir) la mano a Tita, pero esta (sentirse) obligada a rechazarlo debido a la tradición.

B. Interpretación   Haga el papel de Pedro y explore su perspectiva de la tradición que ahora influye en su destino. Imagínese que le escribe una carta detallada a Tita hablándole de sus intenciones amorosas y comunicándole sus ideas y pensamientos después de salir. ¿Qué emociones habrán sentido él y su padre, don Pascual? ¿Qué pasos puede dar Pedro ahora para reanudar (*resume*) su comunicación con Tita y estar siempre a su lado? ¿Cree Ud. que Pedro va a considerar la idea de Mamá Elena o la va a rechazar? Explore las razones para ambas decisiones en su cuaderno de apuntes.

C. Aplicación   ¿Cree Ud. que el desenlace de la selección explique en parte el significado del título en la vida de Tita y/o Pedro? En parejas, contesten las preguntas a continuación explorando las diversas emociones y sensaciones sugeridas por la lectura.

1. ¿Qué imágenes visuales se asocian con la preparación del chocolate caliente?

2. ¿Cómo afecta la temperatura del agua la disolución del chocolate y el sabor peculiar de la bebida?

3. En su opinión, ¿hay algunas situaciones en que la cólera, la exasperación, la frustración puedan llevar a una persona a sentirse como si estuviera como agua (hirviendo [*boiling*]) para chocolate? ¿Cuáles son?

4. ¿Cómo se sentiría Ud. si se encontrara en una situación semejante?

CINEMATECA

Antes de mirar

Quinceañera

- **LA PELÍCULA** *Quinceañera* (2006) nos cuenta de las dificultades en la vida de Magdalena, una joven mexicanoamericana del barrio Echo Park en Los Ángeles, California, quien está a punto de cumplir los 15 años. Tiene padres religiosos, un novio indeciso, un tío abuelo (*great uncle*) excéntrico y un primo homosexual. ¿Cómo es la familia de Ud.? ¿Hay conflictos entre las generaciones? ¿Hay alguna persona con la que tiene una relación más estrecha?

- **LA ESCENA** (0:00–3:50)   Durante la introducción, vemos la ceremonia de la quinceañera (fiesta de quince años) de Eileen, la prima de Magdalena. ¿Cómo imagina Ud. que son las fiestas de quinceañeras? ¿Hay tradiciones similares en la cultura de los Estados Unidos o del Canadá? ¿Y en otras culturas?

Al mirar

Mire la escena y complete las oraciones con sus propias palabras.

1. Una quinceañera es una fiesta para celebrar...

2. Los elementos más visibles y espectaculares de la ceremonia eran...

3. En general, el tono de la ceremonia era...

4. Los adultos en la ceremonia eran...

5. Los jóvenes en la ceremonia eran...

Después de mirar

Divídanse en grupos de dos o tres estudiantes para hablar de la escena. ¿Por qué creen que existe esta tradición en California? ¿Hay alguna diferencia entre la forma en que los jóvenes se comportan (*behave*) en una quinceañera y la forma en que se comportan los adultos? ¿Creen que los jóvenes y los adultos valoran esta tradición por razones distintas? Resuman sus conclusiones en dos o tres oraciones y compártanlas con la clase.

En la quinceañera de Eileen se ve que la interacción entre los hombres y las mujeres tiene mucha importancia. ¿Por qué cree que esta interacción es importante durante la celebración de la entrada de una mujer en el mundo adulto? Escriba una descripción de los papeles (*roles*) de los hombres y de las mujeres en una quinceañera o en otra ceremonia tradicional. Incluya un análisis del significado simbólico de estos papeles.

Busque en el Internet más información sobre las fiestas tradicionales en los países hispanohablantes. ¿Hay muchas que son religiosas? ¿Las hay también culinarias o gastronómicas, así como relacionadas con la música o el arte?

4

La familia

Mexico City, D.F., Mexico

En este capítulo

Mc Graw Hill **connect**
|SPANISH

www.connectspanish.com

Describir y comentar

- ¿Qué pasa en cada dibujo? ¿Dónde están las personas y qué hacen? ¿En qué dibujos aparecen parientes viejos? ¿En qué dibujos hay conflictos generacionales? ¿Cómo se van a resolver? Compare y contraste las emociones que se presentan en los dibujos.

- Identifique a cada pariente que aparece en el dibujo C. ¿Qué pasa en la reunión? ¿Qué hacen las personas? ¿Ocurren en la familia de Ud. escenas similares? ¿Cuándo?

casar(se) (con)   to marry; to get married (to someone)

castigar (g)   to punish

criar (crío)   to raise, bring up

cuidar   to take care of

disciplinar   to discipline

discutir   to argue

divorciarse de   to divorce

enamorarse (de)   to fall in love (with)

estar a cargo (de)   to be in charge (of)

golpear   to hit

llevar una vida (feliz/difícil)   to lead a (happy/difficult) life

mimar   to indulge, spoil (*a person*)

pelear(se)   to fight

portarse bien/mal   to behave/misbehave

el cariño   affection

el castigo   punishment

la crianza   child-rearing

la disciplina   discipline

el divorcio   divorce

el/la hijo/a único/a   only child

el/la huérfano/a   orphan

el matrimonio   matrimony; married couple

el noviazgo   courtship

el/la novio/a   boyfriend/girlfriend; fiancé(e)

la pareja   couple; partner

el/la viudo/a   widower/widow

bien educado/a, mal educado/a*   well-mannered, ill-mannered

cariñoso/a   affectionate

malcriado/a   bad-mannered, ill-mannered

Los parientes

el/la abuelo/a   grandfather/grandmother

el/la bisabuelo/a   great-grandfather/great-grandmother

el/la bisnieto/a   great-grandson/great-granddaughter

el/la cuñado/a   brother-in-law/sister-in-law

el/la esposo/a   husband/wife; spouse

el/la hermano/a   brother/sister

el marido   husband

la mujer   wife

el/la nieto/a   grandson/granddaughter

la nuera   daughter-in-law

los padres   parents

el/la primo/a   cousin

el/la sobrino/a   nephew/niece

el/la suegro/a   father-in-law/mother-in-law

el/la tío/a   uncle/aunt

el yerno   son-in-law

Conversación

A. Intercambios   Es fácil ver que varias de las palabras y expresiones de la lista de vocabulario sugieren un orden cronológico: el noviazgo, el matrimonio, el divorcio. De las palabras y expresiones de la lista de vocabulario, ¿cuántas pueden Uds. poner en orden cronológico? En parejas, hagan una cronología para todas las palabras que puedan. Pero, ¡prepárense para explicarle sus decisiones a la clase!

---

*Many native Spanish speakers from Spain use **estar** with **educado/a;** many Latin Americans use **ser.**

B. Mapa semántico En parejas, creen un mapa semántico para las siguientes palabras y expresiones. Sustituyan la palabra **mimar** del modelo por otra palabra o expresión y completen el mapa con ideas que se asocien con el nuevo concepto. No es necesario limitarse a las palabras de la lista de vocabulario para hacer sus asociaciones.

MODELO: mimar →

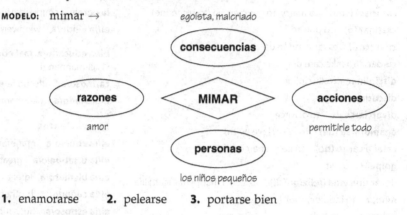

1. enamorarse   **2.** pelearse   **3.** portarse bien

C. Diferencias Explique la diferencia entre cada par de palabras.

1. el noviazgo / el matrimonio   **4.** un huérfano / un viudo

2. los padres / los parientes   **5.** el padre o la madre / los padres

3. los suegros / los sobrinos   **6.** la cuñada / la nuera

D. Definiciones Defina brevemente en español los términos de la lista de vocabulario que se refieren a «los parientes».

MODELO: el abuelo →
Mi abuelo es el padre de mi padre o de mi madre.

¿Recuerda Ud.?

Possessive adjectives precede the noun to which they refer and agree with it in number and, in the case of **nuestro** and **vuestro**, gender.*

mi, mis	*my*	nuestro/a/os/as	*our*
tu, tus	*your*	vuestro/a/os/as	*your*
su, sus	*his, her, your, its*	su, sus	*their, your*

E. Entre todos

- Cuando Ud. era niño/a, ¿qué actividades se hacían con frecuencia en su familia? ¿En qué actividades participaba toda la familia?

- ¿Qué actividades eran típicas del verano? ¿del fin de semana?

- ¿De qué tareas domésticas estaban a cargo Ud. y sus hermanos?

---

*See Appendix 5 for more information about patterns of agreement.

GRAMÁTICA

16 Imperatives: Formal Direct Commands

The imperative (**el imperativo**) is used to express direct commands (**los mandatos directos**). It has four basic forms in Spanish: singular/plural formal **Ud./Uds.** commands and singular/plural informal **tú/vosotros** commands.*

A. Forms of Formal Commands

To form singular formal (**Ud.**) commands, start with the **yo** form of the present indicative. Change the **-o** ending to **-e** for **-ar** verbs and to **-a** for **-er** and **-ir** verbs. To form plural formal (**Uds.**) commands, add the **-n** ending to the singular command.

	Present Indicative	Commands	
	Yo	Ud.	Uds.
-ar verbs	hablo → pienso →	hable piense	hablen piensen
-er verbs	como → tengo →	coma tenga	coman tengan
-ir verbs	vivo → oigo →	viva oiga	vivan oigan

The use of **Ud./Uds.** makes the command more formal or more polite, but this use is optional.

Hable más despacio, por favor. *Speak more slowly, please.*
¡No coman Uds. esa fruta! *Don't eat that fruit!*

If the present indicative **yo** form of a verb does *not* end in **-o** (for example, **sé** or **voy**), the formal commands are irregular. Note the use of accents.

Infinitive	Present Indicative	Commands	
	Yo	Ud.	Uds.
dar	doy →	dé	den
estar	estoy →	esté	estén
ir	voy →	vaya	vayan
saber	sé →	sepa	sepan
ser	soy →	sea	sean

---

*You will review the forms and uses of informal commands in **Gramática 19**.

Nota cultural

Las siguientes expresiones se utilizan con bastante frecuencia cuando se trata de la experiencia familiar norteamericana. ¿Puede Ud. explicar cada una en español?

- *to be grounded*
- *allowance*
- *crybaby*
- *tattletale*
- *teenager*

¿Qué otras expresiones agregaría Ud. (*would you add*) a la lista? ¡Explíquelas en español!

¿Recuerda Ud.?

Verbs that end in **-car, -gar,** and **-zar** have a spelling change in the formal command form.

-car: buscar → busco → busque
-gar: llegar → llego → llegue
-zar: empezar → empiezo → empiece

For more information on this type of spelling change, see Appendix 2.

Nota comunicativa

In modern Spanish, the infinitive is increasingly used for impersonal commands, such as those on signs in public places.

No fumar.
No smoking.

No entrar.
Do not enter.

PRÁCTICA
connect
(SPANISH)
www.connectspanish.com

¿Recuerda Ud.?

Attaching a pronoun or pronouns to a command form changes the number of syllables in the word. For this reason, a written accent is required on the penultimate (next-to-last) syllable of the basic command form.*

ponga → póngalo, póngaselo

B. Placement of Pronouns with Formal Commands

Object and reflexive pronouns are attached to affirmative commands and precede negative commands.

¿Esos libros? **Pónga**los allí.	*Those books? Put them over there.*
¿Esas cosas viejas? **No** las **ponga** aquí.	*Those old things? Don't put them here.*
¡**No** se **bañe** con cualquier jabón!	*Don't bathe with just any soap!*
¡**Báñe**se con Cristal!	*Bathe with Cristal!*

If two object pronouns are used, the indirect or reflexive pronoun precedes the direct-object pronoun.

Este vino está muy bueno.	*This wine tastes very good.*
Sírvanoslo ahora, por favor.	*Serve it to us now, please.*
Este vino está muy bueno, pero	*This wine tastes very good, but*
no nos lo **sirva** ahora.	*don't serve it to us now.*

Práctica Los Sres. Gambas están en la oficina del consejero familiar. Cambie las siguientes sugerencias del consejero por mandatos formales directos. ¡**OJO!** Hay mandatos en singular y en plural.

MODELO: Sres. Gambas, Uds. deben leer mi libro sobre la crianza de los niños. →
Lean Uds. mi libro sobre la crianza de los niños.

1. Sr. Gambas, Ud. nunca debe gritarles a sus hijos.
2. Sres. Gambas, Uds. deben enseñarles a ser responsables.
3. Sra. Gambas, Ud. no debe mimarlos.
4. Sres. Gambas, Uds. no deben comprarles pistolas ni otros juguetes violentos.
5. Sra. Gambas, Ud. debe obligarlos a tomar clases de música y de gimnasia.
6. Sres. Gambas, Uds. no deben discutir delante de los niños.
7. Sres. Gambas, Uds. deben darles igual trato (*treatment*) a los niños y a las niñas.
8. Sr. Gambas, Ud. debe pasar más tiempo con los hijos porque la relación entre padre e hijos es muy importante.

AUTOPRUEBA Los médicos les dan consejos a sus pacientes todos los días. Cambie los siguientes consejos del médico por mandatos formales directos.

1. Señor, debe dejar de fumar.
2. Señora, debe dormir siete u ocho horas por noche.
3. Señora, debe comer menos dulces.
4. Señor, no debe tomar tanto.
5. Señora, debe evitar el estrés.
6. Señor, debe consultar conmigo más frecuentemente.

---

*The one-syllable **dar** commands are exceptions to this rule. The **Ud.** command has an accent to distinguish it in spelling from the preposition de (*of, from*): **dé**.

Conversación

A. Sugerencias ¿Qué sugerencias ofrece Ud. para resolver las siguientes situaciones? Use mandatos formales y dé por lo menos un mandato afirmativo y un mandato negativo para cada situación.

MODELO: Tengo hambre. →

Cómase un biftec con patatas fritas. Pero si Ud. está a dieta, haga algún ejercicio físico y no piense en la comida.

1. Tengo un examen mañana.
2. Tengo dolor de cabeza.
3. Estamos casados, pero no estamos contentos.
4. Tenemos que ir a Nueva York.
5. No sé qué ropa llevar a una fiesta elegante.
6. No tengo dinero y necesito pagar el alquiler (*rent*) de la casa.
7. Mi esposo/a está muy enfadado/a conmigo.

B. Consejos para padres nuevos Imagínese que Ud. y su compañero/a trabajan para la revista mensual española *Mamás y Papás* en la sección que les ofrece consejos a los nuevos padres, contestando sus cartas en la revista. Las siguientes cartas han llegado (*have arrived*). ¿Qué les recomiendan Uds. a los padres en cada caso? Traten de ofrecer por lo menos dos sugerencias, en forma de mandato, para cada caso. ¿Qué dicen las otras parejas al respecto?

Nietos imposibles	Mi hijo se deja dominar	Un niño difícil
Los hijos de mi nuera son insoportables. Aunque los quiero mucho —al fin y al cabo son mis nietos— me molesta que no tengan ningún sentido de responsabilidad ni de sus obligaciones ni deberes. Su madre les hace todo, y cuando le digo que les debe pedir que la ayuden con los quehaceres domésticos, me dice que ella, de niña, odiaba este tipo de trabajo y que no quiere someter a sus hijos a la misma situación. ¿Cómo puedo convencerla de que los niños sí deben compartir el trabajo de casa aunque lo odien? ■	Supongo que no escriben muchos hombres a este consultorio, pero no soporto más observar cómo mi hijo Jaime, de 3 años, se deja dominar por otro chico, uno o dos años mayor que él, hijo de unos vecinos. ¿Qué les parece, por ejemplo, la siguiente escena? Mi hijo está tranquilamente jugando con su caja de construcciones; cuando aparece el otro, acapara[a] todos los tacos[b] y se pone a construir un garaje. Y Jaime no solo se lo permite sino que incluso le mira embelesado.[c] ¿Se convertirá en[d] un ser sin voluntad propia? ■	Nuestro hijo Aarón es muy cariñoso y colaborador en casa, pero en el colegio va siempre mal, y ya ha repetido[e] el 2° año. Al principio de cada curso, los profesores nos dicen que es aplicado, aunque le cuesta aprender, y al final nos dicen que es problemático, malhablado y que no se esfuerza. ¿Por qué es tan diferente en casa y en el colegio? ¿Debemos ser más severos con él? ¿Debemos cambiarle de centro? ■

[a]*hoards* [b]*studs (construction)* [c]*enthralled* [d]*Se… Will he turn into* [e]*ha… he has repeated*

C. Más consejos De nuevo les toca a los miembros de la clase ser consejeros. ¿Qué línea de conducta (*course of action*) les sugieren Uds. a las personas en las siguientes circunstancias? **¡OJO!** Las respuestas deben hacerse con mandatos formales.

1. Un amigo quiere algo más que amistad conmigo y yo no quiero eso. Hoy me compró un regalo muy caro. ¿Lo guardo (*Should I keep it*) o se lo devuelvo?

2. Quiero salir con un chico que todavía no parece saber que existo. ¿Lo llamo yo o espero hasta que él se fije en mí (*he notices me*)?

3. Mi novia fuma mucho y esto me irrita muchísimo. Hemos hablado (*We've spoken*) de esto muchas veces, pero la situación no cambia. ¿Lo aguanto (aguantar: *to put up with*) o hago algo más drástico?

4. Este semestre mis notas son horribles. ¿Se lo explico a mis padres o no les digo nada?

5. Mis padres no me comprenden para nada y siempre tenemos tensiones y conflictos. ¿Busco ayuda profesional para toda la familia o no hago nada?

6. Cuando estoy en casa de mis padres, me imponen reglas de conducta estrictas. ¿Obedezco sus reglas o sigo mis propias preferencias?

7. Tengo un hermano menor que me ha dicho (*has told me*) en confianza que está experimentando con las drogas. ¿Se lo digo a mis padres o le guardo el secreto?

8. Mi hermana menor tiene 16 años; es muy mala estudiante y quiere abandonar la escuela para buscar trabajo. ¿La animo (animar: *to encourage*) o la desanimo?

17 The Subjunctive Mood: Concept; Forms; Use in Noun Clauses

A. The Subjunctive Mood: Concept

As you know, one way to indicate that you want someone to do something is to give a direct command.

—Tóquelo de nuevo, Sam.   —*Play it again, Sam.*

Commands are not always stated directly, however.

—¿Cómo?   —*What?*
—Quiero que Ud. lo toque de nuevo.   —*I want you to play it again.*

The idea of a command is present in the last sentence, but it is now part of (embedded in) a longer sentence that begins with **Quiero que.** Embedded commands can be used to give orders to anyone.

Quiere que nosotros estemos aquí.	*She wants us to be here.*
Es necesario que yo hable con el jefe primero.	*It's necessary for me to talk to the boss first.*
Prefieren que los niños lleven botas.	*They prefer that the children wear boots.*

The forms used to express both direct and embedded commands are part of a general verbal system called the subjunctive mood (**el modo subjuntivo**).

A *mood* designates a particular way of perceiving an event. (A *tense*, in contrast, indicates when—present, past, future—an event takes place.) The present, preterite, and imperfect forms you have studied thus far are part of the indicative mood (**el modo indicativo**), which signals that the speaker perceives an event as fact or objective reality. In contrast, the subjunctive mood describes what is beyond the speaker's experience or knowledge, what is unknown. In the preceding Spanish sentences, note that the information conveyed by the subjunctive forms—**estemos, hable, lleven**—is not fact but rather someone's wish that an event take place, with the possible fulfillment of that wish still in the future.

B. The Present Subjunctive: Forms

To form the present subjunctive, start with the **yo** form of the present indicative. Remove the **-o** ending and add **-e, -es, -e, -emos, -éis, -en** for **-ar** verbs and **-a, -as, -a, -amos, -áis, -an** for **-er** and **-ir** verbs.

Infinitive	Present Indicative: *yo*	Present Subjunctive
hablar	habl**o** →	hable, hables, hable,...
comer	com**o** →	coma, comas, coma,...
vivir	viv**o** →	viva, vivas, viva,...

Most verbs that have a spelling change in the **yo** form of the present indicative show that change in all forms of the present subjunctive.

Infinitive	Present Indicative: *yo*	Present Subjunctive
conocer	conozco →	conozca, conozcas, conozca,...
poner	pongo →	ponga, pongas, ponga,...
tener	tengo →	tenga, tengas, tenga,...

In **-ar** and **-er** stem-changing verbs, the pattern of stem change is the same as in the present indicative: all forms change except **nosotros/as** and **vosotros/as**.

pensar		*volver*	
p**ie**nse	pensemos	v**ue**lva	volvamos
p**ie**nses	penséis	v**ue**lvas	volváis
p**ie**nse	p**ie**nsen	v**ue**lva	v**ue**lvan

-Ir stem-changing verbs show the present indicative stem change in the same persons in the present subjunctive. In addition, they show the preterite stem change (e → i, o → u) in the **nosotros/as** and **vosotros/as** forms.

pedir		*dormir*	
p**i**da	p**i**damos	d**ue**rma	d**u**rmamos
p**i**das	p**i**dáis	d**ue**rmas	d**u**rmáis
p**i**da	p**i**dan	d**ue**rma	d**ue**rman

Nota comunicativa

The subjunctive occurs in some English sentences, too.

I prefer that *she be* home by twelve.
We insist that *he turn* in the keys.

There are few direct correspondences, however, between the use of the subjunctive in English and in Spanish. In most cases, the subjunctive in Spanish is expressed in English by the indicative or an infinitive.

Esperamos que **esté** en casa para las doce.
We hope that she is home by twelve.

Quiere que la **llamemos.**
She wants us to call her.

Nota comunicativa

The spelling changes for the formal direct commands of **-car, -gar,** and **-zar** verbs appear in all forms of the present subjunctive.

busque, busques...
llegue, llegues...
empiece, empieces...

See Appendix 2 for more information.

¿Recuerda Ud.?

Since the first- and third-person singular forms of the present subjunctive are identical, subject pronouns are used when necessary to avoid ambiguity.

¿Quieres que vaya **yo** o prefieres que vaya **ella**?
Do you want me to go, or do you prefer that she go?

All verbs whose present indicative **yo** form does not end in **-o** have irregular present subjunctive forms.

dar	estar	ir	saber	ser
dé*	esté	vaya	sepa	sea
des	estés	vayas	sepas	seas
dé*	esté	vaya	sepa	sea
demos	estemos	vayamos	sepamos	seamos
deis	estéis	vayáis	sepáis	seáis
den	estén	vayan	sepan	sean

The present subjunctive of **hay** is **haya**.

Práctica[†]   Cambie los infinitivos por la forma indicada del presente de subjuntivo.

1. **La profesora prefiere que yo** (escribir una composición, estar contento/a, hablar español, no dormirse sobre el escritorio, venir a clase todos los días).

2. **Nuestros padres quieren que nosotros** (comer muchas legumbres, no decir mentiras, portarse bien, ser alegres, volver a casa temprano).

3. **Yo sugiero que Ud.** (cerrar la puerta, hacer mucho ejercicio, ir a casa de sus padres, lavarse las manos antes de comer, pedir la paella).

4. **Es importante que ellos** (abrir la puerta, dar una caminata, leer muchos libros, respetar las leyes, ver una buena película).

5. **Espero que tú** (mandarle una carta a tu abuela, no discutir con tus parientes, saber las conjugaciones del presente de subjuntivo, salir con ese chico / esa chica interesante de tu clase, sugerir un buen restaurante).

6. **Quizás Uds.** (asistir a muchos conciertos, beber demasiado, recordar el pasado, reírse mucho, seguir las reglas de la sociedad).

C. The Subjunctive Mood: Requirements for Use in Noun Clauses

In order for the subjunctive to be used in noun clauses (**cláusulas nominales**), three conditions must be met: (1) the sentence must contain a main clause and a subordinate clause; (2) the main clause and the subordinate clause must have different subjects; and (3) the main clause must communicate certain messages. Compare the following sentences.

Quiero **agua**.	*I want water.*
Quiero **que me traigas agua**.	*I want you to bring me water.*

In the first sentence, **agua** is a noun describing what the speaker wants (*water*). In the second sentence, **que me traigas agua** is a clause, acting as a noun, describing what the speaker wants (*you to bring me water*).

1. Every clause contains a subject and a conjugated verb. The first of the previous example sentences has only one clause (a simple sentence), whereas the second (a complex sentence) has both a main (independent) clause and a subordinate (dependent) clause.

---

*As with the formal command, the first- and third-person singular form **dé** has a written accent to distinguish it from the preposition **de**.
†There are more exercises on this grammar point in subsequent sections.
‡The use of **que** after **ojalá** is optional.

2. The subjunctive is used in a subordinate clause when its subject is different than the subject of the main clause.* In the first of the following examples, there is no change of subject, so the infinitive is used. In the second sentence, there is a change of subject, so the subjunctive is used in the subordinate noun clause.

No quiero **mimar a mis hijos.**	I don't want to spoil my children.
No quiero **que** mi marido **mime a nuestros hijos.**	I don't want my husband to spoil our children.

3. The subjunctive occurs in a subordinate clause only when the main clause communicates certain messages such as persuasion, doubt, or emotional reactions.

Mamá espera que **me case** algún día.	Mom hopes (that) I get married someday.
Dudo que esos dos **se enamoren.**	I doubt (that) those two will fall in love.
Me alegro que no **nos peleemos** así.	I'm glad (that) we don't fight like that.

18 Uses of the Subjunctive: Persuasion

As you know, the subjunctive occurs in subordinate clauses only when the main clause communicates certain messages. One of these is *persuasion*: a request that someone else do something. The action that may or may not occur as a result of the request is expressed with the subjunctive, because it is outside the speaker's experience or reality.

Esperan que **llevemos** una vida feliz.	They hope (that) we lead a happy life.
Prefiero que no me **visiten** con tanta frecuencia.	I prefer (that) they not visit me so frequently.
Es necesario que **disciplinen** a sus hijos.	It is necessary that you discipline your children.

It is impossible to provide a list of all the verbs that express persuasion; remember that it is the *concept* of persuasion in the main clause that results in the use of the subjunctive in the subordinate clause. The following expressions of persuasion occur in the activities in this chapter. Make sure you know their meanings before beginning the activities.

es importante que	aconsejar que	pedir (i, i) que
es (im)posible que	decir (i, i) que	permitir que
es (in)admisible que	dejar que	preferir (ie, i) que
es necesario que	desear que	prohibir que
es obligatorio que	escribir que	querer (ie) que
es preferible que	esperar que	recomendar (ie) que
importa que	insistir en que	sugerir (ie, i) que
	mandar que	

---

*An exception to this rule is found with expressions of doubt, which will be explained in **Gramática 22.**

Práctica   Escoja uno de los verbos de la lista de la página anterior y conjúguelo para crear una oración lógica como en el modelo. Puede haber (*There may be*) varias respuestas posibles.

MODELOS: Todos los padres _____ que sus hijos se porten bien. →

Todos los padres **esperan** que sus hijos se porten bien.

Todos los padres **desean** que sus hijos se porten bien.

1. Todas las mamás _____ que su hija se case con un hombre bueno.
2. Cada esposa recién (*recently*) casada _____ que su marido se lleve bien con su suegra.
3. Un buen padre nunca _____ que su hija de 12 años esté fuera de la casa toda la noche.
4. A veces los abuelos _____ que los nietos hagan cosas que no deben hacer.
5. Se (impersonal) _____ que cada pareja tenga un largo noviazgo antes de casarse.

AUTOPRUEBA   Cambie los infinitivos entre paréntesis por la forma apropiada del presente de subjuntivo, según el contexto.

1. Esperamos que Uds. nos (recordar) durante su viaje.
2. Es obligatorio que los estudiantes (asistir) a clase todos los días.
3. Insisto en que ellos me (hacer) visita mientras están en Chicago.
4. Generalmente se prohíbe que la gente (comer) en las bibliotecas.
5. ¿Recomienda Ud. que (*nosotros:* salir) ahora o en la mañana?
6. No me importa que Eduardo (tener) todo el dinero del mundo.
7. Papá nos dice que (encontrar) sus llaves.
8. Sugiero que (*tú:* lavarse) las manos antes de comer.

Conversación

A. La adolescencia de los padres

Paso 1. En el siguiente párrafo un adolescente expresa sus opiniones sobre la crianza de los hijos. ¿Cuántos ejemplos del subjuntivo para persuadir puede Ud. identificar?

¿Jóvenes alguna vez? ¿Los padres? ¡Imposible! Les encuentran defectos a mis amigos; me critican la ropa, el peinado,[a] la música… En fin, me lo critican todo. Me prohíben salir durante la semana, pero no me dejan hablar mucho por teléfono. No hacen caso de mis problemas e incluso me critican delante de mis amigos.

Definitivamente no voy a ser como ellos. Voy a dejar que mis hijos hablen todo lo que quieran por teléfono porque la comunicación es importante. Voy a dejar que se vistan como quieran y que se peinen a su gusto. Al fin y al cabo,[b] ¡es su pelo! Si tienen problemas, quiero que me los cuenten y que tengan confianza en mí. Es imprescindible[c] que nunca los critique delante de sus amigos y que les dé mucha libertad personal, pues así aprenderán[d] a ser personas felices e independientes.

Mi madre me dice que ella se hizo las mismas promesas a mi edad, pero no me lo creo. Todas las madres dicen eso.

[a]*hairstyle*   [b]*Al… After all*   [c]*absolutamente necesario*   [d]*they will learn*

Paso 2. Conteste las preguntas.

- ¿Está Ud. de acuerdo con los puntos de vista de este adolescente? ¿Por qué sí o por qué no?

- ¿Qué cosas les permiten sus padres a Ud. y a sus hermanos? ¿Qué cosas les prohíben o les critican? Si Ud. ya tiene hijos, ¿qué cosas les permite, les prohíbe o les critica?

- Y Ud., ¿va a permitirles y prohibirles las mismas cosas a sus hijos? Si Ud. ya tiene hijos, ¿cree que ellos van a permitirles y prohibirles las mismas cosas a sus propios hijos (a los nietos de Ud.)? Explique.

B. La primera cita

Paso 1. María Luisa se prepara para su primera cita. Todos sus parientes y amigos le dan consejos. Explique los consejos que le dan, siguiendo el modelo.

MODELO: padre: decir / volver temprano →
Su padre le dice que vuelva temprano.

1. madre: aconsejar / ir con otra pareja
2. hermano menor: pedir / no volver temprano
3. hermana mayor: decir / ponerse una falda larga y botas
4. abuela: recomendar / tener cuidado porque hay mucho tráfico
5. mejor amiga: sugerir / llevar un perfume exótico
6. chico con quien va a salir: pedir / traer dinero

Paso 2. ¿Qué le aconseja Ud. a María Luisa que haga para prepararse para su primera cita?

C. Los consejos de sus padres

Paso 1. Los padres siempre les dan consejos a sus hijos para ayudarlos a resolver sus problemas. ¿Qué consejos típicos le dan sus padres a Ud. en las siguientes situaciones?

MODELO: Si alguien me golpea, me dicen que _____. →
Si alguien me golpea, me dicen que le devuelva la bofetada (*hit him or her back*).

1. Si voy a llegar tarde a casa, me piden que _____.
2. Si una persona desconocida me habla, me dicen que _____.
3. Si mi hermano/a menor me molesta, me recomiendan que _____.
4. Si voy a entrar en una tienda de porcelanas, me piden (¡por favor!) que _____.
5. Si voy a pasar la noche en casa de un amigo / una amiga, insisten en que _____.

Paso 2. Invente Ud. una situación para que sus compañeros sugieran consejos.

D. Guiones En grupos de tres o cuatro personas, describan lo que quieren las personas en los siguientes dibujos. Usen las preguntas que siguen como guía y añadan todos los detalles que necesiten. Después, inventen un breve diálogo para acompañar cada dibujo.

1. el chicle, el supermercado / hacer cola, pagar la cuenta

2. la pareja / espiar, pedir la mano, no querer

3. los novios / dejarlos solos, hablar sin parar

4. dejar en paz, jugar al fútbol / ocupado

- ¿Cómo son las personas?
- ¿Quiénes son? (¿Cuál parece ser la relación entre ellos?)
- ¿Dónde están?
- ¿Cuál es el dilema?
- ¿Cómo van a resolverlo?

E. Las reglas de mi familia Por lo general, en cada familia hay reglas que obedecer y papeles que los miembros de la familia adoptan. Utilizando las expresiones entre paréntesis y formando oraciones con el subjuntivo, explique las siguientes reglas de una familia tradicional. Después, explique cómo es la situación en su propia familia o cómo cree que va a ser cuando Ud. tenga hijos.

MODELO: es preferible / los hombres / hacer las reparaciones de la casa →

En la familia tradicional, es preferible que los hombres hagan las reparaciones de la casa. En mi propia familia, es importante que todos —hombres y mujeres— ayudemos a reparar la casa. Cuando yo tenga hijos, voy a permitir que las muchachas participen en todos los trabajos de la casa.

1. es preferible / las mujeres / hacer toda la limpieza de la casa

2. es necesario / los hermanos menores / obedecer a los mayores

3. es importante / los hermanos mayores / darles buen ejemplo a los menores

4. es deseable / la madre / quedarse (*stay*) en casa para criar a los hijos

5. es obligatorio / los hijos / estar en casa por la noche a cierta hora (*a specific time*)

6. es preferible / los padres / escoger la ropa y el peinado de los hijos

7. es inadmisible / los hijos / imponerles reglas a los padres

F. Temas familiares Divídanse en grupos de tres o cuatro estudiantes. Su profesor(a) les asignará (*will assign*) uno de los siguientes temas para comentar. Después, compartan sus conclusiones con el resto de la clase.

1. La vida familiar está llena de conflictos entre sus miembros. Por ejemplo, ¿creen Uds. que hay riñas (*quarrels*) y peleas en todas las familias? ¿Es normal o natural esto? ¿O indica un problema grave? ¿Qué pueden hacer los padres para evitar los conflictos entre sus hijos? ¿Cómo pueden fomentar la cooperación entre ellos? ¿Es importante que haya autoridad y disciplina? ¿Por qué sí o por qué no?

2. ¿Hasta qué punto presenta la televisión a la familia norteamericana tal como es en realidad? Identifiquen algunas comedias, series y telenovelas que traten el tema de la vida familiar. ¿Qué tipos de familia se representan en esos programas? ¿Qué tipos de familia *no* se representan, normalmente? ¿Qué pueden Uds. inferir de esto?

3. ¿Hay realmente una separación entre las generaciones? Señalen las actitudes típicas de los miembros de la generación de sus padres con respecto a temas como la educación sexual, la homosexualidad, el matrimonio interracial, la pena capital, el aborto, etcétera. ¿Cuál es la actitud más común de su propia generación hacia estos temas? Si algún día Uds. tienen hijos, ¿cuál va a ser la actitud de ellos hacia estos temas? Si Uds. ya tienen hijos, ¿cuál es la actitud de ellos y cuál va a ser la actitud de sus hijos (los nietos de Uds.) hacia estos temas?

4. Hoy en día, muchos políticos utilizan el tema de los valores familiares como punto clave de sus campañas. Pero ¿se refieren todos a las mismas ideas? Hagan una lista de esos valores y pónganlos en orden, según la importancia que les dan Uds. ¿Es deseable que el gobierno fomente o regule esos valores? ¿Hasta qué punto? ¿Cómo debe hacerlo? ¿O es necesario que otros grupos (la comunidad, la familia o incluso el individuo mismo) asuman esa responsabilidad? Expliquen.

19 Imperatives: Informal Direct Commands

Unlike formal (**Ud./Uds.**) commands, the informal **tú** and **vosotros/as** commands (**los mandatos informales**) have two different forms: one for affirmative and one for negative.

With only a few exceptions, affirmative **tú** commands are identical to the third-person singular present-indicative forms. Meaning is made clear by context.

Affirmative *tú* Commands		
-ar Verbs	*-er* Verbs	*-ir* Verbs
hablar: habla	comer: come	vivir: vive
pensar: piensa	entender: entiende	pedir: pide

The following verbs have irregular affirmative **tú** command forms.

decir:	di	ir:	ve	salir:	sal	tener:	ten
hacer:	haz	poner:	pon	ser:	sé	venir:	ven

The negative **tú** command for all verbs is the same as the second-person singular form of the present subjunctive.

Negative *tú* Commands					
-*ar* Verbs		**-*er* Verbs**		**-*ir* Verbs**	
hablar:	no hables	comer:	no comas	vivir:	no vivas
pensar:	no pienses	entender:	no entiendas	pedir:	no pidas
almorzar:	no almuerces	hacer:	no hagas	salir:	no salgas

The **vosotros/as** affirmative commands for all verbs are formed by replacing the **-r** ending of the infinitive with **-d.**

Affirmative *vosotros/as* Commands					
-*ar* Verbs		**-*er* Verbs**		**-*ir* Verbs**	
hablar:	hablad	comer:	comed	vivir:	vivid
pensar:	pensad	entender:	entended	pedir:	pedid
almorzar:	almorzad	hacer:	haced	salir:	salid

Negative **vosotros/as** commands, like negative **tú** commands, are the same as the corresponding form of the present subjunctive.

Negative *vosotros/as* Commands					
-*ar* Verbs		**-*er* Verbs**		**-*ir* Verbs**	
hablar:	no habléis	comer:	no comáis	vivir:	no viváis
pensar:	no penséis	entender:	no entendáis	pedir:	no pidáis
almorzar:	no almorcéis	hacer:	no hagáis	salir:	no salgáis

En resumen

■ Remember that with the exception of affirmative **tú** and affirmative **vosotros/as** commands, all command forms are identical to the corresponding forms of the present subjunctive.

Command Forms of *hablar*			
Person	Subjunctive	Negative Commands	Affirmative Commands
tú	hables	no hables	habla
vosotros/as	habléis	no habléis	hablad
Ud.	hable	no hable	hable
Uds.	hablen	no hablen	hablen

Práctica A   Cuando este niño / esta niña le hace las siguientes preguntas a su mamá, recibe una respuesta negativa, pero cuando se las hace a su papá, recibe una respuesta afirmativa. Escriba cómo contestarían (*would answer*) la madre y el padre cada pregunta, incorporando los complementos pronominales cuando sea posible. Siga el modelo.

MODELO: ¿Puedo mirar el programa *Viaje a las estrellas*? →

  (madre): No, no lo mires.

  (padre): Sí, míralo.

1. ¿Puedo poner los CDs?
2. ¿Puedo comer estos chocolates?
3. ¿Tengo que hacer la cama?
4. ¿Puedo beber esa cerveza?
5. ¿Puedo ir al cine?
6. ¿Puedo cortarme el pelo?
7. ¿Puedo salir a jugar?
8. ¿Puedo ponerme mi mejor ropa ahora?

Práctica B   Conchita y su abuelo, don Tomás, tienen problemas similares. Lea los problemas y luego, usando las palabras entre paréntesis, escriba mandatos informales (para Conchita), mandatos formales (para don Tomás) y mandatos en plural para los dos. Use la forma de **Uds.** o de **vosotros,** según le indique su profesor(a).

Problema	Conchita	Don Tomás	Los dos
Me duele la cabeza. (tomar una aspirina)	Toma una aspirina.	Tome (Ud.) una aspirina.	Tomen/Tomad una aspirina.
1. Estoy muy cansado/a. (acostarse)			
2. Tengo hambre. (comer algo)			
3. Quiero ir a mi casa. (irse)			
4. Necesito ropa nueva. (comprarla)			
5. No sé qué regalarle a Miguel. (darle dinero)			
6. Tengo frío. (ponerse el abrigo)			

AUTOPRUEBA   Cristina es muy indecisa y quiere que sus amigos decidan por ella. En las siguientes situaciones, dile qué debe decidirse, siguiendo el modelo.

MODELO: ¿Estudio francés o japonés? →

  Estudia francés. No estudies japonés.

1. ¿Como sopa o ensalada?
2. ¿Viajo a México o a Italia?
3. ¿Salgo esta noche o mañana?
4. ¿Me acuesto temprano o tarde?
5. ¿Me pongo sandalias o zapatos deportivos?
6. ¿Camino o tomo el autobús?
7. ¿Escucho música o miro la televisión?

Conversación

A. Su hermano/a menor Complete las siguientes oraciones con las recomendaciones que Ud. considere adecuadas para su hermano/a menor. Utilice la forma apropiada del mandato informal.

1. Si quieres tener muchos amigos, (no) _____.
2. Si no quieres tener problemas con papá y mamá, (no) _____.
3. Si no quieres enfermarte, (no) _____.
4. Si quieres llevarte bien conmigo, (no) _____.
5. Si quieres evitar problemas románticos, (no) _____.

B. Intercambios Es posible que el mandato sea la forma verbal que los niños escuchan con más frecuencia. En parejas, hagan una lista de los mandatos (por lo menos *dos* para cada situación) que los niños suelen oír en las siguientes situaciones. Traten de usar tantos verbos diferentes como puedan.

1. en la escuela
2. en una tienda elegante
3. en la iglesia, la sinagoga, el templo, etcétera
4. en un restaurante o una cafetería
5. en un vehículo (coche, tren, autobús, avión, etcétera)

C. Guiones

Paso 1. En grupos de tres o cuatro personas, describan lo que pasa en los siguientes dibujos. Usen las preguntas como guía para expresar el mandato más común que se usaría (*would be used*) en cada situación. ¡OJO! En cada caso es necesario decidir si el mandato más apropiado es para **Ud.**, **Uds.** o **tú.**

1.

2.

3.

4.

Vocabulario útil

hacer **ruido**
molestar
pedir (pido) (i)
toser   to cough

la **biblioteca**
el **camarero**
una **cena elegante**
una **cena informal**
el **humo**
el **periódico**
el **sillón**

- ¿Quiénes son las personas?
- ¿Dónde están?
- ¿Cuál es el dilema?
- ¿Cómo se va a resolver?
- ¿Qué mandato van a usar?

Paso 2. Entre todos Expresen los mensajes *de otra manera sin usar un mandato directo.*

UN POCO DE TODO

¡OJO!

¡OJO!	Examples	Notes
soportar **mantener** (*like* tener) **apoyar** **sostener** (*like* tener)	No puedo **soportar** su actitud. *I can't stand her attitude.* Mi tío rico **mantiene** a toda la familia. *My rich uncle supports the whole family.* La **apoyo** en la campaña política actual. *I'm supporting her in the current political campaign.* Él **sostiene** al niño en sus brazos. *He holds the child in his arms.*	**Soportar** means *to tolerate* or *to put up with*. **Mantener** means *to support financially*. **Apoyar** means *to support* in the sense of *to back* or *to favor*. *To support* in the physical sense of *hold* or *hold up* is expressed by **sostener**.
cerca (de) **cercano/a** **íntimo/a** **unido/a**	Nuestra casa está muy **cerca de** la playa. *Our house is very close to the beach.* La ciudad más **cercana** es Albuquerque. *The closest city is Albuquerque.* Mi pariente más **cercano** es mi padre. *My closest relative is my father.* Elena y Mercedes son amigas **íntimas.** *Elena and Mercedes are close friends.* En general, la familia hispana es muy **unida.** *In general, the Hispanic family is very close-knit.*	When *close* refers to the physical proximity of people or objects, Spanish uses **cerca** (adverb), **cerca de** (preposition), or **cercano/a** (adjective). **Cercano/a** can also describe the degree of blood relationship between relatives. When *close* describes friendship or emotional ties, **íntimo/a** is used. **Unido/a** expresses the closeness of family ties (but not blood relationships).
importar **cuidar(se)**	¿Te **importa** si abro la ventana? *Do you care (mind) if I open the window?* —¿A qué hora salimos? —No me **importa.** —*What time shall we leave?* —*I don't care. (It doesn't matter to me.)* La Sra. Pérez **cuidó** a su madre por muchos años. *Mrs. Pérez cared for her mother for many years.* Si no **te cuidas,** te vas a enfermar. *If you don't take care of yourself, you're going to get sick.*	When *to care* has the meaning of *to be interested in*, it is expressed in Spanish by **importar.** This construction works just like **gustar:** the person who is interested is expressed by an indirect-object pronoun, and the subject of the verb is the item that causes the interest. This construction is often equivalent to the English expression *to matter to (someone).* *To care for* or *to take care of* is expressed with **cuidar.** When used reflexively, it means *to take care of oneself.*

A. Volviendo al dibujo   Elija la palabra que mejor complete cada oración. ¡OJO! También hay palabras de los capítulos anteriores.

Toda mi familia estuvo presente cuando me gradué de la universidad. Esto no me sorprendió, porque somos muy (cercanos/unidos)[1] y siempre nos (apoyamos/mantenemos)[2] mutuamente. Mi hermano, que también es mi amigo (íntimo/unido),[3] (miraba/parecía)[4] un loco sacando fotos de todo. ¡Mis padres estaban tan emocionados! Ellos (funcionaron/trabajaron)[5] muy duro para (mantenerme/soportarme)[6] y pagar mis estudios, pues les (cuida/importa)[7] mucho que sus hijos reciban una educación universitaria. Creo que todos soñábamos (con/de/en)[8] ese momento tan especial. También mi hermanita, quien asiste a una escuela (cercana/íntima)[9] a mi universidad, participó con mucho interés en el acontecimiento.

Cuando pienso (de/en)[10] todo el afecto que mi familia expresó en ese momento, me considero muy afortunada. Es normal que a veces tengamos problemas y hay días en que no puedo (mantener/soportar)[11] el carácter de mi madre o los chistes de mi hermano. También tengo que sacrificar algunas noches para (cuidar/importar)[12] a mi hermanita cuando mis padres salen. Sin embargo, todos ellos me han enseñado que la vida familiar consiste (de/en)[13] dar y recibir apoyo y comprensión.

B. Entre todos

■ ¿Quién es su pariente más cercano? ¿Vive Ud. cerca de él/ella? Si no, ¿lo/la visita con frecuencia? ¿Tiene Ud. una familia grande? ¿muy unida? ¿Tiene un amigo íntimo / una amiga íntima entre sus parientes?

■ ¿Cree Ud. que se ha hecho (*it has become*) más difícil ser padre/madre en la actualidad? ¿Es más difícil criar a una familia hoy de lo que era en el pasado? Explique. ¿Cuáles son algunos de los problemas que tienen los padres actuales que no tenían los padres de antes?

■ En su opinión, ¿cuál de sus compañeros de clase va a ser famoso/a? ¿rico/a? ¿abogado/a? ¿vagabundo/a (*bum*)? ¿inventor(a)? En este momento, ¿a sus padres les importan sus planes para el futuro? ¿Están ellos de acuerdo con sus planes?

C. Los paseos[a] con mi abuelo Complete la siguiente historia, dando la forma apropiada del verbo. Cuando se dan varias palabras entre paréntesis, escoja la palabra apropiada.

Durante los últimos años de su vida, mi abuelo vivió con mi tía Georgina, su única hija soltera. Cuidar a mi abuelo (ser)[1] una labor difícil y mi tía siempre (mirar/parecer)[2] cansada. Un día, los dos (llegar)[3] a mi casa con una maleta.

—Norah, yo (ser/estar)[4] muy cansada y el médico me recomienda que tome unas vacaciones. Por favor, cuida a papá durante esta semana. No olvides darle su medicina. También es importante que salga a caminar todos los días —(decirle)[5] mi tía a mi madre.

Sin mucho entusiasmo, mi madre (recibir)[6] a mi abuelo, con (que/quien)[7] no se llevaba muy bien. Mi madre (decidir)[8] darle mi cuarto y yo (tener)[9] que dormir en el cuarto de mi hermano. Así que a mí tampoco (gustarme)[10] la idea.

A la mañana siguiente, después del desayuno, mi madre (decirme):[11] —Miguel, tu abuelito quiere que vayas al parque con él. ¡No te preocupes! Va a ser un paseo (bajo/corto).[12]

Yo no (querer)[13] salir con un anciano (que/quien)[14] me era prácticamente desconocido, pero (ponerme)[15] la chaqueta y (salir)[16] con él.

Esa mañana, (hacer)[17] sol y el parque (ser/estar)[18] lleno de vida. Al principio, (nosotros: caminar)[19] en silencio, pero después, mi abuelo (comenzar)[20] a hablarme de sus viajes y experiencias y (él: preguntarme)[21] sobre mis amores. Descubrí con sorpresa que él (ser/estar)[22] más comprensivo[b] que mis padres y que (escucharme)[23] con interés. Además, siempre (él: tener)[24] una historia interesante que se relacionaba con mis propias experiencias.

Durante esa semana, salí de paseo todas las mañanas con mi abuelo, mi nuevo amigo. Después, cuando (él: volver)[25] a casa de mi tía, yo (visitarlo)[26] con frecuencia.

—Abuelo, ¡cuénteme una historia! —yo (pedirle)[27] cada (tiempo/vez)[28] que salíamos a caminar.

[a]*walks* [b]*understanding*

D. Intercambios En parejas, háganse preguntas con el subjuntivo para averiguar qué tipo de padres/madres Uds. serán (*may be*) en el futuro o son ahora. Expliquen las respuestas de «Depende».

¿Vas a permitir (Permites) que tus hijos... ?	SÍ	NO	DEPENDE
1. fumarse (*to cut*) las clases	☐	☐	☐
2. usar drogas alucinógenas	☐	☐	☐
3. mirar mucho la televisión	☐	☐	☐
4. ponerse aretes y hacerse tatuajes (*tattoos*)	☐	☐	☐
¿Vas a insistir (Insistes) en que tus hijos... ?			
5. asistir a la universidad	☐	☐	☐
6. trabajar desde la adolescencia	☐	☐	☐
7. ayudar con los quehaceres de la casa	☐	☐	☐
8. aprender otro idioma	☐	☐	☐

Lectura cultural *La función de la familia extendida hispana*

Cuando se habla de la familia en los países hispanos, con frecuencia se menciona el concepto de la familia extendida. En este país este concepto nos trae la imagen de los abuelos, los padres y los hijos que viven bajo un mismo techo.[a] Pero realmente no es esto lo que significa el término. Así como en nuestro país, en las familias hispanas no es raro que los padres vivan con sus hijos aparte de los abuelos, tíos, primos y otros familiares, aunque otros miembros de la familia vivan muy cerca. Entonces, ¿qué significa «familia extendida»? Este concepto abarca[b] algunas ideas que tienen que ver con[c] las responsabilidades de la familia, sobre todo con los otros miembros de la familia.

En la familia hispana tradicional se conservan los valores y las costumbres tradicionales, es decir, que vienen desde hace siglos. Hay mucho respeto por los ancianos y por sus contribuciones pasadas y presentes a la familia, y los logros[d] de los antepasados se consideran como una herencia[e] para las generaciones futuras. Al mismo tiempo los miembros de la familia saben que pueden contar con[f] el apoyo espiritual, emocional y económico de los demás cuando lo necesitan. En la familia extendida hispana uno nunca está solo. Esta ayuda es recíproca también. La persona que ayuda a un pariente hoy puede ser la que recibe ayuda en el futuro.

También son importantes los papeles que desempeñan los hombres y las mujeres.[g] El concepto del machismo es bien conocido, pero a veces no se entiende completamente cómo funciona el machismo en la familia hispana. El ideal tradicional del machismo exige que los hombres tengan la responsabilidad de mantener a la familia. Deben merecer respeto, ser honestos, proteger la honra de su familia y ejercer su autoridad sobre la familia con prudencia. Y mientras que prevalece[h] la idea de que el hombre es el que manda y toma todas las decisiones, según la cultural tradicional hispana es la mujer la que dirige la casa familiar. Ella debe estar dispuesta a sacrificarse por el bienestar de la familia y ser fiel a su esposo. Además, la mujer debe servir de ejemplo a la familia con sus virtudes y darle apoyo a quien lo necesite.

Pero hoy en día la familia hispana está cambiando. El número de divorcios ha subido y mucha gente ha abandonado su vida tradicional en el campo para buscar trabajo en los grandes centros urbanos y frecuentemente en otros países como los Estados Unidos y el Canadá. Al mismo tiempo hay más posibilidades que

Una familia de San José, Costa Rica

los jóvenes reciban educación y luego obtengan una carrera. El efecto de estos cambios en la estructura económica y moral de la familia está todavía por verse.[i]

[a]*roof* [b]*includes* [c]*tienen… have to do with* [d]*achievements* [e]*legacy* [f]*contar… depend on* [g]*papeles… roles that men and women play* [h]*prevails* [i]*está… is yet to be seen*

Comprensión y expansión

Conteste las siguientes preguntas según la lectura.

1. Cuando se habla de «la familia extendida», esto no quiere decir necesariamente que varias generaciones de una familia vivan juntos en la misma casa. Entonces, ¿cómo se definen las relaciones de la familia extendida en la cultura hispana?

2. ¿Cuáles son las ventajas y las desventajas de ser miembro de una familia extendida tradicional en la sociedad moderna?

Del mundo hispano

Me besaba mucho

Aproximaciones al texto

Connotación y denotación

One of the most important things to keep in mind when reading poetry is the difference between connotation and denotation. *To denote* is *to mean, to be a name or a designation for:* in English, for example, the word that denotes the four-legged domestic animal that barks is *dog*. The denotation of a word is its standard dictionary definition. On the other hand, *to connote* is *to signify* or *to suggest*. To some people, the word *dog* connotes the feelings of warmth or friendliness. For others, however, *dog* may connote ferocity or danger. In general, a word's denotation is fixed by the language itself. In contrast, a word's connotations depend on the context in which it occurs and on the individual speaker or reader.

Due to the nature of the poetic form, every word and sound carries a special, and sometimes dually symbolic, meaning. If a particular word or phrase is repeated within a poem, the poet is emphasizing the repeated element. If the meaning of the word changes over the course of the verses, the context might also lend itself to other connotations. By reading the poem aloud, the reader may hear, as well as visualize, the pattern of repetition and achieve a more complete interpretation of the underlying message. In the poem **"Me besaba mucho,"** for example, the act of writing reflective verses about a past love affair is evoked not only by the repetition of the title and references to kisses, but also by implied comparisons of the *past*, in which the poet experienced a special connectedness with his beloved, and the *now* in which this connectedness has been severed. The basic idea is underscored by the interplay of references to *then* and *now*, which force the reader to consider how the love that was once so immensely encompassing is no longer that way, and now only leaves behind lingering, unending sorrow. The reader should pay close attention to the composite imagery of sight, sound, and movement that is implicit in the poem. If the poem were another medium of expression, like a painting or musical composition, what would the reader visualize? What would he or she hear? What movement, or lack of movement, would he or she observe? By reflecting on all possible connotations of a particular word or phrase, as well as the feelings and experiences associated with it, the reader will arrive at a more complete interpretation of the poem.

A. Denotaciones y connotaciones Dé en inglés la denotación y las posibles connotaciones de las siguientes palabras.

1. inquieto 3. premura 5. herida
2. febril   4. presentir 6. eternidad

B. El dibujo Mire el dibujo que acompaña el poema. Primero describa el ambiente que rodea a la pareja y luego, al hombre solitario sin ella. ¿Cómo se siente él en la primera imagen? ¿Y en la segunda? ¿En qué aspectos se asemejan las dos imágenes? ¿Y en qué difieren? ¿Qué imágenes visuales, auditivas y cinéticas se asocian con un lugar como este, especialmente de noche? ¿Y de día? ¿Qué las haría diferentes?

Vocabulario para leer

aguardar   await, expect

besar(se)   to kiss

presentir (*like* **sentir**)   to have a presentiment, foreboding of

temer   to fear

el abrazo   embrace, hug

el alma (*f.*)   soul

la ansiedad   anxiety

el latigazo   lash; reproof

el plazo   term (*period of time*)

la premura   hurry, haste, urgency

febril   feverish; restless

herido/a   wounded

como si temiera   as if she/he feared

Oraciones   Complete las siguientes oraciones con la forma correcta de las palabras de la lista de vocabulario.

1. Cuando alguien se preocupa por algo constantemente, se puede sentir _____.
2. Al saludarse, dos personas que se quieren _____.
3. Una persona _____ siente mucho dolor físico, emocional o mental.
4. Adivinar que va a ocurrir algo antes de que suceda equivale a _____.
5. Si alguien tiene miedo de algo, entonces lo _____.
6. Algo a corto _____ no va a durar por largo tiempo.
7. Los sentimientos más profundos se sienten en _____.

SOBRE EL AUTOR

El poeta Amado Nervo (1870–1919) se considera un genio de la poesía neorromántica mexicana. Nacido Juan Crisóstomo Ruiz de Nervo, se identificó como Amado Nervo, nombre que le puso su padre para simplificar su verdadero apellido, Ruiz de Nervo. Aunque muchos lo tomaron por seudónimo, el poeta insistía que no lo era y bromeaba sobre el nombre tan lírico y adecuado para un poeta de temas románticos. Desde edad juvenil se dedicó a escribir versos que se destacaron por su sensibilidad y claridad. Entre sus libros más conocidos e interpretados están *Perlas negras y místicas* (1898), *En voz baja* (1909), *Serenidad* (1915) y *La amada inmóvil* que se publicó póstumamente. Sus temas predilectos abarcan el amor apasionado y la soledad, y se evolucionan hasta la política, siempre aportando al lector la oportunidad de revivir las intensas experiencias vividas por el poeta. Con la muerte prematura en 1912 de Ana Cecilia Luisa Daillez, su musa poética y el gran amor de su vida, el poeta le dedicó sus versos más reconocidos en la colección titulada *La amada inmóvil*. En el poema a continuación que viene de esa colección, el poeta reflexiona sobre los momentos apasionados vividos con ella, en los cuales él no presentía lo inevitable, lo que le causaría un dolor tan profundo como la eternidad.

México

Me besaba mucho

1   Me besaba mucho, como si temiera
    irse muy temprano… Su cariño era
    inquieto, nervioso.
                    Yo no comprendía
5   tan febril premura. Mi intención grosera
    nunca vio muy lejos…
                        ¡Ella presentía!
    Ella presentía que era corto el plazo,
    que la vela herida por el latigazo
10 del viento, aguardaba ya… , y en su ansiedad
    quería dejarme su alma en cada abrazo,
    poner en sus besos una eternidad.

Comprensión

A. Preguntas   Reflexione sobre el poema y
conteste las preguntas a continuación con
información de los versos.

1. ¿Quién es la voz poética?

2. ¿Qué acontecimiento lo/la ha motivado a escribir su poesía?

3. ¿Qué tipo de relaciones existían entre el/la hablante y la persona a quien
    se refiere con el pronombre «ella»?

4. ¿Cómo se presenta a esta persona? ¿Qué cualidades tenía?

5. Según el poeta, ¿cómo lo besaba y abrazaba su amada?

6. ¿Qué no podía comprender él? Y ella, ¿qué podía comprender o presentir?

7. ¿Cómo se siente él ahora? ¿Qué sigue causándole dolor?

B. Interpretación   Conteste las siguientes preguntas.

1. Si Ud. fuera pintor(a) y tuviera que interpretar este poema por medio
    de una pintura, ¿cómo pintaría (*would you paint*) al poeta? ¿Y a la mujer
    amada? ¿Qué características trataría (*would you try*) Ud. de distinguir en
    la cara de ambos? ¿En qué lugar o ambiente pintaría a cada uno de
    ellos? ¿Qué colores, objetos y/o símbolos elegiría (*would you choose*) para
    comunicar la intensidad de su inquietud y tristeza? ¿Hay colores que Ud.
    evitaría (*would you avoid*)? ¿Por qué?

2. Si Ud. fuera músico, ¿qué tipo de música escribiría para interpretar el tema
    de «Me besaba mucho»? ¿Qué artistas y composiciones musicales ya conoce
    Ud. que evocarían los mismos sentimientos que el poeta menciona en los
    últimos dos versos del poema? Por lo general, ¿qué tipo de emociones se
    sugieren y/o repiten en el coro de estas producciones musicales?

C. Aplicación   **Improvisaciones**   Imagínense que la pareja presentada en «Me
besaba mucho» pudiera volver a vivir su relación amorosa, dándoles la
oportunidad de reflexionar sobre la brevedad del amor y la necesidad de
apreciar cada momento como si fuera el último para ellos. Haga el papel
del poeta y explíquele a su amada las razones por las cuales Ud. no pudo
comprender la situación que ella presentía y por qué escribió el verso que
dice: «Mi intención grosera nunca vio muy lejos». Háblele de sus emociones,
de la profundidad de su dolor al momento de perderla para siempre y de lo
que hizo para poder sobrevivir.

Nota literaria

la voz poética = voz lírica por medio
de la cual el poeta comunica sus
emociones, y cuya perspectiva se
entiende a lo largo del poema

CINEMATECA

El abrazo partido

For copyright reasons, the feature films referenced in Cinemateca have not been provided by the publisher. Each of these films is readily available through retailers or online rental sites such as Amazon, iTunes, or Netflix.

Antes de mirar

- **LA PELÍCULA**   *El abrazo partido* (2004) se presenta desde el punto de vista de Ariel, un joven judío nacido en Buenos Aires que nos cuenta de los sucesos cotidianos de la galería comercial donde su familia tiene una tienda. Durante la reciente crisis económica en la Argentina, muchos jóvenes salieron del país en busca de trabajo y usaron los documentos de inmigración de sus abuelos para conseguir la ciudadanía europea y permiso de trabajar en Europa. Ariel quiere hacer lo mismo. ¿Dejaría Ud. su país y su familia para conseguir un buen trabajo?

- **LA ESCENA** (8:35–12:10)   Ariel va con su hermano a la casa de su abuela polaca (*Polish*) para pedirle los documentos necesarios para obtener una visa europea. Ariel se siente incómodo al hablar de esto con su abuela porque sabe que ella no quiere recordar su salida de Polonia cuando era niña. ¿Puede Ud. imaginar por qué su abuela, una judía polaca, tendría recuerdos desagradables de aquella época de su vida?

Al mirar

Mire la escena e indique si las afirmaciones son ciertas o falsas.

1. _____ Ariel quiere que su hermano suba con él al apartamento de la abuela.

2. _____ La abuela le da a Ariel todos los documentos que él necesita.

3. _____ La abuela le cuenta a él las cosas terribles que sucedieron en Polonia.

4. _____ Ariel tiene una relación muy íntima con su abuela.

5. _____ Ariel no quiere que su abuela queme el pasaporte porque este es uno de los documentos necesarios para obtener una visa europea.

Después de mirar

- Divídanse en grupos de dos o tres estudiantes para hablar de la escena. ¿Cómo son las relaciones entre Ariel y su abuela? ¿Cómo lo saben? ¿Creen que el intento de la abuela de quemar el pasaporte polaco podría cambiar las relaciones entre ellos? Resuman sus conclusiones en dos o tres oraciones y compártanlas con la clase.

- A veces, el hecho de hacer un viaje y distanciarse por un tiempo puede hacer que uno aprecie más a su familia. Imagínese que Ud. es Ariel, y escriba una carta a su abuela contándole lo que Ud. ha hecho en Europa y cómo ha cambiado su perspectiva de la vida.

- Busque en el Internet más información sobre la juventud de hoy en la Argentina. ¿Cómo es la vida universitaria? ¿Qué está de moda? ¿Se siente mucho la influencia de los jóvenes europeos? ¿de otros países hispanoamericanos? ¿de los Estados Unidos y del Canadá?

5 Geografía, demografía, tecnología

Ciudad de México

En este capítulo

GRAMÁTICA

20. More Relative Pronouns
21. Positive, Negative, and Indefinite Expressions
22. Uses of the Subjunctive: Certainty versus Doubt; Emotion

A LEER

- **Lectura cultural:** La variedad geográfica en el mundo hispano
- **Del mundo hispano:** «La IWM Mil» (Alicia Yáñez Cossio)

CINEMATECA

Sleep Dealer (México, 2008)

|SPANISH

www.connectspanish.com

Describir y comentar

■ En el dibujo A, ¿qué le propone el urbanista al arquitecto? ¿Cómo reacciona el arquitecto? ¿Qué problemas piensan resolver o eliminar? Para ellos, ¿cómo es la vivienda ideal?

■ ¿Quiénes son las personas que se ven en los dibujos B y C? ¿Qué necesidades tienen? Para ellos, ¿cómo es la vivienda ideal? ¿Cómo cambia la situación al mudarse a su nuevo apartamento (dibujo C)? ¿Están todos contentos? ¿Por qué sí o por qué no?

■ ¿Qué pasa en el dibujo D? ¿Cree Ud. que el nuevo diseño va a responder mejor a las necesidades de los clientes? ¿Por qué sí o por qué no? ¿Qué información deben tener en cuenta la arquitecta y el urbanista para mejorar el diseño?

diseñar   to design

reciclar   to recycle

resolver (resuelvo)   to solve, resolve

tener en cuenta   to take into account; to keep in mind

urbanizar (c)   to urbanize

la alfabetización   literacy

el analfabetismo   illiteracy

el/la arquitecto/a   architect

el barrio bajo   slum

la desnutrición   malnutrition

la despoblación   rural movement away from the
countryside

el diseño   design

el edificio   building

el hambre (*but f.*)   hunger

el medio ambiente   environment

la modernización   modernization

la población   population

la pobreza   poverty

el reciclaje   recycling

los recursos   resources

   el agotamiento de los recursos naturales
   exhaustion/consumption of natural resources

la sobrepoblación   overpopulation

el suburbio   slum

la tecnología   technology

el urbanismo   urban development; city planning

   el/la urbanista   developer; city planner

   la urbanización   migration into the cities; subdivision
   or residential area

el vecindario   neighborhood

la vivienda   housing; dwelling place

analfabeto/a   illiterate

culto/a   well-educated*

desnutrido/a   undernourished

en vías de desarrollo   developing

Las computadoras†

almacenar   to store

imprimir   to print

navegar (gu) la red   to "surf the net"

programar   to program (*with a computer*)

trabajar en red   to be networked

las aplicaciones   (computer) applications

la base de datos   database

el correo electrónico   e-mail

   el mensaje (de correo electrónico)   (e-mail)
   message

el disco, el disquete   diskette

   el disco duro   hard drive

el e-mail   e-mail

el hardware   hardware

la hoja de cálculo   spreadsheet

la impresora   printer

la informática   computer science

el Internet   Internet

la memoria   memory

el módem   modem

el monitor   monitor

la multimedia   multimedia

la pantalla   screen

el procesador de textos   word processor

la programación   programming

el ratón   mouse

la red   net(work)

   la red local   local area network (LAN)

el software   software

el teclado   keyboard

en línea, on-line   on-line

---

*Remember that **educado/a** means *educated* in the sense of *well-mannered*.

†The vocabulary for computers, like that for many specialized fields, varies from country
to country. In Spain, for example, the word for *computer* is **el ordenador;** in Latin America,
la computadora is more frequent. In addition, a number of terms are commonly expressed
with the English term: **el hardware, el software, el e-mail.**

Conversación

A. Definiciones   En grupos de cuatro, inventen definiciones en español para algunas de las palabras de la lista de vocabulario. Cada persona debe inventar por lo menos una definición y los otros miembros del grupo deben adivinar (*guess*) la palabra.

MODELO: Es una persona que diseña edificios. Algunos ejemplos son Frank Gehry, Frank Lloyd Wright... (el arquitecto)

B. Definiciones defectuosas   A continuación hay una serie de oraciones que intentan definir algunas de las palabras del vocabulario. ¿Son exactas o inexactas las definiciones? ¿Qué modificaciones sugiere Ud. para las que encuentra inexactas?

1. Carlos tiene 4 años. No sabe leer ni escribir. Es analfabeto.
2. Una persona desnutrida no come mucho.
3. Pilar acaba de graduarse de la escuela secundaria. Es muy inteligente. Es una persona culta.
4. Un país en vías de desarrollo es muy pobre; no tiene muchos recursos económicos.
5. El hambre es lo que tiene una persona antes de comer; después de comer, ya no tiene hambre.
6. El vecindario es la vivienda o casa de una familia.
7. La pobreza es el resultado del agotamiento de los recursos naturales.
8. La falta de trabajo en un centro urbano resulta la despoblación rural.

Nota cultural

En español, «*slum*» se expresa con una frase descriptiva como «barrio bajo» o «barrio muy pobre». También, y en esto se ve un interesante contraste cultural, se puede usar la palabra «suburbio».

En este país, los barrios pobres generalmente se encuentran dentro de las ciudades, a veces en el centro mismo de una ciudad, en los sectores más viejos y deteriorados. En cambio, los suburbios son los distritos residenciales más nuevos. Se encuentran en las afueras de la ciudad. Es allí donde suele vivir la gente más adinerada.

En contraste, en muchas partes del mundo hispano las zonas de más prestigio están en el centro de la ciudad, mientras que los barrios donde vive la gente pobre están en las afueras, en los suburbios.

C. Relaciones léxicas Estudien cada palabra de la primera columna y expliquen la relación que tiene con las palabras de la segunda columna. Puede haber varias relaciones posibles para cada pareja.

MODELO: los arquitectos / el urbanismo →
El urbanismo crea trabajos para los arquitectos.

1. los arquitectos
   - el diseño
   - el edificio
   - la tecnología
   - el urbanismo

2. la sobrepoblación
   - el agotamiento de los recursos naturales
   - la despoblación rural
   - el hambre
   - la urbanización

3. el analfabetismo
   - el desarrollo económico
   - la inmigración
   - la instrucción
   - la pobreza

D. Las computadoras ¿Cuánto saben Ud. y sus compañeros sobre las computadoras? ¡Vamos a ver! Escoja cinco palabras de la lista de vocabulario que se relacionan con las computadoras y escriba una breve definición, en español, de cada una. Luego, lea sus definiciones en voz alta para que sus compañeros adivinen las palabras. ¿Quién adivina el mayor número de palabras?

E. El ambiente ¿Cree Ud. que el ambiente en que se vive afecta mucho a las personas? ¿En qué sentido (*sense*)? ¿Nos afecta la arquitectura? ¿Cómo se siente Ud. en los siguientes lugares?

1. en un cuarto sin ventanas
2. en un lugar donde todos los muebles son de metal, vidrio (*glass*) o plástico
3. en un lugar donde todos los muebles son de madera
4. en un cuarto pintado de rojo (amarillo, azul, blanco)

F. Entre todos

■ ¿Tiene Ud. una computadora personal? ¿Cuánto tiempo hace que la tiene? ¿Por qué la compró? Si no tiene computadora, ¿adónde va para usar una?

■ En su opinión, ¿es importante usar una computadora para tener éxito en los estudios universitarios? ¿Por qué sí o por qué no?

■ ¿Para qué clases utiliza la computadora? ¿La utiliza también para fines (*purposes*) *no* académicos? Explique.

■ En general, cuando trabaja en la computadora, ¿prefiere estar solo/a o le gusta estar con otra gente? ¿Por qué?

■ Algunos expertos dicen que la computadora puede crear una dependencia (*addiction*) sicológica en algunos usuarios. ¿Está de acuerdo? ¿Cuánto tiempo pasa trabajando en la computadora cada día?

GRAMÁTICA

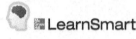

20 More Relative Pronouns

A. Review of *que* and *quien*

Remember that complex sentences are frequently formed in Spanish by combining two simple sentences with the relative pronouns **que** and **quien** (**Gramática 15**).

David compró **la computadora. La computadora** estaba en la tienda. →
David compró **la computadora** que estaba en la tienda.

■ English *that, which,* and *who* are generally expressed in Spanish by **que.**

Hay muchos problemas que la tecnología ayuda a resolver.	*There are many problems that technology helps to solve.*
La memoria de una computadora, que almacena información y datos, es probablemente su aspecto más importante.	*A computer's memory, which stores information and data, is probably its most important part.*
Todos los arquitectos que colaboraron en el diseño recibieron un premio.	*All the architects who collaborated on the design received a prize.*

■ **Quien,** which can refer only to people, *may* be used after a comma (that is, in a nonrestrictive clause) and *must* be used after a preposition to express *who* or *whom.*

Los programadores, **que** (quienes) trabajaron todo el fin de semana, por fin pudieron resolver el problema.	*The programmers, who worked all weekend, finally managed to solve the problem.*
¡Ese es el actor de quien hablábamos!	*That's the actor we were talking about (about whom we were talking)!*

B. *Que* and *cual* Forms: Referring to People and Things More Formally

The simple relative pronouns **que** and **quien** are preferred in speaking in most parts of the Hispanic world. But after a preposition or a comma, English *that, which,* and *who* can also be expressed by compound forms, which are used in writing and in more formal situations by many native speakers.*

---

*Since the **que** and **cual** forms are largely limited to written Spanish and to use in formal situations, the majority of practice with them in *¡Avance!* is in the *Cuaderno de práctica.*

- As these examples show, the compound relatives, or "long forms," can refer to *both* people and things. Through the definite article they show gender and number agreement with the noun to which they refer.

To Refer To:	People	Things
After a Preposition		
informal quien que	Acaba de llegar el arquitecto **con quien** trabajamos el año pasado. *The architect (that) we worked with last year just arrived.*	¿Cuáles son los recursos **con que** podemos contar? *What are the resources (that) we can count on?*
formal el/la que los/las que el/la cual los/las cuales	Acaba de llegar el arquitecto con el que (con el cual) trabajamos el año pasado. *The architect with whom we worked last year just arrived.*	¿Cuáles son los recursos con los que (con los cuales) podemos contar? *What are the resources on which we can count?*
After a Comma		
informal quien que	Van a mandarles la comida a los pobres, **quienes (que)** la necesitan más. *They're going to send the food to the poor, who need it most.*	Los problemas, **que** se plantearon ayer, fueron comentados por todos. *The problems, which were posed yesterday, were discussed by all.*
formal el/la que los/las que el/la cual los/las cuales	Van a mandarles la comida a los pobres, los que (los cuales) la necesitan más. *They're going to send the food to the poor, who need it most.*	Los problemas, los que (los cuales) se plantearon ayer, fueron comentados por todos. *The problems, which were posed yesterday, were discussed by all.*

- Like the relative pronoun **quien(es),** the long forms can occur *only* after a preposition or a comma (in a nonrestrictive clause). When there is no preposition or comma, only **que** can be used.
- In many cases, **que** and **cual** variants of the long forms are interchangeable. Using one or the other is a matter of personal preference.

Práctica A   Complete las siguientes oraciones con **que** o **quien(es),** según el contexto. ¡OJO! A veces puede haber más de una respuesta correcta.

PRÁCTICA
■ connect
[SPANISH]
www.connectspanish.com

1. Los jóvenes _____ acaban de entrar son mis vecinos.
2. ¿Cuáles son los recursos a _____ te refieres?
3. El dueño es un individuo _____ posee algunos recursos.
4. Mis bisabuelos, _____ llegaron a este país en 1920, vinieron de Italia.
5. Las personas para _____ se construyeron estos apartamentos merecen (*deserve*) mucho más.
6. Esa no es la manera en _____ Ud. debe hablarme.

Práctica B   Complete las siguientes oraciones con **lo que** o con la forma apropiada de **el que / el cual,** haciendo los cambios de número y género necesarios, según el contexto.

1. Esos edificios, _____ son parte del proyecto de modernización, se van a tumbar (*are going to be knocked down*) la semana que viene.

2. _____ me dices me parece un consejo bueno. Voy a tenerlo en cuenta.

3. La despoblación rural y la sobrepoblación urbana, dos problemas de _____ se ha hablado mucho en algunos países de Hispanoamérica, van a ser difíciles de resolver.

4. Es sorprendente (*surprising*) que el reciclaje y la conservación de los recursos naturales, dos ideas con _____ mucha gente está de acuerdo en este país, no tengan mayor importancia en las campañas políticas.

5. Aquellas viviendas, _____ están en la colina (*hill*) más alta, siguen en vías de desarrollo desde hace dos años.

6. Parece que los trabajadores no comprenden _____ dicen los urbanistas y los urbanistas no entienden _____ dicen los arquitectos.

AUTOPRUEBA   Complete las siguientes oraciones con **que, quien(es), lo que, el/la/los/las que** o **el/la/los/las cual(es). ¡OJO!** En la mayoría de los casos hay más de una respuesta correcta.

1. _____ me preocupa es que los precios suben a diario (*daily*).

2. Susana es la chica con _____ salió Rafael la semana pasada.

3. ¡Mira! Es la pintura de _____ hablaba la profesora en la clase de arte.

4. Hay muchas dificultades _____ están por resolverse antes de nuestro viaje.

5. Estos son los problemas a _____ el profesor se refirió en su discurso.

6. Tengo aquí una foto de mis bisabuelos, _____ llegaron a este país en 1878.

7. Este edificio, _____ es el más alto de la ciudad, tiene una altura de 400 metros.

Conversación

A. ¿Está Ud. de acuerdo?   Junte los siguientes pares de oraciones usando **que, quien(es)** o la forma apropiada de **el que / el cual,** según el contexto. Cuidado con la colocación (*placement*) de las preposiciones. Luego, indique si Ud. está de acuerdo o no. Siga el modelo.

MODELO: El hambre y la desnutrición son problemas graves. Encontramos estos problemas principalmente en los países en vías de desarrollo. →

El hambre y la desnutrición son problemas graves que encontramos principalmente en los países en vías de desarrollo. No estoy de acuerdo; es verdad que son problemas graves, pero...

1. Los individuos tienen miedo del futuro. Esos individuos pueden perder su trabajo por causa de la tecnología.

2. Los avances tecnológicos «pequeños» nos afectan más que ningún otro invento. Utilizamos los avances pequeños todos los días.

3. Los ambientalistas (*environmentalists*) son extremistas. Es muy difícil trabajar con ellos.

4. Los individuos odian la tecnología. Esos individuos son realmente peligrosos.

5. Sueño con un mundo ideal. En ese mundo los seres humanos respetan y protegen la naturaleza y el medio ambiente.

B. Definiciones Defina las siguientes palabras y frases en español. Cuidado con los pronombres relativos.

1. una impresora
2. un(a) urbanista
3. un disco duro

4. una vivienda
5. un barrio bajo
6. un arquitecto / una arquitecta

C. Intercambios ¿Qué (no) les gustaría a Uds. (*would you [not] like*) en el futuro? En parejas, háganse y contesten preguntas para averiguar sus preferencias y la razón por ellas. Luego, compartan con la clase lo que han aprendido (*you have learned*). Cuidado con las formas de los pronombres relativos y recuerden que en español nunca se puede terminar una oración o cláusula con una preposición.

MODELO: persona / hablar con →
—¿Quién es la persona con quien te gustaría hablar algún día?
—El presidente de los Estados Unidos, porque quiero hacerle algunas sugerencias.

1. persona / hablar con
2. lugar / hacer un viaje a
3. problema / resolver
4. película / ver
5. compañía / trabajar para
6. libro / leer

7. persona / conocer a
8. lugar / vivir en
9. lugar / *no* vivir en
10. invento / vivir sin
11. invento / *no* vivir sin
12. persona / salir con

21 Positive, Negative, and Indefinite Expressions

A. Patterns for Expressing Negation

Negation is expressed in Spanish with one of two patterns.

1. **no** + *verb*
   No trabajaron.   *They didn't work.*
   no + *verb* + *negative word*
   No hicieron nada.   *They did nothing. (They didn't do anything.)*

2. *negative word* + *verb*
   Nadie se presentó.   *Nobody showed up.*
   negative word + *verb* + *negative word*
   Yo tampoco veo a nadie.   *I don't see anyone either.*

There must always be a negative before the verb: either **no** or another negative word such as **nadie** or **tampoco**. Additional negative words may follow the verb. Unlike standard English, Spanish can have two or more negative words in a single sentence and maintain a negative meaning. Once a negative is placed before the verb, all indefinite words that follow the verb must also be negative.

No vi a **nadie**.   *I didn't see anyone.*
Nunca hace **nada** por **nadie**. *He never does anything for anyone.*

The following chart shows the most common positive and negative expressions.

Positive		Negative	
algo	something	nada	nothing
alguien	someone	nadie	no one
algún (alguno/a/os/as)	some	ningún (ninguno/a)	none, no
también	also	tampoco	neither
siempre	always	nunca, jamás	never
a veces	sometimes		
o	or	ni	nor
o... o	either... or	ni... ni	neither... nor
aun	even	ni siquiera	not even
todavía, aún	still	ya no	no longer
		todavía no	not yet
		apenas	hardly

B. *Alguno/Ninguno* and *alguien/nadie*

- **Alguno/Ninguno** means *someone / no one* or *something/nothing* from a particular group; **alguien/nadie** expresses *someone / no one* without reference to a group.

Alguien/Nadie llama a la puerta.	*Someone / No one is knocking at the door.*
Hay tres niños en casa. Alguno (de ellos) va a abrir la puerta.	*There are three children at home. Someone (One of them) will open the door.*
La compañía ha probado varios diseños nuevos, pero ninguno (de ellos) funciona bien.	*The company has tried various new designs, but none (of them) works very well.*

- As adjectives, **alguno** agrees in number and gender, and **ninguno** agrees in gender with the nouns they modify. They shorten to **algún/ningún** before masculine singular nouns.

Hay algunos chicos de España en esa clase.	*There are some guys from Spain in that class.*
No tengo ningún amigo.	*I don't have any friends.*

- Because they always refer to people, the words **alguien** and **nadie** must be preceded by the personal **a** when they function as direct objects. **Alguno/a/os/as (algún)** and **ninguno/a (ningún)** also require the personal **a** when they function as direct objects that refer to people.

Veo a **alguien** en el pasillo.	*I see someone in the hall.*
No vimos a **nadie** anoche.	*We didn't see anyone last night.*
No conozco a **ningún** escritor chileno.	*I don't know any Chilean authors.*
No conozco **ninguna** novela chilena.	*I'm not familiar with any Chilean novels.*

Nota comunicativa

Since **ninguno** conveys the concept of *not one* or *none*, it is always used in the singular.

No tengo **ningún** lapiz.
I don't have a pencil.
(*I have no pencils.*)

Note that Spanish **no** *cannot* be used as an adjective.

no child = **ningún** niño
no person = **ninguna** persona

C. Other Positive, Negative, and Indefinite Expressions

■ When two subjects are joined by **o... o** or **ni... ni**, the verb may be either singular or plural. Native speakers of Spanish tend to make the verb plural when the subject precedes the verb and singular when the subject follows.

Ni mi padre **ni** mi madre me **visitan.** No me **visita** **ni** mi padre **ni** mi madre.	*Neither my father nor my mother visits me.*

■ **Algo/Nada** can be used as adverbs to modify adjectives.

Pues, sí, es **algo** interesante.   *Well, yes, it's somewhat interesting.*
No, no es **nada** interesante.   *No, it isn't interesting at all.*

■ English *more than (anything, ever, anyone)* is expressed with negatives in Spanish: **más que (nada, nunca, nadie).**

Más que nada, me gusta leer.   *More than anything, I like to read.*

Práctica A   Algunas de las siguientes oraciones son afirmativas y otras son negativas. Siguiendo el modelo, modifíquelas para que las afirmativas sean negativas y viceversa.

MODELO: Nadie viene mañana. →
          Alguien viene mañana.

1. Nadie quiere que tú te vayas.
2. Todavía tengo el regalo que mi ex novio me dio.
3. Los viejos no viven aquí tampoco.
4. ¡No voy jamás a conciertos de música rock!
5. ¿Conoces a alguien que me pueda ayudar?
6. Algunas casas son perfectas.
7. Todavía están buscando computadora; no les gusta ninguna de las que vieron ayer.
8. La modernización y la tecnología siempre son la respuesta.

Práctica B   El alcalde (*mayor*) de Puerto Dorado es muy optimista y cree que todo está bien en su ciudad. Un periodista le hace preguntas sobre los problemas urbanos. Conteste las preguntas del periodista, usando palabras negativas.

MODELO: ¿Conoce Ud. a alguien que no tenga vivienda? No, no conozco a
          nadie que no tenga vivienda.

1. ¿Hay algún problema con el agua de la ciudad?
2. ¿A veces hay cortes de electricidad (*blackouts*)?
3. ¿Todavía usan máquinas de escribir en su oficina?
4. ¿Hay muchos robos (*robberies*) o asesinatos (*murders*) en la ciudad?
5. ¿Hay algo sospechoso en la política municipal?
6. ¿Hay alguna resistencia a reciclar en la ciudad?

Conversación

A. Optimistas y pesimistas Siempre hay opiniones pesimistas y optimistas sobre cualquier tema. ¿Qué diría (*would say*) un(a) pesimista con respecto a los siguientes temas? Y ¿qué diría un(a) optimista?

MODELO: el hambre en el mundo →

UN(A) PESIMISTA: Nunca vamos a resolver el problema del hambre.

UN(A) OPTIMISTA: Algún día vamos a encontrar una solución.

1. el agotamiento de los recursos naturales
2. la energía solar
3. la medicina alternativa
4. la pobreza
5. la tecnología y la industrialización

B. Nuestro medio ambiente ¿Se preocupa Ud. por el medio ambiente? ¿Es activista? ¿Cuáles de las siguientes oraciones describen sus sentimientos y opiniones al respecto? Coméntelas, cambiando el adverbio o el adjetivo *en letra cursiva azul* si es necesario para que (*so that*) la oración sea más exacta.

MODELO: *A veces* trato de comprar productos que no contaminan el medio ambiente. →

No es cierto para mí.

Siempre trato de comprar productos que no contaminan el medio ambiente.

1. *Siempre* estoy dispuesto/a a pagar más por productos que no contaminan el ambiente.
2. Trato de reciclar *todo* el papel que utilizo.
3. No voy a comprar *ningún* producto desechable (*disposable*), *ni siquiera* los pañales (*diapers*).
4. Cuando veo artículos sobre la ecología en algún periódico o alguna revista, *a veces* los leo.
5. *Ya no* reciclo los envases de vidrio y de lata (*jars and cans*).
6. *Todavía no* estoy dispuesto/a a conducir menos (y menos rápido) para reducir la contaminación del aire.

EL PAPEL
NUNCA ES BASURA...

PUEDE
UTILIZARSE DE NUEVO.

C. Intercambios A medida que (*As*) nos modernizamos, y con la ayuda de la tecnología, esperamos que nuestra vida sea cada vez más fácil. ¿Hasta qué punto dependen Uds. de la tecnología? ¿Cuál de los siguientes inventos ha tenido (*has had*) el mayor impacto en su vida? Para investigar el tema, sigan los pasos.

Paso 1. Primero, examinen la siguiente tabla de inventos y agreguen por lo menos tres más.

Invento	Con mucha frecuencia	A veces	Apenas	Nunca	Todavía no, pero en el futuro, sí	Ya no
la computadora						
la videocasetera						
el tocadiscos						
el televisor de blanco y negro						
el tren						
el Velcro						
el correo electrónico						
el teléfono inalámbrico (*cordless*)						
el horno (*oven*) convencional						
¿?						
¿?						
¿?						

Paso 2. Después, entrevístense para averiguar con qué frecuencia Uds. utilizan los inventos de la tabla. Indiquen sus respuestas con una X.

Paso 3. Luego, analicen los inventos que Uds. utilizan con mayor frecuencia. ¿Cuál(es) de ellos ha(n) tenido el mayor impacto en su vida? ¿Por qué?

Paso 4. Finalmente, compartan los resultados de su entrevista y análisis con los demás miembros de la clase. ¿Hay mucha diferencia de opiniones? Expliquen.

D. Los inventos

Paso 1. Algunos de los inventos que nos facilitan la vida no son realmente resultado de ninguna investigación científica, sino que son producto de la casualidad (*chance*) o fruto del ingenio humano para resolver las pequeñas molestias (*hassles*) de todos los días. ¿Cuáles de los inventos de la actividad anterior son de este tipo? ¿Y cuáles son resultado de la investigación científica?

Paso 2. En parejas, emparejen cada descripción con uno de los inventos de la lista.

el abrelatas (*can opener*)	las lentillas	el semáforo
los alimentos enlatados	los pañales	(*traffic light*)
la calculadora	desechables	el televisor
el chupete (*pacifier*)	la penicilina	las tiras adhesivas
el refrigerador	la pila (*battery*) eléctrica	el Velcro
el jabón	el plástico	

1 Inspirado en el sistema de señales codificado por Gran Bretaña en 1818, la señalización de las calles por… tricolores comienza en el campo inglés en 1838. Después, la ciudad de Londres aplica, a partir de 1868, un sistema análogo para intentar organizar la circulación. En los Estados Unidos, en un intento por canalizar su gran parque automovilístico, aparecen en Cleveland, en 1914, los… bicolores, y después los tricolores en Nueva York. En París la primera señal luminosa empieza a funcionar el 5 de mayo de 1923. Es una luz roja acompañada de una pequeña campanilla,[a] que se activa manualmente. La luz verde y la naranja serán[b] utilizadas diez años más tarde.

2 Aunque puedan parecer un invento de la tecnología moderna, ya se conocían en el Renacimiento. Leonardo Da Vinci fue el primero a quien se le ocurrió la idea, pero solo se decidió a experimentar con ella. Sin embargo, el francés Descartes aprovechó las ocurrencias del genio italiano y las empleó por primera vez con fines terapéuticos, aunque no obtuvo mucho éxito. Hasta finales del siglo XIX no se emplearon para corregir la miopía y fue en 1937 cuando se sustituyó el vidrio puro por el plástico. Desde entonces la tecnología se ha encargado de[c] reducirlas, perfeccionarlas y hasta hacerlas desechables.

3 Gracias a este sistema revolucionario de adherencia, obra de un montañero suizo en los años 50, podemos prescindir de los botones, cremalleras[d] e incluso cordones en algunas prendas de vestir. Basta con unir cada una de las partes del mismo a la ropa para que esta quede bien sujeta y no se pueda desprender fácilmente. Para quitarla, tan solo hay que tirar de un extremo con mucha fuerza y la prenda quedará desabrochada.

4 Este artilugio[e] tan sumamente útil, que más de una vez nos ha sacado[f] de un apuro al permitirnos preparar rápidamente una comida, data de la década de los años 60 del siglo XIX. Lo curioso del invento es que apareció cincuenta años más tarde que las latas.

5 Fue un hallazgo muy curioso de un empleado de la firma Johnson & Johnson para curar los cortes que se hacía su mujer en la cocina. Esta brillante idea de cortar en trozos pequeños los vendajes quirúrgicos y pegarlos a continuación en una tira adhesiva se le ocurrió en 1920 cuando estaba en su casa y su mujer sufrió un accidente doméstico. Cuando el presidente de la empresa se enteró de su invento, no dudó ni un momento de la rentabilidad del mismo y a partir de entonces se empezó a comercializar este pequeño vendaje provisional.

6 Su origen se remonta a la necesidad de una madre neolítica de calmar los llantos de su retoño.[g] Los expertos afirman que el primer… fue un hueso. Hasta hace cincuenta años cualquier cosa valía para sosegar[h] a los bebés, pero el… con la forma que lo conocemos tiene cinco décadas. ∎

[a](*hand*) *bell* [b]*would be* [c]*se… has taken care of* [d]*zippers* [e]*device* [f]*nos… has saved us* [g]*kid* [h]*calm*

Paso 3. ¿Cuál de los inventos descritos les parece que ha tenido mayor impacto en la vida humana? ¿Por qué?

Paso 4. Muchos de los inventos que aparecen en la lista han facilitado (*have facilitated*) la vida, de eso no hay duda. Sin embargo, algunos de ellos también han creado (*have created*) problemas que afectan el medio ambiente. ¿Cuáles de esos inventos relacionan Uds. con problemas ecológicos? Digan cuál es el problema en cada caso.

22 Uses of the Subjunctive: Certainty versus Doubt; Emotion

A. Certainty versus Doubt

Certainty versus doubt is another of the main-clause characteristics that determines the use of indicative or subjunctive in the subordinate clause. The subjunctive is generally used when the speaker wishes to describe something about which he or she has some degree of uncertainty or no knowledge at all.

No es cierto **que** la población urbana **sea** más culta que la población rural.	*It's not true that the urban population is better educated than the rural population.*
Es dudoso **que** la tecnología **resuelva** todos los problemas.	*It's doubtful that technology will solve every problem.*
Es probable **que** el gobierno **elimine** el problema de la vivienda.	*It's probable that the government will eliminate the housing problem.*

In contrast, the indicative is used to describe something about which the speaker is, for the most part, certain or knowledgeable.

Es cierto **que** la población **está** aumentando rápidamente.	*It's true that the population is increasing rapidly.*
No hay duda **que** la tecnología **es** importante.	*There is no doubt that technology is important.*
Parece **que** el futuro **es** muy prometedor.	*It appears that the future is very promising.*

In Spanish, some main-clause verbs and impersonal expressions consistently introduce the subjunctive, whereas others consistently introduce the indicative. With impersonal expressions, probability/improbability and possibility/impossibility are always considered degrees of uncertainty, and therefore they always introduce the subjunctive.

Nota comunicativa

Some of the distinctions between certainty and doubt may seem vague or even incorrect to English speakers. Take **suponer que** (*to suppose that*), for example. In English, supposition usually communicates a degree of uncertainty. However, in Spanish, **suponer que** introduces the indicative because the speaker is stating his or her perceived reality of something. In other words, the factor that determines use of the indicative after phrases like **suponer que** is what is real from the speaker's point of view (perceived reality), not what is the actual reality of a given situation.

Here is a chart of some the most common phrases in the *certainty versus doubt* classification. Make sure you know their meanings before beginning the activities.

Certainty: To Introduce Indicative	Doubt/Uncertainty: To Introduce Subjunctive
creer que	no creer que
no dudar que	dudar que
estar seguro/a (de) que	no estar seguro/a (de) que
no negar que	negar que
pensar que	no pensar que
suponer que	no suponer que
Es cierto que	No es cierto que
No es dudoso que	Es dudoso que
Es evidente que	No es evidente que
Es obvio que	No es obvio que
Es que	No es que
Es seguro que	No es seguro que
Es verdad que	No es verdad que
No cabe duda (de) que	(No) Es (im)posible que
No hay duda (de) que	(No) Es (im)probable que
Parece que	(No) Puede (ser) que

Práctica A   ¿Demuestran certeza o duda las siguientes oraciones?

1. Es evidente que a él no le gusta el cambio.
2. No estamos seguros que Jaime aspire a ser arquitecto.
3. Vemos que Uds. tienen muchos diseños.
4. No creo que participen en la manifestación.
5. Puede ser que haya más igualdad en el futuro.

Práctica B   Complete las siguientes oraciones con la forma apropiada del presente de subjuntivo o indicativo del verbo entre paréntesis.

1. Supongo que el analfabetismo (seguir) siendo un problema en todo el mundo.
2. No creo que (resolverse) pronto los problemas de los barrios bajos en las grandes ciudades de este país.
3. Creo que reciclar la basura (ser) una buena idea, pero es obvio que (haber) mucha gente que no participa en los programas de reciclaje todavía.
4. Dudo que los urbanistas (poder) resolver el problema de la falta de viviendas en esta ciudad.
5. Es probable que ese vecindario ya no (estar) en vías de desarrollo. Parece que nadie (trabajar) allí desde hace varias semanas.
6. Algunos creen que no es posible que los recursos naturales (acabarse: [*to run out*]) durante este siglo.
7. El alcalde no duda que la gente (querer) eliminar los problemas del hambre y la pobreza en la ciudad, pero es evidente que nadie (saber) cómo hacerlo.
8. Es dudoso que toda la modernización programada para este año (realizarse) a tiempo.

B. Emotion, Value Judgments

The subjunctive is used in subordinate clauses that follow the expression of an emotion or the expression of a subjective evaluation or judgment. Impersonal expressions that describe emotional responses to reality or make a subjective commentary on it are also followed by the subjunctive in subordinate clauses. Here are some of the most common expressions of emotion that result in the use of the subjunctive in the subordinate clause.

esperar que	me encanta* que	es bueno que
estar contento/a (de) que	me enfada que	es fantástico (increíble,
estar triste (de) que	me enoja que	interesante, malo,
sentir (ie, i) que	me fascina que	natural, sorprendente,
tener miedo (de) que	me gusta que	tremendo, triste) que
	me pone contento/a que	es (una) lástima que
	me pone triste que	¡Qué bueno (fantástico,
	me preocupa que	malo, lástima, triste)
		que… !

Siento mucho que la vivienda **sea** tan cara.	*I regret that housing is so expensive.*
Me pone triste que **haya** tanta hambre en el mundo.	*It makes me sad that there is so much hunger in the world.*
¡Qué lástima que **piensen** destruir ese edificio!	*What a shame that they are planning to destroy that building!*
Es bueno que **investiguemos** las causas del problema.	*It is good that we are investigating the causes of the problem.*

Práctica C   Examine los verbos *en letra cursiva azul* en el siguiente pasaje. ¿Cuáles están en indicativo? ¿Cuáles están en subjuntivo? Identifique la razón por su uso escribiendo las letras **C** (certeza), **D** (duda) o **E** (emoción) en otro papel.

Hoy en día, es evidente que la tecnología *está*[1] presente en todas las actividades diarias. Sin embargo, hay muchas reacciones diferentes sobre su importancia. Muchos creen que *es*[2] necesario incorporar la tecnología en todos los campos, pero otros dudan que siempre *sea*[3] beneficiosa. Es obvio que la tecnología nos *hace*[4] la vida más fácil, pero muchos tienen miedo de que *dependamos*[5] demasiado de las computadoras. Es probable que dentro de unos años, la mayoría de la población *tenga*[6] computadora en casa, y es sorprendente que el uso de las computadoras *se extienda*[7] a todos los rincones[a] del mundo. Según Félix del Dato: «Es cierto que la tecnología nos *mejora*[8] la vida personal, pero es una lástima que *perdamos*[9] el contacto interpersonal.»

[a]*corners*

---

*All the expressions in this column are used like **gustar** with indirect object pronouns.

Le/Les gusta que seas arquitecto.
Me/Nos preocupa que llegues tan tarde.

Conversación

A. **¿Qué opina Ud.?** Use una expresión diferente para reaccionar a las siguientes afirmaciones. Luego, justifique brevemente sus opiniones. Cuidado con el uso del subjuntivo.

Creo	Es (im)posible	Es verdad
Dudo	Es increíble	Espero
Es bueno	Es malo	Estoy seguro/a
Es fantástico	Es triste	No creo

1. Vamos a tener colonias en la luna para el año 2050.
2. Muchos jóvenes usan computadora en la escuela primaria.
3. Se puede eliminar el problema del hambre en el mundo.
4. Es más importante proteger (to protect) los recursos naturales que aprovecharse (to take advantage) de ellos.
5. La industrialización trae graves problemas sociales.
6. En este país, muchas personas están «emigrando» de las grandes ciudades a las afueras o a las zonas rurales.
7. La mayoría de las personas que viven en la pobreza son mujeres y niños.
8. Los científicos no son responsables de la aplicación ni del uso de sus inventos.
9. Hay una conexión entre el analfabetismo y la televisión.
10. Vivimos mejor ahora de lo que vivíamos hace cincuenta años.

B. **Intercambios** En parejas, preparen un comentario positivo y otro negativo sobre tres de los siguientes temas. Para formular sus comentarios, usen las expresiones de las listas. Luego, comparen sus comentarios con los de los demás miembros de la clase.

Comentarios positivos

es interesante
es tremendo
estamos contentos
nos gusta

Comentarios negativos

no nos gusta
nos enfada
nos preocupa
tenemos miedo

1. la tecnología
2. la sobrepoblación
3. el analfabetismo
4. la posibilidad de un gobierno mundial
5. los recursos naturales
6. la contaminación del medio ambiente
7. el reciclaje
8. el Internet

C. Descripciones Usando las preguntas como guía, describa lo que pasa en los siguientes dibujos. Cuidado con el uso del subjuntivo.

- ¿Quiénes son esas personas?
- ¿Dónde están?
- ¿Cuál es la situación?
- ¿Cuál es su reacción?

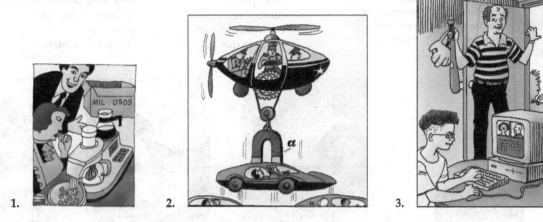

1. 2. 3.

1. amasar (*to knead*), la batidora (*beater*), la cafetera (*coffee maker*), la máquina para hacer palomitas (*popcorn popper*), moler (muelo) (*to grind*), el vendedor

2. atrapar, conducir, evitar accidentes de tráfico, el imán (*magnet*), volar (vuelo) (*to fly*)

3. estar absorto, no hacerle caso, repetirse (repito) (i) la historia

D. Intercambios Los inventos tecnológicos no solo traen beneficios, sino que también tienen sus desventajas. En parejas, utilicen algunas de las expresiones que Uds. han aprendido (*have learned*) en este capítulo para mencionar dos de los efectos (uno positivo y otro negativo) que la modernización ha tenido (*has had*) en las siguientes cosas o personas. Luego, compartan sus opiniones con los demás miembros de la clase.

MODELO: los obreros →

Por un lado, es bueno que las máquinas hagan algunos de los trabajos más peligrosos. Pero por otro, nos preocupa que muchas personas pierdan el trabajo como resultado de la modernización.

1. la comida
2. los médicos
3. los estudiantes
4. los profesores
5. los políticos
6. el medio ambiente

E. Los videojuegos **Entre todos** Los videojuegos son muy populares entre los jóvenes. Algunos creen que esto los puede afectar negativamente, mientras que otros no están seguros de que sea así. En grupos, utilicen las expresiones de este capítulo y expliquen las consecuencias negativas y positivas que estos juegos pueden tener en los niños y los jóvenes. De niños, ¿dedicaban Uds. mucho tiempo a estos juegos? Cuando tengan sus propios hijos, ¿van a limitarles el tiempo que dedican a este tipo de actividad? ¿Por qué sí o por qué no? Si ya tienen sus propios hijos, ¿les limitan el tiempo que dedican a este tipo de actividad? ¿Por qué sí o por qué no?

Vocabulario **útil**

pedir (pido) un préstamo — to ask for a loan
pesar — to weigh

las asas — handles
la bolsa — bag
el carrito — shopping cart
el/la cliente — customer
la rueda — wheel

F. Guiones En grupos de dos o tres, narren en el tiempo presente la siguiente historia de un invento que ha tenido (*has had*) gran impacto en la vida moderna. Incorporen complementos pronominales cuando sea posible y usen cada una de las siguientes expresiones por lo menos una vez.

cree que…
duda que…
es necesario que…
es triste que…

está muy contento/a (de) que…
les parece ridículo…
pide que…
recomienda que…

Nota cultural

El mundo de la computadora tiene su propia cultura y lenguaje. ¿Reconoce Ud. las siguientes siglas (*initials*) comunes en la comunicación electrónica? Explique lo que representan en inglés y luego expréselas en español.

- Las fáciles
  TTFN   IMO   IMHO
  BTW   FYI   LOL
- Algunas más difíciles
  IDK   DISTO
- Para los peritos (*expertos*)
  DGT   CYL

Investigue cuáles son las siglas que utilizan los que escriben y «charlan» electrónicamente en español.

1.

2.

3.

4.

5.

6.

7.

UN POCO DE TODO

¡OJO!

	Examples	Notes
volver (vuelvo) **regresar** **devolver** (*like* **volver**)	**Vuelven (regresan)** a España este verano. *They're returning to Spain this summer.* **Devolvieron** el libro a la biblioteca. *They returned the book to the library.*	**Volver** means *to return to/from a place*; with this meaning, it is synonymous with **regresar.** **Devolver** means *to return something* (*to someone / to a place*).
mudarse **trasladar(se)** **mover(se) ([me] muevo)**	Como mi padre era militar, **nos mudábamos** constantemente. *Since my father was in the military, we moved constantly.* La compañía la **trasladó** a otra oficina. *The company moved (transferred) her to another office.* Nuestra empresa **se traslada** a Bogotá. *Our firm is moving to Bogotá.* ¿Puedes ayudarme a **mover** este estante? *Can you help me move this bookshelf?* ¡Hijo! No **te muevas.** Hay una abeja en tu brazo. *Son! Don't move. There's a bee on your arm.*	When *to move* means *to change residence,* use **mudarse.** *To move* or *to be moved from place to place*— from city to city or from office to office, for example—is expressed with **trasladar(se).** Use **mover(se)** to express *to move an object* or *a part of the body.*
sentir (siento) (i) **sentirse (me siento) (i)**	**Siento** un gran alivio sabiendo que vas a estar conmigo. *I feel a great relief knowing that you're going to be with me.* **Me siento** muy aliviada sabiendo que vas a estar conmigo. *I feel very relieved knowing that you're going to be with me.* **Lo siento.** *I'm sorry. (I regret it).* **Siento** que haya llegado hasta allí. *I'm sorry that it has come to this.* **Piensan (Creen, Opinan)** que es una poeta excelente. *They feel that she is an excellent poet.*	Both **sentir** and **sentirse** mean *to feel.* **Sentir** is always followed by nouns, and **sentirse** by adjectives. **Sentir** can also mean *to regret.* Neither **sentir** nor **sentirse** can express *to feel* in the sense of *to believe* or *to have the opinion.* These concepts must be expressed with **pensar, creer,** or **opinar.**

A. Volviendo al dibujo   Elija la mejor palabra o expresión, según el contexto.
¡OJO! También hay palabras de los capítulos anteriores.

La Sra. Esperanza era joven cuando se casó (a/con/de)[1] un hombre muy bueno.
Pero un día, cuando él era muy joven todavía, se enfermó de tuberculosis. Ella
tuvo que gastar todo su dinero en (cuidar/importar)[2] a su esposo, pero a pesar
de todo, él murió. Ahora (mira/parece)[3] que ella no sabe qué hacer porque vive
en la ciudad y tiene tres hijos a quienes ella (cuida/importa)[4] y (mantiene/
soporta)[5] sola. No quiere depender (al / del / en el)[6] gobierno y prefiere
(funcionar/trabajar),[7] pero ¿cómo, si tiene que atender a sus hijos? Ella sueña
(con/de/en)[8] (moverse/mudarse)[9] al campo y tener allí una casita con jardín y
todo. Ahora (se siente / siente)[10] desesperada. Necesita ayuda, pero nadie hace
(atención/caso)[11] de sus necesidades.

Los arquitectos se dedican a diseñar edificios para modernizar la ciudad.
El urbanista (busca/parece)[12] el diseño que consiste (con/de/en)[13] edificios grandes y supermodernos para múltiples familias. No hay viviendas individuales.
(Busca/Mira/Parece)[14] que los arquitectos y el urbanista creen que es (hora/
tiempo/vez)[15] de transformar el barrio. También (busca/mira/parece)[16] que ellos
no (se sienten / sienten)[17] responsables de los efectos de sus acciones. Lo que
más les (cuida/importa)[18] son el progreso, la modernización de la ciudad y el
ganar dinero.

Después de la realización del proyecto, la Sra. Esperanza se (movió/ mudó/
trasladó)[19] con su familia a uno de los edificios modernos. Pero aunque el
nuevo apartamento es grande y moderno, ellos (se sienten / sienten)[20] tan
tristes e infelices como antes. Ella y los niños (buscan/miran/parecen)[21] por las
ventanas y lo único que pueden ver son los otros edificios que están (cerca/
íntimos/unidos).[22]

B. Entre todos

■ Hoy en día, ¿es típico que una familia se establezca en una sola ciudad por un largo tiempo (veinte años o más)? ¿Con qué frecuencia se ha mudado (*has moved*) su familia? Por ejemplo, antes de cumplir los 18 años, ¿cuántas veces se mudaron Uds.? Si ya tienen hijos, ¿cuántas veces se han mudado con su propia familia? Para los padres, ¿es una ventaja o una desventaja mudarse con frecuencia? ¿Y para los niños?

■ Cuando llegó la hora de dejar su casa y mudarse, ¿cómo se sentían Uds.? ¿felices? ¿preocupados/as? ¿Tenían miedo? ¿Recuerdan la primera semana en su nueva residencia? ¿Cómo se sentían? ¿Fue fácil o difícil acostumbrarse? ¿Por qué? Y ahora, después de algún tiempo en su residencia actual, ¿cómo se sienten? ¿Por qué?

C. ¡El «hacelotodo», la máquina del futuro! Complete el párrafo, dando la forma apropiada de los verbos entre paréntesis, según el contexto.

¿Se siente Ud. agobiada[a] por el trabajo? ¿Quiere que su vida (ser)[1] más interesante? ¿Quiere (pasar)[2] más tiempo con sus amigos y familiares? ¡(Escuchar)[3]! Ya es posible que la vida (ser)[4] más fácil y más divertida. ¡(Comprar)[5] un hermoso «hacelotodo»! ¿No tiene tiempo de preparar la comida? ¡Es mejor que (preparársela)[6] él! ¿Se cansa lavando la ropa? ¡Es posible que (lavársela)[7] él! ¿Le molesta ir al banco y hacer las compras? ¿No quiere escribir cartas y visitar a sus suegros? ¡No (preocuparse)[8]! ¡Permita que (hacérselo)[9] todo el «hacelotodo»! En la casa, en la escuela, en la oficina, el maravilloso «hacelotodo» está a sus órdenes. De ahora en adelante,[b] ¡(empezar)[10] a vivir de verdad!

En una gran variedad de modelos y colores… a un precio realmente increíble… satisfacción garantizada… el maravilloso «hacelotodo». Solo en las tiendas más elegantes.

[a]*overwhelmed* [b]*De… From now on*

D. Los aparatos En el futuro, muchos aparatos que existen hoy van a ser muy diferentes. Identifique los siguientes aparatos del futuro. ¿Cuáles son sus funciones? ¿En qué son diferentes de los aparatos de hoy? ¿Cuáles son los aspectos de cada aparato que le gustan más? ¿los que no le gustan nada? ¿Cuál de los aparatos le parece más útil? ¿menos útil? Explique.

Vocabulario **útil**	
doblar	to fold
oler (huele)	to smell
planchar	to iron
secar (qu)	to dry
la pantalla	screen

1.

2.

A LEER

Lectura cultural *La variedad geográfica en el mundo hispano*

Imagínese una playa espléndida en el mar donde hace sol y calor casi todo el tiempo. Es la imagen que tienen muchos norteamericanos de la geografía de los países hispanos, quizás porque para ellos las playas cálidas[a] de México y del Caribe son un destino frecuente. No obstante,[b] hay muchos lugares en el mundo hispano que no son propiamente[c] un paraíso tropical. En verdad, la variación geográfica del mundo hispano es bastante parecida a la del continente norteamericano. Se pueden encontrar desiertos áridos, montañas elevadas, bosques lluviosos, llanuras y selvas tropicales. Claro que hace mucho calor en algunos lugares, pero en otros el frío es constante. Estas diferencias geográficas influencian profundamente la vida de la gente que vive en estas regiones.

El altiplano de Bolivia es la región más alta que se habita en todo el mundo. Se puede notar que la gente que vive allí tiene el pecho muy ancho, lo cual es necesario para acomodar los pulmones grandes que se necesitan para respirar el aire poco oxigenado de las montañas. Esta zona es famosa por los suéteres de lana que elaboran, tanto para uso de los habitantes como para exportar. La cosecha principal en el altiplano es la papa. Esta legumbre es ideal porque se da[d] en el frío y en el clima árido.

No muy lejos de Bolivia está el Desierto de Atacama, en Chile y el Perú, conocido como el lugar más árido de la Tierra.[e] Muy poca gente vive en el Atacama, aunque hay grandes minas de cobre[f] que se explotan en algunos lugares. Algunos pueblos del desierto sobreviven con el agua que se transporta por tuberías desde las montañas lejanas. Muy al sur del desierto, también en Chile, está la zona más lluviosa del planeta: la Tierra del Fuego. Allí existen muchísimas especies de plantas y árboles que no se encuentran en ninguna otra parte del mundo.

Pero otras partes de Sudamérica tienen climas menos extremos. En las pampas de la Argentina y el Uruguay la agricultura es muy extensa. Allí se cultivan el maíz, el trigo y otros granos. La ganadería[g] es otra industria muy importante. Estos países producen una gran cantidad de carne de res para exportar. La tierra de las pampas es llana[h] y muy fértil.

Otra región donde hay mucho ganado es Guanacaste, en el norte de Costa Rica. Esta provincia ha ganado[i] el sobrenombre[j] de la «Tejas de Costa Rica», tanto por sus ranchos como por sus tierras llanas. La lluvia es más escasa[k] en Guanacaste que en el resto del país, y generalmente hace más calor. Al mismo tiempo, hay muchos volcanes en la Cordillera de Guanacaste que rodea[l] la provincia, recordándonos que la zona es muy activa geológicamente.

Sin embargo, Hispanoamérica no es el único lugar en el mundo hispano que tiene tanta variedad geográfica. España es conocido por sus montañas del noreste, el calor intenso del sur y el frío y lluvia frecuente del noroeste. ¡Y no se olvide de la Guinea Ecuato-

El Desierto de Atacama, cerca de Arica, Chile

Las ruinas mayas de Uxmal, México

rial! La geografía del único país de habla hispana del continente africano varía desde las playas de la costa hasta las montañas del interior que alcanzan los 3.000 metros sobre el nivel del mar.

Comprensión y expansión

Conteste las siguientes preguntas según la lectura.

1. Con respecto a la diversidad geográfica, ¿cómo se comparan el mundo hispano y el continente norteamericano?

2. ¿Cómo se llama el único país africano de habla hispana? ¿Qué diversidad geográfica se ve allí?

3. ¿Qué zona geográfica le parece a Ud. más problemática para la habitación humana? Explique su respuesta, y compárela con las de otros compañeros de clase.

[a]*warm* [b]*No... Nonetheless* [c]*exactly* [d]*se... it flourishes* [e]*de... on Earth* [f]*copper* [g]*cattle industry* [h]*flat* [i]*ha... has earned* [j]*nickname* [k]*scarce* [l]*surrounds*

Del mundo hispano

La IWM Mil

Aproximaciones al texto

La deshumanización

Dehumanization, or the gradual elimination of humankind's fundamental and definitive characteristics, is an essential element in the development of science fiction and futuristic stories since this literary genre centers around the contrasts and conflicts generated by man's dependency on the latest technological advances. The dehumanizing process may be developed, nurtured, and revealed in a variety of ways, such as the characters' actions, interactions with other characters, clothing, and their attitudes or beliefs toward societal conventions and norms. In addition, the collective characters may identify with a specific locale or tradition, or they might accept and later reject that milieu (environment), which reveals a great deal about their psychological and social values.

In futuristic fiction, the reporting of human interaction through monologue, dialogue, or narrative description is often underscored by exaggeration, irony, and parody and allows the reader to reflect on the fundamental changes wrought by the increasing dependency on technology. The complexities of the plot, especially the interplay between the characters who gravitate toward the technology, underscore the universal challenges that humankind faces in the path of progress.

Una introducción

Paso 1. Lea la selección, prestando atención primero a las aplicaciones del aparato (*machine*) inventado, la «IMW mil», cuyo nombre sirve de título a este cuento, y después a las preguntas que alguna gente le hacía a ese aparato.

> Por medio de[1] la IWM mil, se podía escribir cualquier tipo de literatura, componer música y hasta hacer pinturas. Los trabajos de creación fueron desapareciendo[2] porque cualquier gente, con tiempo y paciencia suficiente, podía hacer cualquier obra semejante y hasta superior a la que hicieron los antiguos artistas, sin tener que exprimir[3] el cerebro, ni sentir nada extraño y anormal.
>
> Algunas gentes se pasaban sacando datos[4] a la IWM mil por el gusto de conocer algo. Otras lo hacían por salir de un apuro[5] y otras le preguntaban cosas sin ninguna importancia, simplemente por el placer[6] de que alguien les contestara alguna cosa aunque fuera de su mundo familiar y aburrido.
>
> —¿Qué es etatex?
> —¿Qué quiere decir híbrido[7]?
> —¿Cómo se hace un pastel de chocolate?
> —¿Qué quiere decir «Pastoral de Beethoven»?
> —¿Cuántos habitantes hay actualmente en el mundo?
> —¿Quién fue Viriato*?
> —¿Qué distancia hay de la Tierra a Júpiter?
> —¿Cómo pueden eliminarse las pecas[8]?

[1]*Por... By means of* [2]fueron... *kept disappearing* [3]sin... *without having to exert* [4]se... *overdid it getting information, data* [5]*tight spot* [6]*pleasure* [7]*hybrid* [8]*freckles*

---

*Viriato (179–139 b.c.) was a Spanish chieftain who led Lusitanian rebels against the dominant Roman troops.

—¿Cuántos asteroides se han descubierto este año?

—¿Para qué sirve el páncreas?

—¿Cuándo fue la última guerra mundial?

—¿Qué edad tiene mi vecina?

—¿Qué quiere decir *recíproco*?

Las modulaciones de la voz incidían[9] sobre unas membranas electrónicas supersensibles[10] que se conectaban con el cerebro de la máquina y computaban en seguida el dato pedido,[11] que no siempre era el mismo porque por el tono de la voz, la máquina computaba el dato escuetamente[12] o con las referencias necesarias.

[9]*fell*   [10]*hypersensitive*   [11]*requested*   [12]*simply, directly*

Paso 2. Ahora, indique las palabras entre paréntesis que mejor completen la descripción a continuación. Al final, llene los espacios en blanco con información del texto.

En este pasaje, la autora empieza a describir las aplicaciones de (un personaje / una máquina)[1] que se llama (IWM diez / IWM mil).[2] Ella dice que el número de obras creativas fue (aumentado / reducido)[3] porque con el aparato la gente con tiempo y/e (suficiente / insuficiente)[4] paciencia podía crear obras de literatura, música y pintura de calidad (igual / desigual)[5] y hasta (inferior / superior)[6] a las obras que los (nuevos / antiguos)[7] artistas crearon, (sin / solo con)[8] tener que pensar. El narrador / La narradora afirma que ciertas personas le hacían preguntas a la innovación solo por el (disgusto / placer)[9] de pasar el tiempo y otras para _____.[10] Típicamente, la máquina respondía _____[11] con los datos pedidos, que no siempre eran (los mismos / diferentes)[12] porque el tono de la voz de la persona que hacía la pregunta determinaba los datos y las referencias que _____.[13]

Nota literaria

la personificación = el hecho de atribuir de ciertas características y cualidades humanas a los animales o a las cosas inanimadas o abstractas

Vocabulario para leer

computar to compute

consultar to consult

crear to create

darse cuenta de to realize

dejar de lado to leave aside

depender (de) to depend (on)

desaparecer (desaparezco) to vanish

estar al alcance to be within the reach of

olvidarse de to forget about

rodearse de to be surrounded by

soñar (sueño) con to dream about

suministrar to provide

el adelanto de la técnica technological advance

el aparato apparatus, machine

el barco boat

el conocimiento knowledge

la copa (de un árbol) tree top

el dato data, information

la enseñanza teaching

el invento invention

la obra work, piece of work

el ordenador computer (*Sp.*)

el pormenor detail

la preocupación preoccupation, worry

el saber learning, knowledge; lore

el ser humano human being

el zumo juice

anticuado/a antiquated

respectivo/a respective

sabio/a *n.* wise, learned (person); *adj.* wise

verdadero/a true, real

ni siquiera not even

Intercambios Completen las afirmaciones a continuación. Compartan sus respuestas con sus compañeros de clase.

1. El adelanto tecnológico que necesito / deseo / utilizo más en la vida diaria es _____.

2. Algunos de los usos típicos para la computadora son _____.

3. En mi opinión, los artistas deben / no deben usar la computadora para crear el arte (pinturas, dibujos, música) porque _____.

4. En el mundo actual, la sociedad depende de la tecnología para _____.

5. Algo que está desapareciendo debido a la proliferación de las computadoras es _____ porque _____.

6. Si yo pudiera escaparme a un lugar imaginario en donde no existieran los últimos adelantos de la tecnología, allí podría _____.

7. Para mí, la sociedad utópica tendrá / no tendrá _____.

8. Una persona «civilizada» es aquella que _____.

Ecuador

SOBRE LA AUTORA

Alicia Yáñez Cossio (1929–) nació en Quito, Ecuador, en una familia de doce hijos. Desde su juventud, se escapaba de la rutina diaria para escribir poemas y cuentos de fantasía en los cuales relataba la existencia de personajes imaginativos y activos. Además de ser escritora y maestra, igual que ama de casa y madre de cinco hijos a quienes dedicaba la mayor parte de su tiempo, Yáñez Cossio seguía escribiendo en varios géneros, inclusive novelas y cuentos futuristas en los cuales ella lamenta algunos adelantos de la tecnología que sirven para complicar la existencia del ser humano. El cuento que va a leer a continuación es una parodia que presenta una visión negativa de la vida moderna en la cual la creatividad, la innovación y el individualismo se vuelven valores arbitrarios, creando así una gran desilusión en el ser humano.

Nota literaria

el epígrafe = cita breve de un autor que se pone al principio de una obra literaria, que sugiere lo que la ha inspirado

La IWM mil

«*Un hombre no es sino lo que sabe.*» Francis Bacon

1 Hace mucho tiempo, todos los profesores desaparecieron tragados[1] y digeridos[2] por el nuevo sistema. Se cerraron todos los centros de enseñanza porque eran anticuados, y sus locales se convirtieron en casas habitacionales[3] donde pululaban[4] gentes
5 sabias y muy organizadas, pero incapaces de crear nada nuevo.

El saber era un artículo que se podía comprar y vender. Se había inventado un aparato que se llamaba la IWM mil y éste fue el último invento porque con él se dio por terminada[5] toda una era. La IWM mil era una máquina muy pequeña, del tamaño[6] de un antiguo
10 maletín escolar.[7] Era muy manuable, de poco peso y estaba al alcance[8] económico de cualquier persona que se interesara por saber algo. En la IWM mil estaba encerrado[9] todo el saber humano y todo el conocimiento de todas las bibliotecas del mundo antiguo y moderno.

Nadie tenía que tomarse la molestia de aprender[10] algo porque 15 la máquina que llevaba colgada de la mano,[11] o que estaba sobre cualquier mueble de la casa, le suministraba cualquier conocimiento. Su mecanismo era tan perfecto, y tan precisos los datos que daba, que no había quien tuviera la osadía de comprobarlos[12] por su cuenta. Su manejo era tan sencillo que los niños se pasaban 20 jugando (ﬡﬡ) con ella. Era una prolongación del cerebro humano. Muchas gentes no se separaban de ella ni siquiera durante los actos más personales e íntimos. Eran más sabios mientras más dependían del aparato.

[1]*swallowed* [2]*digested* [3]*casas… living quarters* [4]*swarmed, abounded* [5]*se… was considered over* [6]*size* [7]*school bag* [8]*al… within reach* [9]*enclosed* [10]*tomarse… to bother learning* [11]*llevaba… carried by hand* [12]*osadía… audacity to verify them*

25 Una gran mayoría, al saber que el conocimiento estaba tan al alcance de la mano, nunca había tocado una ɪᴡᴍ mil, ni siquiera por curiosidad. No sabían leer ni escribir.

Se sentían felices de tener una preocupación menos y disfrutaban[13] más de los otros adelantos de la técnica.

30 Por medio de la ɪᴡᴍ mil, se podía escribir cualquier tipo de literatura, componer música y hasta hacer pinturas. Los trabajos de creación fueron desapareciendo (ᒐ) porque cualquier gente, con tiempo y paciencia suficiente, podía hacer cualquier obra semejante y hasta superior a la que hicieron los antiguos artistas, sin

35 tener que exprimir el cerebro, ni sentir nada extraño y anormal.

Algunas gentes se pasaban sacando datos a la ɪᴡᴍ mil por el gusto de conocer algo. Otras lo hacían por salir de un apuro y otras le preguntaban cosas sin ninguna importancia, simplemente por el placer de que alguien les contestara alguna cosa aunque fuera

40 de su mundo familiar y aburrido.

—¿Qué es etatex?

—¿Qué quiere decir híbrido?

—¿Cómo se hace un pastel de chocolate?

—¿Qué quiere decir «Pastoral de Beethoven»?

45 —¿Cuántos habitantes hay actualmente en el mundo?

—¿Quién fue Viriato?

—¿Qué distancia hay de la Tierra a Júpiter?

—¿Cómo pueden eliminarse las pecas?

—¿Cuántos asteroides se han descubierto este año?

50 —¿Para qué sirve el páncreas?

—¿Cuándo fue la última guerra mundial?

—¿Qué edad tiene mi vecina?

—¿Qué quiere decir recíproco?

Las modulaciones de la voz incidían sobre unas membranas

55 electrónicas supersensibles que se conectaban con el cerebro de la máquina y computaban en seguida el dato pedido, que no siempre era el mismo porque por el tono de la voz, la máquina computaba el dato escuetamente o con las referencias necesarias.

A veces dos sabios se ponían a charlar y cuando alguno tenía

60 una opinión diferente, consultaba a su respectiva máquina, planteaba el problema a su modo[14] y las máquinas hablaban y hablaban. Se hacían objeciones por su cuenta y muchas veces ya no eran los sabios sino[15] las máquinas quienes trataban de convencerse entre sí. Los que habían empezado la discusión escuchaban, y cuando se cansaban de escuchar, se ponían a apostar[16] cuál de

65 las máquinas se iba a quedar con la última palabra debido a[17] la potencia de los respectivos generadores.

Los enamorados hacían conjugar a sus máquinas todos los tiempos del verbo amar y escuchaban canciones románticas. En las oficinas y lugares administrativos se daban órdenes por cintas

70 magnetofónicas[18] y las ɪᴡᴍ mil completaban los detalles[19] del trabajo. Muchas gentes se habituaron a conversar sólo con sus respectivas máquinas, así nadie les contradecía[20] porque sabían lo que la máquina iba a responder, o porque creían que entre una máquina y un ser humano no podía existir rivalidad. Una máquina

75 no podía acusar a nadie de ignorante, podían preguntar todo.

Muchas peleas y discusiones caseras[21] se hacían por medio de la ɪᴡᴍ mil, pedían al aparato que dijera al contrincante[22] las palabras más soeces[23] y los insultos más viles en el volumen más alto, y cuando querían hacer las paces,[24] las hacían en seguida porque no

80 fueron ellos sino las ɪᴡᴍ mil quienes las dijeron.

Los hombres empiezan a sentirse realmente mal. Consultan a sus ɪᴡᴍ mil y éstas les dicen que sus organismos no pueden tolerar una sola dosis más de pastillas estimulantes porque han llegado al límite de la tolerancia, y además computa que las posibilidades de

85 suicidio van en aumento y que se hace necesario un cambio de vida.

La gente quiere volver al pasado, pero es demasiado tarde; algunos intentan dejar de lado sus ɪᴡᴍ mil, pero se sienten indefensos. Entonces consultan a las máquinas si existe algún lugar en el

90 mundo donde no haya nada parecido a las ɪᴡᴍ mil, y las máquinas dan las señas[25] y pormenores de un lugar remoto que se llama Takandia. Algunos empiezan a soñar con Takandia. Regalan la ɪᴡᴍ mil a los que sólo tienen una ɪᴡᴍ cien. Comienzan a realizar una serie de actos extraños: van a los museos, se quedan en las seccio-

95 nes de libros mirando (ᒐ) algo que les intriga sobremanera[26] y quisieran tenerlo entre sus manos: son pequeños y maltratados silabarios[27] en los cuales los niños de las civilizaciones antiguas aprendían lentamente a leer valiéndose de signos,[28] para lo cual debían asistir a un determinado sitio que se llamaba escuela. Los 100

signos se llamaban letras, las letras se dividían en sílabas y las sílabas estaban hechas de vocales y de consonantes. Cuando las sílabas se juntaban formaban palabras y las palabras eran orales y escritas… Cuando estas nociones se hacen del dominio general,[29]
105 algunos hombres vuelven a estar muy contentos porque son los primeros conocimientos adquiridos por sí mismos y no a través de la IWM mil.

Muchos salen de los museos a las pocas tiendas de anticuarios que quedan y no paran hasta encontrar silabarios, los cuales rue-
110 dan de[30] mano en mano, a pesar de que se pagan por ellos precios altísimos. Cuando tienen los silabarios se ponen a descifrarlos: aeiou, ma me mi mo mu, pa pe pi po pu. Les resulta fácil y ameno.[31] Cuando saben leer adquieren todos los pocos libros que pueden, son pocos, pero son libros: *Acción de la clorofila sobre las plantas*,
115 *Los Miserables* de Víctor Hugo, *Cien recetas de cocina*, *Historia de las Cruzadas*… Se ponen a leer y cuando pueden adquirir conocimientos por sí mismos, empiezan a sentirse mejor. Dejan de tomar

pastillas estimulantes. Tratan de comunicar estas nuevas sensaciones a sus semejantes. Algunos los miran con recelo[32] y desconfianza, y los catalogan como locos. Entonces estas pocas personas 120 son las que se apresuran a comprar un pasaje para Takandia.

Después del jet, toman un lento barco, luego una canoa, caminan muchos kilómetros a pie y llegan a Takandia. Allí se ven rodeados de seres horribles, los cuales ni siquiera se ponen un discreto taparrabo,[33] viven en las copas de los árboles, comen carne cruda 125 porque no conocen el fuego y se pintan el cuerpo con zumos vegetales.

Los hombres que han llegado a Takandia se dan cuenta de que por primera vez en sus vidas están entre verdaderos seres humanos y empiezan a sentirse felices. Buscan amigos, gritan como ellos 130 y empiezan a quitarse la ropa y a dejarla tirada entre las matas.[34] Los habitantes de Takandia se olvidan por unos momentos de los visitantes para pelearse por las ropas que encuentran tiradas…

---

[29]se… *become common knowledge* [30]ruedan… *pass from* [31]*pleasing, pleasant* [32]*distrust* [33]*loincloth* [34]dejarla… *to toss it into the bushes*

Comprensión

A. ¿Cierto o falso?   Corrija las oraciones falsas.

1. La acción empieza en una isla en el tiempo actual.

2. Bajo el nuevo sistema, la creatividad de la gente sabia aumentaba.

3. Aunque la IWM mil era popular, todavía era inaccesible para mucha gente debido a su precio alto.

4. La máquina funcionaba como si fuera (*as if it were*) una extensión del cerebro humano.

5. Por medio de la IWM mil, los escritores, músicos y artistas podían crear sus obras sin hacer ningún esfuerzo cerebral.

6. Cuando alguien le hacía una pregunta a la máquina, esta tomaba mucho tiempo para responder.

7. Después de sentirse agobiada (*overwhelmed*) por el aparato, la raza humana ve que se necesita un cambio de vida.

8. Aunque la gente quiere volver al pasado, se da cuenta de que no hay ningún lugar que no tenga una IWM mil.

9. Al ponerse a leer y aprender información por sí mismos, los hombres sabios se sienten más confiados, aunque sus contrincantes los tratan con desconfianza.

10. Cuando llegan a la tierra soñada de Takandia, los hombres empiezan a sentirse tristes.

B. Oraciones Complete las siguientes oraciones según el cuento.

1. Después de que los profesores desaparecieron, las universidades e instituciones de enseñanza tuvieron que cerrarse porque _____.

2. En vez de aprender por los métodos tradicionales de pensar, leer y escribir, la gente solo tenía que _____.

3. La IWM mil era una máquina de tamaño pequeño que _____.

4. Aunque mucha gente utilizaba la máquina para enterarse de cualquier cosa, había una gran mayoría que _____.

5. Una de las consecuencias del uso constante de la IWM mil era _____.

6. Con el paso del tiempo, los hombres empezaron a sentirse mal porque _____.

7. Según la IWM mil, había un lugar remoto donde no se podía _____.

8. Cuando la gente deja de depender de las máquinas, empieza a sentirse mejor, pero los que todavía dependen de ellas _____.

9. Al llegar a Takandia, los hombres se encuentran rodeados de _____ que viven en _____.

10. Para adaptarse a la vida en el nuevo lugar, los recién llegados empiezan a _____.

C. Interpretación

Paso 1. ¿Cuál es el tema del cuento? ¿y el subtema? Mencione el papel de la computadora en el mundo de hoy y su influencia en los otros avances tecnológicos (el avión / el jet, los satélites, el transbordador espacial [*space shuttle*] y el teléfono celular) que dependen de ella.

Paso 2. Examine el uso de la exageración, la ironía y la parodia en el texto para plantear el problema de la impersonalización y deshumanización que enfrenta la sociedad moderna. ¿Qué ironía existe en el hecho de que algunas personas, en particular las que se obsesionan más por los últimos adelantos, acaban por mudarse a una isla remota? En su opinión, ¿cómo ha contribuido la tecnología a la destrucción de la sociedad?

D. Aplicación

Paso 1. La autora Alicia Yáñez Cossio empieza el cuento con una cita del filósofo, Francis Bacon: «Un hombre no es sino lo que sabe». ¿Qué significado puede tener esta afirmación en el contexto de «La IWM mil»? ¿Está Ud. de acuerdo con esta idea? ¿Por qué sí o por qué no?

Paso 2. En su opinión, ¿qué adelantos de la tecnología pueden llevar a la deshumanización, es decir, a la destrucción de la raza humana y la civilización, como la conocemos? Explique y dé ejemplos para apoyar su opinión.

CINEMATECA

Sleep Dealer

Antes de mirar

■ **LA PELÍCULA** *Sleep Dealer* (2008) es la historia futurista de Memo, un joven mexicano que sale de su pueblo en el estado de Oaxaca y va al norte para buscar trabajo. ¿Cree Ud. que con la tecnología del futuro va a cambiar el sistema laboral en el mundo? ¿Cómo afectarán esos cambios a los trabajadores? ¿y a los inmigrantes que buscan trabajo?

■ **LA ESCENA** (35:45–41:02)* En esta escena, Memo va a su nuevo trabajo, construyendo un edificio en los Estados Unidos desde una fábrica en Tijuana. ¿Hay trabajos hoy en día que se hacen a distancia? ¿Cuáles son las ventajas de trabajar así? ¿y las desventajas?

Al mirar

Mire la escena e indique la respuesta apropiada.

1. ¿En qué parte de la ciudad está la «infomaquila», o el «sleep dealer», donde trabaja Memo?

    a. en el centro   **b.** en las afueras

2. Según el jefe de Memo, ¿qué es lo que los Estados Unidos «siempre han querido»?

    a. todo el dinero del mundo   **b.** todo el trabajo pero sin los trabajadores

3. ¿Qué puede significar «enchúfate»?

    a. conéctate   **b.** descansa

4. ¿Por qué está enojado el hermano de Memo?

    a. porque cree que Memo abandonó a su familia   **b.** porque Memo no le mandó suficiente dinero

Después de mirar

■ Divídanse en grupos de dos o tres estudiantes para hablar de la escena. ¿Qué tiene que hacer Memo para trabajar en los Estados Unidos? ¿Cómo lo hace? ¿Les parece a Uds. que es mejor que trabajar en una fábrica o construcción tradicionales? ¿O creen que es peor? Escriban unas frases para resumir sus conclusiones y compártanlas con la clase.

■ Esta historia, aunque ficticia, comenta sobre la importación de mano de obra a los Estados Unidos. Es decir, se importa el trabajo pero no se permite que el trabajador o trabajadora viva en el país donde trabaja. ¿Es este un buen sistema? ¿Es diferente de la importación de productos hechos en otros países? Escriba un breve artículo para un periódico del futuro explicando su opinión sobre este sistema laboral.

■ Busque en el Internet más información sobre la frontera entre México y los Estados Unidos. ¿Cómo son los pueblos fronterizos (*border*)? ¿Cómo era la frontera hace 100 años? ¿Y cómo es ahora? ¿Cómo será en veinte años?

---

*Scene start and end times are approximate. Start the scene when Memo is looking at houses on a hillside as he walks to work and end it when he is done sending money to his brother. Scene starts with narration: **"Cerca de la colonia donde vivía... "**

6

El hombre y la mujer en el mundo actual

Guanajuato, México

En este capítulo

GRAMÁTICA

23. Present Perfect Indicative
24. Present Perfect Subjunctive
25. Uses of the Subjunctive: Adjective Clauses

A LEER

■ **Lectura cultural:** Las mujeres en el poder en Hispanoamérica

■ **Del mundo hispano:** «Rosamunda» (Carmen Laforet)

CINEMATECA

El método (España, 2005)

www.connectspanish.com

Describir y comentar

- Compare las actividades de los niños con las de las niñas en los años 20. ¿Qué aspiraciones tenían? ¿Hay alguna relación entre sus juegos y sus aspiraciones? ¿Cuál es? ¿Cree Ud. que en realidad ocurría tal socialización? ¿Cree que todavía ocurre? Explique.

- ¿En qué son diferentes las actividades femeninas de principios del siglo XXI de las de los años 20? ¿Hay diferencias también entre los juegos masculinos de los años 20 y los de principios del siglo XXI? ¿Cuáles son? ¿Sugieren estos dibujos que han ocurrido algunos cambios socioculturales? ¿Cuáles son?

- ¿Refleja el segundo dibujo lo que ocurre en la comunidad de Ud. (entre sus amigos, su familia, etcétera)? ¿En qué sentido?

aspirar a to aspire to	**la pelota** ball
desempeñar un papel to play (fulfill) a role	**el prejuicio** prejudice
educar* (qu) to rear, bring up (children)	**el puesto** job; position
socializar (c) to socialize	**los quehaceres domésticos** household chores
	la responsabilidad responsibility
el amo/a (*f., but* **el ama**) **de casa** homemaker	**la sensibilidad** (emotional) sensitivity
la aspiración aspiration, goal	**la socialización** socialization
el cambio change	**el sueldo** salary
la carrera career, profession; university specialty (major)	**la vejez** old age
la custodia custody	
la educación* upbringing; education	**femenino/a** feminine
la expectativa expectation	**feminista** feminist
el/la feminista feminist	**machista** male-chauvinistic
la igualdad equality	**masculino/a** masculine
la infancia infancy	
el juguete toy	**alguna vez** ever (*used in a question with present perfect tense*)
la juventud childhood; youth	
el/la machista male chauvinist	**en cuanto a...** as far as . . . is concerned
la meta goal, aim	**en estos días** these days
la muñeca doll	**recientemente** recently
el papel role	**últimamente** lately

Conversación

A. Definiciones   Dé las palabras de la lista de vocabulario que corresponden a las siguientes definiciones.

1. característica de las mujeres
2. el principio que reconoce los mismos derechos (*rights*) para todos
3. la época de la vida entre la infancia y la madurez (*adulthood*)
4. característica de una persona que se emociona fácilmente
5. el dinero que se recibe periódicamente por un trabajo realizado

---

*In both English- and Spanish-speaking cultures, "bringing up" (**educar**) children denotes both physical care as well as the process of educating them with respect to the values and rules of the society in which they live. The Spanish term **educación** refers both to the moral upbringing of a child as well as to schooling. *Higher education* is commonly expressed as **la educación superior.**

Remember that **bien educado/a** and **mal educado/a** convey the meaning of *well-* and *ill-mannered.* To indicate that someone is *well-educated,* use **culto/a.**

B. Intercambios En parejas, mencionen las palabras de la lista de vocabulario y otras más que Uds. asocien con las siguientes palabras. Comparen sus respuestas con las del resto de la clase.

MODELO: el ama de casa →
educar, la educación, la responsabilidad, la tradición

1. el puesto　　　　**3.** la socialización　　　　**5.** la meta

2. el juguete　　　　**4.** la custodia

C. Ensalada de palabras Relacione las siguientes personas con una(s) de las palabras del cuadro. Luego, justifique sus respuestas. ¿Cuáles de estas asociaciones reflejan estereotipos? Explique.

1. una mujer　　　　　　　　　　**3.** un hombre

2. una muchacha　　　　　　　　**4.** un muchacho

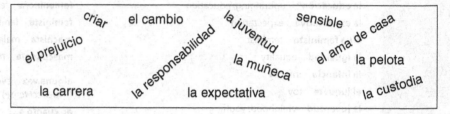

criar　el cambio　la juventud　sensible

el prejuicio　la responsabilidad　la muñeca　el ama de casa　la pelota

la carrera　la expectativa　la custodia

D. Comparaciones

Paso 1. En su opinión, ¿hay más igualdad entre los sexos hoy en día de lo que había en 1920? Considere los siguientes contextos con respecto a ambos sexos para explicar su respuesta. Luego, comparta su respuesta con la clase.

1. los papeles (responsabilidades, deberes) que tienen en la sociedad

2. la situación económica (participación en las distintas carreras, sueldos)

3. la participación política

Paso 2. Conteste las preguntas.

1. En general, ¿qué aspecto(s) de los cambios entre los sexos desde 1920 considera Ud. positivo(s)?

2. ¿Hay algunos que le parezcan negativos? Explique.

3. ¿Qué otros cambios se van a producir entre este año y el año 2020 en cuanto a las actividades de ambos sexos?

E. Los papeles

Paso 1. Contesten las preguntas sobre la tira cómica.

¿Dónde está esta mujer? ¿Por qué está barriendo (*sweeping*)? ¿Qué contradicción hay entre lo que acaba de hacer y lo que está haciendo en el dibujo? ¿Qué estereotipo(s) contradice o ridiculiza este dibujo? Expliquen.

Paso 2. Ahora, contesten las preguntas sobre los papeles de la mujer y del hombre en su comunidad y sociedad.

1. ¿Cuál es el papel de la mujer en su comunidad o grupo? ¿y el papel del hombre?

2. En general, ¿tiene la mujer el papel de líder en nuestra sociedad?

3. ¿Tiene el hombre la libertad suficiente para manifestar su sensibilidad? ¿para dedicarse a los quehaceres domésticos?

UNA MUJER EN LA CIMA DEL EVEREST

GRAMÁTICA

23 Present Perfect Indicative

LearnSmart

Visit **www.connectspanish.com** to practice the vocabulary and grammar points covered in this chapter.

Both Spanish and English have simple and compound verb forms. A simple form has only one part: the verb with its appropriate ending (*I spoke*, **hablé**). A compound form has two parts: an auxiliary verb plus a participle of the main verb (*I have spoken*, **he hablado**). The auxiliary verb used with English perfect forms is *to have*; **haber** is the auxiliary verb used with Spanish perfect forms.

Hemos **alcanzado** nuestras metas.	*We have achieved our goals.*
Nunca ha **visto** un fantasma.	*He has never seen a ghost.**

Haber is conjugated to show person/number, tense, and mood. The present perfect indicative (**el presente perfecto de indicativo**) uses the present indicative of **haber.** Other perfect forms use other tenses and moods of **haber.** The form of the past participle does not change. Here are the present indicative forms of **haber.**

he	hemos
has	habéis
ha	han

The present perfect expresses an action completed in the past; however the present perfect's time frame is open-ended and *usually* not defined by any implied or specified time limit in the past. In contrast, the preterite's time frame is *always* closed and defined by an implied or specified time limit. Thus, the present perfect's scope can start at an unspecified time in the past and span up to—and even include—the present. Compare the following sentences.

¿**Ha encontrado** Ud. el prejuicio en su trabajo alguna vez?	*Have you ever encountered prejudice in your job?* (open, unspecified time frame in the past, up to and including the present)
¿**Encontró** Ud. mucho prejuicio en su trabajo el año pasado?	*Did you encounter much prejudice in your job last year?* (closed, defined time frame in the past; no reference to the present)

This lack of specificity in the present perfect's scope means it is often accompanied by such adverbs or adverbial expressions as: **alguna vez, en estos días recientemente, siempre, todavía no, últimamente, ya.**

¿Recuerda Ud.?

Remember that the past participle is formed by adding **-ado** to the stem of **-ar** verbs and **-ido** to the stem of **-er** and **-ir** verbs.

amar → amado
comer → comido
salir → salido

For more information on the formation of past participles, as well as a list of the most common irregular forms, see **Capítulo 1,** page 15.

Nota comunicativa

The use of the present perfect versus the preterite varies widely from country to country, and even from region to region within a country. For example, in some parts of Spain, the present perfect is often used instead of the preterite, whereas in other parts of Spain, the opposite is true.

---

*Unlike English, Spanish never inserts another word between the auxiliary verb and the past participle.

Práctica   Use los verbos entre paréntesis para formar oraciones en el presente perfecto de indicativo. Recuerde que es necesario usar una forma del verbo **haber** más el participio pasado del verbo.

MODELO: Nunca en mi vida (*yo: jugar*) al fútbol. →
Nunca en mi vida he jugado al fútbol.

1. La mujer moderna (*aprender*) a desempeñar muchos papeles en su familia.
2. (*Tú: Educar*) muy bien a tus hijos.
3. (*Yo: Obtener*) la custodia de mis hijos por fin.
4. ¿(*Aspirar*) Uds. a aprender un idioma extranjero alguna vez?
5. (*Nosotros: Cumplir*) con muchas responsabilidades últimamente.
6. Se (*se pasivo: abrir*) muchos puestos en esa compañía recientemente.
7. ¿Qué (*tú: hacer*) en estos días?

AUTOPRUEBA   Complete los siguientes diálogos con la forma apropiada del presente perfecto del verbo entre paréntesis.

1. ROBERTO: Ángel, ¿jamás (*estudiar*) toda la noche sin dormirte?
   ÁNGEL: No, nunca (*poder*) estudiar toda la noche.
2. ELENA: ¿Le (*dar*) Uds. un beso alguna vez a un chico?
   ANA: Pues, yo no. ¡Pero Rosa (*besar*) a Andrés dos veces!
3. POLICÍA: ¿No (*observar*) Ud. a alguien salir de este edificio recientemente?
   SR. RÍOS: Señor, ¡en los últimos cinco minutos tres personas (*salir*) de aquí!
4. EMILIO: ¿(*Ver*) Alejandro y tú la nueva película de Almodóvar?
   GLORIA: No, no (*ir*) al cine últimamente. ¿Quieres acompañarnos esta noche?
5. ALFREDO: Marcos, ¿ya (*encontrar*) un regalo para el cumpleaños de tu mamá?
   MARCOS: Sí, Jorge y yo le (*hacer*) un pastel.

Conversación

A. Intercambios

Paso 1. Imagínense que una persona busca trabajo como periodista para el periódico universitario. En parejas, preparen una lista de preguntas para entrevistarla. Usen las siguientes actividades como guía y agreguen por lo menos tres preguntas más. Traten de usar el presente perfecto cuando el contexto lo permita.

aspirar a   ganar $_____ en el puesto anterior
dejar el puesto anterior   tener experiencia
estudiar   trabajar

Paso 2. Cuando hayan completado su lista de preguntas, úsenla para entrevistarle a otro compañero / otra compañera de clase.

B. Intercambios

Paso 1. ¿Cómo ha sido su experiencia universitaria hasta ahora? En parejas, háganse y contesten las preguntas con la forma apropiada del presente perfecto de indicativo. También añadan otra información para que sus respuestas sean más completas. Después, comparen sus experiencias con las de las otras parejas.

1. ¿asistir a un evento deportivo?
2. ¿participar en alguna actividad política?
3. ¿inventar una excusa para no ir a clase?
4. ¿tener un encuentro con la policía?
5. ¿gastar una broma pesada (*practical joke*)?
6. ¿trasnochar (to "*stay up all night*")?
7. ¿enamorarse?
8. ¿dormirse en una clase?
9. ¿escribir un diario (*diary; journal*)?
10. ¿ir de compras para escaparse de los estudios?
11. ¿pasar toda la noche escuchando/aconsejando a un amigo / una amiga que tenía algún problema?
12. ¿?

Paso 2. ¿Qué revelan los resultados? ¿Es verdad que la experiencia de ser estudiante es bastante homogénea? ¿Han notado algunas diferencias entre la experiencia femenina y la masculina? Comenten.

C. ¿Hombre o mujer?

Paso 1. Muchas ideas sobre lo que es «típicamente» masculino o femenino han cambiado a través del tiempo. Por ejemplo, tradicionalmente, llorar en público se ha considerado poco masculino. ¿Qué opina Ud.? ¿Ha cambiado esta idea hoy en día? ¿En qué circunstancias es aceptable que un hombre llore?

Paso 2. Ahora, indique si en el pasado las siguientes actividades se consideraban «terreno» exclusivo de los hombres (**H**), de las mujeres (**M**) o si se consideraban aceptables para ambos sexos (**A**).

	H	M	A
1. llevar pantalones	☐	☑	☑
2. especializarse en ciencias	☐	☐	☑
3. teñirse (*to dye*) el cabello	☑	☐	☐
4. besarse en la mejilla entre personas del mismo sexo	☑	☐	☐
5. hablar de temas románticos	☑	☐	☐
6. estudiar una carrera en educación	☐	☐	☑
7. mirarse al espejo	☐	☐	☑

Paso 3. En los últimos años, ¿han cambiado algunas de estas ideas o siguen siendo iguales? Si ha habido cambios, ¿han sido positivos o negativos? Dé su opinión e indique las razones por las cuales es posible que hayan ocurrido (*have occurred*) estos cambios. Use el modelo como guía.

MODELO: llevar pantalones →

Tradicionalmente los pantalones han sido usados exclusivamente por los hombres, pero hoy en día las mujeres los llevan también. La costumbre ha cambiado porque las mujeres se han dado cuenta que es más cómodo y práctico llevar pantalones que llevar falda. Yo creo que este cambio ha sido positivo porque les ha dado a las mujeres más libertad de movimiento para trabajar, hacer ejercicio, etcétera.

Present Perfect Subjunctive

The present perfect subjunctive (**el presente perfecto de subjuntivo**) is formed with the present subjunctive of **haber** plus the past participle. Here are the present subjunctive forms of **haber**.

haya	hayamos
hayas	hayáis
haya	hayan

The cues for the choice of the perfect forms of the subjunctive are the same as those for the simple forms of the subjunctive; the difference is only in the time reference. The *present subjunctive* always refers to an action that occurs at the same time or at a future time with respect to the main verb; the *present perfect subjunctive* refers to an action that has occurred before the main verb.*

Cue	El presente (Present, Future)	El presente perfecto (Past)
la duda	No creo que el padre **gane** la custodia. *I don't believe that the father is winning (will win) custody.* Dudo que **sean** buenos padres. *I doubt that they are (will be) good parents.*	No creo que el padre haya ganado la custodia. *I don't believe that the father has won (won) custody.* Dudo que hayan sido buenos padres. *I doubt that they have been (were) good parents.*
la emoción	Es una lástima que muchos jóvenes no **tengan** metas más altas. *It is a shame that many young people do not (will not) have higher goals.* Me pone furioso que no nos **ayude.** *It makes me furious that she does not (will not) help us.*	Es una lástima que Ud. no haya tenido metas más altas. *It is a shame that you have not had (did not have) higher goals.* Me pone furioso que no nos haya ayudado. *It makes me furious that she has not helped (did not help) us.*

Práctica Dé oraciones nuevas, según las palabras entre paréntesis.

La sociedad actual es menos sexista que antes, pero...

1. es triste que (*nosotros*) no *hayamos* hecho más cambios. (el gobierno, tú, Uds., yo)
2. dudo que la sociedad haya *combatido el sexismo*. (acabar con la discriminación, eliminar los estereotipos, resolver todos los problemas, ver las dimensiones del problema)
3. *es bueno* que el gobierno haya escrito nuevas leyes. (es importante, es natural, me gusta, no creo)

---

*Expressions of persuasion generally imply that the subordinate action will occur at some point in the future. For this reason, the use of the present perfect subjunctive, which expresses a completed action, is infrequent after these constructions.

AUTOPRUEBA La familia Ferrero va a comer a un restaurante, pero allí tienen una experiencia muy desagradable. Complete las siguientes oraciones con el presente perfecto de subjuntivo de los verbos entre paréntesis.

1. (*Al principio*) Luisa no está contenta que toda la familia (*esperar*) tanto tiempo para llegar a una mesa y sentarse.

2. (*Después*) Eduardo está furioso que el mesero ya (*demorar*) 10 minutos en darles la carta.

3. A nadie le gusta que los empleados no (*limpiar*) la mesa todavía.

4. (*Cuando llega la comida*) A Marielena le enfada que el mesero le (*dar*) una carne que está medio cruda (*raw*) todavía.

5. A Juan Carlos le disgusta que se le (*servir*) el pollo en vez del rosbif que pidió.

6. (*Después del plato principal*) Pedro está enfadado que su helado ya (*derretirse* [*to melt*]) cuando el mesero se lo sirve.

7. Luisa no cree que ya (*acabarse* [*to run out*]) todo el café como dice el mesero.

8. (*Después de que la familia se va*) El mesero está furioso que los Ferrero no le (*dejar*) ninguna propina.

Conversación

A. En el futuro

Paso 1. Complete las siguientes oraciones con la forma apropiada del presente perfecto —de indicativo o de subjuntivo, según el contexto— del verbo *en letra cursiva azul*.

1. Es necesario que en el futuro las universidades *ofrezcan* esas becas (*scholarships*) a mujeres también; no creo que lo _____ en el pasado. *haya ofrecido*

2. Es importante que en el futuro las niñas *tengan* buenos ejemplos a imitar; es triste que no los _____ así en el pasado. *hayan tenido*

3. No quiero que *exista* discriminación en el futuro aunque todos sabemos que _____ en el pasado. *hayamos existido*

4. Es bueno que ahora los hombres *estén* más liberados emocionalmente; dudo que lo _____ en el pasado. *haya estado*

Paso 2. Siga completando oraciones, usando el mismo verbo u otro que tenga sentido dentro del contexto.

1. Es necesario que las mujeres aprendan a ser más independientes; es una lástima que en el pasado. *no hayan aprendido*

2. Es importante que entendamos ahora los efectos del sexismo; (no) creo que en el pasado... *hemos entendido*

Tanto en inglés como en español,
hay casos en los que la misma
palabra puede cambiar de
sentido si se refiere a un hombre
o a una mujer. Por ejemplo,
«un hombre público» alude a
alguien conocido en el mundo
político, mientras que «una
mujer pública» es una prostituta.
Estudie los siguientes pares de
expresiones y explique, en
español, la diferencia que resulta
del cambio de sexo.

1. *master/mistress*
2. *bachelor/spinster*
3. *mothering/fathering*

¿Conoce Ud. otras expresiones o
palabras que cambien de significado de esta manera?

B. ¿Qué opina Ud.? Dé su opinión sobre las siguientes afirmaciones. Utilice las expresiones que se sugieren en cada caso u otras que Ud. considere apropiadas. Use la forma apropiada del presente perfecto de indicativo o de subjuntivo, según el contexto.

MODELO: La publicidad ha ayudado a combatir los estereotipos sexuales.

   a. No creo que…   **b.** Es bueno que…   **c.** Es claro que… →

   No creo que la publicidad haya ayudado a combatir los estereotipos sexuales. De hecho (*In fact*), es claro que los ha fomentado.

1. En los últimos años, se ha cambiado la imagen del hombre ideal presentada en la televisión y el cine.
   a. Dudo que…   **b.** Es evidente que…   **c.** Me alegra que…

2. La imagen del hombre violento al estilo de «Rambo» ha predominado en las películas de Hollywood.
   a. No creo que…   **b.** Es cierto que…   **c.** Es triste que…

3. Últimamente se han impuesto modelos de hombres menos violentos.
   a. Es posible que…   **b.** Es verdad que…   **c.** ¡Qué lástima que… !

4. El papel de líder tradicionalmente ha sido reservado para los personajes masculinos.
   a. Es probable que…   **b.** Es seguro que…   **c.** Es lógico que…

5. Los personajes femeninos, en cambio, han desempeñado un papel pasivo.
   a. Tal vez…   **b.** Es absurdo que…   **c.** Me enoja que…

6. También se han hecho algunos programas y películas en los que las mujeres han sido fuertes e independientes.
   a. Es dudoso que…   **b.** Sé que…   **c.** ¡Qué maravilloso que… !

C. Guiones ¿Qué han hecho? En grupos de tres, describan los dibujos con una forma apropiada del presente perfecto de indicativo o de subjuntivo. En su descripción, identifiquen a cada persona, describan la situación o el contexto general y especulen sobre lo que va a pasar después.

Vocabulario **útil**

atrapar	to catch
dejar plantado/a	to stand someone up
el carnicero	
el cristal	
la cuenta	
la pelota	

MODELO:

→ Lisa es una estudiante universitaria que ha pasado toda la semana escribiendo una composición para la clase de español. Hoy por fin la ha terminado y está muy contenta que todo le haya salido tal como esperaba. ¡Qué bien que se haya levantado temprano, porque ahora puede salir a divertirse!

1.

2.

3.

4.

D. Intercambios

Paso 1. ¿Creen Uds. que la imagen tanto del hombre ideal como de la mujer ideal ha evolucionado en el cine y en la televisión?

■ En parejas, hagan una lista de algunos personajes masculinos y femeninos representativos. Incluyan en su lista algunos personajes actuales y también algunos no muy recientes, es decir, de hace diez años o más.

■ Luego, analicen su lista. ¿Qué tipos o categorías generales pueden identificar? (Por ejemplo, la mujer «fuerte» o el hombre «suave».)

■ ¿Qué características o valores representa cada tipo o categoría?

Paso 2. Comparen su lista y análisis con los de otras parejas. ¿Qué notan Uds. en cuanto a los valores representados por estos personajes? ¿Qué características o valores han predominado? ¿Cuáles han cambiado a través del tiempo? ¿Les parecen positivos o negativos estos cambios? Expliquen.

25 Uses of the Subjunctive: Adjective Clauses

A clause that describes a preceding noun is called an adjective clause (**una cláusula adjetival**).

Leí un libro **que trata la igualdad entre los sexos.**	*I read a book that deals with equality of the sexes.*

Here **que trata la igualdad entre los sexos** is an adjective clause that describes the noun **libro.** Adjective clauses are generally introduced by **que,** or when they modify a place, they can be introduced by either **que** or **donde.**

Busco una librería que **venda** literatura feminista.	*I'm looking for a bookstore that sells feminist literature.*
Busco una librería donde **vendan literatura feminista.**	*I'm looking for a bookstore where they sell feminist literature.*

There are two general rules that determine whether to use the subjunctive or the indicative with adjective clauses.

1. When an adjective clause describes something about which the speaker has knowledge (something specific or that the speaker knows exists), the indicative is used.

La informática es **una carrera que** paga **bien.**	*Computer science is a career that pays well.*

This sentence indicates that the speaker knows that working with computers pays well—it is part of the speaker's objective reality.

2. When an adjective clause describes something with which the speaker has had no previous experience or something that may not exist at all, the subjunctive is used.

Me interesa **una carrera que** pague **bien.**	*I'm interested in a career that pays well.*

This sentence indicates that the speaker is interested in a career—any career—that pays well. Such a career is part of the unknown; at worst, it may not even exist.

Nota comunicativa

Note that the use of the subjunctive in an adjective clause meets both of the necessary conditions for the use of the subjunctive in general. First, there is a *subordinate clause* in the structure of the sentence. *Second,* the *meaning* expressed in the main clause is of a particular type. In this case, it concerns what is unknown to the speaker.

Note the contrast between the indicative and the subjunctive in the following sentences.

Known or Experienced Reality: Indicative	Unknown or Hypothetical: Subjunctive
Necesito **el libro que trat**a el problema de la sobrepoblación. *I need the book* (a specific one I know exists) *that deals with the problem of overpopulation.*	Necesito **un libro que trat**e el problema de la sobrepoblación. *I need a book* (does it exist?) *that deals with the problem of overpopulation.*
Tengo **un libro que trat**a el problema de la sobrepoblación. *I have a book* (and therefore have direct knowledge of it) *that deals with the problem of overpopulation.*	
Busco a la mujer que **es** médica. *I'm looking for the woman* (I know this specific woman exists) *who is a doctor.*	Busco una mujer que **sea** médica. *I'm looking for a woman* (I don't know if such a person exists) *who is a doctor.*
Hay alguien aquí que **sabe** cambiarle el pañal al bebé. *There is someone here* (this person exists) *who knows how to change the baby's diaper.*	¿Hay alguien aquí que **sepa** cambiarle el pañal al bebé? *Is there anyone here* (does such a person exist?) *who knows how to change the baby's diaper?*
Conozco a una mujer que **quie**re ser química. *I know a woman* (she exists, is a specific person) *who wants to be a chemist.*	No conozco a nadie que **quie**ra ser químico. *I don't know anyone* (there is no person within my experience) *who wants to be a chemist.*

It is the meaning of the main clause—and not the use of any particular word—that signals the choice of mood. Regardless of the way a particular sentence is phrased, the subjunctive is used in the subordinate clause whenever the main clause indicates that the person or thing mentioned is outside the speaker's knowledge or experience.

Not only does meaning signal the choice of mood for the speaker, but the speaker's choice of mood *conveys information* to the listener, who is unaware of the speaker's knowledge or experience. Compare the following sentences. What information do they convey to the listener?

Voy a mudarme a **un apartamento** que tenga tres baños.
Voy a mudarme a **un apartamento** que tiene tres baños.
} *I'm going to move to an apartment that has three bathrooms.*

In the first example, the speaker is unsure whether such an apartment exists; in any case, he or she hasn't found it yet, so his or her move is still in doubt. In the second example, the indicative conveys certainty. The speaker is going to move to a specific, already-selected apartment.

Práctica Dé la forma correcta —presente de indicativo o de subjuntivo— de los infinitivos entre paréntesis.

1. ¿Ha conocido Ud. a alguien que (buscar) *busque* un cambio en su carrera?
2. Hay algunos hombres que (considerarse) *se consideran* feministas, pero creo que no hay ninguna mujer que (considerarse) *se considere* machista.
3. ¿Has oído hablar de algún puesto que (pagar) *pague* bien y (ofrecer) *ofrezca* un mes de vacaciones al año?
4. Sí, ya tengo un puesto que me (pagar) *paga* bien y me (dar) *da dos* meses de vacaciones.
5. ¿Ha conocido Ud. a esa mujer que (estar) *esté* en la esquina?
6. Muchos queremos una sociedad en la cual (existir) *exista* la igualdad entre los sexos.
7. Hoy en día hay menos mujeres que (preferir) *prefieren* ser solamente ama de casa.
8. Todo el mundo debe dedicarse a buscar una medicina que (curar) *cure* el cáncer; es una enfermedad que ya (haber) *ha* durado demasiado (*lasted too long*).

AUTOPRUEBA Complete las siguientes oraciones con la forma apropiada del presente de indicativo o de subjuntivo de los infinitivos entre paréntesis, según el contexto.

1. Ofelia busca un nuevo puesto que (pagar) *pague* mejor que su empleo actual.
2. No conozco a nadie que (haber) *haya* viajado a China.
3. Alfredo ha encontrado una casa magnífica que (dar) *da* al mar y que (tener) *tiene* una piscina enorme.
4. Queremos una sociedad en la que (haber) *haya* paz e igualdad para todos.
5. Busco una computadora que (costar) *cueste* menos de $500 y que (ser) *sea* más potente que la que tengo ahora.
6. Mis padres acaban de comprar un coche que no (usar) *usa* mucha gasolina.
7. Prefiero inscribirme en los cursos que me (interesar) *interese*.
8. Samuel quiere vivir en una región que (estar) *esté* libre de la contaminación ambiental.

Conversación

A. Una sociedad ideal Complete las siguientes oraciones con la forma apropiada del subjuntivo del verbo entre paréntesis. Luego, póngalas en el orden que mejor represente la importancia que cada una tiene para Ud. Finalmente, añada dos o tres características más que también sean importantes para Ud.

Quiero vivir en una sociedad que...

___2___ no (permitir) *permita* ningún tipo de discriminación.
___5___ (dar) *dé* trabajo a todos los que quieren trabajar.
___6___ (ofrecerles) *les ofrezca* seguridad económica a los que no pueden trabajar.
___4___ (estar) *esté* libre del crimen y de la violencia.
___3___ (haber) *haya* eliminado la pobreza.
___1___ (proteger) *proteja* la libertad individual de todos sus miembros.

B. Las preferencias Termine las siguientes oraciones con cláusulas adjetivales que describan detalladamente sus preferencias. Utilice por lo menos dos verbos en cada caso. Luego, contraste sus opiniones con las de sus compañeros de clase.

1. Prefiero los coches que…
   a. no (gastar) mucha gasolina.
   b. (ser) seguros (rápidos, económicos, modernos, deportivos, ¿ ?).
   c. (haber) sido fabricados en este país (en Europa, en Japón, ¿ ?).
   d. ¿ ?

2. Voy a elegir una carrera que…
   a. (estar) relacionada con las ciencias (las humanidades, los deportes, el arte, ¿ ?).
   b. (ofrecerme) la oportunidad de viajar (ayudar a otras personas, inventar cosas, ¿ ?).
   c. (hacerme) rico/a.
   d. ¿ ?

3. Busco profesores que…
   a. siempre (dar) buenas notas.
   b. (no) (ser) interesantes (aburridos, exigentes, ¿ ?).
   c. (promover) la participación de los estudiantes.
   d. ¿ ?

C. Guiones Usando las frases, describa las situaciones que se presentan en los siguientes dibujos. En su descripción, identifique a los individuos, explique lo que necesitan o lo que buscan e indique por qué.

1. 2. 3. 4.

1. hacer una caminata (*to go for a hike*) / haber perdido el camino / buscar abrigo (*shelter*) / poder descansar / el perro, traerles alcohol / el mapa, indicarles la ruta

2. el motor, haberse descompuesto (*broken down*) / la grúa (*tow truck*), llevar el coche / el garaje, estar cerca / el mecánico, saber reparar coches importados

3. una pareja profesional, demasiado trabajo / la criada, llevarse bien con los niños / venir a la casa / ayudar con los quehaceres domésticos / ser responsable / no pedir mucho dinero

4. la tienda de juguetes / buscar juguetes / no reforzar estereotipos / no enseñar la violencia / estimular la creatividad / servir para niños y niñas

UN POCO DE TODO

¡OJO!

	Examples	Notes
tener éxito **lograr** **suceder**	Viqui siempre **tiene éxito** en las competiciones. *Viqui is always successful in competitions.* Julio nunca **logra** bajar de peso. *Julio never manages to lose (never succeeds in losing) weight.* Los maestros esperan **lograr** un aumento de sueldo. *The teachers hope to obtain a salary increase.* No saben qué va a **suceder.** *They don't know what is going to happen.* Chrétien **sucedió** a Campbell como primer ministro del Canadá. *Chrétien succeeded Campbell as prime minister of Canada.*	**Tener éxito** means *to be successful* (*in a particular field or activity*); it emphasizes the condition of being successful. **Lograr** means *to succeed* (*in doing something*) or *to obtain or achieve a goal*; it emphasizes the action of achieving that goal. It can also mean *to manage to* (*do something*). **Suceder** means *to occur, happen* or *to follow in succession.*
asistir a **atender (atiendo)** **ayudar**	Pablo **asistió a** la reunión. *Pablo attended the meeting.* El jefe va a **atender** a los clientes. *The boss is going to take care of the clients.* Nos **ayudaron** mucho. *They assisted (helped) us a great deal.*	**Asistir** is a false cognate. Its primary meaning is *to attend* (*a function*) or *to be present* (*at a class, a meeting, a play, and so on*). **Asistir** is always followed by the preposition **a.** *To attend* meaning *to take into account, to take care of,* or *to wait on* is expressed with **atender.** *To assist* is expressed with **ayudar.**
ponerse **volverse (me vuelvo)** **llegar (gu) a ser** **hacerse** *(continúa)*	**Se** van a **poner** furiosos. *They're going to get (become) angry.* ¿Por qué **te has puesto** colorado? *Why have you turned red?* **Se volvió** loca. *She went (became) crazy.* **Se está volviendo** sordo. *He is going deaf.*	English *to become* has several equivalents in Spanish. Both **ponerse** and **volverse** indicate a change in physical or emotional state. **Ponerse** can be followed only by an adjective. **Volverse** signals a dramatic, often irreversible, change.

Examples	Notes

ponerse
volverse (me vuelvo)
llegar (gu) a ser
hacerse

Con el tiempo, Elvis Presley **llegó a ser** un símbolo nacional en los Estados Unidos. *With (the passing of) time, Elvis Presley became a national symbol in the United States.*

Se hizo médica después de muchos sacrificios. *She became a doctor after much sacrifice.*

La situación **se hizo (se puso)** difícil. *The situation became difficult.*

Nuestra relación **se ha vuelto (se ha hecho)** un problema constante. *Our relationship has become a constant problem.*

Llegar a ser and **hacerse** are used when *to become* conveys the meaning of *to get to be*—that is, a gradual change over a period of time. They can be followed by either nouns or adjectives. **Hacerse** usually implies a conscious effort on the part of the subject, whereas **llegar a ser** may describe an effortless change.

Hacerse and **volverse** can express *to become* with reference to general situations. **Ponerse** can also be used in this manner, but again it can be followed only by adjectives.

A. Volviendo al dibujo Elija la mejor opción en cada contexto. **¡OJO!** También hay palabras de los capítulos anteriores.

Luis, Julia y José han salido a jugar al parque. Mientras juegan, sueñan (con/de/en)[1] el futuro. Los tres tienen aspiraciones muy altas. Julia piensa (asistir/atender)[2] a la universidad y (hacerse/ponerse)[3] jueza. Luis, que siempre ha (sucedido / tenido éxito)[4] en los deportes, quiere (llegar a ser / ponerse)[5] un famoso jugador de fútbol americano. En cuanto a José, a quien le (cuida/importa)[6] mucho el dinero, su mayor aspiración es (hacerse/ponerse)[7] rico. Él piensa (moverse/mudarse)[8] a una gran ciudad y (funcionar/trabajar)[9] en una empresa multinacional. Aunque tienen intereses distintos, los tres han sido amigos (cercanos/íntimos)[10] por varios años y se (asisten/ayudan)[11] mutuamente. ¡Ojalá (logren/sucedan)[12] sus metas!

Entre juegos y sueños, (el tiempo / la vez)[13] ha pasado y deben (devolver/regresar)[14] a casa. ¡Qué tarde es! ¡Sus padres se van a (poner/volver)[15] furiosos!

B. Entre todos

■ ¿Cuáles son sus aspiraciones? ¿llegar a ganar mucho dinero? ¿ejercer una profesión? ¿tener éxito en el arte, los deportes, los negocios?

■ ¿Qué pasos debe Ud. seguir para lograr sus metas? ¿Piensa asistir a una escuela profesional o de posgrado? ¿Qué cualidades o circunstancias pueden ayudarlo/la? ¿Es posible que la circunstancia de ser hombre o mujer lo/la ayude? ¿O será (*will be*) un obstáculo?

■ ¿Qué metas ha logrado Ud. ya? ¿Qué actitudes o circunstancias lo/la han ayudado a lograrlas? ¿Es posible que el sexo a que pertenece haya tenido alguna influencia en sus aspiraciones y logros (*achievements*)? Explique.

C. La historia de un ex novio (Parte 2)* Lea el siguiente párrafo y dé la forma apropiada de los verbos entre paréntesis, usando el imperfecto o el pretérito.

I looked up (levantar la cabeza)[1] and saw (ver)[2] Hector running toward me. His face was (estar)[3] red and angry, but I wasn't thinking about that (pensar en eso).[4] I knew (saber)[5] that I could (poder)[6] outrun him. "Take that, you rat!" I yelled (gritar),[7] and I took off (salir corriendo)[8] down the street in the opposite direction.

---

*The first part of this story can be found in **Capítulo 3, Práctica** on page 90.

"I guess I showed him!" I was thinking (pensar)[9] when I arrived home (llegar a casa).[10] When I opened (abrir)[11] the door, my mother was coming out (salir)[12] of the kitchen. "Where have you been?" she asked me (preguntarme).[13] "Oh, down by Jane's house." I answered (responder)[14] casually. "She's the new girl at school." My mother smiled (sonreír)[15] and then explained (explicar)[16] that Jane's family was coming (venir)[17] to our house for dinner that evening and that she was happy (gustarle)[18] that Jane and I were already friends. I tried (Querer)[19] to think of an excuse to get out of dinner: I had (tener)[20] an exam, I said (decir),[21] and needed (necesitar)[22] to study. But my mother already knew (conocer)[23] that excuse, so it couldn't (poder)[24] convince her. Finally, I told her (decirle)[25] that Jane and I were not (no ser)[26] exactly the best of friends. "What were you doing (hacer)[27] down by her house this afternoon, then?" she wanted (querer)[28] to know. "We were agreeing (Ponernos de acuerdo)[29] to be enemies." My mother looked at me (mirarme)[30] strangely. "Perhaps this evening could be the turning point, then," she suggested (sugerir),[31] and she returned (volver)[32] to the kitchen. "But, Mom . . . !" I sputtered (balbucear).[33] It was no use (No haber remedio).[34] I would have to go through with it.

D. Guiones En grupos de tres o cuatro personas, narren en el tiempo presente lo que pasa en la siguiente serie de dibujos. En su narración, incluyan información sobre lo siguiente.

LA ACCIÓN:
¿Qué pasa? ¿Qué quiere el uno que el otro haga? ¿Por qué?
¿Qué le ha pasado?

EL DILEMA:
¿Qué descubre el hombre? ¿Cómo se lo explica a la mujer?
¿Cuál es la reacción de ella? ¿Duda que… ? ¿Se pone furiosa que… ?

SUS OPINIONES:
Expresen sus opiniones sobre lo que ocurre en cada escena.
Por ejemplo, ¿creen Uds. que la mujer ha hecho bien el trabajo? ¿Qué opinan del hecho de que el hombre no ha tenido dinero para pagarle? ¿Es natural que la mujer se haya puesto furiosa?

LA RESOLUCIÓN:
Inventen el final del cuento: ¿Qué va a pasar luego? ¿Le va a pedir la mujer al hombre que haga algo? ¿Qué le va a pedir el hombre a la mujer?

Vocabulario **útil**	
el camión	truck
una llanta (que está) desinflada	flat tire
la mecánica	mechanic

1.

2.

3.

4.

Lectura cultural *Las mujeres en el poder en Hispanoamérica*

El año 2007 marcó un punto definitivo en la política hispano-americana con la elección de dos mujeres presidentas: Cristina Fernández de Kirchner en la Argentina y Michelle Bachelet en Chile. En las elecciones peruanas, Lourdes Flores perdió por 0,5 por ciento. El Perú ya había tenido[a] anteriormente a una mujer como primera ministra, mientras que en Panamá una mujer subió a la presidencia en 1999.

El año 2010 vio la elección de Laura Chinchilla a la presidencia de Costa Rica, y en 2011 Fernández de Kirchner fue relegida en la Argentina. También en 2011, Dilma Rousseff fue la primera mujer para subir a la presidencia brasileña. Y a principios del año 2012, el partido político mexicano PAN anunció la candidatura de Josefina Vázquez Mota, la primera mujer propuesta como candidata para la presidencia de México.

Otro indicador de cambios en la política hispanoamericana es el aumento rápido del número de mujeres en las varias legislatu-ras. En 2007 había un 39 por ciento de mujeres representantes en las legislaturas de la Argentina y Costa Rica. En 2010, por primera vez en la historia, los líderes de las dos cámaras[b] de la legislatura de Uruguay son mujeres. También el número de mujeres en posicio-nes ministeriales en Hispanoamérica ha crecido más del 50 por ciento desde 1980. Así el número de mujeres en posiciones de po-der en Hispanoamérica ya ha superado[c] el de muchos países consi-derados más «desarrollados», como los Estados Unidos. ¿Cómo es que las mujeres de Hispanoamérica han alcanzado[d] tanto éxito en la política últimamente?

Hay varias razones que pueden explicar tal fenómeno. Primero, un alto nivel relativo de educación entre las mujeres en los países hispanoamericanos está ofreciéndoles a estas más oportunidades porque está suprimiendo las desigualdades entre los sexos causa-das por el diferente nivel de educación. Otra explicación tiene que ver con los efectos de la globalización y la revolución en las comu-nicaciones. Como resultado, las mujeres ya están al corriente de lo que pasa en el resto del mundo y ha habido un rápido crecimiento de organizaciones, tanto internacionales como regionales y loca-les, para fomentar[e] los derechos de las mujeres.

Además, el hecho mismo de la democratización de Hispa-noamérica también ha contribuido mucho a abrirle el paso a la mujer en la política. Durante los gobiernos autoritarios de las déca-das de los años 60 y 70, las oportunidades para las mujeres en el campo de la política eran extremadamente limitadas y tampoco tenían mucha voz en ese campo. Con las oportunidades de votar y organizarse mejor en las últimas décadas, no es extraño que las mujeres hayan logrado una porción de control político. Pero quizás las razones más poderosas provengan[f] de los gobiernos mismos: entre los años 1985 y 1997, todos los países de Hispanoamérica con excepción de Colombia y Panamá han creado comisiones parla-mentarias para asuntos[g] de mujeres. Además de estas instituciones, un sistema de cuotas en la mayoría de los países hispanoamericanos

Cristina Fernández de Kirchner

ha causado un aumento drástico en el número de mujeres cuyos nombres aparecen en las planillas electorales[h] y como consecuencia. un aumento drástico en el número de mujeres elegidas.

En fin, parece que la escasa participación de las mujeres en la política de Hispanoamérica está cambiando con beneficios para todos. Falta ver si los Estados Unidos y otros países que se consideran más «desarrollados» adelantan tanto como nuestros vecinos del sur.

[a]había... *had had* [b]*legislative houses* [c]ha... *has exceeded*
[d]han... *have achieved* [e]*promote* [f]*arise* [g]*issues* [h]planillas...
electoral slates

Comprensión y expansión

Conteste las siguientes preguntas según la lectura.

1. ¿Cómo se llaman y de dónde son las mujeres mencionadas que han subido a la presidencia? ¿Sabe Ud. de otros casos de mujeres que han subido a la presidencia de un país hispano?

2. ¿Por qué había una falta casi total de participación femenina en la política durante las décadas de los años 60 y 70?

3. ¿Qué han hecho los gobiernos de muchos países hispanos para fomentar la participación de la mujer en la política?

Del mundo hispano
Rosamunda

Aproximaciones al texto

Puntos de vista masculinos y femeninos

A knowledge of the literary and social conventions implicit in a text is a helpful tool for understanding the text. This is true for all kinds of texts, since even uncomplicated messages, such as those communicated in popular literature and in advertisements, require a great deal of cultural as well as linguistic knowledge to be understood.

The more one reads and becomes familiar with literary conventions, the easier it is to understand literary texts. Knowledge of literary conventions, however, does not necessarily imply only one interpretation of a text. Think of how many pages have been written on the character of Hamlet! An important reason for different interpretations is that each reader brings his or her personal experiences and perceptions to the text.

In recent years attention has focused on the differences between readers, and in particular, between male and female readers. Men and women appear to react to texts in different ways, whether for biological or sociohistorical reasons. Texts that are generally popular with one sex are often disliked by the other. And certain experiences that male writers and critics have presented as universal are limited to the male sphere of action, being either outside female experience or experienced negatively by women. For example, in James Joyce's *Portrait of the Artist as a Young Man,* the male protagonist contemplates a young woman on a beach and, through her sensuality and beauty, comes to a more profound understanding of beauty and of the universe in general. A male reader may well identify with this experience and incorporate Joyce's feelings and meaning, but a female reader may not respond in the same way; the presentation of female beauty as perceived by the male may be an alien experience for her.

¿Masculino o femenino? ¿Cuáles de los siguientes subgéneros cree Ud. que comúnmente se asocian más con el sexo femenino (**F**) y cuáles con el masculino (**M**)?

1. _____ novelas o películas de guerra
2. _____ novelas de ciencia ficción
3. _____ historias de amor
4. _____ novelas históricas
5. _____ comedias musicales
6. _____ novelas de espías
7. _____ melodramas
8. _____ películas de tipo «Indiana Jones»
9. _____ novelas rosa
10. _____ películas de tipo «Rambo»

aborrecer (aborrezco) to hate, abhor

amenazar (c) to threaten

atar to lace up

comprobar (*like* **probar**) to verify, ascertain

convidar to invite (*to a meal*)

dar pena to cause grief, pain

odiar to hate

salvar to save

el alrededor surroundings

el amanecer dawn

el asiento seat

el cansancio fatigue

el carnicero butcher

la cinta ribbon

el collar necklace

la lágrima tear

el lujo luxury

la mariposa butterfly

la naturaleza nature

la paliza beating

el pelo hair

el pendiente earring

la plata silver

asombrado/a astonished

borracho/a drunk

celoso/a jealous

desdichado/a unfortunate

estrafalario/a odd, strange

flaco/a skinny

necio/a foolish, stupid

soñador(a) dreamy

tosco/a rough, coarse

Connotaciones y dibujos

Paso 1. En parejas, indique las palabras de la lista que tienen las connotaciones indicadas. Luego, comparen sus conclusiones con las del resto de la clase.

1. connotaciones masculinas
2. connotaciones femeninas
3. connotaciones positivas
4. connotaciones negativas

Paso 2. Mire con atención los dibujos que acompañan el cuento «Rosamunda» y luego indique si las siguientes afirmaciones son ciertas (**C**) o falsas (**F**).

1. _____ La mujer del primer dibujo ha olvidado atarse los zapatos.
2. _____ En el segundo dibujo se comprueba que toda la familia de la mujer tiene interés en la historia que ella narra.
3. _____ En este mismo dibujo se ve que la mujer cuenta cómo unos hombres la convidaron a cenar.
4. _____ El hombre en este dibujo parece estar muy asombrado al oír la historia de la mujer.

NOTA: The following story is told in both the first and third person. The first-person narrative occurs in the dialogues between the two main characters, Rosamunda and a soldier, and also in their interior monologue (that is, their unspoken thoughts). The third-person narrative unfolds on two levels. The first is the voice of an objective and distant observer who, like a camera, simply records what can be seen. The second is the voice of an omniscient narrator who reveals the inner feelings of the two characters, thus communicating to the reader information that otherwise would not be known. The shifting back and forth from one level to another adds a variety of dimensions to the story and forces the reader to question the accuracy of the descriptions presented.

Nota literaria

el/la narrador(a) = la «voz» que relata la historia desde su propia perspectiva, una perspectiva omnisciente o de primera o tercera persona

SOBRE LA AUTORA

CARMEN LAFORET (1921–2004) es una novelista española. Su primera novela *Nada* (1944) es considerada como una de las primeras obras importantes escritas después de la Guerra Civil Española (1936–1939) que abrió el paso a una visión crítica de la España de la dictadura de Franco. Además de novelas, Laforet escribió libros de cuentos y narraciones sobre sus viajes por Europa y América.

Rosamunda

1   **ESTABA AMANECIENDO,[1] AL FIN.** El departamento de tercera clase olía[2] a cansancio, a tabaco y a botas de soldado. Ahora se salía de la noche como de un gran túnel y se podía ver a la gente acurrucada, dormidos hombres y mujeres en sus asientos duros. Era aquél un
5   incómodo vagón-tranvía,[3] con el pasillo atestado de cestas y maletas. Por las ventanillas se veía el campo y la raya plateada del mar.

Rosamunda se despertó. Todavía se hizo una ilusión placentera al ver la luz entre sus pestañas[4] semicerradas. Luego comprobó que su cabeza colgaba hacia atrás,[5] apoyada en el respaldo[6]
10   del asiento y que tenía la boca seca de llevarla abierta. Se rehizo, enderezándose.[7] Le dolía el cuello —su largo cuello marchito[8]—. Echó una mirada a su alrededor y se sintió aliviada al ver que dormían sus compañeros de viaje. Sintió ganas de estirar[9] las piernas entumecidas —el tren traqueteaba, pitaba[10]—. Salió con grandes
15   precauciones, para no despertar, para no molestar, «con pasos de hada[11]» — pensó—, hasta la plataforma.

El día era glorioso. Apenas[12] se notaba el frío del amanecer. Se veía el mar entre naranjos.[13] Ella se quedó como hipnotizada por el profundo verde de los árboles, por el claro horizonte de agua.

—«Los odiados, odiados naranjos… Las odiadas palmeras[14]… 20 El maravilloso mar…»

—¿Qué decía usted?

A su lado estaba un soldadillo. Un muchachito pálido. Parecía bien educado. Se parecía a[15] su hijo. A un hijo suyo que se había muerto. No al que vivía; al que vivía, no, de ninguna 25 manera.

—No sé si será[16] usted capaz de entenderme —dijo [ella], con cierta altivez[17]—. Estaba recordando unos versos[18] míos. Pero si usted quiere, no tengo inconveniente en recitar…

El muchacho estaba asombrado. Veía a una mujer ya mayor, 30 flaca, con profundas ojeras.[19] El cabello[20] oxigenado, el traje de color verde, muy viejo. Los pies calzados en unas viejas zapatillas de baile… , sí, unas asombrosas zapatillas de baile, color de plata, y en el pelo una cinta plateada también, atada con un lacito[21]… Hacía mucho que él la observaba. 35

—¿Qué decide usted? —preguntó Rosamunda, impaciente—. ¿Le gusta o no oír recitar?

—Sí, a mí…

SUR

[1]Estaba… *Day was breaking*   [2]*smelled*   [3]incómodo… *uncomfortable train car*   [4]*eyelashes*   [5]colgaba… *was hanging back*   [6]*back*   [7]*straightening up*   [8]*withered*   [9]*stretch*   [10]*whistled*   [11]*fairy*   [12]*Hardly, Scarcely*   [13]*orange trees*   [14]*palm trees*   [15]Se… *He resembled*   [16]*are likely to be*   [17]orgullo   [18]*lines of poetry*   [19]*bags under her eyes*   [20]pelo   [21]*little bow*

El muchacho no se reía porque le daba pena mirarla. Quizá más tarde se reiría.[22] Además, él tenía interés porque era joven, curioso. Había visto[23] pocas cosas en su vida y deseaba conocer más. Aquello era una aventura. Miró a Rosamunda y la vio soñadora. Entornaba[24] los ojos azules. Miraba al mar.

—¡Qué difícil es la vida!

Aquella mujer era asombrosa. Ahora había dicho esto con los ojos llenos de lágrimas.

—Si usted supiera,[25] joven… Si usted supiera lo que este amanecer significa para mí me disculparía.[26] Este correr hacia el Sur. Otra vez hacia el Sur… Otra vez a mi casa. Otra vez a sentir ese ahogo[27] de mi patio cerrado, de la incomprensión de mi esposo… No se sonría usted, hijo mío; usted no sabe nada de lo que puede ser la vida de una mujer como yo. Este tormento infinito… Usted dirá[28] que por qué le cuento todo esto, por qué tengo ganas de hacer confidencias, yo, que soy de naturaleza reservada… Pues, porque ahora mismo, al hablarle, me he dado cuenta de que tiene usted corazón y sentimiento y porque esto es mi confesión. Porque, después de usted, me espera, como quien dice,[29] la tumba… El no poder hablar ya a ningún ser humano…, a ningún ser humano que me entienda.

Se calló, cansada, quizá, por un momento. El tren corría, corría… el aire se iba haciendo cálido,[30] dorado. Amenazaba un día terrible de calor.

—Voy a empezar a usted mi historia, pues creo que le interesa… Sí. Figúrese[31] usted una joven rubia, de grandes ojos azules, una joven apasionada por el arte… De nombre, Rosamunda… Rosamunda ¿ha oído?… Digo que si ha oído mi nombre y qué le parece.

El soldado se ruborizó[32] ante el tono imperioso.

—Me parece bien… bien.

—Rosamunda… —continuó ella, un poco vacilante.

Su verdadero nombre era Felisa; pero, no se sabe por qué, lo aborrecía. En su interior siempre había sido Rosamunda, desde los tiempos de su adolescencia. Aquel Rosamunda se había convertido en la fórmula mágica que la salvaba de la estrechez de su casa, de la monotonía de sus horas; aquel Rosamunda convirtió al novio zafio y colorado[33] en un príncipe de leyenda. Rosamunda era para ella un nombre amado, de calidades exquisitas… Pero ¿para qué explicar al joven tantas cosas?

—Rosamunda tenía un gran talento dramático. Llegó a actuar con éxito brillante. Además, era poetisa. Tuvo ya cierta fama desde su juventud… Imagínese, casi una niña, halagada, mimada[34] por la vida y, de pronto, una catástrofe… El amor… ¿Le he dicho a usted que era ella famosa? Tenía 16 años apenas, pero la rodeaban por todas partes los admiradores. En uno de los recitales de poesía, vio al hombre que causó su ruina. A… A mi marido, pues Rosamunda, como usted comprenderá,[35] soy yo. Me casé sin saber lo que hacía, con un hombre brutal, sórdido y celoso. Me tuvo encerrada años y años. ¡Yo!… Aquella mariposa de oro que era yo… ¿Entiende?

(Sí, se había casado, si no a los 16 años, a los 23; pero ¡al fin y al cabo![36]… Y era verdad que le había conocido un día que recitó versos suyos en casa de una amiga. Él era carnicero. Pero, a este muchacho, ¿se le podían contar[37] las cosas así? Lo cierto era aquel sufrimiento suyo, de tantos años. No había podido ni recitar un solo verso, ni aludir a sus pasados éxitos —éxitos quizá inventados, ya que no se acordaba[38] bien; pero… —Su mismo hijo solía decir que se volvería[39] loca de pensar y llorar tanto. Era peor esto que las palizas y los gritos de él cuando llegaba borracho. No tuvo a nadie más que al hijo aquél, porque las hijas fueron descaradas[40] y necias, y se reían de ella, y el otro hijo, igual que su marido, había intentado hasta encerrarla.)

—Tuve un hijo único. Un solo hijo. ¿Se da cuenta?[41] Le puse[42] Florisel… Crecía delgadito, pálido, así como usted. Por eso quizá le cuento a usted estas cosas. Yo le contaba mi magnífica vida anterior. Sólo él sabía que conservaba un traje de gasa,[43] todos mis collares… Y él me escuchaba, me escuchaba… como usted ahora, embobado.[44]

Rosamunda sonrió. Sí, el joven la escuchaba absorto.

—Este hijo se me murió. Yo no lo pude resistir… Él era lo único que me ataba a aquella casa. Tuve un arranque,[45] cogí mis maletas y me volví a la gran ciudad de mi juventud y de mis éxitos… ¡Ay! He pasado unos días maravillosos y amargos. Fui acogida[46] con entusiasmo, aclamada de nuevo por el público, de nuevo adorada… ¿Comprende mi tragedia? Porque mi marido, al enterarse de[47] esto, empezó a escribirme cartas tristes y desgarradoras: no podía vivir sin mí. No puede, el pobre. Además es el padre de Florisel, y el recuerdo del hijo perdido estaba en el fondo[48] de todos mis triunfos, amargándome.

El muchacho veía animarse[49] por momentos a aquella figura flaca y estrafalaria que era la mujer. Habló mucho. Evocó un hotel fantástico, el lujo derrochado[50] en el teatro el día de su «reaparición»; evocó ovaciones delirantes y su propia figura, una figura de «sílfide[51] cansada», recibiéndolas.

[22]se… he would laugh [23]Había… He had seen [24]She half-closed [25](only) knew [26]you would forgive [27]opresión [28]probably wonder [29]como… as they say [30]se… was becoming hot [31]Imagínese [32]se… blushed [33]zafio… boorish and ruddy [34]halagada… flattered, spoiled [35]can probably guess [36]¡al… it's all the same! [37]se… could he be told [38]no… she didn't remember [39]se… she would go [40]impudent [41]¿Se… ¿Comprende? [42]Le… I named him [43]gauze, muslin [44]fascinado [45]fit [46]Fui… Me recibieron [47]enterarse… descubrir [48]background [49]veía… saw become enlivened [50]squandered [51]sylph, nymph

—Y, sin embargo, ahora vuelvo a mi deber… Repartí[52] mi fortuna entre los pobres y vuelvo al lado de mi marido como quien va a un sepulcro.

Rosamunda volvió a quedarse[53] triste. Sus pendientes eran largos, baratos; la brisa los hacía ondular… Se sintió desdichada, muy «gran dama»… Había olvidado aquellos terribles días sin pan en la ciudad grande. Las burlas de sus amistades ante su traje de gasa, sus abalorios[54] y sus proyectos fantásticos. Había olvidado aquel largo comedor con mesas de pino cepillado,[55] donde había comido[56] el pan de los pobres entre mendigos[57] de broncas toses.[58] Sus llantos,[59] su terror en el absoluto desamparo[60] de tantas horas en que hasta los insultos de su marido había echado de menos. Sus besos a aquella carta del marido en que, en su estilo tosco y autoritario a la vez,[61] recordando al hijo muerto, le pedía perdón y la perdonaba.

El soldado se quedó mirándola. ¡Qué tipo más raro, Dios mío! No cabía duda[62] de que estaba loca la pobre… Ahora [ella] le sonreía… Le faltaban dos dientes.

El tren se iba deteniendo[63] en una estación del camino. Era la hora del desayuno, de la fonda[64] de la estación venía un olor apetitoso… Rosamunda miraba hacia los vendedores de rosquillas.[65]

—¿Me permite usted convidarla, señora?

En la mente del soldadito empezaba a insinuarse una divertida historia. ¿Y si contara[66] a sus amigos que había encontrado en el tren una mujer estupenda y que… ?

—¿Convidarme? Muy bien, joven… Quizá sea la última persona que me convide… Y no me trate con tanto respeto, por favor. Puede usted llamarme Rosamunda… no he de enfadarme por eso.[67]

[52]Dividí [53]volvió… *again became* [54]*glass beads* [55]*pino… scrubbed pine* [56]*había… she had eaten* [57]*beggars* [58]*broncas… hoarse coughs* [59]*sobs* [60]*helplessness* [61]*a… al mismo tiempo* [62]*No… No había duda* [63]*se… was stopping* [64]*restaurante* [65]*sweet fritters* [66]*he should tell* [67]*no… it won't bother me*

Comprensión

A. Tabla de información Complete esta tabla con información del cuento.

	Lugar en que está(n)	Características físicas	Características sicológicas y emocionales	Sueños e ideales
Rosamunda				
el soldado				
los hijos				
el marido				

B. Interpretación

Paso 1. ¿Qué parte de la historia que narra Rosamunda le parece a Ud. inventada por ella y qué parte le parece real? ¿Por qué? ¿Cómo se imagina Ud. al marido de Rosamunda? ¿Hasta qué punto cree Ud. que la visión que ella nos presentó sea verdadera? ¿Es posible que Rosamunda haya inventado toda la historia?

Paso 2. ¿Qué visión tiene Rosamunda de sí misma? ¿Qué visión tiene el soldado de ella? ¿Qué visión parece tener el narrador con respecto a Rosamunda?

Paso 3. En su opinión, ¿quién es responsable del fracaso del matrimonio: Rosamunda o su marido? ¿Cómo cree Ud. que va a ser la vida de Rosamunda después de que vuelva con su marido? ¿Por qué?

C. Aplicación Papel y lápiz En los viajes o en otros encuentros con desconocidos, algunas personas prefieren no hablar nada mientras que otras les cuentan toda su vida. Explore este tema en su cuaderno de apuntes.

- En la película *Forrest Gump*, el protagonista les cuenta su vida a una serie de individuos que se sientan a su lado en el banco de un parque público. ¿Le ha ocurrido a Ud. algo parecido en una estación de tren, en un autobús, durante un viaje en avión o en algún otro lugar? Describa brevemente lo que pasó.

- ¿Qué características suelen tener las personas que prefieren no hablar con desconocidos en los lugares públicos y en los vehículos de transporte público? ¿Y cuáles suelen tener los individuos que hablan abiertamente con personas desconocidas sobre su vida privada?

CINEMATECA

El método

Antes de mirar

- **LA PELÍCULA**   Adaptada de una obra de teatro, *El método* (2005) nos enseña la interacción entre un grupo de candidatos que solicitan el mismo puesto de ejecutivo en una empresa en España. La manera en que se comportan en un grupo competitivo forma parte del proceso de evaluación de los candidatos. ¿Por qué sería importante evaluar a un candidato en el contexto de un grupo?

- **LA ESCENA** (4:01–8:53)   En esta escena, Carlos llega a la sala donde todos los otros candidatos están rellenando (*filling out*) formularios con sus datos personales y profesionales. ¿Cómo se sentiría Ud. en una situación así? ¿Cómo se comportaría con los otros candidatos? ¿Compartiría con ellos su conocimiento del trabajo y la empresa?

Al mirar

Mire la escena e indique si las afirmaciones son ciertas (**C**) o falsas (**F**).

1. _____ Antes de llegar, Carlos ya había rellenado un formulario.

2. _____ Los candidatos no se conocen entre ellos.

3. _____ La secretaria le dice a uno de los candidatos que no es obligatorio llenar el formulario otra vez.

4. _____ Todos piensan que es buena idea rellenar los formularios otra vez.

5. _____ Todos saben que están participando en una prueba sicológica.

Después de mirar

- Divídanse en grupos de dos o tres estudiantes para hablar de la escena. ¿Qué es el Método Grönholm? ¿Creen Uds. que rellenar una y otra vez los formularios en un grupo es parte del Método Grönholm? ¿Por qué dice un candidato que eso es «humillante»? Escriban unas frases para resumir sus conclusiones y compártanlas con la clase.

- Muchos negocios se estructuran combinando jerarquías (*hierarchies*) y equipos. ¿Cuál es más importante? ¿Necesita un líder cada equipo? Escriba un breve párrafo describiendo al candidato ideal para ser el líder (presidente, jefe de la ejecutiva [*CEO*], etcétera) de una empresa grande y la forma en que debe interactuar con los trabajadores.

- Busque en el Internet más información sobre la sicología de los grupos. ¿Cuáles son los conceptos básicos de este campo de estudio? ¿En dónde se puede estudiar? ¿Puede Ud. describir el trabajo típico de alguien que ha estudiado la sicología de los grupos?

7

El mundo de los negocios

Ciudad de México

En este capítulo

www.connectspanish.com

Describir y comentar

■ En el dibujo se ven las actividades diarias del Banco en Quiebra, S.A. ¿Quién es la gerente? ¿Con quién habla? ¿Cree Ud. que es una buena gerente o no? ¿Por qué?

■ ¿Quién es la cajera? ¿Qué hace? ¿Y qué hace el Sr. Euro? ¿Qué quieren los Sres. Guaraní? ¿Progresa rápidamente su transacción bancaria? ¿Por qué sí o por qué no? ¿Por qué no ayudan al Sr. Euro el Sr. Bolívar y la Sra. Lempira? ¿Qué hacen ellos? ¿Es normal esto en un banco u oficina?

■ ¿Por qué hacen cola los otros individuos? ¿Qué transacciones bancarias quieren hacer? ¿Cuál(es) de ellos piensa(n) retirar dinero de su cuenta? ¿pedir un préstamo? ¿cobrar un cheque? ¿Qué es posible que haga el niño con su dinero? ¿Y qué es probable que vaya a hacer cada cliente después de completar su transacción bancaria? ¿Están todos satisfechos con el servicio? Explique.

contratar   to hire; to contract
despedir (*like pedir*)   to fire
entrevistar   to interview
estar a la venta   to be on/for sale
hacer cola   to be / to wait in line
hacer horas extraordinarias   to work overtime
renunciar (a)   to quit (*a job*)
solicitar   to apply (*for a job*)
tomar vacaciones   to take a vacation

las acciones   stock; shares of stock
  el/la accionista   shareholder
el almacén   department store
la Bolsa   stock market
el/la cajero/a   teller
  el cajero automático   ATM
la compañía   company
el contrato   contract
el/la desempleado/a   unemployed person
  el desempleo   unemployment
el despacho   office (*specific room*)
el/la empleado/a   worker, employee
  el empleo   work, employment
la empresa   corporation
la entrevista   interview
las ganancias   earnings, profits
la gerencia   management
  el/la gerente   manager
el hombre de negocios, la mujer de negocios
  businessman, businesswoman
el mercado   market
la oficina   office (*general term*)

las pérdidas   losses
el/la secretario/a   secretary
el sindicato   labor union
el/la socio/o   partner, associate; member
la solicitud   application form
la tienda   store
la venta   sale

Las transacciones monetarias/bancarias

ahorrar   to save
cargar (gu)   to charge (*to one's account*)
cobrar   to charge (*someone for something*)
  cobrar un cheque   to cash a check
gastar   to spend
ingresar   to deposit (*funds*)
invertir (invierto) (i)   to invest
pagar (gu) a plazos   to pay in installments
  pagar en efectivo   to pay in cash
pedir (pido) (i) prestado/a   to borrow
  pedir un préstamo   to request (take out) a loan
prestar   to lend
retirar   to withdraw (*funds*)

la cuenta   account; bill
  la cuenta corriente   checking account
  la cuenta de ahorros   savings account
las deudas   debts
los gastos   expenses
las inversiones   investments
el préstamo   loan
la tarjeta de cajero   ATM card
la tarjeta de crédito   credit card

Conversación

A. **¡Busque al intruso!**   ¿Qué palabra no pertenece al grupo? Explique por qué.

1. la gerencia, el empleado / la empleada, el secretario / la secretaria, el sindicato — *porque las secretarias usualmente no están en el sindicato*

2. gastar, cobrar, prestar, comprar — *No es un forma de consumpcion*

3. la entrevista, la solicitud, la Bolsa, el contrato — *No es parte del proceso de contrato*

4. ahorrar, tomar vacaciones, las ganancias, las inversiones — *no es parte de la idea de ahorrar*

B. Oraciones Complete las siguientes oraciones con la palabra apropiada de la lista de vocabulario.

1. Un(a) accionista es una persona que _invierte_ dinero en una empresa.

2. El objetivo de un(a) _sindicato_ es conseguir mejores condiciones de trabajo para los empleados.

3. Las _ganancias_ representan el dinero que puede recibir un(a) accionista como resultado de sus inversiones en la Bolsa; lo contrario de esto son las _pérdidas_

4. Durante la Gran Depresión de los años 30, la tasa (*rate*) del _desempleo_ era muy alta porque muchos individuos no podían encontrar trabajo.

5. Para conseguir un empleo, hay que llenar una _solicitud_ con mucho cuidado.

6. Antes de empezar a crear un nuevo producto, una compañía investiga el _mercado_ para ver si tal producto será (*will be*) bien recibido o no.

7. Muchas personas piden un _préstamo_ para comprar un coche nuevo.

C. ¿Cuándo? ¿Cuándo se hacen las siguientes acciones?

1. hacer cola _el gran almacén_   5. pedir algo prestado _un préstamo_
2. utilizar una tarjeta de crédito _la tienda_   6. cobrar un cheque
3. utilizar una tarjeta de cajero _el cajero_   7. pagar en efectivo
4. renunciar al trabajo _despedir_   8. retirar fondos

D. Expresiones Explique la diferencia entre cada par de expresiones.

1. pagar en efectivo / pagar a plazos
2. pedir prestado / tomar
3. la empresa / la oficina
4. la cuenta de ahorros / la cuenta corriente
5. la tienda / el almacén
6. retirar fondos / ingresar fondos

E. El Banco en Quiebra Según las impresiones que Ud. tiene del Banco en Quiebra, S.A., y sus empleados* en la página 194, comente las siguientes afirmaciones usando las expresiones. Tenga cuidado con el contraste entre el indicativo y el subjuntivo, igual que con el contraste entre el presente de subjuntivo y el presente perfecto de subjuntivo.

Dudo que…   Es (im)posible que…   (No) Creo que…

1. La gerente recibe un salario muy alto.
2. El Sr. y la Sra. Guaraní han decidido tener otro hijo.
3. El Banco en Quiebra, S.A., ha ganado mucho dinero todos los años.
4. El banco despide al Sr. Bolívar y a la Sra. Lempira por conflicto de intereses.
5. Sol busca trabajo en el banco.
6. El anciano y el niño han venido a robar el banco.
7. El Sr. Euro hace horas extraordinarias todos los días.
8. El Sr. Bolívar tiene seis semanas de vacaciones cada año.

---

*The names of the employees and customers are currency names in the following countries: Spain (**euro**), Mexico (**peso**), Paraguay (**guaraní**), Peru (**sol**), Honduras (**lempira**), Venezuela (**bolívar**), and Costa Rica (**colón**).

GRAMÁTICA

26 Review of the Preterite

Visit **www.connectspanish.com** to practice the vocabulary and grammar points covered in this chapter.

The third-person plural forms of the preterite provide the basis for the forms of the past subjunctive, which you will study later in this chapter. It will therefore be easier to learn the forms of the past subjunctive if you first review the preterite forms.

Remember that there are four main groups of preterite forms: (1) verbs that are regular in the preterite; (2) **-ir** stem-changing verbs; (3) verbs with irregular preterite stems and endings; and (4) **dar, ir,** and **ser.** Irregularities in the third-person plural of the preterite occur in all of these groups except group 1.*

Práctica Dé las formas indicadas del pretérito.

1. despedir: el gerente, tú
2. vender: yo, Ud.
3. pagar: Uds., yo
4. morir: ella, ellos

5. hacer: tú, el secretario
6. irse: el cajero, los socios
7. venir: nosotros, los desempleados

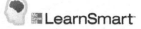

PRÁCTICA
connect
SPANISH
www.connectspanish.com

> **AUTOPRUEBA** Complete las siguientes oraciones con la forma apropiada del pretérito del verbo entre paréntesis.
>
> Los días festivos de fin de año pueden resultarle muy caros a mucha gente y así (ser)¹ para mí el año pasado. (Usar)² mis tarjetas de crédito al máximo para comprarle regalos a mi familia. Luego, (encontrarse)³ en grandes dificultades cuando (llegar)⁴ las cuentas. Al empezar el verano, (ponerse)⁵ a pensar en las próximas fiestas y (resolver)⁶ no repetir el mismo error. (Decidir)⁷ depositar una cantidad de dinero en el banco cada mes para tener con quéª comprar regalos al fin del año.
>
> En cambio, mi amigo Eduardo no (ser)⁸ tan prudente. No había ahorrado nada durante el año. Y cuando (empezar)⁹ los días festivos, (tener)¹⁰ que usar sus tarjetas de crédito para comprar los regalos. En fin, cuando Eduardo (recibir)¹¹ las cuentas, me (pedir)¹² un préstamo para pagarlas.
>
> ªcon... *something with which*

*For a more detailed explanation of these verb forms, see **Gramática 12.** Further practice with them can also be found in the *Cuaderno de práctica* for this chapter.

Conversación

A. El alcalde más joven

Paso 1. El siguiente recorte de un periódico anuncia el éxito de un joven político venezolano. Léalo con cuidado, indicando para cada espacio en blanco la forma apropiada del pretérito del verbo adecuado de la lista. Utilice todos los verbos, y no use ninguno más de una vez.

~~asumir (tomar)~~   ~~proclamar~~
~~celebrar~~   resultar
participar

Juramentan al alcalde más joven

CARACAS - Venezuela _____ al alcalde más joven de América Latina, Juan Fernández Morales, de 25 años, quien _____ la víspera el cargo en el municipio Los Salias, de San Antonio de los Altos, se informó ayer.

Fernández Morales _____ simultáneamente el jueves, la toma de posesión de la alcaldía Los Salias y su cumpleaños número 25, tras superar por 800 votos a su contendor más importante, dijeron sus allegados.

El joven _____ electo cuando _____ como independiente por el Movimiento Proyecto Calidad de Vida, que permanecería en el poder por cuanto el alcalde saliente, Andrés López, también pertenece a ese grupo.

Paso 2. ¿Cuántos años tiene el nuevo alcalde (*mayor*) de San Antonio de los Altos? En su opinión, ¿es uno demasiado joven a esa edad para ser un buen alcalde? ¿un buen gobernador? ¿un buen presidente? Explique. ¿Cree Ud. que hay una edad límite para este tipo de puesto? Explique.

Paso 3. ¿A Ud. le gustaría (*would you like*) ser alcalde de un pueblo antes de llegar a los 30 años? ¿Por qué sí o por qué no? ¿Qué partido político representaría (*would you represent*)?

B. Mapa semántico

En parejas, describan lo que pasó la última vez que cada uno de Uds. hizo las siguientes actividades. Para ayudarse a recordar las experiencias, utilicen este mapa como guía.

comer algo realmente delicioso   solicitar un trabajo
gastar mucho dinero   tomar vacaciones
hacer algo increíble   usar una tarjeta de crédito

27 Review of the Uses of the Subjunctive

Remember that the functions of tense and mood are different. *Tense* indicates when an event takes place (present, past, or future); *mood* designates a particular way of perceiving an event (indicative or subjunctive). In general, the indicative mood signals that the speaker perceives an event as fact or objective reality, whereas the subjunctive mood describes the unknown (what is beyond the speaker's knowledge or experience). Remember also that two conditions must be met for the subjunctive to be used: sentence structure (the sentence must contain a subordinate clause) and meaning.*

Práctica Dé la forma apropiada de los verbos entre paréntesis, según el contexto. Luego, explique por qué se ha usado el indicativo o el subjuntivo en cada caso.

1. No estoy seguro/a que José (recordar) el nombre del negocio.
2. Es verdad que se (exportar) muchos productos al extranjero.
3. Busco el restaurante en el que Juan y yo (comer) el sábado pasado.
4. Los socios quieren (comer) allí también.
5. El señor pide que nosotros lo (ayudar) con las inversiones.
6. Debemos buscar un puesto que (ofrecer) un sueldo mejor.

AUTOPRUEBA Complete el siguiente párrafo con la forma apropiada del presente de subjuntivo de los verbos entre paréntesis.

El gerente de nuestra oficina busca una nueva secretaria. No me sorprende que la secretaria actual (querer)[1] irse. Francamente, no es nada fácil trabajar para el gerente. Quiere alguien que (ser)[2] capaz de organizar toda su vida. Necesita una persona que (saber)[3] usar la computadora, que (hablar)[4] inglés, español, francés y japonés y que (tener)[5] la discreción de un diplomático. Además, es imposible que su secretaria (seguir)[6a] una vida personal normal. El gerente siempre le pide que (trabajar)[7] hasta muy tarde y que (ir)[8] a la casa de él para trabajar los fines de semana también. Espero que el gerente le (ofrecer)[9] un sueldo muy bueno a la persona que contrate. Pero, probablemente eso no importa. Dudo que la nueva secretaria (quedarse)[10] más de un año.

[a]*to lead*

---

*For further information on the concept and uses of the subjunctive, see **Gramática 17, 22, 24,** and **25.** Additional practice with the subjunctive can be found in the *Cuaderno de práctica* for this chapter.

Conversación

Intercambios

En parejas, háganse y contesten preguntas para averiguar la importancia que tienen las siguientes cosas para Uds. Usen frases como **No es (nada) importante** y **Es (muy) importante** para valorar cada cosa. Luego, compartan lo que han aprendido con el resto de la clase. ¿Cuáles de estas cosas les importan más a sus compañeros? ¿Cuáles no les importan nada?

MODELO: ganar mucho dinero →

> E1: ¿Te importa ganar mucho dinero?
>
> E2: No, no es importante que gane mucho dinero. No me interesan las cosas materiales.
>
> E1 (a la clase): No es importante que él/ella gane mucho dinero. No le interesan las cosas materiales.

1. ganar mucho dinero
2. trabajar en una compañía prestigiosa
3. vivir en una ciudad grande
4. ser respetado/a por los colegas
5. invertir en la Bolsa
6. ser famoso/a
7. ayudar a resolver un problema que afecta a la humanidad
8. llegar al trabajo en avión propio
9. tener un coche de lujo
10. poder jubilarse a los 40 años

28 The Past Subjunctive: Concept; Forms

A. Concept

To use the past subjunctive (**el imperfecto de subjuntivo**) correctly, you do not have to learn any additional subjunctive cues but only the past subjunctive forms. Almost all the cues that signal the use of the subjunctive mood are applicable to both the present subjunctive and the past subjunctive. (You will learn when to use the present subjunctive versus the past subjunctive later in this section.)

B. Forms of the Past Subjunctive

Without exception, the past-subjunctive stem is the third-person plural form of the preterite minus **-on: hablarøn → hablar-; comierøn → comier-; vivierøn → vivier-.** The past-subjunctive endings for *all* verbs are **-a, -as, -a, -amos, -ais, -an.** Note the accent mark on **nosotros/as** forms.

Past Subjunctive Forms					
Regular -ar		**Regular -er**		**Regular -ir**	
hablara	habláramos	comiera	comiéramos	viviera	viviéramos
hablaras	hablarais	comieras	comierais	vivieras	vivierais
hablara	hablaran	comiera	comieran	viviera	vivieran

Any stem change or irregularity found in the third-person plural of the preterite will be found in *all* persons of the past subjunctive of those verbs.

	Third-Person Plural Preterite Forms		Past Subjunctive
regular	comenzaron	→	comenzara, comenzaras, comenzáramos…
	entendieron	→	entendiera, entendieras, entendiéramos…
stem-changing	prefirieron	→	prefiriera, prefirieras, prefiriéramos…
	sirvieron	→	sirviera, sirvieras, sirviéramos…
	murieron	→	muriera, murieras, muriéramos…
irregular	tuvieron	→	tuviera, tuvieras, tuviéramos…
	pudieron	→	pudiera, pudieras, pudiéramos…
	dieron	→	diera, dieras, diéramos…
	fueron	→	fuera, fueras, fuéramos…

C. Sequence of Tenses: Present Subjunctive versus Past Subjunctive

In Spanish, the tense—present or past—of the main-clause verb determines the subjunctive tense used in the subordinate clause.

- When the main-clause verb is in the present or present perfect, or is a command, a present subjunctive* form is generally used in the subordinate clause.

- When the main-clause verb is in the preterite or imperfect, a past subjunctive form is used in the subordinate clause.[†]

Here is a summary of the correspondences for the verb forms you have studied thus far.[‡]

Main Clause	Subordinate Clause
Present	**Present Subjunctive**
El gerente **dice**… _The manager says . . ._	…que Ud. **asista**. _. . . for you to attend._
Present Perfect	**Present Subjunctive**
El gerente **ha dicho…** _The manager has said . . ._	…que Ud. **asista**. _. . . for you to attend._
Command	**Present Subjunctive**
El Gerente: **Dígale**… _Manager: Tell him . . ._	…que **asista**. _. . . to attend._ (continúa)

(continúa)

*Forms of the present subjunctive include the simple present and the present perfect: **hable, haya hablado; coma, haya comido.**

[†]Forms of the past subjunctive include the simple past and the pluperfect: **hablara, hubiera hablado; comiera, hubiera comido.** You will study the forms of the pluperfect subjunctive in **Gramática 42.**

[‡]The use of the pluperfect, the future, and the conditional with the subjunctive is practiced in **Gramática 43.**

Nota comunicativa

An alternative set of past subjunctive forms is spelled with **-se** instead of **-ra**.

hablar: hablase, hablases, hablásemos…

comer: comiese, comieses, comiésemos…

vivir: viviese, vivieses, viviésemos…

These forms are less commonly used than the **-ra** forms, although usage varies among countries and among individuals within countries. Only the **-ra** forms will be used in _iAvance!,_ but you will see the **-se** forms frequently in literature and other texts.

Preterite	Past Subjunctive
El gerente **dijo**... *The manager said . . .*	...que Ud. **asistiera.** *. . . for you to attend.*

Imperfect	Past Subjunctive
El gerente **decía**... *The manager (often) said . . .*	...que Ud. **asistiera.** *. . . for you to attend.*

connect
SPANISH
www.connectspanish.com

Práctica Dé oraciones nuevas, según las indicaciones, para describir cómo era el mundo de los negocios en otros tiempos.

1. —¿Trabajaban Uds. muchas horas entonces?

   —Sí, era necesario que *trabajáramos muchas horas.* (empezar a trabajar temprano, hacer mucho trabajo manual, ser siempre puntuales, venir a trabajar seis o siete días a la semana)

2. —¿Tenían los obreros otras dificultades también?

   —Sí, los jefes no permitían que *tomaran vacaciones con sueldo.* (llegar tarde de vez en cuando, recibir atención médica gratis, tener breves descansos durante el día, volver al trabajo después de una larga enfermedad)

3. —¿Tenían Uds. algunos beneficios?

   —No, no teníamos muchos. Por ejemplo, no había ninguna compañía que *pagara dinero extra por hacer horas extraordinarias.* (dar un descanso pagado por la maternidad, ofrecer seguro médico, pedir sólo cuarenta horas a la semana, permitir alguna participación en la gerencia, seguir pagando a los empleados después de la jubilación, siempre mantener buenas condiciones de trabajo)

AUTOPRUEBA Complete el siguiente párrafo con la forma apropiada del imperfecto de subjuntivo de los verbos entre paréntesis.

La primera cita

El sábado pasado mi compañero Gustavo salió con una chica que se llamaba Graciela. Hacía mucho tiempo que quería salir con ella. Antes de salir, Gustavo se puso muy nervioso, en parte porque todo el mundo le daba consejos diferentes. Su hermano le dijo que (ponerse)¹ una camisa blanca, pero a su mamá le gustaba mejor la azul. Su hermana le sugirió que (llevar)² pantalones vaqueros, pero su papá le aconsejó que (vestirse)³ más formalmente. Sus dos hermanos le dijeron que no (usar)⁴ tanta colonia porque olía muy fuerte. Su mamá le pidió que (quitarse)⁵ la camisa porque estaba arrugada[a] y ella quería plancharla. Por fin Gustavo les dijo a todos que lo (dejar)⁶ en paz. Terminó de vestirse y se acercó a la puerta. Su mamá le dijo que (regresar)⁷ a casa antes de medianoche y le aconsejó que (tener)⁸ cuidado. Gustavo les contestó que no era necesario que ellos (preocuparse)⁹ por él. Se abrazaron todos y Gustavo se fue.

[a]*wrinkled*

Conversación

A. Consejos para Ignacio Ignacio, un estudiante universitario, está por graduarse en economía y español. Hace unos días, mientras se preparaba para una entrevista con la AT&T, todos sus amigos, profesores y parientes le daban consejos. Forme oraciones usando la información de cada columna. Siga el modelo.

MODELO: no estar nervioso →
Su mejor amigo le dijo que no estuviera nervioso.

abuelo madre mejor amigo novia profesor de español	+	decir aconsejar sugerir recomendar	+ que +	demostrar sus capacidades bilingües hablar despacio y con seguridad hacer preguntas inteligentes pedir un sueldo en concreto peinarse de manera conservadora ponerse un traje de tres piezas tener confianza en su preparación académica

B. En el pasado Complete las siguientes oraciones de una forma lógica. Cuidado con los contrastes entre el subjuntivo y el indicativo y entre el presente y el pasado.

1. En el pasado, era necesario que las mujeres trabajadoras _____. Ahora es posible que (ellas) _____.
2. En el pasado, casi no había ningún ejecutivo en el mundo de los negocios que _____. Hoy en día, hay muchos ejecutivos que _____.
3. Hoy en día, muchas empresas permiten que sus empleados _____. En el pasado, las empresas no querían que (ellos) _____.
4. En el pasado, muchos jóvenes creían que una carrera en el mundo de los negocios _____. Hoy en día, muchos jóvenes piensan que _____.
5. En el pasado, los jefes querían que sus secretarias _____. Hoy las secretarias piden que su jefe _____.

C. ¿Qué han hecho? Pensando en las ocupaciones de las siguientes personas, ¿qué es seguro que han hecho recientemente? ¿Qué es solo probable que hayan hecho? Dé el nombre de una persona determinada en cada categoría.

MODELO: un(a) artista de la televisión, del cine o del teatro →
Sé (Estoy seguro/a) que Jay Leno ha presentado su programa de televisión. Es probable que también haya hecho chistes sobre varios políticos.

1. un(a) artista de la televisión, del cine o del teatro
2. una persona muy rica
3. un político / una mujer político importante
4. un estudiante típico / una estudiante típica de esta universidad
5. una persona muy conocida de esta universidad
6. un deportista famoso / una deportista famosa
7. un pariente de Ud.

D. **Las actitudes** Con el tiempo, nuestras actitudes cambian —no solo con respecto a los negocios sino también hacia muchas otras cosas. Complete las siguientes oraciones para indicar si han cambiado sus actitudes. Cuidado con el uso del presente y del imperfecto de subjuntivo.

1. Cuando era niño/a, me parecía muy importante que _____. Ahora me parece más importante que _____.

2. De niño/a, dudaba que mis padres _____. Ahora (dudo / estoy seguro/a) que ellos _____.

3. Creo que en el pasado mis padres dudaban que yo _____. Ahora (dudan/saben) que yo _____.

4. En el pasado pensaba que la educación _____. Ahora (creo / no creo) que _____.

5. Antes, las compañías buscaban empleados que _____. (Pero/Todavía) hoy buscan empleados que _____.

6. Hace unos años, yo no creía que el matrimonio _____. (Pero/Todavía) hoy me parece (que) _____.

E. **Entre todos** Este dibujo cómico salió en una revista española. Se burla de (*It pokes fun at*) los anuncios y los métodos que utilizan las empresas para «vender» sus productos.

■ ¿Cuáles son algunas de las técnicas de que se burla? ¿Puede identificar por lo menos dos?

■ En este país, ¿qué fama tienen los militares como hombres de negocios? ¿Son buenos para encontrar gangas (*bargains*)? ¿Cómo lo sabe Ud.?

F. **Intercambios**

Paso 1. En parejas, investiguen sus experiencias personales con respecto a cuestiones de trabajo. Pueden utilizar las siguientes preguntas y agregar otras si quieren.

1. ¿Qué clase de trabajo buscabas cuando eras más joven? ¿Querías un trabajo de tiempo completo (*full-time*) o de tiempo parcial? ¿Por qué?

2. ¿Querías un trabajo de tipo intelectual o manual? ¿Preferías trabajar a solas o en equipo? ¿Por qué?

3. ¿Trabajabas por gusto o por necesidad? ¿Era indispensable que ganaras mucho dinero? ¿que recibieras algún entrenamiento especial?

4. ¿Qué opinaban tus padres con respecto a tu trabajo? ¿Creían que era bueno que trabajaras o se oponían? ¿Por qué?

5. ¿Cómo terminaban tus padres esta oración? «Queremos que tú trabajes como _____ porque así vas a _____.»

   ■ ganar mucho dinero

   ■ obtener experiencia muy valiosa en el mundo de los negocios

   ■ aprender a ser más independiente

   ■ pasar menos tiempo mirando la televisión

   ■ ¿ ?

Paso 2. Compartan con las otras parejas algo de lo que Uds. aprendieron. ¿Tuvieron todos algunas experiencias similares con respecto al trabajo?

29 Use of Subjunctive and Indicative in Adverbial Clauses

An adverb is a word that indicates the manner, time, place, extent, purpose, or condition of a verbal action. It usually answers the questions *how?*, *when?*, *where?*, or *why?*

Vamos al cine **después.**   *Let's go to the movies* (when?) *afterward.*

A clause that describes a verbal action is called an adverbial clause. It is joined to the main clause by an adverbial conjunction.

Vamos al cine **después de que**   *Let's go to the movies* (when?)
ellos cenen.   *after they have dinner.*

In the preceding sentence, **después de que ellos cenen** is the adverbial clause; **después de que** is the adverbial conjunction. Adverbial clauses are subordinate (dependent) to the main clause. As you know, there must be a subordinate clause in order for the subjunctive to be used.

A. Adverbial Clauses: Time

The following table lists some of the most common adverbial conjunctions of time.

cuando	*when*	hasta que	*until*
después (de) que	*after*	mientras (que)	*while, as long as*
en cuanto	*as soon as*	tan pronto como	*as soon as*

1. Future, Anticipated Outcomes versus Present, Habitual Actions

- When the actions of the main and subordinate clauses have not yet occurred (that is, they represent a future action and an anticipated outcome), the subordinate clause introduced by these adverbial conjunctions uses the subjunctive.

- When the action of the subordinate clause is habitual, the indicative is used.

Compare the sentences in the following chart.

Future, Anticipated: Subjunctive	Present, Habitual: Indicative
Te van a dar más crédito **después de que pagues** el balance de la cuenta. *They will give you more credit after you pay off the balance of the account.* (anticipated action—you haven't yet paid off the balance)	Siempre te dan más crédito **después de que pagas** el balance de la cuenta. *They always give you more credit after you pay off the balance of the account.* (habitual action—they always do this)
Piensan cobrar el cheque **tan pronto como** se lo **demos.** *They're planning to cash the check as soon as we give it to them.* (anticipated outcome— we haven't given them the check yet)	Todas las semanas, cobran el cheque **tan pronto como** se lo **damos.** *Every week, they cash the check as soon as we give it to them.* (habitual action—they do this every week) *(continúa)*

Future, Anticipated: Subjunctive	Present, Habitual: Indicative
Compraré acciones **cuando** bajen de precio. *I will buy stocks when the prices go down.* (anticipated outcome—the price hasn't gone down yet)	Siempre compro acciones **cuando** bajan de precio. *I always buy stocks when the prices go down.* (habitual action—I always do this)
Haga cola **hasta que** llegue el cajero. *Wait in line until the teller arrives.* (anticipated outcome—the teller hasn't arrived yet)	Cada mañana, los clientes hacen cola **hasta que** llega el cajero. *Every morning, the clients wait in line until the teller arrives.* (habitual action—they do this every morning)

2. **Past, Anticipated/Unknown Outcomes versus Past, Known Outcomes and Past, Habitual Actions**

- The past subjunctive is used when the action of the subordinate clause is viewed as an *anticipated* outcome *from the point of view of the subject in the main clause,* or as an *unknown* outcome *from the point of view of the speaker.*

- The indicative (preterite or imperfect) is used when the action of the subordinate clause represents a *known outcome from the point of view of the speaker* that took place subsequent to the action in the main clause.

- Additionally, the indicative (imperfect) is used when the action of the subordinate clause refers to an action that occurred several times in the past as a matter of habit.

Compare the sentences in the following chart.

Past, Anticipated/Unknown: Subjunctive	Past, Known or Past, Habitual: Indicative
La compañía planeaba seguir invirtiendo en la Bolsa **hasta que** obtuviera beneficios. *The company was planning to keep on investing in the stock market until it earned dividends.* (unknown outcome from the point of view of the speaker)	La compañía siguió invirtiendo en la Bolsa **hasta que** obtuvo beneficios. *The company kept on investing in the stock market until it earned dividends.* (known outcome from the point of view of the speaker)
Iban a hacer un viaje alrededor del mundo **después de que** ella terminara el proyecto, pero nunca la terminó y nunca hicieron el viaje. *They were going to take a trip around the world after she finished the project, but she never finished it and they never took the trip.* (anticipated outcome from the point of view of the subject in the main clause)	Siempre hacíamos un viaje alrededor del mundo **después de que** ella terminaba un proyecto. *We always took a trip around the world after she finished a project.* (habitual action)

■ The adverbial conjunction **antes de que** is always followed by the subjunctive because, by definition, it introduces an anticipated outcome.

Siempre cambia un cheque **antes de que vayan** de compras.

He always cashes a check before they go shopping.

Cambió un cheque **antes de que fueran** de compras.

He cashed a check before they went shopping.

Práctica A   Complete las siguientes oraciones con la forma apropiada del subjuntivo o indicativo del verbo entre paréntesis, según el contexto.

1. Voy a ingresar el cheque tan pronto como (*nosotros:* llegar) al banco.
2. Cuando se (*impersonal:* escribir) un cheque, siempre se debe apuntar su valor inmediatamente.
3. Después de que nos autorizaron el préstamo, por fin (*nosotros:* poder) comprar nuestra casa de ensueños (*dream house*).
4. Necesito retirar efectivo de un cajero automático antes de que (*nosotras:* salir).
5. Recuerdo que mi mamá ya no hablaba de las deudas después de que mi papá (ganar) la lotería.
6. Obviamente vas a seguir gastando hasta que te (*ellos:* cortar) las tarjetas de crédito.
7. Ayer, yo te iba a llamar tan pronto como Verónica (llamarme), pero nunca (*ella:* llamarme).

B. Adverbial Clauses: Manner and Place

■ The subjunctive is used with the following conjunctions to express speculation about an action or situation that is unknown to the speaker. The indicative is used to express what is actually known or has been experienced by the speaker.

aunque	although, even if	de modo que	in such a way that
como	as, how	donde	where
de manera que	in such a way that		

Unknown Situation: Subjunctive	Known Situation: Indicative
Lo voy a hacer **aunque** sea difícil. *I'm going to do it even if it's difficult.* (The speaker doesn't know if it will be difficult or not.)	Lo voy a hacer **aunque** es difícil. *I'm going to do it although it is difficult.* (The speaker already knows that it will be difficult from prior experience.)
Habló **de modo que** la **entendieran.** *She spoke in such a way that they might understand her.* (It is not known whether or not she was understood.)	Habló **de modo que** la **entendieron.** *She spoke in such a way that they understood her.* (She was understood.)

connect
|SPANISH
www.connectspanish.com

¿Recuerda Ud.?

You have learned that a subordinate clause is present if a sentence contains two different subjects. However, in a sentence with no change of subject you should use the prepositions **antes de, después de,** and **hasta** followed by an infinitive rather than the conjunctions **antes (de) que, después (de) que,** and **hasta que** followed by a conjugated verb in the subjunctive.

Voy a sacar dinero **después de que pida** el préstamo. (*possible*)

Voy a sacar dinero **después de pedir** el préstamo. (*preferred*)

I'm going to withdraw money

$\begin{cases} after\ I\ request \\ after\ requesting \end{cases}$ *the loan.*

Decidió ahorrar **hasta que se hiciera** millonario. (*possible*)

Decidió ahorrar **hasta hacerse** millonario. (*preferred*)

He decided to save

$\begin{cases} until\ he\ became \\ until\ becoming \end{cases}$ *a millionaire.*

The adverbial conjunctions **ahora que, puesto que,** and **ya que** are always followed by the indicative since they convey the speaker's perception of reality as being already completed or inevitable.

Ya que **vas** a visitar, dime lo que quieres comer.

Since you're going to visit, tell me what you would like to eat.

Ahora que **trabajas** en ventas, vas a viajar mucho.

Now that you work in sales, you're going to travel a lot.

Práctica B Exprese las siguientes oraciones en inglés. En cada caso explique el uso del subjuntivo o del indicativo en los verbos *en letra cursiva azul.*

1. Aunque no *tenga* necesidad, creo que *voy* a trabajar. Aunque muchas personas no *están* de acuerdo conmigo, para mí el trabajo *es* interesante y hasta (*even*) divertido.

2. En muchas escuelas secundarias *se enseñan* ahora las clases académicas de manera que los estudiantes *ven* la aplicación que *tiene* la materia en la vida práctica. Saben que, aunque un estudiante *se haya graduado* de la escuela secundaria, esto no significa que *tenga* suficientes conocimientos para funcionar en la sociedad moderna puesto que el mundo *es* cada vez más complicado.

3. A mi parecer (*In my opinion*), es necesario que la universidad *sea* más responsable con respecto al futuro de sus estudiantes. Aunque no lo *quieran* admitir, el futuro *está* en los negocios. Los estudiantes *pagan* mucho para prepararse de modo que *encuentren* buenos empleos después de recibir su título. Por consiguiente, no es bueno que la universidad *obligue* a los estudiantes a tomar clases que no *tengan* nada que ver con sus intereses profesionales. Debe permitir que los estudiantes *diseñen* su programa de estudios de manera que los *preparen* para el futuro.

AUTOPRUEBA Complete las siguientes oraciones con la forma apropiada del verbo entre paréntesis. **¡OJO!** En algunos casos se debe usar el indicativo y en otros el subjuntivo.

En la familia Sánchez los padres son muy exigentes.

1. Su hija mayor no podía salir con su novio hasta que ellos lo (conocer).

2. Los padres no permiten que su hijo menor juegue con sus compañeros antes de que (acabar) sus tareas.

3. Su hija menor no puede salir sola de la casa hasta que (tener) 13 años.

4. Los hijos no pueden hablar por teléfono con sus amigos hasta que los padres (contestar) para saber quién habla.

5. Los padres insisten en que los hijos obedezcan sus reglas mientras (vivir) en su casa.

6. El año pasado el hijo mayor dijo que (querer) vivir en otra ciudad para encontrar trabajo.

7. Pero sus padres le dijeron que no (poder) irse antes de graduarse.

8. Aunque los padres (ser) muy estrictos, quieren mucho a sus hijos.

Conversación

A. Con respecto a... Complete las siguientes oraciones de una forma lógica. Cambie el verbo entre paréntesis al indicativo o al subjuntivo, según el contexto. Cuidado con la secuencia de tiempos.

REALIDADES   ANTICIPACIONES

Con respecto al trabajo...

1. Cuando yo (ser) [*era*] estudiante de secundaria, _____.   Cuando yo no (ser) [*sería*] estudiante universitario/a, _____.

2. Después de que mis amigos/as (graduarse) de la escuela secundaria, _____. [*se graduaban*]   [*ganael ganan*]   Después de que mis amigos/amigas (graduarse) de la universidad, _____. [*se graduaran*] [*ganara*]

3. De joven, en cuanto yo (ganar) algún dinero, yo _____.   En el futuro, en cuanto yo (ganar) algún dinero, yo _____.

Con respecto a los privilegios y responsabilidades...

4. Cuando yo (tener) [*tenía*] 9 años, mis padres _____.   Cuando mis hijos/nietos (tener) 9 años, yo _____. [*tenerían*]

5. Tan pronto como yo (llegar) a casa después de la escuela, yo _____. [*llegabo llegaba*]   Tan pronto como mis hijos/nietos (llegar) a casa después de la escuela, ellos _____. [*llegaran*]

6. Cuando yo (sacar) [*sacaba*] notas muy malas, yo / mis padres _____.   Cuando mis hijos/nietos (sacar) notas muy malas, ellos/yo _____. [*sacaran*]

B. Condiciones ¿A Ud. le suenan (*ring a bell*) algunas de estas «condiciones»? En parejas, completen las oraciones de una manera lógica. Agreguen una condición más a cada lista para que sus compañeros de clase las completen.

Un padre le dice a su hijo...

1. No vas a poder manejar el auto hasta que _____. [*completes tu tarea*]
2. Puedes mirar la televisión tan pronto como _____. [*notles*] [*Ces con su abuelo*]
3. Puedes salir con chicas cuando _____ [*tengas trece años*]
4. No puedes comer el postre hasta que _____ [*termines tu cena*]
5. ¿ ?

Una profesora le dice a su estudiante...

1. No va a sacar buenas notas mientras que _____ [*no estudies*]
2. Puede sacar libros de la biblioteca en cuanto _____ [*tenga su tarjeta se deng plutos*]
3. Va a ser entre los primeros en escoger sus clases cuando _____ [*sea más viejo*]
4. Levante la mano tan pronto como _____ [*sepa la respuesta*]
5. ¿ ?

Una gerente le dice a su empleado...

1. No va a tener éxito hasta que _____ [*trabaje mucho más*]
2. Va a recibir un mes de vacaciones después de que _____ [*complete su trabajo*]
3. Le vamos a dar un reloj de oro cuando _____ [*logre el título de gerente*]
4. Le vamos a dar un mejor puesto antes de que _____ [*pruebe su talento*]
5. ¿ ?

Paso 1. La siguiente tira cómica cuenta una historia. En pequeños grupos, narren la historia en el pasado. Incorporen el vocabulario indicado y agreguen por lo menos dos o tres detalles más (otras acciones o explicaciones) cuando hablen de lo que ocurrió en cada dibujo. Cuidado con el contraste entre el infinitivo, el indicativo y el subjuntivo. No se olviden de usar los complementos pronominales siempre que puedan.

1. el paciente, ir / tan pronto como llegar / explicar
2. antes de examinar / el médico, pedir / quitarse la ropa
3. en cuanto quitarse la camiseta / observar / agujero (*hole*)
4. examinar y tocar / mientras que / desvestirse
5. antes de examinar / abrir el gabinete
6. sacar / mostrar / ofrecer / ya que

Paso 2. Entre todos

■ ¿Quién en la clase ha tenido alguna experiencia parecida, una ocasión en que al ir a un lugar en busca de algún servicio se encontró con que le ofrecían o le querían vender algo que no esperaba? Cuéntaselo a la clase.

■ ¿Qué cree Ud. que hizo el paciente? Termine la historia.

D. Descripciones Fíjese en los dibujos y descríbalos de varias maneras, incorporando las palabras de la lista en su descripción. ¿Quiénes son estas personas? ¿Cómo son? ¿Qué hacen?

ahora que	de manera que	mientras (que)
aunque	donde	tan pronto como
cuando	hasta que	ya que

1. el avión, correr, despegar, el hombre de negocios, llegar, el piloto
2. llevar, poder comprar cosas, reconocerlo, ser famoso, la tarjeta de crédito, viajar
3. colocar, hablar por teléfono, el mensajero, el paquete, pesado

1.

2.

3.

E. Intercambios En parejas, escriban anuncios para cinco productos, usando el modelo. Traten de usar cinco adjetivos y cinco verbos diferentes. Luego, compartan sus anuncios con la clase y voten por el mejor anuncio.

MODELO: ¡Compre _____! Su _____ va estar más _____ cuando / después de que / tan pronto como (Ud.). →

¡Compre pan Bimbo! Su sándwich va a estar más delicioso cuando lo prepare con pan Bimbo.

UN POCO DE TODO

¡OJO!

	Examples	Notes
ya que como puesto que porque por	**Ya que** es muy rico, no tiene que trabajar. *Because (Since) he is very rich, he doesn't have to work.* **Como (Puesto que)** era muy niña, siempre hacía muchas pequeñas travesuras. *Since (Because) she was very young, she was always playing little pranks.*	The idea of *because (since)* is expressed in a number of ways in Spanish. Preceding a conjugated verb, **ya que, como, puesto que,** or **porque** can be used. Of these four expressions, only **porque** *cannot* be used to begin a sentence. Conversely, **como** (meaning *because*) must be placed at the beginning of a sentence.
(continúa)		

	Examples	Notes
ya que **como** **puesto que** **porque** **por**	Lo hicieron **porque** no había remedio. *They did it because there was no alternative.* Todos la admiraban **por** su bondad. *Everyone admired her for (because of) her kindness.*	When preceding a noun, always use **por.** This use corresponds to English *because of.*
cuestión **pregunta**	Es una **cuestión** de gran importancia. *It's a question (matter) of great importance.* Ese niño hace muchas **preguntas** difíciles. *That child asks a lot of difficult questions.* La joven **hizo** muchas **preguntas** (**preguntó** mucho) sobre su abuela. *The girl asked a lot of questions about her grandmother.*	*Question* in the sense of *matter, subject,* or *topic of discussion* is expressed in Spanish by **cuestión.** The word **pregunta** refers to a *question* or *interrogation.* *To ask a question* is expressed in two ways in Spanish: **hacer una pregunta** and **preguntar.**
fecha **cita**	¿Cuál es la **fecha** de hoy? *What is today's date?* ¿Con quién tienes **cita**? *With whom do you have a date (appointment)?* Él me acompañó a la fiesta. *He was my date for (accompanied me to) the party.* Quiero presentarle a mi amiga Victoria. *I want to introduce you to my date, Victoria.*	*Date* has several equivalents in Spanish. A *calendar date* is expressed with **fecha.** An *appointment* or *social arrangement* is expressed with **cita.** Unlike the English word *date,* **cita** can never mean *a person.*
los/las dos **ambos/as** **tanto... como...**	Tengo dos hijas y voy al partido con **las dos** (**ambas**). *I have two daughters, and I'm going to the game with both of them.* **Ambos (Los dos)** socios quieren comprar las acciones. *Both partners want to buy the shares.* **Tanto** los perros **como** los gatos son carnívoros. *Both dogs and cats are carnivorous.*	English *both* is expressed in Spanish with **los/las dos** and **ambos/as,** which agree in gender with the nouns to which they refer. The English expression *both... and...* is expressed in Spanish with **tanto... como...** This construction is invariable.

A. Volviendo al dibujo
Elija la palabra que mejor completa cada oración.
¡OJO! También va a encontrar palabras de los capítulos anteriores.

El Sr. y la Sra. Guaraní habían
hecho[a] una (cita/fecha)[1] con un
empleado del Banco en Quiebra,
S.A. Ellos tenían un negocio en
su propia casa y, como el negocio
crecía, necesitaban (moverse/
mudarse)[2] a otra casa más grande.
Tenían (un cuento / una cuenta)[3]
en el banco y ahora iban a pedir
un préstamo. Por eso, querían
hacerle algunas (cuestiones/pre-
guntas)[4] al Sr. Euro. La expansión
de su negocio dependía (al / del /
en el)[5] dinero que pudieran obtener, y por eso (buscaban/mira-
ban)[6] la oportunidad de hacer una
buena transacción. Sin embargo,
llevaron al banco a su hijita Sol,
que era una niña insoportable y
nunca (pagaba/prestaba)[7] atención
a lo que le decían sus padres. Ella

no comprendía que no era (hora/tiempo/vez)[8] de jugar sino de (buscar/
mirar)[9] dinero. Lo (buscaba/miraba)[10] todo y tocaba lo que estaba (cerca/
cercano)[11] y también lo que estaba lejos. No (cuidaba / le importaba)[12] nada
el caos que causaba con sus travesuras.

La Srta. Colón, que trabaja en el Banco en Quiebra, S.A., no (se siente /
siente)[13] muy segura en su trabajo. Es natural, (por/porque)[14] hace muy poco
tiempo que empezó a (funcionar/trabajar)[15] en este banco. ¡Claro que es solo
una (cuestión/pregunta)[16] de tiempo antes de que tenga confianza en sus
habilidades! Ella (hace mucho caso / presta mucha atención)[17] a las operaciones
del banco. No (apoya/mantiene/soporta)[18] el chisme[b] ni la holgazanería;[c] es
amable con todos, pero es firme. (Por/Porque)[19] su paciencia y buen humor,
los otros empleados la respetan mucho. (Mira/Parece)[20] que ella va a (suceder /
tener éxito)[21] en esta empresa.

[a]habían... *had made* [b]*gossip* [c]*laziness*

B. Entre todos

■ Ya que Ud. estudia en la universidad, ¿qué aspectos de la escuela secundaria
cree que lo/la prepararon mejor para la universidad? ¿Cómo completaría
(*would you complete*) la siguiente oración? «Cuando llegó el momento de elegir
una universidad, era cuestión de _____ (dinero/lugar/prestigio/tamaño/¿ ?).»
¿Por qué cree que esta universidad lo/la aceptó?

■ ¿Tiene Ud. obsesión con la hora? ¿Está siempre pendiente de la hora y la
fecha? ¿Tiene un reloj que indique tanto la fecha como el día? ¿que le indique
cuando tiene una cita? Cuando tiene cita, ¿llega siempre antes de la hora o a
tiempo? ¿Le fastidia que alguien llegue tarde? Cuando tiene cita con su
novio/a o mejor amigo/a, ¿tienden ambos a llegar a tiempo?

C. **El mercantelismo** Complete la siguiente historia, dando la forma apropiada de cada verbo. Cuando se dan varias palabras entre paréntesis, escoja la palabra apropiada. ¡OJO! La historia empieza en el tiempo presente, pero luego cambia al pasado.

Aunque hay muchas diferencias entre el sistema político económico norteamericano y el de los países de Hispanoamérica, es interesante notar que en los dos continentes hay varias coincidencias históricas. Se ha dicho que los exploradores ingleses (venir)[1] al Nuevo Mundo para colonizarlo y desarrollarlo[a] mientras que los españoles (llegar)[2] con la intención de conquistarlo y explotarlo. Hay que admitir que eso (ser/estar)[3] verdad, pero solo hasta cierto punto.

En ambos casos, la llegada de los europeos (significar)[4] el establecimiento de un sistema económico muy beneficioso para Inglaterra y España, pero desastroso para sus colonias. Este sistema (llamarse)[5] el «mercantilismo». Se creía que la economía de una colonia (deber)[6] complementar la de la madre patria. Según el mercantilismo, la colonia (dar)[7] los productos que la madre patria (necesitar)[8] y a su vez[b] (recibir)[9] productos fabricados por su patrón. Pero no (ser/estar/haber)[10] libre comercio[c] ni mucho menos. Las naciones europeas —Inglaterra y España en este caso— querían que sus colonias (ser/estar/tener)[11] éxito económico solo si esto servía a sus propios intereses. (Ser/Estar)[12] bueno que las colonias (producir)[13] materias primas[d] y especialmente aquellos productos agrícolas que no (cultivarse)[14] en Europa, pero al mismo tiempo no se permitía el cultivo de ningún producto que (poder)[15] ser competitivo. Los comerciantes americanos, tanto los del norte como los del sur, (odiar)[16] las restricciones que (imponerles)[17] Inglaterra y España. Estas normas, además del deseo de lograr la libertad de expresión, luego (convertirse)[18] en una de las principales causas de las guerras por la independencia.

[a]*develop it* [b]*a... in turn* [c]*libre... free trade* [d]*materias... raw materials*

D. **Algunos detalles** Complete las siguientes oraciones de una forma lógica. ¡OJO! A veces hay que usar el imperfecto de subjuntivo. Luego, compare sus oraciones con las de los otros miembros de la clase. ¿Cuántas experiencias o creencias tiene Ud. en común con ellos?

1. Como niño/a, no podía creer que los bancos (no) _____.
2. Como adolescente, creía que como adulto/a querría (*I would want*) trabajar en una compañía que _____.
3. Cuando llegué a la universidad por primera vez, creía que _____.
4. Al terminar mi primer semestre (trimestre) aquí, estaba contento/a de (que) _____.
5. Cuando solicité una tarjeta de crédito, (no) sabía que _____.
6. Ayer me puse furioso/a porque _____.

A LEER

Lectura cultural *Las prácticas empresariales entre culturas*

Debido a[a] la globalización de la economía, las empresas norteamericanas hacen más y más negocios en los países hispanoamericanos y a la vez, las compañías hispanoamericanas exportan más a los Estados Unidos cada año. Si las empresas norteamericanas quieren tener éxito, deben saber negociar efectivamente en el mercado hispano. Muchas de las prácticas empresariales hispanas, las cuales reflejan los valores de la cultura hispana, se diferencian de las prácticas norteamericanas.

En particular, es importante tener en cuenta el respeto personal cuando se trata con[b] hispanos, sean estos empresarios o no.[c] En la cultura hispana la cortesía exige que dos personas se traten mutuamente con atención y respeto aunque haya serias diferencias personales entre las dos. Por eso, es común tratarse de Ud. y usar títulos de respeto como «Señor(a)», «Licenciado/a»,[d] «Doctor(a)» y otros en la comunicación hablada y escrita.

Las negociaciones también tienden a tomar más tiempo en Hispanoamérica. Los empresarios norteamericanos tienen la costumbre de intercambiar cumplidos[e] y pasar inmediatamente a hablar del asunto por el cual se han reunido. Esta práctica se consideraría[f] muy descortés en los países hispanos, en donde los empresarios empiezan las negociaciones con preguntas de interés personal y hasta familiar y no se meten de inmediato al asunto.

Otra costumbre hispana que puede ser problemática para algunos norteamericanos es el concepto de salvar las apariencias,[g] por ejemplo, cuando uno tiene que comunicar malas noticias. La costumbre hispana es comunicar tales noticias indirectamente, tanto para no ofender a la persona que las recibe como para que el mensajero[h] no se sienta incómodo al darlas. Al contrario, el típico empresario norteamericano tiende a comunicarse de una manera directa y precisa, no importa la gravedad de las noticias ni los sentimientos de los demás, *«it's just business».*

Es obvio que las fronteras entre los países van desapareciendo[i] y los mercados internacionales van expandiéndose más cada día. Por ejemplo, la expansión del comercio entre Hispanoamérica y la China ha sido rápida y va creciendo todos los días, notablemente en Venezuela, la Argentina y el Perú. Y además, los chinos ahora se ven obligados a competir con empresarios de la India, Rusia, Irán y otros, que buscan y encuentran cada día nuevos mercados en los países hispanos. Con esta expansión, muchísimas oportunidades comerciales se presentan, pero al mismo tiempo los empresarios, tanto hispanos como norteamericanos, chinos, indios, rusos e iraníes, deben tener en cuenta sus diferencias culturales para prosperar y fomentar la comprensión mutua.

Los vendedores deben saber negociar con sus clientes hispanos.

[a]Debido... *Due to* [b]se... *one deals with* [c]sean... *whether or not they are businesspeople* [d]*Used when addressing someone who has completed a* Licenciado (*similar to a Bachelor's degree*). [e]intercambiar... *exchange pleasantries* [f]se... *would be considered* [g]salvar... *saving face* [h]*messenger* [i]van... *are in the process of fading*

Comprensión y expansión

Conteste las siguientes preguntas según la lectura.

1. En la cultura hispana, para mantener la cortesía en las relaciones empresariales y personales, ¿cómo debe portarse la gente?

2. ¿Por qué pueden tomar más tiempo las negociaciones en Hispanoamérica?

3. Explique en español lo que Ud. entiende con la expresión «salvar las apariencias». ¿De qué manera puede ser problemática esta costumbre hispana en el mundo de los negocios?

4. ¿Cuáles son algunos otros países que tienen una presencia comercial en Hispanoamérica? ¿Qué deben hacer todos los empresarios si quieren facilitar la comunicación mutua?

Del mundo hispano

La United Fruit Co.

Aproximaciones al texto

La metáfora extendida

You have already studied the poetic device denotation versus connotation. Another device common to poetry is *imagery*. Imagery generally is based on comparisons between elements.

When a comparison is very explicit, it is called a *simile*. Similes are often recognizable by the words *like* or *as*, which join the two elements of the comparison: *Love is like a flower*. A *metaphor* is an implied comparison: *Love is a flower*. It creates a fresh relationship between two or more elements and the ideas associated with them. Metaphors involve connotation and may include the use of symbols.

Although an author may use several unrelated comparisons in a poem, he or she can also use a single comparison throughout an entire poem. This is called an *extended metaphor*. By means of this device, two distinct frames of reference are made to coexist in the work. Each frame of reference is denoted by the naming of elements that pertain to it, but the meaning of the work lies in the relationship between the two frames of reference.

La metáfora extendida   En este breve pasaje, se emplea una metáfora extendida con un toque humorístico. Lea el pasaje, buscando en él los elementos que denotan los dos marcos (*frames*) distintos de nivel que se explican a continuación.

> Tengo un vecino completamente loco. Hace varias semanas empezó a construir un barco muy grande y ayer le oí hablar con su mujer y sus tres hijos de como pronto iban a empezar las lluvias anunciadas. Yo escuché las noticias en la televisión anoche y el meteorólogo no dijo nada de tormentas ni de lluvias. Se lo dije a mi vecino, pero insiste en que conoce a un meteorólogo fenomenal y si este dice que va a llover, así es. Pues hoy empezó a llover y ahora veo que mi vecino está metiendo todos sus muebles y animales en el barco. Además, ha mandado a sus hijos al parque zoológico a recoger más animales. Están todos locos. Yo no salgo de casa durante esta tormenta para nada. Parece que no va a acabar en muchos días.

Nota literaria

la metáfora = una técnica literaria por la cual se transporta el significado de una palabra u otra por medio de comparación

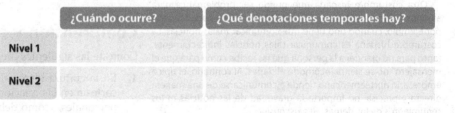

	¿Cuándo ocurre?	¿Qué denotaciones temporales hay?
Nivel 1		
Nivel 2		

¿Cuál es el significado connotado por la relación entre los dos niveles?

bautizar (c)   to baptize

desembarcar (qu)   to set sail

la cintura   waist, waistline

la dictadura   dictatorship

la mermelada   marmalade

la mosca   fly

el racimo   cluster, bunch

jugoso/a   juicy

Relaciones léxicas   ¿Qué relación existe entre las siguientes expresiones?

1. la cintura / Centroamérica
2. el racimo / la mermelada
3. desembarcar / la compañía multinacional
4. bautizar / renacer
5. jugoso / la mosca
6. «Banana Republic» / la dictadura

Chile

SOBRE EL AUTOR

El chíleno Pablo Neruda (1904–1973), quien recibió el Premio Nobel de Literatura en 1971, es uno de los poetas más importantes de la literatura hispánica. El mundo poético de Neruda ha ejercido una notable influencia en la poesía contemporánea. **Neruda** también fue importante como un poeta social de gran calidad. El poema a continuación pertenece al *Canto general* (1950).

La United Fruit Co.

1 Cuando sonó la trompeta, estuvo
todo preparado en la tierra,
y Jehová repartió[1] el mundo
a Coca-Cola Inc., Anaconda,*
5 Ford Motors y otras entidades;
la Compañía Frutera Inc.
se reservó lo más jugoso,
la costa central de mi tierra,
la dulce cintura de América.

10 Bautizó de nuevo sus tierras
como «Repúblicas Bananas»,
y sobre los muertos dormidos,
sobre los héroes inquietos
que conquistaron la grandeza,

[1]*divided up*

Nota literaria

la estrofa = división regular en número y forma de los versos de una composición poética

*Anaconda Copper, Inc., a U.S.-owned enterprise that until the early 1970s controlled most of Chile's copper industry.

15 la libertad y las banderas,[2]
     estableció la ópera bufa:[3]
     enajenó los albedríos,[4]
     regaló coronas de César,
     desenvainó[5] la envidia, atrajo
20 la dictadura de las moscas,
     moscas Trujillos, moscas Tachos,
     moscas Carías, moscas Martínez,
     moscas Ubicos,* moscas húmedas
     de sangre humilde y mermelada,
25 moscas borrachas que zumban[6]
     sobre las tumbas populares,
     moscas de circo, sabias[7] moscas
     entendidas en[8] tiranía.
     Entre las moscas sanguinarias[9]
30 la Frutera desembarca,
     arrasando[10] el café y las frutas,
     en sus barcas que deslizaron[11]
     como bandejas[12] el tesoro
     de nuestras tierras sumergidas.
35 Mientras tanto, por los abismos
     azucarados[13] de los puertos,
     caían indios sepultados
     en el vapor de la mañana:
     un cuerpo rueda,[14] una cosa
40 sin nombre, un número caído,
     un racimo de fruta muerta
     derramada en el pudridero.[15]

[2]*flags* [3]cómica, absurda [4]enajenó… tomó control de los hombres [5]reveló [6]buzz
[7]inteligentes [8]entendidas… que saben mucho de [9]que quieren/buscan sangre
[10]totalmente llena de [11]se fueron [12]*trays* [13]*sweetened* [14]se mueve como una pelota
[15]derramada… echada en un montón de basura

---

*Trujillos… Rafael Leónidas Trujillo, dictador de la República Dominicana (1930–1961); Anastasio (Tacho) Somoza, dictador de Nicaragua (1936–1956); Tiburcio Carías Andino, dictador de Honduras (1933–1948); Maximiliano Hernández Martínez, dictador y jefe del partido conservador que gobernó El Salvador desde 1931 hasta 1944; Jorge Ubico, dictador de Guatemala (1931–1944).

Comprensión

A. Los adjetivos Subraye todos los adjetivos en el poema. Haga una lista de los que se refieren a la *United Fruit Company* y otra lista de los que se refieren a Centroamérica. ¿Es más positiva una lista que otra? ¿Qué otras diferencias hay entre las dos listas?

B. Preguntas Conteste las preguntas.

1. ¿Por qué elige Neruda las moscas para hacer la comparación con los dictadores? ¿Qué otros elementos añade para hacer aún más fuerte el impacto de esta comparación?

2. Neruda divide el poema en cuatro partes. ¿Se diferencia la última parte de las tres primeras? Explique su respuesta, dando ejemplos concretos.

3. ¿Por qué cree Ud. que Neruda utiliza el Génesis como la base de una metáfora extendida? ¿Qué diferencias hay entre la versión bíblica de la creación y la de Neruda?

C. Aplicación Pro y contra Divídanse en tres grupos de cuatro o seis estudiantes para debatir el siguiente tema. La mitad de cada grupo debe preparar los argumentos a favor, mientras que la otra mitad prepara los argumentos en contra. Los otros estudiantes de la clase deben preparar preguntas que hacer durante el debate.

PERSPECTIVA A

Las compañías multinacionales deben preocuparse más por el bienestar económico de los países que les proveen materias primas (*raw materials*).

PERSPECTIVA B

Las compañías multinacionales no son responsables del bienestar económico de la gente de los países que les proveen recursos económicos. Esta responsabilidad es de los gobiernos de esos países.

CINEMATECA

Cama adentro

For copyright reasons, the feature films referenced in Cinemateca have not been provided by the publisher. Each of these films is readily available through retailers or online rental sites such as Amazon, iTunes, or Netflix.

Antes de mirar

- **LA PELÍCULA** *Cama adentro* (2006) nos presenta las relaciones entre la Sra. Beba Pujol y su empleada doméstica, Nora, quienes viven en Buenos Aires. Como Nora vive en la casa de la Sra. Pujol y atiende a todos sus caprichos (*whims, demands*), la conoce mejor que nadie. Sin embargo existe una tensión permanente entre ellas por la diferente clase social a que cada una pertenece y la posición de superioridad que la Sra. Pujol mantiene. ¿Es posible que uno tenga una amistad muy estrecha con su jefe? ¿Por qué sí o por qué no? ¿Ha tenido Ud. una experiencia semejante?

- **LA ESCENA** (1:18–5:55) En estos primeros momentos de la película, vemos a la Sra. Pujol en una tienda tratando de vender una tetera (*tea pot*) inglesa. Vuelve a su casa, donde Nora la está esperando. Antes de ver la escena, piense Ud. un poco sobre cómo se presentan los personajes al público (*audience*) en una película. ¿Qué elementos cinematográficos (*filmic*) se pueden usar para crear un personaje?

Al mirar

Mire la escena e indique la respuesta que mejor completa la oración.

1. A la Sra. Pujol, la oferta que le hacen de 12 pesos por la tetera le parece que es _____.
   - **a.** buen precio
   - **b.** muy poco dinero

2. La Sra. Pujol le dice a Nora que _____.
   - **a.** iba a vender la tetera
   - **b.** se la enseñó a un amigo que es coleccionista

3. La Sra. Pujol no le da los 20 pesos a Nora porque _____.
   - **a.** no encuentra el dinero en su cartera
   - **b.** solo tiene un billete de 100 pesos

4. Cuando Nora va a comprar el multiuso (*detergent*), vacila (*she hesitates*) antes de comprarlo porque no sabe _____.
   - **a.** si tiene dinero suficiente para comprarlo
   - **b.** si es la marca (*brand*) que debe comprar

Después de mirar

- Divídanse en grupos de dos o tres estudiantes para hablar de la escena. ¿Por qué piensan que existe tanta tensión entre la Sra. Pujol y Nora? ¿Cuál es el conflicto principal en estas tres secuencias (en la tienda, en la casa y en el supermercado)? Cuando Nora pregunta: «¿Sabe Ud. qué día es hoy?», ¿qué puede significar su pregunta?

- Los empleos domésticos (por ejemplo, los que limpian una casa, cocinan y cuidan a los niños) son puestos profesionales que requieren también una conexión personal. Imagínese que Ud. busca trabajo en una casa. Escríbale una carta a esa familia solicitando el trabajo, tratando de convencerlos de que lo/la acomoden. ¿Por qué es Ud. el/la candidato/a ideal? ¿Tiene experiencia profesional tanto como las cualidades personales necesarias?

- Busque en el Internet más información sobre las películas del «Nuevo cine argentino». ¿Cómo son las películas de esta nueva tendencia (*trend*)? Según Ud., ¿podría *Cama adentro* incluirse en esta categoría de cine?

8

Creencias e ideologías

1. Chichicastenango, Guatemala   **2.** Mijas (*Málaga*), España   **3.** Santa Fe, Nuevo México

En este capítulo

Mc Graw Hill **connect**™
|SPANISH

www.connectspanish.com

VOCABULARIO

Describir y comentar

■ ¿Puede Ud. identificar a los participantes en los siguientes acontecimientos (*happenings*) históricos en que la religión y los derechos humanos han desempeñado un papel importante? Identifíquelos en el dibujo.

ACONTECIMIENTO	PARTICIPANTES
1. ___ la creación de la Iglesia anglicana	**a.** los afroamericanos y el gobierno
2. ___ las Cruzadas	**b.** los árabes y los israelitas
3. ___ los derechos civiles en los Estados Unidos	**c.** los soldados y los frailes españoles
4. ___ el descubrimiento y la colonización del Nuevo Mundo	**d.** Enrique VIII y sus esposas
5. ___ el conflicto en el Oriente Medio	**e.** los musulmanes y los cristianos

■ ¿Puede Ud. identificar las religiones que motivaron los conflictos?

animar   to encourage; to enliven
cambiar de opinión   to change one's mind
competir (compito) (i)   to compete
comprometerse   to make a commitment
convertir(se) (me convierto) (i)   to convert
cooperar   to cooperate
dedicarse (qu) a   to dedicate oneself to
defender (defiendo)   to defend
fomentar   to promote, stir up
motivar   to provide a reason for; to motivate
negociar   to negotiate
predicar (qu)   to preach
   predicar con el ejemplo   to practice what one preaches
rezar (c)   to pray

la bendición   blessing
el clero   clergy
la competencia   competition
la conversión   conversion
la creencia   belief
la cruzada   crusade
el cura   priest
los derechos   rights
el ejército   army
el/la evangelizador(a)   evangelist
la fe   faith
la iglesia   church (*building*)
   la Iglesia   church (*organization*)
la mezquita   mosque
el/la militar   career military person
el/la misionero/a   missionary
la monja   nun
el monje   monk

la oración   prayer
el/la pastor(a)   pastor
el propósito   purpose; end, goal
el/la rabino/a   rabbi
el sacerdote   priest
la sinagoga   synagogue
el templo   temple
el valor   value

comprometido/a   committed

Creencias y creyentes*
el/la agnóstico/a   agnostic
el/la altruista   altruist
el/la anglicano/a   Anglican
el/la ateo/a   atheist
el/la budista   Buddhist
el/la católico/a   Catholic
el/la conservador(a)   conservative
el/la (no) creyente   (non)believer
el/la derechista   rightist (*a member of the political right*)
el/la egoísta   egotist, selfish person
el/la hipócrita   hypocrite
el/la izquierdista   leftist (*a member of the political left*)
el/la judío/a   Jew
el/la liberal   liberal
el/la materialista   materialist
el musulmán, la musulmana   Muslim
el/la pagano/a   pagan
el/la protestante   protestant

*The adjective and noun forms of all the words in this section are identical.

Conversación

A. Mapa semántico Examine la lista de vocabulario y luego organice todas las palabras que pueda según las siguientes categorías. ¿Qué otras palabras o expresiones sabe Ud. que también se podrían colocar (*could be placed*) en alguna de estas categorías?

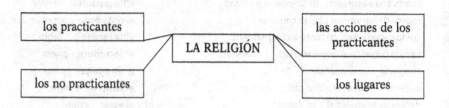

los practicantes		las acciones de los practicantes
	LA RELIGIÓN	
los no practicantes		los lugares

B. Definiciones Escoja la palabra de la lista a la derecha que mejor corresponda a cada definición a la izquierda. Luego, dé una definición en español de las palabras que quedan sin definir.

1. _____ incitar, motivar, instigar (una rebelión)

2. _____ las expediciones a la Tierra Santa contra los infieles durante la Edad Media

3. _____ una persona que no es católica ni judía ni musulmana pero que sí es creyente

4. _____ una persona que dice una cosa pero hace lo contrario

    a. competir
    b. convertir
    c. las Cruzadas
    d. fomentar
    e. el/la hipócrita
    f. el/la liberal
    g. el/la misionero/a
    h. el/la protestante
    i. el valor

C. ¡Busque al intruso! ¿Qué palabra no pertenece al grupo? Explique por qué.

1. sincero/a, generoso/a, egoísta, altruista
2. los conservadores, los derechistas, los materialistas, los izquierdistas
3. dedicarse, cambiar de opinión, comprometerse, cooperar
4. rezar, la oración, negociar, la fe
5. los militares, la conversión, los soldados, el ejército

D. ¿Cooperación o competencia (*competition*)? En su opinión, ¿cuál es más importante en la cultura norteamericana, la cooperación o la competencia (*competition*)? Cuando Ud. era muy joven, ¿qué tipo de actividades fomentaban más sus padres, aquellas en que Ud. podía ganar premios (*awards, prizes*) o aquellas en que debía ayudar a otras personas de alguna manera? ¿Era necesario que Ud. compartiera sus cosas o su cuarto con otra persona? Explique. ¿Cree que esto es una experiencia positiva para un niño / una niña? Explique.

E. Las creencias y los principios Las creencias religiosas pueden inspirar y hasta impulsar a los seres humanos a entrar en acción, de eso no hay duda. Pero hay otras creencias y principios que también motivan a muchos a la acción. Por ejemplo, ¿qué convicciones éticas o políticas asocia Ud. con los siguientes eventos?

1. el discurso «*I have a dream*» del Dr. Martin Luther King, Jr.
2. las restricciones sobre la tala de árboles (*logging*) en los bosques de los Estados Unidos
3. las restricciones sobre el fumar en lugares públicos
4. las manifestaciones (a veces violentas) contra ciertas clínicas para mujeres
5. la creación de milicias y otros grupos paramilitares en varios lugares del mundo
6. el trabajo realizado por organizaciones como la United Way y la Cruz Roja
7. las grandes huelgas (*strikes*) laborales de los años 30 en los Estados Unidos que culminaron con la creación de la United Auto Workers

F. La familia presidencial En este cuadro, el pintor Fernando Botero agrupa en una sola «familia» a todos los que tradicionalmente comparten el poder en Hispanoamérica. ¿Quiénes son los miembros de esta «familia»? ¿Comparten todos el poder igualmente o son algunos más poderosos que otros? ¿Cómo sería (*would be*) el retrato de «la familia presidencial» en los Estados Unidos? ¿Qué grupos se incluirían (*would be included*)?

La familia presidencial, *por el colombiano Fernando Botero*

GRAMÁTICA

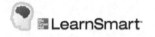

Visit **www.connectspanish.com** to practice the vocabulary and grammar points covered in this chapter.

30 The Subjunctive in Adverbial Clauses: Interdependence

In **Capítulo 7** you learned to use the subjunctive with adverbial conjunctions that express what is unknown to the speaker. The adverbial conjunctions in this section indicate that the actions in the main clause and subordinate clause are interdependent in special ways: When events take place simultaneously, one event will not take place unless the other does too, or one event happens so that another will happen.

Mi propósito era hablarle **para que** cambiara de opinión.	*My purpose was to talk to him so that he might change his mind.*
Ud. no puede ganar la elección **a menos que** tenga el apoyo del pueblo.	*You cannot win the election unless you have the support of the people.*

Here are the most common adverbial conjunctions of interdependence.

a condición (de) que	*provided that*	en caso (de) que	*in case*
a fin de que	*so that*	para que	*so that, in order that*
a menos que	*unless*	sin que	*without*
con tal (de) que	*provided that*		

Unlike the adverbial conjunctions in **Capítulo 7,** which take either the indicative or the subjunctive according to whether they refer to something known or unknown, habitual or anticipated, *adverbial conjunctions of interdependence are always followed by the subjunctive when there is a change of subject.* When there is no change of subject, the **que** is usually dropped and replaced by the infinitive depending on which adverbial conjunction is being used.

- With **para que** and **sin que,** the **que** is always dropped.

No puedo salir sin **despedirme** de mis padres.	*I can't leave without saying good-bye to my parents.*

- With **a condición (de) que, a fin de que, con tal (de) que,** and **en caso (de) que,** it is possible, though not necessary, to drop the **que.**

Voy a ir a la reunión con tal de que **tenga** tiempo. Voy a ir a la reunión con tal de **tener** tiempo.	*I'm going to go to the meeting provided I have time.*

- However with the conjunction **a menos que,** the subjunctive is always used even when there is no change of subject.

No vamos a resolver nada a menos que **cooperemos.**	*We're not going to solve anything unless we cooperate.*

Práctica A   En las siguientes oraciones se cuenta la primera parte de la historia de Cristóbal Colón. Según lo que Ud. sabe de esta historia, busque en la segunda columna la frase que termine cada oración de la primera. ¿Puede identificar las cláusulas adverbiales?

PRÁCTICA
connect
|SPANISH
www.connectspanish.com

1. ____ Cristóbal Colón creía que se podía llegar al Oriente navegando hacia el oeste…

2. ____ Colón no podía hacer nada…

3. ____ Colón le pidió dinero a la Reina Isabel I de Castilla…

4. ____ Isabel le dio dinero…

5. ____ Muchos hombres querían unirse a la expedición de Colón…

a. a menos que alguien le diera dinero para financiar el viaje.

b. a condición de que él conquistara nuevas tierras en nombre de ella.

c. aunque mucha gente pensaba que estaba loco.

d. a fin de hacerse ricos.

e. para poder hacer la expedición.

Práctica B   Aquí continúa la historia de Cristóbal Colón. Junte las oraciones con las frases entre paréntesis, usando una de las conjunciones de la lista de la página 226. Use el subjuntivo o el infinitivo como sea necesario.

1. Colón compró más de una carabela (caravel: an ocean-going ship). (una perderse en alta mar [at sea])

2. Colón partió inmediatamente. (la reina no cambiar de opinión)

3. Colón y los marineros (sailors) que lo acompañaban llevaban muchas provisiones. (ellos poder soportar un largo viaje)

4. Colón les prometió muchas riquezas a los marineros. (ellos descubrir la ruta)

5. Colón tenía muchas dudas sobre el viaje. (los marineros saberlo)

Nota cultural

Los políticos siempre buscan frases concisas y memorables —los llamados «sound bites»— para comunicarle su mensaje al público. Explique el significado de las siguientes expresiones. ¿Puede Ud. identificar la figura política que se asocia con cada una? ¿Conoce otras expresiones de este tipo?

- *Speak softly and carry a big stick.*
- *The only thing we have to fear is fear itself.*
- *The buck stops here.*
- *Read my lips.*
- ¿?

AUTOPRUEBA   Complete las siguientes oraciones con la forma correcta del verbo entre paréntesis. ¡OJO! Debe usar el subjuntivo o el infinitivo.

1. Miguel les explicó el problema a sus padres para que (cambiar) de opinión.

2. Los padres les avisaron a sus hijos que no podían ir al cine antes de (terminar) los quehaceres.

3. Marisela nos va a llamar en caso de que no (poder) acompañarnos esta noche.

4. A menos que el gobierno (negociar) con los revolucionarios, estos no van a liberar a los rehenes (hostages).

5. El entrenador de fútbol grita para (animar) a sus jugadores.

6. El pastor dice que vamos a alcanzar lo que pedimos con tal de que (rezar) todas las noches.

7. Los políticos aprobaron la ley sin que (estar) presentes todos.

8. Mi familia dona mucho dinero a la iglesia a fin de que (construir) la catedral nueva.

Conversación

A. Los Zúñiga

Paso 1. A continuación hay algunas oraciones sobre los Zúñiga, una familia de inmigrantes. Usando palabras o frases de la siguiente lista, junte las oraciones con las frases entre paréntesis. Use el subjuntivo, el indicativo o el infinitivo como sea necesario.

a condición de (que)	aunque	hasta (que)
a fin de (que)	cuando	para (que)
a menos que	de modo que	sin (que)
antes de (que)	en cuanto	

1. Los Sres. Zúñiga llegaron a Nueva York en 1995. (ser muy difícil dejar su patria)
2. Trabajaron mucho. (comer sus hijos)
3. Nunca se compraron ropa nueva. (ser una necesidad absoluta)
4. Enseñaron a sus hijos mucho sobre la cultura de su patria de origen. (entender y apreciar los valores de esa cultura)
5. Lo compraron todo de segunda mano. (ahorrar dinero)
6. Trataron de mantener la unidad familiar. (esto ser parte de su tradición cultural)
7. Los padres insistieron en que sus hijos se dedicaran a sus estudios. (graduarse de la escuela secundaria)
8. Los padres querían que sus hijos asistieran a la universidad. (tener buenas oportunidades de empleo)
9. Los hijos nunca se olvidaron de sus raíces. (estar lejos de sus padres)

Paso 2. ¿Qué puede Ud. deducir sobre los valores de la familia Zúñiga según las experiencias que tuvieron y las decisiones que tomaron? ¿Conoce Ud. a algunas familias de inmigrantes? ¿Qué sabe Ud. de las experiencias de ellos? ¿Fueron similares a las de la familia Zúñiga o fueron diferentes? ¿Tuvieron las mismas experiencias los antepasados de Ud.? Explique.

B. Los propósitos

Paso 1. Todo lo que se hace tiene un propósito. Por ejemplo, se imprime un trabajo (en vez de escribirlo a mano) para que se pueda leer con facilidad o para que los lectores tengan una buena impresión. ¿Con qué propósito hacen las siguientes personas estas acciones?

MODELO: un marinero: tatuarse →
　　　　Un marinero se tatúa para que las mujeres crean que es muy macho.

1. unos jóvenes: entrar en el ejército
2. unos estudiantes: estudiar español
3. los padres: bautizar a su hijo/a
4. un hombre / una mujer de negocios: llevar un traje de tres piezas
5. unos estudiantes: inscribirse en una *fraternity* o *sorority*
6. unos ciudadanos: negarse a votar
7. una persona divorciada: asistir a la universidad
8. un hombre: fumar una pipa
9. un(a) estudiante: escribirles cartas a sus padres
10. un(a) joven: escribirle poemas a la persona a quien ama

Paso 2. Compartan sus respuestas con los otros de la clase. ¿Hay mucha diferencia de opiniones? ¿Tienen Uds. otros ejemplos que podrían incluirse (*could be included*) en esta lista?

C. Intercambios

Paso 1. En la columna a la izquierda, hay palabras que reflejan algunos valores y creencias; en la columna a la derecha, hay algunos individuos. En parejas, indiquen con quién(es) se asocia cada palabra y por qué.

1. ___C___ animar
2. ___A___ la competencia
3. ___b___ convertir
4. ___A___ la cooperación
5. ___b___ predicar
6. ___C___ negociar

a. un jugador / una jugadora de baloncesto
b. un evangelizador / una evangelizadora
c. un político / una mujer político

Paso 2. Ahora, completen las siguientes oraciones de la manera en que Uds. creen que lo harían (*would do*) los individuos indicados en el **Paso 1.** Luego, inventen una oración más para cada individuo, usando las conjunciones adverbiales **a condición de (que), a fin de (que), a menos que, cuando, en caso de (que), para (que), por** o **sin (que).**

Un jugador / Una jugadora de baloncesto

1. No aceptaré (*I won't accept*) su oferta para jugar en el equipo de su universidad a menos que ___ofreca más dinar___
2. Pienso estudiar aquí solo hasta que ___muera___
3. Me gustaría (*I would like*) tener un maestro particular (*tutor*) en caso de que ___tenga. problemas___
4. ¿ ?

Un evangelizador / Una evangelizadora

5. Le pido a la gente (mi público) que me mande dinero para que ___puede conviver con dios___
6. Es importante usar la televisión como medio de comunicación para que ___entiendan el amor___
7. La comercialización de las fiestas religiosas no debe continuar ya que ___sea mal___
8. ¿ ?

Un político / Una mujer político

9. Para tener éxito en el mundo de la política, es tan importante tener atractivo físico como ser inteligente ya que ___sea un juego a popularidad___
10. Yo nunca miento a menos que ___sea necesario___
11. Hoy nadie puede ganar una campaña política sin que ___tengan ideas radicales___
12. ¿ ?

Paso 3. Compartan sus nuevas oraciones con los demás para ver si sus compañeros las completaron de la misma manera que Uds. ¿Cuál(es) de los valores de la actividad anterior revela cada oración? ¿Están de acuerdo las nuevas oraciones con el análisis que Uds. acaban de hacer, o revelan otros valores? Expliquen.

D. Guiones Describa los siguientes dibujos de varias maneras, incorporando algunas de estas palabras en cada descripción.

a fin de que	en caso de que	sin que
a menos que	para que	ya que
ahora que	puesto que	

1.

2.

1. cortar, estar sentado, ser bonito, ver mejor
2. beber, despertarse, salir, servir

3.

4.

3. casarse, estar enamorados, saberlo nadie, tener 21 años
4. aceptar, gritar, predicar, no escuchar

E. Intercambios

Paso 1. Muchas veces hacemos algo *con tal de que* existan determinadas circunstancias. ¿Qué circunstancias tendrían (*would have*) que existir para que Uds. hicieran ciertas cosas diferentes o contrarias a lo que siempre hacen? En parejas, háganse y contesten las siguientes preguntas para averiguarlo.

MODELO: ¿Con tal de qué aceptarías (*would you accept*)* a un inquilino o inquilina (*tenant, boarder*) en tu casa?

Lo normal: →

Normalmente no acepto a inquilinos en mi casa.

Circunstancias necesarias para hacer algo diferente: →

Pero lo haría (*I would do it*) con tal de que no fumara y me pagara muy bien.

1. ¿Con tal de qué saldrías con una persona desconocida?
2. ¿Con tal de qué participarías en un experimento sicológico?
3. ¿Con tal de qué comprarías un coche de segunda mano?
4. ¿Con tal de qué le prestarías dinero a una persona desconocida?
5. ¿Con tal de qué permitirías que alguien manejara tu coche?
6. ¿Con tal de qué comerías algo sin saber lo que es o lo que contiene?

---

*One use of the conditional is to indicate things that people *would* do. With few exceptions, the following endings are added to the infinitive to form the conditional: **-ía, -ías, -ía, -íamos, -íais, -ían.** See **Gramática 38** for a list of verbs that are irregular in the conditional.

aceptar**ía**	aceptar**íamos**
aceptar**ías**	aceptar**íais**
aceptar**ía**	aceptar**ían**

Paso 2. ¿Qué revelan los resultados de su entrevista? Por lo general, ¿actúan Uds. con precaución o les gusta tomar riesgos? ¿Qué tipo de motivación (económica, sicológica, ¿ ?) necesitan para cambiar su manera de pensar? Compartan sus resultados con las demás parejas de la clase. ¿Hay diferencias entre la manera de pensar de los hombres y la de las mujeres?

31 *Por* and *para*

Prepositions establish relationships between the noun that follows them and other elements in the sentence.

The book is **on** the table.   This is **for** you.

Although most prepositions have a specific meaning, their use is not always consistent with that meaning. For example, in English we arbitrarily say *to ride on a bus* and *to ride in a car,* even though the relationship between the two vehicles and a passenger is the same.

A single preposition can have many different and seemingly unrelated meanings. Think about the many different uses of the preposition *on* in the following phrases: *to turn on the lights, to be on the right, to be on fire, to be on time* (which is quite different from *to be in time), to put on the dog's collar, to be or get high on something,* and so on.

The use of prepositions in Spanish can be equally arbitrary. Although each preposition has a basic meaning, the choice of the correct preposition for some situations depends on usage, and many Spanish prepositions have a number of English equivalents.

Two Spanish prepositions that have several different English equivalents are **por** and **para.** The choice between them can radically affect the meaning of a sentence.

A. *Por* versus *para:* Cause and Effect

Por expresses the motive for an action or the agent performing the action. **Para** expresses the goal of an action or the recipient of the action. **Por** points back toward the cause (←); **para** points forward toward the effect (→).

POR (←)	PARA (→)
Lo mataron por odio.	Estudia para ingeniera.
They killed him out of (motivated by) hate.	*She is studying (in order) to become an engineer.*
Lo hago por mi hermano.	Lo hizo para sobrevivir.
I'm doing it for (on behalf of, on account of) my brother.	*He did it (in order) to survive.*
El libro fue escrito por Jaime.	El libro es para Ud.
The book was written by Jaime.	*The book is for you.*
Mandaron por el médico.	Son juegos para niños.
They sent for the doctor (motive of the call).	*They are games for (to be used by) children.*
Fue a la tienda por café.	Es una taza para café.
He went to the store for coffee (motive of the errand).	*It's a coffee cup (a cup intended to be used for coffee).*

Nota comunicativa

Note the use of **para** before infinitives to mean *in order to.* This meaning, often understood from context in English, must always be expressed in Spanish.

Estamos aquí **para** estudiar.
We're here (in order) to study.

Many native speakers of Spanish use no preposition at all to express duration of time.

Ana estará en México tres días.

Other native speakers, mainly from Spain, use **durante** instead of **por** to express duration of time.

Ana estará en México durante
  tres días.

¿Recuerda Ud.?

Remember that the prepositions that follow some English verbs are incorporated into the meaning of the corresponding Spanish verb.

buscar *to look for*
esperar *to wait for*
pagar *to pay for*
pedir *to ask for*

English *to ask about someone,* however, is expressed with a preposition: **preguntar por.**

Preguntaron por ti en la reunión.
They asked about you at the meeting.

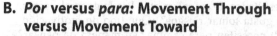

B. *Por* versus *para:* Movement Through versus Movement Toward

To express movement in space and time, **para** retains its basic meaning of movement toward an objective (→|). **Por** takes on a different meaning, of duration or movement through space or time with no destination specified (↦).

POR (↦)	PARA (→|)
Pablo va por el pueblo.	Pablo va para el pueblo.
Pablo goes through the town.	*Pablo heads toward the town.*
Estaremos en clase por la mañana.	Termínenlo para mañana.
We will be in class during (in) the morning.	*Finish it by (for) tomorrow.*
Ana estará en México por tres días.	Ana estará en México para el tres de junio.
Ana will be in Mexico for (a period of) three days.	*Ana will be in Mexico by the third of June.*

C. *Por* versus *para:* Other Uses

■ **Por** and **para** also have uses that do not fit into the preceding categories.

Por expresses *in exchange for* or *per* in units of measurement, as well as the means by which an action is performed.

Te doy cinco dólares por el libro.	*I'll give you five dollars (in exchange) for the book.*
El camión solo corre veinte kilómetros por hora.	*The truck only goes twenty kilometers per hour.*
Lo mandaron por avión/barco.	*They sent it by plane/boat.*

■ **Para** expresses *in comparison with* and also *in the opinion of.*

Para (ser) perro, es muy listo.	*For (being) a dog, he's very smart.*
Para mí, la fe tiene mucha importancia.	*For me (In my view), faith is very important.*

Práctica Exprese las siguientes oraciones en inglés. Luego, explique el uso de **por** o **para** en cada caso.

1. Anoche tuvimos que guardar la comida para el cura.
2. Permanecieron allí por las negociaciones.
3. Debido a (*Due to*) la lluvia, los militares no salieron para las montañas.
4. Hicimos un recorrido (*tour*) por la catedral.
5. Las noticias corrieron por todo el partido liberal.
6. Para ser tan egoísta, muestra mucho interés en los demás.
7. Lo llamaron por teléfono.
8. Julio pagó $20,00 por la radio.
9. La conversión de su hijo fue muy importante para la madre.
10. Fueron a la tienda por helado.

Conversación

A. ¿Por o para? Cambie las palabras *en letra cursiva azul* por **para** o **por**.

1. *A causa de* la guerra, se perdieron todas las cosechas.
2. No podían respirar *a causa de* la contaminación.
3. El volcán estuvo en erupción *durante* un mes.
4. Corrieron *a lo largo de* la sinagoga.
5. Nos dio un regalo *a cambio de* nuestra ayuda.
6. Salieron *con destino a* la ciudad.
7. Tengo que acabar el sermón *antes de* las seis y media.
8. Estudia *a fin de* ser sacerdote.
9. Querían que la monja fuera *en busca del* cura.
10. Fueron a El Salvador *a fin de* trabajar como misioneros.
11. Le dieron un premio *debido a* sus sacrificios.
12. Me gusta mucho trabajar *durante* la mañana, cuando todo el mundo duerme todavía.

B. En español Dé la palabra española que mejor corresponda a la palabra *en letra cursiva azul*. **¡OJO!** A veces puede ser que la palabra no se exprese con preposición (examine el verbo con cuidado). Luego, comente si Ud. está de acuerdo o no con la idea expresada en cada oración.

1. The Muslims were in Spain *for* seven centuries.
2. *For* Christians, the cross is a symbol of love and salvation.
3. If students ask their professors *for* an extension on a paper, the professors will usually agree.
4. *For* a Spanish book, this text is incredibly interesting.
5. People say that horoscopes are only read *by* those who are superstitious.
6. *To* get votes, politicians always look *for* nice things to say about their opponents.
7. People who look *through* others' windows are nosy.
8. When parents tell a child to clean his or her room *by* the end of the day, they are only joking.
9. People will work harder *because of* fear than *because of* love.
10. Women have done more *for* this country than men.

C. La guerra civil de El Salvador Lea el siguiente texto y luego complételo con **por** o **para,** según el contexto.

En las últimas décadas del siglo XX hubo una horrenda guerra civil en El Salvador que resultó en la muerte de miles de inocentes. El Salvador tiene una larga historia de conflictos entre el grupo relativamente pequeño que controla el país desde hace mucho tiempo y los campesinos pobres, muchos de los cuales viven sin agua corriente, escuela, atención médica y, a veces, lo básico _Para_[1] vivir. El conflicto se originó en los años 70 cuando un grupo de padres jesuitas y otros activistas se propusieron luchar _por_[2] los derechos humanos de los pobres. Los campesinos se organizaron _para_[3] obtener un mejor precio _por_[4] las cosechas que cultivaban. Otros grupos comenzaron a trabajar _para_[5] construir escuelas y clínicas _para_[6] mejorar la vida de los pobres. El gobierno salvadoreño desaprobó esas iniciativas, viendo en ellas una tentativa de disminuir su control. Acusaron a los activistas de promover el establecimiento de un gobierno comunista en el país. Poco después, iniciaron una campaña de terror y muchos clérigos fueron asesinados _por_[7] agentes que tenían el apoyo del gobierno. Los militares bombardearon muchos pueblos donde supuestamente vivían simpatizantes comunistas. Estos ataques sirvieron _para_[8] aterrorizar a los campesinos, muchos de los cuales huyeron a otros países centroamericanos _para_[9] escapar la brutalidad. Finalmente, después de la matanza brutal de cuatro sacerdotes jesuitas en la Universidad de Centroamérica en San Salvador en 1989, la comunidad internacional se puso tan indignada que obligó al gobierno salvadoreño a negociar un tratado de paz con las fuerzas opositoras. El tratado se firmó en 1992, poniendo así fin a la guerra.

Hoy, todavía hay problemas graves. La tasa de mortalidad infantil es muy alta y mucha gente es analfabeta. Muchos grupos internacionales trabajan _para_[10] proporcionar agua potable a la gente que no la tiene y _para_[11] facilitar la creación de empleos. Algunos construyen clínicas y escuelas _para_[12] que los salvadoreños de pocos recursos lleven una vida más sana y los niños aprendan a leer y a escribir.

32 The Process *se*

You have already learned many of the different meanings of the pronoun **se:** to express the impersonal agents *one, you,* or *people;* to express passive constructions; and to signal both reflexive (*self*) and reciprocal (*each other*) actions, in which the agents and the objects of the action involve the same persons.

IMPERSONAL:	Se **vive** muy bien aquí.	*People live very well here.*
PASSIVE:	Se **malgastaron** millones de dólares en la campaña.	*Millions of dollars were wasted in the campaign.*
REFLEXIVE:	La monja se **miró** en el espejo.	*The nun looked at herself in the mirror.*
RECIPROCAL:	Las monjas se **miraron** con sorpresa.	*The nuns looked at each other in surprise.*

In the ¡Ojo! presentation of **Capítulo 6,** you learned how **se** can be used with certain verbs to express the idea of *get* or *become.*

| El niño se **puso** furioso. | *The child got (became) angry.* |
| Se **hizo** rica trabajando día y noche. | *She got (became) rich by working day and night.* |

This use of reflexive pronouns to signal inner feelings or processes, especially changes in physical, emotional, or mental states or changes in position (location), is very frequent in Spanish. It occurs with many verbs, several of which are already familiar to you.

| Enrique se **convirtió al** judaísmo el año pasado. | *Enrique converted to Judaism last year.* |
| Al principio, Carolina no se **llevó bien** con Alberto, pero luego se **enamoró de** él y se **casaron** un año después. | *At first, Carolina did not get along well with Alberto, but later she fell in love with him and they got married a year later.* |

These processes are sometimes expressed in English with <u>*become,*</u> <u>*get,*</u> or an *-en* suffix: *to become bright, to get bright, to brighten.* Often, however, as in the preceding examples about Enrique and Carolina, English has no special way to indicate a process. In the phrases *the water freezes* and *the snow melts,* it is clear from the context that the water and the snow are not performing actions but rather are undergoing a process, in this case a change in physical state. In English, processes can often be understood from the context; in Spanish, a process is always signaled by a reflexive pronoun.

El niño se **enfermó.**	*The child got sick.*
Todos nos **levantamos** cuando entró y luego nos **sentamos** todos a la vez.	*We all stood up when he entered, and then we all sat down at the same time.*
Me **asusté** al recibir las noticias.	*I became frightened upon receiving the news.*

The following verbs are frequently used to signal processes.*

Physical Change	
acostarse (me acuesto)	to lie down; to go to bed
calentarse (me caliento)	to get warm, warm up
despertarse (me despierto)	to wake up, awaken
dormirse (me duermo) (u)	to fall asleep
enfermarse	to get sick
enfriarse (me enfrío)	to get cold, cool down
levantarse	to rise, get up
mojarse	to get wet
secarse (qu)	to become dry, dry out
sentarse (me siento)	to sit down

---

*Most of these verbs can also be used without the reflexive pronouns. They then have a nonprocess meaning. For example, **acostar** means *to put someone to bed,* **despertar** means *to wake someone up,* **dormir** means *to sleep,* **levantar** means *to raise* or *to lift something,* and **sentar** means *to seat someone.*

Nota comunicativa

Because both reflexive and process constructions use the same set of pronouns, the two structures look very similar. In addition, many verbs can be used with both meanings.

REFLEXIVE
El niño se secó después del baño.
The child dried himself off after his bath.

PROCESS
El café se seca al sol por varias semanas.
The coffee dries (out) / is dried (out) in the sun for several weeks.

Actually, the process use of **se** is much more common than the reflexive use. You may find that being aware of this meaning helps you interpret many constructions when context makes the reflexive meaning unlikely.

Emotional or Mental Change	
alegrarse (de)	to get happy (about)
asustarse (de)	to become frightened (of)
casarse (con)	to get married (to)
comprometerse (a)	to make a commitment (to)
divertirse (me divierto) (i)	to enjoy oneself, have a good time
divorciarse (de)	to get divorced (from)
enamorarse (de)	to fall in love (with)
enfadarse (con)	to get angry (with)
enojarse (con)	to get angry (with)
oponerse (like poner) (a)	to be opposed (to)
preocuparse (por)	to worry (about)
quejarse (de)	to complain (about)

Práctica Complete las siguientes oraciones, usando los verbos indicados y un complemento apropiado, según el contexto. Cuidado con el uso del subjuntivo y del indicativo.

1. En esta clase no hay nadie que _____. (asustarse de, oponerse a, preocuparse por)

2. En mi iglesia (familia, mezquita, sinagoga, templo), hay algunas personas que _____. (alegrarse de, comprometerse a, enojarse con)

3. Todos mis amigos _____. (alegrarse de, preocuparse de, quejarse de)

4. De niño/a, no me gustaba que (nombre de una persona) _____. (enamorarse de, enojarse con, quejarse de)

AUTOPRUEBA Complete las siguientes oraciones con la forma apropiada del verbo entre paréntesis y el pronombre **se**.

1. Los niños entraron en la casa para (calentarse).
2. (Invertir) millones de dólares en las últimas elecciones.
3. Mis padres (casarse) en 1960.
4. Jaime y su primo australiano (escribirse) por correo electrónico cada semana.
5. No hay nadie que (oponerse) a cenar en un restaurante esta noche.
6. Los indígenas (convertirse) al catolicismo después de la llegada de los europeos.
7. Los niños (quedarse) en casa ayer porque su mamá no quería que (enfermarse).
8. El teléfono sonó por diez minutos sin que Sergio (despertarse) para contestarlo.
9. Los niños (asustarse) cuando ven películas de horror.

Conversación

A. Mapa semántico Organice los verbos reflexivos de las listas anteriores, según las categorías indicadas en el siguiente dibujo.

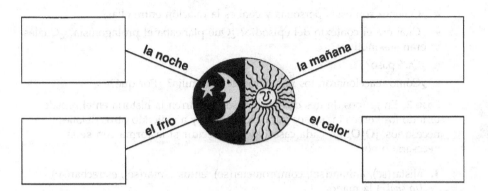

B. Asociaciones Vuelva a mirar los verbos de las listas anteriores. ¿Qué verbos asocia Ud. con el siguiente dibujo?

C. Intercambios En parejas, usen las siguientes expresiones para hacerse y contestar preguntas. Luego, compartan con la clase lo que han aprendido.

1. a quién / familia / parecerse más
2. gustar / quedarse en casa por la noche / salir
3. hora / levantarse / hoy
4. reaccionar / alguien reírse de ti
5. de qué aspecto / universidad / quejarse más / este semestre
6. con qué postura política / enojarse más
7. en qué situación / divertirse más / este año
8. en qué situación / ponerse nervioso/a
9. qué solución / usar / calmarse

D. Entre todos

Paso 1. A continuación hay varios grupos de personas. A su parecer, ¿en qué grupos suele haber diferencias de opinión? ¿Son pequeñas o grandes? Explique.

1. personas de distintas generaciones
2. personas de distintas religiones
3. personas de distintos partidos políticos
4. personas de distintas razas
5. las mujeres y los hombres
6. personas de distintos grupos étnicos
7. personas de distintas clases sociales

Paso 2. ¿A Ud. le importan las creencias políticas de sus amigos? ¿su religión? ¿su origen étnico? ¿Se divierte con un amigo / una amiga que es muy optimista? ¿altruista? ¿temerario/a (*foolhardy*)? ¿prudente? ¿Le irrita que un compañero / una compañera tienda a ser egoísta o pesimista? Explique.

E. Guiones

Paso 1. Los dibujos del **Paso 2** representan un episodio en la vida de la familia Valdebenito que ocurrió el año pasado. Conteste las preguntas antes de completer el **Paso 2.**

- ¿Quiénes son estas personas y cuál es la relación entre ellas?
- ¿Cuál era el contexto del episodio? ¿Qué planeaba el protagonista? ¿Cuáles eran sus motivos?
- ¿Qué pasó?
- ¿Cómo reaccionaron los miembros de la familia? ¿Por qué?

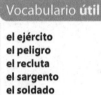

Paso 2. En grupos de tres o cuatro personas, narren la historia en el pasado, usando los verbos indicados para cada dibujo y añadiendo otros detalles necesarios. **¡OJO!** En cada caso hay que decidir si la forma con **se** es necesaria o no.

1. alistar(se), animar(se), comprometer(se), entusiasmar(se), estrechar(se) (*to shake*) la mano
2. asustar(se), cambiar de opinión, convencer(se), disuadir, luchar, preocupar(se)
3. abrazar(se), despedir(se), quedar(se), sentir(se)

Vocabulario útil

el ejército
el peligro
el recluta
el sargento
el soldado
el uniforme

calvo/a
peligroso/a

1.

2.

3.

4. afeitar(se), hacer cola, horrorizar(se), mirar(se), reírse de
5. acostar(se), enojar(se), gritar(se), levantar(se), motivar(se), predicar con el ejemplo
6. alegrar(se), sentir(se), vestir(se), volver(se)

4.

5.

6.

33 Review of the Subjunctive: An Overview

Two conditions must be met for the subjunctive to be used.*

1. **Sentence Structure:** The sentence must contain at least two clauses, an independent (main) clause and a dependent (subordinate) clause. The subjunctive occurs in the subordinate clause.

Los liberales se alegraron de **que nombráramos a una mujer.**	*The liberals were happy that we named (nominated) a woman.*
Los conservadores se pusieron furiosos de **que** gastáramos **tanto dinero en el bienestar social.**	*The conservatives became furious that we spent so much money on social welfare.*

2. **Meaning:** There are three basic types of messages that cue the subjunctive.

   a. **Nonexperience:** when the subordinate clause describes or refers to something that is unknown to the speaker, that is, beyond his or her experience, and is thus not considered real or factual

Prefiero que no vayas a Europa.	*I prefer that you not go to Europe.*
Dudaban que fuera tan egoísta.	*They doubted that he was so selfish.*
El optimista **buscaba una** solución que les sirviera a todos.	*The optimist searched for a solution that would serve everyone.*
Van a firmar el contrato **tan pronto como** se arreglen los detalles.	*They're going to sign the contract as soon as the details are in order.*

   b. **Subjective Reaction:** when the main clause makes a value judgment or expresses a subjective, emotional reaction

Es increíble que ella sea tan derechista.	*It's incredible that she is so right-wing (politically to the right).*
Me sorprendió que hubiera tanta gente en la procesión.	*It surprised me that there were so many people in the procession.*

   c. **Interdependence:** when the main clause describes the conditions under which the event in the subordinate clause will take place

Te entrego el dinero **con tal de que** me des las fotos.	*I will hand the money over to you provided that you give me the pictures.*
Los derechistas votaron por ese candidato **para que** los liberales no pudieran controlar el Senado.	*The right-wingers voted for that candidate so that the liberals couldn't control the Senate.*

---

*These rules are discussed in **Gramática 17, 18, 22, 25, 29,** and **30.**

Práctica

Dé oraciones nuevas, según las palabras entre paréntesis.

1. —¿Les das dinero a ciertas organizaciones?
—Sí, claro, se lo doy *puesto que* hacen mucho bien. (a fin de que, ahora que, con tal de que, para que, porque)

2. *Es increíble* que haya conflicto en esa parte del mundo. (Es posible, Es verdad, Me pone triste, No creo, Sabemos)

3. —¿Contribuía la gente a causas sociales?
—Sí, lo hacía *después de que* se lo pidieron. (a menos que, antes de que, cuando, sin que, ya que)

AUTOPRUEBA Complete las siguientes oraciones con la forma apropiada de los verbos entre paréntesis.

1. Los niños (alegrarse) de que sus abuelos (estar) aquí.
2. El año pasado, los ciudadanos (enojarse) porque los militares (intervenir) en el gobierno.
3. (Nosotros: Salir) para la playa en cuanto nuestros amigos (llegar).
4. Raquel (buscar) un apartamento que (cubrir) todas sus necesidades, pero nunca lo encontró.
5. Nos (sorprender) que (costar) tanto viajar a México.
6. Gabriela me (dar) las fotos ayer para que no (perderse).
7. La novia de Álvaro (salir) por la ventana de su dormitorio anoche sin que sus padres (saber).
8. El médico (decir) que iba a llamar cuando (tener) los resultados.

Conversación

A. Los extremos

Paso 1. Los ultraliberales y los ultraconservadores representan puntos de vista extremos. En su opinión, ¿cómo reaccionarían (*would react*) estos individuos a las siguientes noticias? Combine las columnas para describir sus reacciones. Luego, explique por qué cree que reaccionarían así.

MODELO: El gobierno legaliza la marihuana. →

Los ultraliberales se alegran de que el gobierno legalice la marihuana ya que no la consideran una droga realmente peligrosa.

Los ultraconservadores se oponen a que el gobierno la legalice porque creen que va a contribuir al deterioro de la sociedad.

| los ultraliberals los ultraconservadores | + | se alegran de se enojan de se escandalizan de se oponen a se preocupan de | + | El gobierno les aumenta los impuestos a las grandes empresas. El congreso recorta el presupuesto (*budget*) social para poder equilibrar el presupuesto nacional. El gobierno permite el rezar en las escuelas públicas. La Corte Suprema prohíbe el aborto. |

Paso 2. ¿Tiene Ud. más ideas en común con los ultraliberales o con los ultraconservadores?

B. El pacifista y el soldado

Paso 1. Usando las oraciones de la actividad anterior, comente cómo reaccionarían un(a) pacifista y un soldado tipo «Rambo» a las siguientes noticias. Luego, explique por qué cree que reaccionarían así.

1. Este país declara la guerra a Cuba.
2. El gobierno declara ilegal la venta de toda clase de armas de fuego.
3. Los Estados Unidos y China deciden eliminar por completo las armas nucleares.
4. Una mujer es elegida presidenta de los Estados Unidos.

Paso 2. ¿Tiene Ud. más ideas en común con un(a) pacifista o con un soldado tipo «Rambo»?

C. Improvisaciones Los conservadores, los moderados y los liberales tienen actitudes muy distintas con respecto a los siguientes temas. Con uno o dos compañeros de clase, preparen el discurso político de una persona conservadora, moderada o liberal sobre varios de los temas indicados. Inventen un lema (*slogan*) o *sound bite* convincente para su candidato/a también. Al final, algunos estudiantes deben presentar su discurso a la clase, la cual tratará (*will try*) de identificar la afiliación política del candidato / de la candidata. Traten de incluir en su discurso algunas de las expresiones adverbiales de este capítulo.

- el aborto
- la acción afirmativa
- la asistencia pública
- el control de las armas de fuego
- el crimen y la violencia
- el déficit federal

- el (des)empleo
- la educación
- la participación de las minorías en el gobierno
- el presupuesto militar
- el seguro médico

UN POCO DE TODO

¡OJO!

	Examples	Notes
dato **hecho**	Los **datos** del estudio indican que el tabaco causa cáncer. *The results of the study indicate that tobacco causes cancer.*	*Fact* has two equivalents in Spanish. Use **dato(s)** when referring to *findings, results,* or *data*.
	El descubrimiento del cobre fue un **hecho** de gran importancia para el país. *The discovery of copper was an event of great importance for the country.*	Use **hecho** to refer to *a proven fact, deed,* or *event.*
	Es un hecho que (De hecho,) se va en junio. *It's a fact that (In fact,) he's leaving in June.*	Three expressions that contain the word **hecho** are **el hecho es que...** (*the fact is [that]* . . .), **es un hecho que** (*it's a fact [that]*), and **de hecho** (*in fact*).
	El hecho es que no podemos invertir más dinero todavía. *The fact is, we can't invest any more money yet.*	

Examples	Notes
realizar (c) **darse cuenta (de)**	El estudiante **realizó** su sueño: sacó una «A» en el curso. *The student realized his dream; he got an A in the course.* No **me di cuenta (de)** que había una venta. *I didn't realize (that) there was a sale.*	**Realizar** means *to realize* in the sense of *to achieve a goal* or *an ambition*, that is, *to accomplish something.* **Darse cuenta (de)** means *to realize* as in *to be aware* or *to understand.*

A. Volviendo al dibujo Este dibujo es de **Describir y comentar.** Mírelo con atención y luego escoja la palabra que mejor complete cada oración. ¡OJO! También hay palabras de los capítulos anteriores.

El año 1492 es (una cita / un dato / una fecha)[1] muy importante (a causa de / porque)[2] ese año Cristóbal Colón (realizó / se dio cuenta de)[3] su primer viaje a lo que él creía ser las Indias. El (dato/hecho)[4] es que Colón nunca (realizó / se dio cuenta de)[5] que había descubierto[a] todo un nuevo continente. Más tarde, y con los (datos/hechos)[6] que él llevó a los Reyes Católicos, los conquistadores comenzaron a llegar a esas tierras. Al llegar, encontraron indígenas, gente diferente, a la cual intentaron cambiar. Es un (dato/hecho)[7] que trataron de convertirlos al cristianismo y de españolizarlos. Desgraciadamente, los españoles también introdujeron enfermedades nuevas entre los indígenas y, como consecuencia, muchos de estos[b] murieron.

Es un (dato/hecho)[8] histórico interesante que Enrique VIII quisiera divorciarse de Catalina de Aragón, hija de los Reyes Católicos de España, después de 18 años de matrimonio. Enrique y Catalina tenían una hija, Mary, pero Enrique quería un heredero y además se había enamorado[c] (a/con/de)[9] una bella joven de la corte. (Porque / Puesto que)[10] la Iglesia católica no permitía el divorcio, el papa de aquel entonces, Clemente VII, se lo prohibió. Como Enrique VIII (se sentía / sentía)[11] muy poderoso, no le hizo (atención/caso)[12] al papa. Se separó de la Iglesia católica y (llegó a ser / se hizo)[13] jefe de la Iglesia anglicana.

[a]había... *had discovered* [b]*the latter* [c]se... *had fallen in love*

B. Entre todos

- ¿Qué sueños importantes realizó Ud. durante la primera década de su vida? ¿Qué sueños quiere realizar durante la próxima década? ¿Tiene un sueño imposible de realizar? ¿Cuál es? ¿Por qué no lo va a poder realizar?

- ¿Cuándo se dio Ud. cuenta de que quería hacer estudios universitarios? ¿Cuándo se dio cuenta de que quería estudiar en esta universidad? ¿Cuándo se dieron cuenta sus padres de que Ud. ya era adulto/a? Explique sus respuestas.

C. El mito del Quinto Sol Complete el párrafo, dando la forma apropiada del verbo entre paréntesis y expresando en español las frases en inglés. Cuando se dan dos palabras entre paréntesis, escoja la palabra apropiada.

Todas las religiones, tanto las modernas como las antiguas, tienen una explicación de la creación del mundo. Probablemente no hay nadie de la tradición judeocristiana que no conozca la historia bíblica. Los aztecas tenían una explicación más complicada de la creación. Se llamaba la historia del Quinto Sol.

Según este mito, (*many, many years ago*),[1] no había nada en el mundo. A los dioses no les gustaba que el universo (ser)[2] tan oscuro y por eso un día (reunirse)[3] para resolver el problema. El malévolo dios de la noche (hablar)[4] primero. «Es evidente que nosotros (necesitar)[5] un sol. Y para que Uds. (ver)[6] mi poder y mi fuerza,[a] ¡yo lo crearé![b]»

De repente, (aparecer)[7] un sol grande y esplendoroso. Pero todavía no había hombres que (habitar)[8] la tierra, solo gigantes monstruosos. Al cabo[c] de trece siglos, unos jaguares enormes (devorar)[9] y (destruir)[10] el sol. Por eso, los dioses le (poner)[11] a este primer sol el nombre de Sol del Jaguar.

Entonces, fue necesario que los dioses (empezar)[12] de nuevo. Como cada dios quería que los otros dioses lo (admirar),[13] uno después de otro trató de crear un sol duradero.[d] Ninguno tuvo suerte. Unos huracanes horribles (devastar)[14] el segundo sol; solo hubo unos pocos hombres (*of those that*)[15] se habían creado[e] que (poder)[16] escapar la destrucción. Subieron a los árboles y se convirtieron en monos. Una tercera y una cuarta vez los dioses usaron su magia sin que ninguno (tener)[17] éxito. Durante el tercer sol apareció una misteriosa lluvia de fuego, (*which*)[18] quemó toda la tierra menos a algunos hombres que se convirtieron en pájaros. Después de la creación del cuarto sol, una horrible inundación (cubrir)[19] el mundo. Algunos hombres sobrevivieron al convertirse en peces.[f]

Después del cuarto sol los dioses (decidir)[20] reunirse una vez más. (*Ellos:* Saber)[21] que no (ir)[22] a poder crear un sol perfecto a menos que (hacer)[23] un sacrificio especial, un sacrificio divino. Dos dioses se ofrecieron para el sacrificio. Mientras ellos (*were preparing themselves*),[24] los otros dioses construyeron un gran fuego. Al quinto día, los dos dioses (arrojarse)[25][g] al fuego. Los otros dioses esperaron nerviosos. Pronto (descubrir)[26] su error: por el cielo subían dos discos rojos. ¡Qué horror!

No era posible que (*ellos:* vivir)[27] con dos soles. El calor sería[h] demasiado intenso. Por eso, uno de los dioses (arrojar)[28] un conejo[i] contra uno de los soles, reduciendo así un poco su luz. Este sol se convirtió en la luna. (Hasta hoy los mexicanos no hablan del hombre de la luna sino[j] del *conejo* de la luna.)

Pero el otro sol todavía (estar)[29] muy débil. «Puedo empezar a cruzar el cielo —les anunció ese sol— con tal de que Uds. (darme)[30] su corazón.»

Todos los dioses (arrojarse)[31] al fuego y el sol (comer)[32] los corazones. El quinto sol, ahora fuerte y brillante, empezó a caminar lentamente por el cielo, donde lo podemos ver hoy. Los otros soles se pueden ver también en el famoso calendario azteca que hay en el Museo de Antropología de México.

[a]*strength* [b]*yo… I shall create it!* [c]*final* [d]*lasting* [e]*se… had been created* [f]*fish* [g]*to throw oneself* [h]*would be* [i]*rabbit* [j]*but rather*

Lectura cultural *La medicina alternativa en Hispanoamérica*

En Hispanoamérica se usa una gran variedad de recursos para curar las enfermedades, tanto físicas como emocionales y aun espirituales. Por supuesto, hay muchos hospitales modernos y médicos competentes, graduados de las mejores universidades locales o extranjeras. Pero al mismo tiempo mucha gente depende de los métodos alternativos tradicionales, que no se basan en las ciencias, para curar las enfermedades.

Las personas que ejercen[a] este tipo de medicina se llaman «curanderos» y sus métodos se originan en parte en las prácticas curativas de los indígenas de la época precolombina. También reflejan las contribuciones de otros grupos, incluso las de los africanos que fueron importados como esclavos en los siglos XVII y XVIII, y las de los grupos evangélicos que se han establecido en la región más recientemente.

Las civilizaciones indígenas que ocupaban el continente americano antes de la llegada de los europeos contaban con[b] especialistas en varios aspectos de la medicina. Algunos se especializaban en el uso de plantas medicinales y otros en el tratamiento de los males[c] espirituales. Estos creían que la salud se relacionaba no solo con el cuerpo físico sino también con el espíritu. Por eso, sus remedios se aplicaban con el propósito de devolver la salud del cuerpo y también la del alma y del espíritu. A veces, esto incluía la práctica de ceremonias para exorcizar algún espíritu maligno[d] que se ocupara el cuerpo de un enfermo. Como se pedía la intervención de los dioses para curar al paciente, esta actividad se consideraba sagrada y los curanderos recibían la estimación de un sacerdote.*

En algunas culturas hasta la ropa puede tener una función curativa. En los países andinos, se tejen[e] símbolos especiales en la ropa para garantizar la buena salud u otro beneficio. Hay ropa para mujeres que lleva símbolos de niños o cosechas que representan la fertilidad y el deseo de reproducirse. Otras prendas[f] de ropa llevan símbolos como el sol, la luna, las montañas, los animales y los ríos que expresan el deseo de una vida sin hambre, inundaciones, sequía,[g] incendios u otras calamidades naturales.

El uso de las plantas desempeña un papel importante en la medicina alternativa también. Muchas de estas plantas se encuentran en las selvas tropicales de la región y los curanderos afirman que tienen propiedades medicinales. Hoy, algunas empresas farmacéuticas extranjeras investigan los atributos de algunas de estas plantas para ver si se pueden ofrecer la cura de alguna enfermedad «incurable».

El movimiento evangélico actual en Hispanoamérica también se asocia con la curación de los enfermos. En este caso, son los pastores de las iglesias quienes tratan los males de los creyentes, siguiendo el ejemplo de Jesucristo, quien, según el Nuevo Testamento, curaba a los enfermos. Los creyentes afirman que la imposición de manos puede aliviar sus dolencias[h] y creen que la buena salud depende de la integración de la mente, cuerpo y espíritu.

Hierbas medicinales (Puerto Vallarta, México)

Aunque hay escépticos que todavía dudan que los remedios alternativos sean eficaces, muchos médicos norteamericanos han comenzado a reconocer el valor de tratar al paciente en términos emocionales y espirituales —y no solo sus síntomas físicos.

[a]*practice* [b]*contaban… included* [c]*ills* [d]*evil* [e]*se… are woven* [f]*items, articles* [g]*inundaciones… floods, drought* [h]*afflictions*

Comprensión y expansión

Conteste las siguientes preguntas según la lectura.

1. ¿Qué es un «curandero»? ¿Cuáles son los orígenes de los métodos que usa esta persona?

2. Describa las prácticas médicas de los indígenas antes de la llegada de los europeos. ¿Cuáles eran los diferentes tipos de especialistas en la medicina precolombina?

3. ¿Por qué eran sagradas algunas de las prácticas curativas de los indígenas?

4. ¿Qué hacían en los países andinos para darle a la ropa una función curativa?

5. ¿Por qué se podría encontrar a agentes de algunas compañías farmacéuticas en las selvas tropicales de las regiones hispanas? ¿Sabe Ud. de algún medicamento o droga que se fabrica de una planta tropical?

---

*Teniendo en cuenta esta idea, considere la relación entre las palabras **el cura** (priest) y **la cura** (cure).

3. Ya que ellos pensaban que la salud sea un combinación del cuerpo y el espíritu, existía un relación casi sagrada entre las prácticas curativas. 4. En los países andinos se tejaban símbolos especiales

Del mundo hispano

en la ropa para darle un función curativa.

Espuma y nada más

5. Puedo que las empresas farmacéuticas pienso que puedan encontrar curas de enfermedades incurables. Yo se que la droga Quinine, que se usa

Aproximaciones al texto

para combatir la malaria es de un origen tropical.

La crítica cultural

In **Capítulo 6,** you learned how perceptions may vary according to the gender of the person reading the text. In fact, the interpretation of a phenomenon will vary according to an individual's interests, social position, beliefs, and ideologies. These ideologies are often contradictory, not only among different groups in a society (such as liberals versus conservatives), but also within a given individual. For example, although Marxism and religious faith are generally antithetical ("Religion is the opium of the people," according to Karl Marx), there are many Marxists in Latin America who are also deeply Catholic.

Cultural criticism studies how literary texts and other works of art represent these ideological conflicts. Its basic assumption is that every culture is characterized by ideological contradictions and inconsistencies. Such inconsistencies often produce conflicting impulses within an individual. In the essays of the renowned Colombian author Hernando Téllez, for example, the author analyzes the social and psychological conflicts of his countrymen. In the capital city of Bogotá, the wave of violence and destruction was so great during the 1950s that martial law was imposed.*

This period of struggle and violence, aptly called **"La Violencia"** by Colombians, has had a devastating effect on the social and political atmosphere, which is reflected in Téllez's writings. In sum, the intertextual references to the contradictions in a given set of values or beliefs serve to illustrate how the dominant ideology seeks to eliminate inconsistencies, and how the individual who disagrees is forced to view his own beliefs with a fresh perspective.

El lector y el narrador   Al leer una obra narrativa, el lector tiene que determinar qué información se presenta y cuál es su significado, pero también tiene que entender quién es su narrador. Si el narrador no es omnisciente, tiene que tomar en cuenta la perspectiva limitada. ¿Quién es? ¿Cuáles son sus creencias e ideologías? ¿Cuáles son sus cualidades y sus defectos? ¿Se puede confiar en él o ella? ¿Se expresan sus motivos por medio de la narración o se ocultan? Mientras lee este cuento, trate de contestar estas preguntas sobre el narrador.

1. Un curandero es una persona que ejerce un tipo de medicina enfocada a las prácticas curativas de los indígenas de la época precolombina.

2. Hubieron especialistas en el uso de plantas medicinales y otros especialistas en el tratamiento de los males espirituales. Ellos usaron rituales y plantas para combatir los males y enfermedades.

Nota literaria

la crónica = género literario que consiste en el relato de hechos históricos

afeitar(se) to shave

anudar to tie

batir to whip, whisk

castigar (gu) to punish

colgar (cuelgo) (gu) to hang

comprobar (like probar) to find out, prove

darse cuenta (de) to realize

degollar (deguello) to slit, cut the throat of

enjabonar to soap, lather

ensayar to try out, practice

mancharse (de) to stain

pulir to polish

sudar to sweat

traicionar to betray

el asesino assassin, murderer

la bala bullet

la badana leather strap

el/la barbero/a barber

la barbilla chin

la brocha brush (for shaving)

el coraje mettle, fierceness

la espuma foam, lather

la funda holster

el fusilamiento shooting, execution (by a firing squad)

el golpe strike

la hoja blade (of a knife, razor)

el kepis military cap

la navaja razor

el partidario supporter

el puesto position, place

el/la revolucionario/a revolutionary

el/la vengador(a) avenger

el verdugo executioner, hangman

aturdido/a upset

clandestino/a clandestine, hidden

pulido/a polished

tibio/a lukewarm

¡zas! whack, wham, bang!

Oraciones Complete las siguientes oraciones de una forma lógica, usando palabras de la lista de vocabulario.

1. El capitán quiere que el barbero le _____ la barba de cuatro días.

2. El barbero mezclaba el jabón con agua tibia hasta que subió la _____.

3. Se puso a temblar de los nervios; estaba muy _____ al ver al enemigo.

4. Los militares habían _____ de los árboles a los rebeldes.

5. El narrador revela que es un revolucionario _____, en secreto.

6. No quiere _____ de sangre, solo de espuma y nada más.

7. Al terminar, la barba del capitán había quedado limpia, templada y _____.

8. Le habían dicho al capitán Torres que el revolucionario lo mataría, y por eso vino para _____.

Colombia

SOBRE EL AUTOR

HERNANDO TÉLLEZ (1908–1966), distinguido periodista, ensayista y cuentista colombiano, fue uno de los más notables intelectuales del siglo XX. Nacido en Bogotá, inició su carrera literaria a temprana edad, colaborando en la revista *Universidad,* un interés que cultivó con gran fervor durante el resto de su vida, destacándose como crítico literario. También participó en la política y la diplomacia de su país, temas que se reflejan en su única obra narrativa, *Cenizas para el viento y otras historias,* una colección de cuentos que se publicó en 1950. Su mensaje literario es pesimista. Para él, lo más importante es el éxito del individuo en cualquier momento de su vida. Sobre todo, su gran sentido social de la justicia penetra sus estudios del ser humano. En el cuento a continuación, «Espuma y nada más», Téllez desarrolla el tema del coraje del hombre que se enfrenta consigo mismo y logra vencerse, a pesar de sus emociones. Se manifiesta un doble nivel de conflicto, el social y el sicológico, entre el narrador y el protagonista. Los dos personajes se encuentran en un momento intenso de crisis que se resuelve con un fin sorprendente e irónico.

Espuma y nada más

1 **NO SALUDÓ AL ENTRAR.** Yo estaba repasando sobre una badana la mejor de mis navajas. Y cuando lo reconocí me puse a temblar. Pero él no se dio cuenta. Para disimular continué repasando la hoja. La probé luego sobre la yema del dedo gordo[1] y volví a mirarla contra la luz. En ese instante se quitaba el cinturón ribeteado
5 de balas de donde pendía la funda de la pistola.[2] Lo colgó de uno de los clavos del ropero[3] y encima colocó el kepis. Volvió completamente el cuerpo para hablarme y, deshaciendo el nudo[4] de la corbata, me dijo: «Hace un calor de todos los demonios. Aféiteme.»
10 Y se sentó en la silla. Le calculé cuatro días de barba. Los cuatro días de la última excursión en busca de los nuestros.[5] El rostro

aparecía quemado, curtido[6] por el sol. Me puse a preparar minuciosamente el jabón. Corté unas rebanadas de la pasta,[7] dejándolas caer en el recipiente,[8] mezclé un poco de agua tibia y con la brocha empecé a revolver. Pronto subió la espuma. «Los muchachos de la tropa deben tener tanta barba como yo.» Seguí batiendo la espuma. «Pero nos fue bien, ¿sabe? Pescamos a los principales. Unos vienen muertos y otros todavía viven. Pero pronto estarán todos muertos.» «¿Cuántos cogieron?» pregunté. «Catorce. Tuvimos que internarnos[9] bastante para dar con[10] ellos. Pero ya la están pagando. Y no se salvará ni uno, ni uno.» Se echó para atrás en la silla al verme con la brocha en la mano, rebosante

[1]yema... *fleshy part of the fingertip of the thumb*   [2]pendía... *was hanging from the holster*   [3]clavos... *hooks of the clothesrack*   [4]knot   [5]los... *our people (the revolutionaries)*   [6]tanned (like leather)   [7]rebanadas... *slices of the paste, soap*   [8]container   [9]to go deep into (an area)   [10]dar... *to find, come across*

de espuma.[11] Faltaba ponerle la sábana.[12] Ciertamente yo estaba aturdido. Extraje del cajón una sábana y la anudé al cuello de mi
25 cliente. Él no cesaba de hablar. Suponía que yo era uno de los partidarios del orden. «El pueblo habrá escarmentado[13] con lo del otro día», dijo. «Sí», repuse mientras concluía de hacer el nudo sobre la oscura nuca, olorosa a sudor.[14] «Estuvo bueno, ¿verdad?» «Muy bueno», contesté mientras regresaba a la brocha. El hombre
30 cerró los ojos con un gesto de fatiga y esperó así la fresca caricia[15] del jabón. Jamás lo había tenido tan cerca de mí. El día en que ordenó que el pueblo desfilara por el patio de la Escuela para ver a los cuatro rebeldes allí colgados, me crucé con él un instante. Pero el espectáculo de los cuerpos mutilados me impedía fijarme[16] en
35 el rostro del hombre que lo dirigía todo y que ahora iba a tomar en mis manos. No era un rostro desagradable, ciertamente. Y la barba, envejeciéndolo un poco,[17] no le caía mal.[18] Se llamaba Torres. El capitán Torres. Un hombre con imaginación, porque ¿a quién se le había ocurrido antes colgar a los rebeldes desnudos y luego en-
40 sayar sobre determinados sitios del cuerpo una mutilación a bala? Empecé a extender la primera capa[19] de jabón. Él seguía con los ojos cerrados. «De buena gana me iría a dormir un poco», dijo, «pero esta tarde hay mucho que hacer.» Retiré la brocha y pregunté con aire falsamente desinteresado: «¿Fusilamiento?» «Algo
45 por el estilo, pero más lento», respondió. «¿Todos?» «No. Unos cuantos apenas.» Reanudé de nuevo[20] la tarea de enjabonarle la barba. Otra vez me temblaban las manos. El hombre no podía darse cuenta de ello y ésa era mi ventaja. Pero yo hubiera querido que él no viniera. Probablemente muchos de los nuestros lo ha-
50 brían visto entrar. Y el enemigo en la casa impone condiciones. Yo tendría que afeitar esa barba como cualquiera otra, con cuidado, con esmero,[21] como la de un buen parroquiano, cuidando de que[22] ni por un sólo poro fuese a brotar una gota[23] de sangre. Cuidando de que la piel quedara limpia, templada,[24] pulida, y de que al pasar
55 el dorso[25] de mi mano por ella, sintiera la superficie[26] sin un pelo. Sí. Yo era un revolucionario clandestino, pero era también un barbero de conciencia, orgulloso de la pulcritud[27] en su oficio. Y esa barba de cuatro días se prestaba para una buena faena.[28]

Tomé la navaja, levanté en ángulo oblicuo las dos cachas,[29] dejé
60 libre la hoja y empecé la tarea, de una de las patillas[30] hacia abajo. La hoja respondía a la perfección. El pelo se presentaba indócil[31] y duro, no muy crecido, pero compacto. La piel iba apareciendo poco a poco. Sonaba la hoja con su ruido característico, y sobre ella crecían los grumos[32] de jabón mezclados con trocitos de[33] pelo.
65 Hice una pausa para limpiarla, tomé la badana de nuevo y me puse a asentar[34] el acero, porque yo soy un barbero que hace bien sus cosas. El hombre que había mantenido los ojos cerrados, los abrió, sacó una de las manos por encima de la sábana, se palpó[35] la zona del rostro que empezaba a quedar libre de jabón y me dijo: «Venga
70 Ud. a las seis, esta tarde, a la Escuela.» «¿Lo mismo del otro día?» le pregunté horrorizado. «Puede que resulte mejor», respondió. «¿Qué piensa Ud. hacer?» «No sé todavía. Pero nos divertiremos.» Otra vez se echó hacia atrás y cerró los ojos. Yo me acerqué con la navaja en alto.[36] «¿Piensa castigarlos a todos?» aventuré tímida-
75 mente. «A todos.» El jabón se secaba sobre la cara. Debía apresurarme. Por el espejo, miré hacia la calle. Lo mismo de siempre: la tienda de víveres[37] y en ella dos o tres compradores. Luego miré el reloj: las dos y veinte de la tarde. La navaja seguía descendiendo. Ahora de la otra patilla hacia abajo. Una barba azul, cerrada.[38] De-
80 bía dejársela crecer como algunos poetas o como algunos sacerdotes. Le quedaría bien. Muchos no lo reconocerían. Y mejor para él, pensé, mientras trataba de pulir suavemente todo el sector del cuello. Porque allí sí que debía manejar con habilidad la hoja, pues el pelo, aunque en agraz,[39] se enredaba en pequeños remolinos.[40]
85 Una barba crespa.[41] Los poros podían abrirse, diminutos, y soltar su perla de sangre. Un buen barbero como yo finca[42] su orgullo en que eso no ocurra a ningún cliente. Y éste era un cliente de calidad. ¿A cuántos de los nuestros había ordenado matar? ¿A cuántos de los nuestros había ordenado que los mutilaran?... Mejor no pen-
90 sarlo. Torres no sabía que yo era su enemigo. No lo sabía él ni lo sabían los demás. Se trataba de un secreto entre muy pocos precisamente para que yo pudiese informar a los revolucionarios de lo que Torres estaba haciendo en el pueblo y de lo que proyectaba[43] hacer cada vez que emprendía[44] una excursión para cazar revolu-
95 cionarios. Iba a ser, pues, muy difícil explicar que yo lo tuve entre mis manos y lo dejé ir tranquilamente, vivo y afeitado.

La barba le había desaparecido casi completamente. Parecía más joven, con menos años de los que llevaba a cuestas cuando entró.[45] Yo supongo que eso ocurre siempre con los hombres que
100 entran y salen de las peluquerías. Bajo el golpe de mi navaja Torres rejuvenecía, sí, porque yo soy un buen barbero, el mejor de este pueblo, lo digo sin vanidad. Un poco más de jabón, aquí, bajo la barbilla, sobre la manzana,[46] sobre esta gran vena. ¡Qué calor! Torres debe estar sudando como yo. Pero él no tiene miedo. Es un
105 hombre sereno que ni siquiera piensa en lo que ha de hacer esta tarde con los prisioneros. En cambio yo, con esta navaja entre las manos, puliendo y puliendo esta piel, evitando que brote sangre de estos poros, cuidando todo golpe, no puedo pensar serenamente. Maldita[47] la hora en que vino, porque yo soy un revolucio-
110 nario, pero no soy un asesino. Y tan fácil como resultaría matarlo. Y lo merece. ¿Lo merece? No, ¡qué diablos! Nadie merece que los demás hagan el sacrificio de convertirse en asesinos. ¿Qué se gana con ellos? Pues nada. Vienen otros y otros y los primeros matan a los segundos y éstos a los terceros y siguen y siguen hasta que
115 todo es un mar de sangre. Yo podría cortar ese cuello, así, ¡zas! ¡Zas! No le daría tiempo de quejarse y como tiene los ojos cerrados no vería ni el brillo[48] de la navaja ni el brillo de mis ojos. Pero estoy temblando como un verdadero asesino. De ese cuello brotaría un chorro[49] de sangre sobre la sábana, sobre la silla, sobre mis manos,
120 sobre el suelo. Tendría que cerrar la puerta. Y la sangre seguiría corriendo por el piso, tibia, imborrable,[50] incontenible,[51] hasta la calle, como un pequeño arroyo escarlata. Estoy seguro de que un golpe fuerte, una honda incisión,[52] le evitaría todo dolor. No sufriría. ¿Y qué hacer con el cuerpo? ¿Dónde ocultarlo? Yo tendría que

[11]rebosante... *dripping with lather* [12]*sheet* [13]*learned a lesson* [14]olorosa... *smelling like sweat* [15]fresca... *cool caress, touch* [16]me... *prevented me from noticing* [17]envejeciéndolo... *making him appear a little old* [18]no... *was not unattractive* [19]la... *first layer* [20]Reanudé... *I went back to* [21]con... *painstakingly* [22]cuidando... *being careful* [23]fuese... *bring forth a single drop* [24]*soft* [25]*back* [26]*surface* [27]*neatness, perfection* [28]se... *was suitable for doing a good job* [29]*handles* [30]*sideburns* [31]*unruly* [32]*blobs* [33]trocitos... *bits of* [34]*to sharpen* [35]se... *touched, felt* [36]en... *held high* [37]*foodstuffs* [38]barba... *thick, dark beard* [39]en... *quite short* [40]se... *was tangled in little swirls* [41]*unruly, unmanageable* [42]*rests, bases* [43]*he was planning* [44]*he undertook* [45]con... *looking younger than he seemed to be* [46]*Adam's apple* [47]*Curse, Damned be* [48]*gleam, shine* [49]*gush, stream* [50]*indelible* [51]*unstoppable* [52]honda... *deep cut, wound*

125 huir, dejar estas cosas, refugiarme lejos, bien lejos. Pero me perseguirían hasta dar conmigo. «El asesino del capitán Torres. Lo degolló mientras le afeitaba la barba. Una cobardía.» Y por otro lado: «El vengador de los nuestros. Un hombre para recordar (aquí mi nombre). Era el barbero del pueblo. Nadie sabía que él defendía nuestra
130 causa...» ¿Y qué? ¿Asesino o héroe? Del filo de esta navaja depende mi destino. Puedo inclinar un poco más la hoja y hundirla.[53] La piel cederá como la seda, como el caucho,[54] como la badana. No hay nada más tierno que la piel del hombre y la sangre siempre está ahí, lista a brotar. Una navaja como ésta no traiciona. Es la mejor de
135 mis navajas. Pero yo no quiero ser un asesino, no señor. Ud. vino para que yo lo afeitara. Y yo cumplo honradamente con mi trabajo... No quiero mancharme de sangre. De espuma y nada más. Ud. es un verdugo y yo no soy más que un barbero. Y cada cual en su puesto. Eso es. Cada cual en su puesto.

La barba había quedado limpia, pulida y templada. El hombre 140 se incorporó para mirarse en el espejo. Se pasó las manos por la piel y la sintió fresca y nuevecita.

«Gracias», dijo. Se dirigió al ropero en busca del cinturón, de la pistola y del kepis. Yo debí estar muy pálido y sentía la camisa empapada.[55] Torres concluyó de ajustar la hebilla,[56] rectificó la posi- 145 ción de la pistola en la funda y, luego de alisarse[57] maquinalmente los cabellos, se puso el kepis. Del bolsillo del pantalón extrajo unas monedas para pagarme el importe[58] del servicio. Y empezó a caminar hacia la puerta. En el umbral[59] se detuvo un segundo y volviéndose me dijo: 150

«Me habían dicho que Ud. me mataría. Vine para comprobarlo. Pero matar no es fácil. Yo sé por qué se lo digo.»[60] Y siguió calle abajo.

[53]*sink it in* [54]*rubber* [55]*soaked, drenched* [56]*belt buckle* [57]*smooth* [58]*cost* [59]*threshold, doorway* [60]*por... what I'm talking about*

Comprensión

A. Una cronología Dé la forma correcta de cada verbo entre paréntesis. Use el presente de subjuntivo o de indicativo o el infinitivo. Después, ponga las oraciones en orden cronológico (de 1 a 6) según el cuento. **¡OJO!** Recuerde que la narración hace referencias a ciertos acontecimientos que ocurrieron antes de la escena en la barbería.

_____ **a.** El capitán Torres manda que sus tropas (colgar) desnudos los cadáveres de cuatro revolucionarios en el patio de la Escuela.

_____ **b.** Al contemplar a su enemigo, el narrador se enfrenta consigo mismo y dice que no es posible que él (cometer) un crimen.

_____ **c.** Es obvio que el barbero (estar) preocupado porque está sudando y le tiemblan las manos notablemente mientras afeita a Torres.

_____ **d.** Después de su última excursión de cuatro días, el capitán entra en la barbería y le pide al barbero que lo (afeitar).

_____ **e.** Mientras conversan, el capitán invita al barbero a ir a la Escuela otra vez para que (poder) ver a los castigados.

_____ **f.** Al despedirse, el capitán afirma que no es fácil (matar) a otro.

B. Interpretación El narrador describe al capitán Torres físicamente y se refiere a su carácter por medio de sus comentarios. Sin embargo, el lector sabe muy poco acerca de su actitud hacia el mundo en que él vive hasta el final del cuento. Reflexione sobre el personaje del capitán y conteste las preguntas a continuación.

■ ¿Qué imagen mental tenía Ud. del capitán al principio? ¿Y después de leer el cuento? ¿Qué mensajes o ideas transmiten sus acciones y comentarios? ¿Tiene una visión optimista o pesimista del mundo? ¿Es un personaje estático o dinámico, en su opinión? Explique.

■ Ahora, imagínese que Ud. es miembro de la tropa del capitán. ¿Qué clase de líder es él? ¿Lo respeta Ud.? ¿Cómo se lleva el capitán con los demás del pueblo? ¿Cómo reacciona Ud. ante sus órdenes?

■ ¿Qué características cree Ud. que se destacarían (*would stand out*) en un retrato oficial del capitán Torres? Explique.

C. Aplicación Al principio del cuento, el silencio sirve para crear un ambiente sicológico de conflicto que genera una tensión dramática entre los dos personajes. Luego se rompe el silencio con los comentarios del capitán acerca de la violencia. Según el narrador: «Él no cesaba de hablar.»

■ Primero, piense en lo que asocia Ud. con el silencio. ¿Cree Ud. que el silencio puede representar la represión militar? ¿Podría ser también un elemento que crea un ambiente hostil y violento que silencia a la oposición? ¿Es posible que el silencio también pueda representar ciertas experiencias que se niegan? Explique.

■ ¿Qué asocia Ud. con un desconocido / una desconocida que rompe el silencio y no deja de hablar? ¿Cree Ud. que esta acción demuestra interés por entablar una conversación o solo es una reacción nerviosa? ¿Cómo reacciona Ud. en situaciones difíciles o tensas? ¿Habla mucho o no dice nada? ¿Trata de romper el silencio o de guardarlo?

■ ¿Qué otras interpretaciones podría Ud. dar a una situación en que el silencio forma gran parte del ambiente? Explore algunas posibilidades en un papel aparte.

CINEMATECA

Antes de mirar

A Dios Momo

For copyright reasons, the feature films referenced in Cinemateca have not been provided by the publisher. Each of these films is readily available through retailers or online rental sites such as Amazon, iTunes, or Netflix.

- **LA PELÍCULA** En *A Dios Momo* (2005), Obdulio es un joven afro-uruguayo que vende periódicos en un barrio de Montevideo donde se celebra el carnaval (los últimos días antes de la cuaresma [*Lent*]) con música, baile y teatro. Obdulio conoce a un periodista que usa la letra de canciones tradicionales de carnaval para enseñarle a leer y escribir. ¿Ha visto Ud. la celebración de un carnaval o del «Mardi Gras»? ¿Puede imaginar cómo sería el carnaval uruguayo?

- **LA ESCENA** (48:30–54:09)   En esta parte de la película, Obdulio habla con su abuela, quien quiere que él estudie en vez de trabajar. Al día siguiente, Obdulio sale a la calle, habla con un amigo y finalmente llega a recibir su lección con el periodista. ¿Cree Ud. que es más fácil estudiar que trabajar? ¿o es lo contrario? ¿Es mejor trabajar y estudiar a la vez o ahorrar para después estudiar sin trabajar?

Al mirar

Mire la escena y complete las oraciones con palabras de la lista, según la película.

altar   canto   protección   santos   sagrado   rezos   rito   tablados

ABUELA: Espero que con su trabajo, con los ashé (*offerings*) que recibo con el _____,[1] Ud. deje que yo le regale el túnico (*uniform*) para ir a la escuela.

OBDULIO: ¿Puedo ir a acostarme?

ABUELA: Vaya a dormir, mi hijo. Y que tenga la _____[2] de los _____.[3]

PERIODISTA: *Partir con ecos la muda voz de los muñecos de mil _____.[4] Altar soñado de besos, _____[5] cantados, rito _____.[6]*

PERIODISTA: Cuando salís, ¿que gritás?

OBDULIO: ¡Diario, diario, diario!

PERIODISTA: Y eso, para mí, es un _____[7] sagrado. Vos sos (*You are*) un _____[8] de diarios.

Después de mirar

- Divídanse en grupos de dos o tres estudiantes para hablar de la escena. ¿Qué ejemplo presenta el periodista para ilustrar la idea de un «rito sagrado»? ¿Qué quiere decir con que Obdulio es un «altar de periódicos»? ¿Notaron Uds. otros «ritos» en la vida de Obdulio? Escriban unas frases para resumir sus conclusiones y compártanlas con la clase.

- La abuela de Obdulio gana dinero con los «cantos» (*prayers*) que dice para otras personas y el periodista escribe la letra de canciones de carnaval. ¿Qué importancia tienen las palabras en la religión? ¿Qué relación hay entre las oraciones (*prayers*) y las canciones? Escriba un párrafo sobre la importancia de las palabras según alguna religión o tradición espiritual que Ud. conoce.

- Busque en el Internet más información sobre la celebración del carnaval en el mundo hispanohablante. ¿Cómo es el carnaval de Santiago, Cuba? ¿Es diferente en Montevideo? ¿en Cádiz, Sitges o en otras ciudades de España?

9

Los hispanos en los Estados Unidos

Santa Ana, California

En este capítulo

connect ™
|SPANISH

www.connectspanish.com

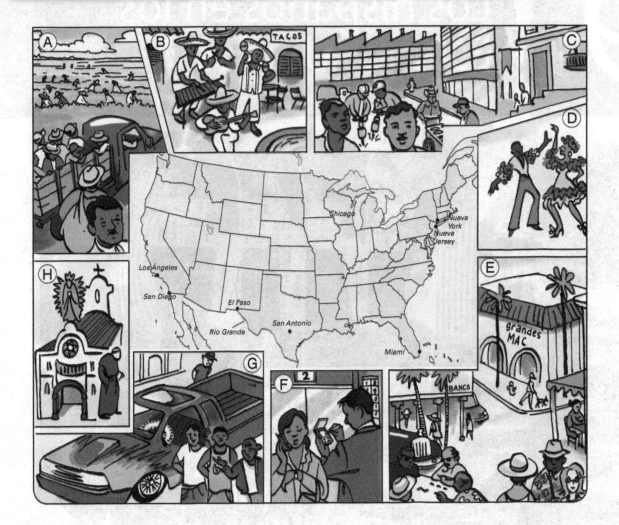

Describir y comentar

- ¿Cuál es su reacción a la forma en que se representan los grupos hispanos en estos dibujos? ¿Cree Ud. que representan estereotipos o la realidad? ¿Por qué cree que existen y se mantienen estos estereotipos?

- ¿Qué sabe Ud. ya de la población hispana en los Estados Unidos? Conteste las siguientes preguntas para averiguarlo. (Encontrará [*You will find*] las respuestas en este capítulo.) ¿En qué zona(s) hay mayor concentración de chicanos? ¿de puertorriqueños? ¿de cubanos? ¿Cuáles son los aportes artísticos, económicos y culturales de los miembros de cada grupo a la región en que viven? En general, ¿qué costumbres hispanas (comida, música, expresiones idiomáticas, fiestas, etcétera) se han incorporado a la cultura norteamericana? ¿Qué ejemplos específicos puede Ud. dar?

acoger (acojo) to welcome, receive

acostumbrarse (a) to become accustomed (to)

adaptarse (a) to adapt (to)

aportar to bring, contribute

asimilarse to become assimilated

emigrar to emigrate

establecerse (me establezco) to get settled, established

inmigrar to immigrate

el anglosajón, la anglosajona Anglo-Saxon

el aporte contribution

el/la canadiense Canadian

el/la chicano/a Chicano, Mexican-American*

la ciudadanía citizenship

   el/la ciudadano/a citizen

el crisol melting pot

la emigración emigration

   el/la emigrante emigrant

el/la estadounidense American (*from the United States*)

el/la exiliado/a exile

la herencia heritage

el/la hispano/a Hispanic, Hispanic American*

la identidad identity

la inmigración immigration

   el/la inmigrante immigrant

el/la latino/a Latino, Latin American*

la mayoría majority

la minoría minority

el orgullo pride

el/la refugiado/a refugee

acogedor(a) welcoming, warm

bilingüe bilingual

mayoritario/a majority

minoritario/a minority

orgulloso/a proud

Las nacionalidades hispanas

el/la argentino/a Argentine

el/la boliviano/a Bolivian

el/la chileno/a Chilean

el/la colombiano/a Colombian

el/la costarricense Costa Rican

el/la cubano/a Cuban

el/la dominicano/a Dominican (*from the Dominican Republic*)

el/la ecuatoriano/a Ecuadoran

el/la español(a) Spaniard

el/la guatemalteco/a Guatemalan

el/la hondureño/a Honduran

el/la mexicano/a Mexican

el/la nicaragüense Nicaraguan

el/la panameño/a Panamanian

el/la paraguayo/a Paraguayan

el/la peruano/a Peruvian

el/la puertorriqueño/a Puerto Rican

el/la salvadoreño/a Salvadoran

el/la uruguayo/a Uruguayan

el/la venezolano/a Venezuelan

---

*Terms used to designate ethnic groups often provoke intense debate and typically change over time. Within the United States, different terms have evolved to refer to individuals who trace their ancestry to Spanish America. U.S. residents of Mexican ancestry were formerly referred to as Mexican-Americans, but during the 1960s and 1970s political activists favored the term *Chicano/a*, which is now widely used. Residents of Spanish-American ancestry are classified by the U.S. government as *Hispanic*. More recently, the term *Latino/a* has gained currency. Different speakers use it in different ways: from all-inclusive definitions, designating all individuals who come from Spain and Latin America (including areas where Spanish is not spoken, such as Brazil and Haiti), to very limited usages, referring to American-born or -educated individuals who trace their origins to the Spanish-speaking Caribbean. The definition of *Latino/a* is evolving over time and takes on different nuances according to political, social, and geographic factors.

Conversación

A. Diferencias Explique la diferencia entre las palabras.

1. anglosajón / norteamericano
2. chicano / latino / hispano
3. la inmigración / la emigración
4. el exiliado / el ciudadano
5. aceptar / acoger
6. adaptarse / establecerse

B. Ejemplos Dé ejemplos de las siguientes personas, grupos o conceptos.

1. los inmigrantes
2. el aporte de distintos grupos a este país
3. algunos grupos bilingües
4. la herencia cultural

C. Definiciones Dé una definición en español de las siguientes palabras.

1. bilingüe   2. el exiliado   3. emigrar   4. el crisol   5. el refugiado

D. Mapa semántico En parejas, hagan un mapa semántico para las siguientes palabras y expresiones. Primero pongan la palabra objeto en el centro del mapa. Luego complétenlo escribiendo todas las ideas o palabras que se asocien con la palabra objeto en las cuatro categorías indicadas. No es necesario limitarse a las palabras de la lista de vocabulario.

MODELO: bilingüe →

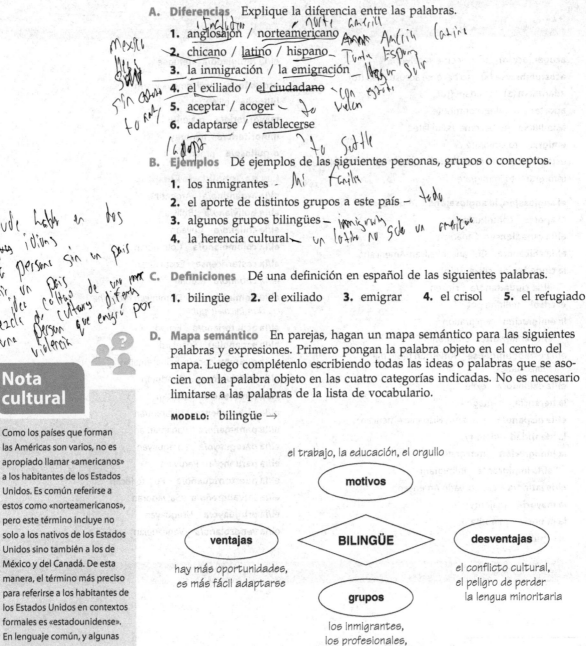

el trabajo, la educación, el orgullo

motivos

ventajas   **BILINGÜE**   **desventajas**

hay más oportunidades,
es más fácil adaptarse

el conflicto cultural,
el peligro de perder
la lengua minoritaria

grupos

los inmigrantes,
los profesionales,
los ciudadanos latinos (asiáticos,...)

1. emigrar   2. asimilarse   3. el crisol

E. Grupos étnicos e inmigrantes ¿Qué grupo étnico vive desde hace siglos en lo que es hoy territorio de los Estados Unidos? ¿Qué grupos tienen una concentración de exiliados políticos? ¿de inmigrantes recién llegados? ¿Por qué cree Ud. que muchos hispanos emigraron a los Estados Unidos y no a otros países?

F. Entre todos *Se llam Aquí Ecuador, y se trasam en Jackson Heights, Nueva York, Lunes a Viernes a*

■ ¿Cómo se llama el programa de radio que presenta este anuncio? ¿Dónde y cuándo se transmite? ¿Cuál es su contenido? ¿A quiénes se dirige?

■ En muchos lugares de los Estados Unidos hay gran variedad de revistas, periódicos y programas de radio y de televisión en español. ¿Cómo puede influir esto en la adaptación de las comunidades hispanas? Por ejemplo, ¿puede demorar (*delay*) su adaptación? ¿Contribuye de alguna forma al mantenimiento de la identidad de las comunidades hispanas? ¿a su asimilación a la cultura mayoritaria? Explique.

Es un canal a preservar la cultura hispana

■ ¿Qué impacto —lingüístico, cultural, político o económico— tienen los medios de comunicación hispanos en los Estados Unidos?

Aqui Ecuador
79-09 Roosevelt Avenue · Jackson Heights, N.Y. 11372
Tel. (718) 478-8382
WNWK 105.9 FM
De Lunes a Viernes a las 5 y 30 p.m.
Usted tiene una cita con AQUI ECUADOR con ANGEL ISSAC CHIRIBOGA ofreciendole en 30 minutos.
La Información que Usted necesita . Las Primicias que quiere escuchar . El Acontecer Deportivo . Los Hechos y Personajes que son noticia en Ecuador y los Ecuatorianos que hacen noticia en los Estados Unidos
Recuerde su CITA: Lunes a Viernes a las 5 y 30 p.m. por WNWK 105.9 de su dial F.M.
Escuchando AQUI ECUADOR usted se pone al día con su Patria

GRAMÁTICA

34 The Passive Voice

LearnSmart

Visit **www.connectspanish.com** to practice the vocabulary and grammar points covered in this chapter.

In both English and Spanish, actions that have objects can be expressed either actively or passively. In the active voice (**la voz activa**), the agent, or doer, of the action is the subject of the sentence, and the receiver of the action is the direct object. In the passive voice (**la voz pasiva**), the functions are reversed: the receiver of the action is the subject, and the agent, or doer, is expressed in English with a prepositional phrase (*by* + agent).

Active Voice	Passive Voice
subject/agent + **verb** + object/recipient	subject/recipient + *to be* (**ser**) + past participle + agent
Laura **pintó** la casa. *Laura painted the house.*	La casa **fue pintada** por Laura. *The house was painted by Laura.*
El gobierno **ha ayudado** (**va a ayudar**) a los inmigrantes. *The government has helped (will help) the immigrants.*	Los exiliados **han sido** (**van a ser**) **ayudados** por el gobierno. *The exiles have been (will be) helped by the government.*

Spanish has two ways of expressing the passive idea: the passive with **ser** and the passive **se**.

A. The Passive with *ser*

The passive construction with **ser** is very similar to the English passive: a form of the verb *to be* (**ser**) followed by the past participle and the agent introduced with *by* (**por**). The past participle functions as an adjective, agreeing in gender and number with the subject.

	SINGULAR	PLURAL
MASCULINE	**El libro fue escrito** por Elena. *The book was written by Elena.*	**Los libros fueron escritos** por Elena. *The books were written by Elena.*
FEMININE	**La fiesta siempre ha sido planeada** por Carlos. *The party has always been planned by Carlos.*	**Las fiestas siempre han sido planeadas** por Carlos. *The parties have always been planned by Carlos.*

Práctica A Conjugue el verbo **ser** en un tiempo verbal lógico, según el contexto, y utilice la forma apropiada del participio pasado del verbo entre paréntesis para formar oraciones con la voz pasiva con **ser** como en el modelo. ¡OJO! Es posible que en algunos casos haya más de una forma correcta del verbo **ser**.

MODELO: Los países sudamericanos (colonizar) principalmente por los españoles. →

Los países sudamericanos fueron colonizados principalmente por los españoles.

La herencia hispana que hay en este país (aportar) por inmigrantes de varios países de habla española. →

La herencia hispana que hay en este país ha sido aportada por inmigrantes de varios países de habla española.

1. El crisol que son los Estados Unidos (crear) por la variedad de razas que inmigraron a este país.
2. A algunas personas les gustaría que el español (adaptar) como una lengua oficial de este país.
3. Las costumbres de algunos inmigrantes (perder) cuando estos llegan a un nuevo país.
4. Algunos creen que esas costumbres deben (aceptar) y (mantener) por la nueva cultura.
5. Nombre algunos de los grupos hispanos que (admitir) en este país.

B. The Passive *se*

Spanish has another way of expressing the passive idea: the passive **se**. Note the following comparison.

PASSIVE WITH **ser**	Las casas **fueron construidas** por los inmigrantes. *The houses were built by the immigrants.*
PASSIVE **se**	**Se construyeron** las casas en 1993. *The houses were built in 1993.*

As you learned in **Gramática 6,** the passive **se** construction always has three parts.

se + third-person verb + receiver (object) of the action

Se reciben miles de peticiones cada año.	*Thousands of petitions are received every year.*
Se aprueba solo un pequeño **porcentaje** de ellas.	*Only a small percentage of them is approved.*
Se rechazaron los **aportes** de ese grupo.	*The contributions of that group were rejected.*

The passive **se** verb agrees in number with the recipient of the action (**miles, porcentaje, aportes**).

Práctica B Convierta las siguientes oraciones activas en oraciones pasivas usando el **se** pasivo.

1. Muchos inmigrantes hispanos han ocupado muchos trabajos que no quiere el estadounidense medio.
2. Los grupos minoritarios han aportado muchas costumbres al crisol estadounidense.
3. Cada año el gobierno estadounidense regala varias visas en una lotería.
4. Recientemente, muchos han discutido el tema de la inmigración ilegal.
5. Hace pocos años California canceló sus programas de educación bilingüe.

C. The Passive with *ser* versus the Passive *se*

These two constructions differ in meaning as well as in form.

■ Whenever the passive with **ser** is used, the agent of the action is either stated in the sentence or is very strongly implied. When mentioned, the agent is introduced by the preposition **por.**

AGENT MENTIONED	Los países hispanoamericanos **fueron colonizados** por los españoles en el siglo XVI. *The countries of Spanish America were colonized by the Spanish in the sixteenth century.*
AGENT IMPLIED BY PREVIOUS CONTEXT	Los españoles llegaron al Nuevo Mundo a finales del siglo XV. Los países hispanoamericanos **fueron colonizados** en el siglo XVI. *The Spanish arrived in the New World at the end of the fifteenth century. The countries of Spanish America were colonized in the sixteenth century.*

- In general, when the agent is known, Spanish will use an active construction instead of the passive with **ser.**

ENGLISH PASSIVE	SPANISH ALTERNATIVES
*The laws **were passed by** Congress.*	*Active (common)* **El Congreso** aprobó las leyes. *Passive with **ser** (infrequent)* Las leyes fueron aprobadas **por el Congreso.**

The passive with **ser** is used relatively infrequently in speech and is only slightly more common in writing, where writers may use it to vary their style.

- When the agent of the action is unknown or unimportant to the message, the idea should be expressed by using a passive **se** construction. In a passive **se** sentence, the speaker simply wants to communicate that an action is, was, or will be done to someone or something. This construction is used regularly in both written and spoken Spanish.

ENGLISH PASSIVE	SPANISH ALTERNATIVES
*Money **was sent** to the exiles.* (Who sent the money is not known or is unimportant.)	*Passive **se*** Se mandó **dinero** a los exiliados.
*Many **machines were bought**.* (Who bought them is not known or is unimportant.)	*Passive **se*** Se compraron muchas **máquinas.**

Práctica C   Imagínese que Ud. se ha decidido emigrar a otro país. ¿Adónde quiere ir? Conteste según el modelo. ¡OJO! Como no es un país determinado, tiene que usar el subjuntivo.

MODELO: ayudar al individuo a asimilarse →
Quiero ir a un país donde se ayude al individuo a asimilarse.

1. cometer menos crímenes
2. ofrecer mejores sueldos
3. tener más libertad de expresión
4. ofrecer muchas oportunidades para instruirse
5. disfrutar de (*to enjoy*) un mejor nivel de vida
6. poder vivir cerca de la naturaleza
7. no pagar tantos impuestos
8. proteger los derechos humanos
9. no necesitar prestar servicio militar
10. hablar español

AUTOPRUEBA   A continuación hay dos categorías de oraciones: algunas con el **se** pasivo, otras con la voz pasiva con **ser.** Escriba cada oración de nuevo, usando la otra construcción que no se usó originalmente.

1. La fortaleza fue construida por los militares en el siglo XVIII.
2. Las costumbres fueron perdidas después de la llegada de los europeos.
3. La oferta ha sido rechazada por los miembros del otro partido.
4. Se han descubierto muchas joyas en la isla.
5. Se cometieron muchos robos en esa zona de la ciudad.
6. Se fundó la ciudad en 1757.

Conversación

A. Hechos históricos Dé información sobre los siguientes hechos históricos, usando oraciones pasivas.

MODELO: América / descubrir → América fue descubierta en 1492.

1. Abraham Lincoln / asesinar _Abrahan fue asesinado por Brath_
2. la bombilla eléctrica y el fonógrafo / inventar _La bombilla eléctrica fue inventado por Thoms_
3. la ciudad de Hiroshima / bombardear _Se bombardeó la ciudad de Hiroshima_
4. este país / fundar _Se fundó este país en 2001_
5. las civilizaciones indígenas de Sudamérica / someter (*to subdue*) _Se sometieron las civis indígas_
6. miles de inmigrantes / ¿ ? _Se llegaro miles de inmigras_

B. Peticiones

Paso 1. Imagínese que la Asociación de Estudiantes Latinos de esta universidad está preparando una lista de peticiones para el rector (*president*). Exprese sus demandas, utilizando los verbos entre paréntesis para formar oraciones con el **se** pasivo. ¡**OJO**! Es necesario usar el subjuntivo.

MODELO: patrocinar (*to sponsor*) programas destinados a la difusión de la cultura hispana (pedir) →

Pedimos que se patrocinen programas destinados a la difusión de la cultura hispana.

1. crear un programa de estudios hispanoamericanos (solicitar) _Solicitas que se crea un pr_
2. aumentar el número de profesores hispanos en toda la universidad (desear)
3. admitir más estudiantes hispanos (proponer)
4. exigir (*to demand*) el estudio de una lengua extranjera como requisito para graduarse (recomendar)
5. ofrecerles más ayuda económica a los estudiantes hispanos (insistir en)
6. promover programas de intercambio estudiantil en España e Hispanoamérica (necesitar)

Paso 2. ¿Cuáles de estas demandas anteriores cree Ud. que se pueden aplicar a su universidad? Explique.

C. ¿Qué cree Ud.? Exprese su opinión sobre los siguientes temas, utilizando una de las formas de la voz pasiva siempre que sea posible.

MODELOS: promover la educación bilingüe →

Creo que es necesario que se promueva la educación bilingüe para facilitar la asimilación de los inmigrantes y al mismo tiempo permitirles conservar su propia identidad cultural.

muchas noticias / distorsionar / los medios de comunicación →

Es una lástima que muchas noticias sean distorsionadas por los medios de comunicación. Creo que toda información debe ser presentada desde diversos puntos de vista.

1. declarar el inglés como única lengua oficial de este país
2. apreciar el aporte hispano a la cultura de este país
3. los inmigrantes ilegales / deportar / el gobierno
4. proteger a los exiliados políticos
5. el orgullo patriótico / conservar / los emigrantes

D. Reglas para inmigrantes

Paso 1. En parejas, decidan cuáles de los siguientes factores son los más importantes a la hora de aceptar o rechazar a quienes solicitan una visa de residente.

1. la afiliación política
2. la edad
3. la salud
4. la raza
5. los antecedentes penales (*criminal*)
6. el país de origen
7. el nivel de educación
8. el tener parientes radicados (*established*) en este país

9. la evidencia de ser víctima de persecución política o personal en su país de origen
10. las inclinaciones personales (la orientación sexual, el uso de drogas, etcétera)
11. la religión
12. el tener una habilidad especial
13. la posición social
14. la preparación profesional

Paso 2. Comparen sus decisiones con las de los demás miembros de la clase. ¿Hay factores que la mayoría indicó que eran más importantes? ¿menos importantes? ¿Se puede formular una política que sea aceptable para todos?

E. Entre todos ¿Cuáles son los «usos y abusos» de los términos «hispano» y «latino»? En grupos de tres o cuatro personas, comenten los siguientes puntos, utilizando la voz pasiva siempre que sea posible. Luego, compartan sus conclusiones con el resto de la clase.

1. ¿Qué estereotipos se asocian con el término «hispano»? Expresen sus opiniones sobre cada uno de los siguientes aspectos.

- la delincuencia
- la educación
- la familia

- la raza
- el trabajo
- la vida social

2. ¿Qué se entiende por «hispano»? ¿Representa un grupo lingüístico? ¿un grupo cultural? Para ser hispano/a, ¿es necesario ser hispanohablante? ¿ser católico/a? ¿haber nacido en un país de habla española? ¿ser descendiente de hispanohablantes? ¿conocer las tradiciones, costumbres, comidas y bailes típicos de los países de habla española? ¿Se trata de un grupo homogéneo o heterogéneo? Expliquen.

> **Vocabulario útil**
>
> **se considera**
> **se cree**
> **se piensa**
> **son calificados de** + *adj.*

F. Intercambios Imagínense que Uds. deciden inscribirse en el Cuerpo de Paz, pero solo pueden escoger entre los siguientes lugares. ¿A cuál les va a ser más difícil adaptarse? ¿Por qué? Por fin, ¿cuál de los lugares disponibles eligen? ¿Por qué?

1. un país poco desarrollado donde no existen las comodidades —electricidad, teléfono, agua corriente— a que Uds. están acostumbrados
2. un país con un clima radicalmente diferente al de aquí
3. un país en el que los hombres y las mujeres no tienen las mismas oportunidades de trabajo
4. un país en el que hay poca libertad de expresión
5. un país en el que se habla una lengua que Uds. no saben
6. un país en el que no hay tolerancia para quien no practica la religión oficial (y Uds. *no* la practican)

G. Dos anuncios Mire los siguientes anuncios.

- ¿Qué se vende en estos anuncios? ¿En cuál de ellos se adapta la comida hispana al estilo de vida estadounidense? Explique.

- ¿En qué anuncio se introduce la comida estadounidense al público hispano?

- Exprese sus impresiones sobre estos intercambios culinarios (los motivos, las consecuencias, etcétera). ¿Qué otras adaptaciones e influencias similares puede Ud. mencionar?

35 Resultant State or Condition versus Passive Voice

In **Capítulo 1** you learned about using **estar** with a past participle to express a state or condition resulting from some prior action.

Los niños rompieron la ventana jugando al béisbol; todavía estaba rota cuando yo fui de visita dos días después.

The children broke the window playing baseball; it was still broken when I visited two days later.

In Spanish, the contrast between an action and a state or condition is always marked by the choice between **ser** and **estar.**

Action: *ser*	Condition: *estar*
La ventana **fue rota** por el ladrón. *The window was broken by the thief.*	No pude abrir la ventana porque estaba **rota.** *I couldn't open the window because it was broken.*
Las tiendas **fueron cerradas** por la policía para impedir el saqueo. *The stores were closed by the police to prevent looting.*	Ya para las siete, todas las tiendas estaban **cerradas.** *By seven o'clock, all the stores were closed.*

¿Recuerda Ud.?

Ser + *past participle* indicates a passive action. Since passive actions usually focus on the completion of the event, **ser** in the past is conjugated in the preterite (**fue, fueron**).

Estar + *past participle* expresses the condition that results from an action. Since description of a condition generally focuses on the middle aspect, **estar** in the past is conjugated in the imperfect (**estaba, estaban**).

Note that with both **ser** and **estar**, the past participle functions as an adjective in these constructions and must agree in gender and number with the noun modified.

Práctica Indique las oraciones que correspondan mejor a cada dibujo.

- **a.** La leña (*firewood*) fue hacinada (*stacked*).
- **b.** La cena está preparada.
- **c.** La cena fue preparada.
- **d.** La leña está cortada.
- **e.** La leña está hacinada.
- **f.** La mesa fue puesta (*set*).

1.   2.   3.   4.

AUTOPRUEBA Complete las siguientes oraciones pasivas con la forma apropiada de **ser** o **estar,** según el contexto. Cuidado con los tiempos verbales.

1. Los derechos de los indígenas _____ protegidos según la ley.
2. En el siglo XIX la comida _____ importada por el gobierno para satisfacer las necesidades de los habitantes.
3. No quiero salir ya que _____ acostumbrado a la vida aquí.
4. No podemos leer esos libros puesto que _____ escritos en alemán.
5. La cena anoche _____ preparada por un cocinero de París.
6. La escuela _____ cerrada por orden de un tribunal en 1997.
7. Los nuevos ciudadanos _____ acogidos en una ceremonia delante del Palacio Nacional.
8. Por fin podemos comer; la comida _____ preparada.

Conversación

A. Los inmigrantes Escoja el verbo apropiado, según el contexto.

1. Los cubanos que llegaron a los Estados Unidos en la segunda oleada (*wave*) no (estaban/fueron) tan bien recibidos como los de la primera oleada.
2. Al principio, los inmigrantes pueden experimentar choques culturales ya que (están/son) acostumbrados a otro ritmo de vida.
3. En el pasado, grandes cantidades de inmigrantes (estaban/fueron) traídos a este país en barco e incluso pasaron semanas en el viaje.
4. No necesitábamos ayudarlos porque cuando los conocimos, ellos ya (estaban/fueron) bien establecidos.
5. Los papeles de ciudadanía que les dieron a los inmigrantes (estaban/fueron) escritos en inglés.
6. ¿Cuándo (estuvieron/fueron) trasladados (*transferred*) los refugiados al otro campamento?

B. Intercambios

Paso 1. Es muy probable que la mayoría de los miembros de la clase tenga parientes, amigos o conocidos inmigrantes. ¿Por qué motivos emigraron esas personas? ¿Cómo era su vida al llegar a este país? En parejas, preparen un cuestionario usando las siguientes frases para formar sus preguntas. ¡OJO! Es necesario escoger entre **ser** y **estar**. Tengan cuidado también con los tiempos verbales.

MODELO: tener / parientes (amigos, conocidos) / originarios de otro país →

¿Tienes parientes (amigos, conocidos) que sean originarios de otro país?

1. en qué país / establecidos antes de emigrar
2. cuándo / admitidos como residentes en este país
3. cuáles / los motivos por los cuales emigraron
4. cómo / tratados por los habitantes de este país al principio
5. tener ellos / parientes que ya / radicados en este país
6. cómo / acogidos por otros de su misma cultura
7. qué tradiciones de su patria / mantenidas por ellos hasta hoy
8. hoy ellos ya / nacionalizados (*naturalized*) en este país

Paso 2. Ahora, cada uno de Uds. debe utilizar el cuestionario para entrevistar a otro compañero / otra compañera de clase acerca de las experiencias que vivieron sus parientes, amigos o conocidos como inmigrantes. Después de hacer las entrevistas, compartan con la clase lo que han aprendido. ¿Tuvieron muchos experiencias similares?

36 "No-Fault" *se* Constructions

The passive **se** construction is also used with a group of Spanish verbs to indicate unplanned or unexpected occurrences (**el «se inocente»**).

A **Elena** se **le perdieron** los papeles.	*Elena lost her papers. (Her papers "got lost.")*
Se **me olvidó** el asunto.	*I forgot about the matter. (The matter slipped my mind.)*

Note that since these are passive **se** constructions, the third-person verb agrees with the recipient: **papeles, asunto.** The indirect object indicates the person or persons involved—usually as "innocent victims"—in the unplanned occurrence.

Here are some verbs that are frequently used in the "no-fault" construction. You have already used most of them in active constructions.

acabar	Se **nos acabó** la gasolina.	*We ran out of gas.*
caer	Se **le cayeron** los libros.	*He dropped his books.*
ocurrir	¿Se **te ocurre** alguna solución?	*Can you come up with a solution? (Does a solution come to mind?)*
olvidar	Se **le olvidaron** las gafas.	*She forgot her glasses.*
perder	Se **me perdió** el carnet.	*I lost my I.D.*
quedar	Se **les quedó** el discurso en casa.	*They left the speech at home.*
romper	Se **le rompieron** los pantalones.	*His trousers split (tore).*

Práctica

Paso 1. Exprese las siguientes oraciones en inglés.

1. Al niño se le rompió la camisa.
2. Se me quedaron las gafas en el hotel.
3. Bueno, ya se nos acabó el tiempo; son las diez.
4. ¡Cuidado! No quiero que se te caigan los platos.
5. Se me durmió la pierna.

Paso 2. Ahora, exprese estas oraciones en español.

1. Oh! My watch broke!
2. His books got lost.
3. They forgot the word in English.
4. She dropped her keys.
5. A great idea just hit us!

AUTOPRUEBA Explique la siguientes situaciones usando la forma apropiada del «**se** inocente» de los verbos entre paréntesis.

1. Tengo que comprar lentes de sol nuevos porque (perder) los que tenía.
2. Vamos a ir al supermercado porque (acabar) la leche.
3. Alicia es muy astuta. Siempre (ocurrir) las mejores ideas.
4. El suelo está cubierto de vidrio porque a los meseros (caer) los vasos.
5. Luisa quiere cambiarse el vestido porque (romper) el que lleva.
6. Rodolfo acaba de perder el vuelo porque (quedar) el pasaporte en casa.
7. Vamos a tomar el autobús porque (descomponer [to break down]) el coche ayer.

Conversación

A. Razones Dé razones para justificar los siguientes hechos, utilizando el «**se** inocente» que acaba de estudiar. **¡OJO!** Preste atención al nuevo sujeto.

MODELO: No podemos resolver el problema. No (ocurrir) ninguna solución. →
No podemos resolver el problema. No se nos ocurre ninguna solución.

1. Tenemos que tomar el tren, porque (acabar) la gasolina.
2. Me dieron una mala nota porque (olvidar) la tarea.
3. No puedes sacar libros de la biblioteca si (quedar) el carnet en casa.
4. Ella cojeaba (*was limping*) porque (romper) el tacón del zapato.
5. Dicen que deben irse, ya que (acabar) el tiempo.
6. Lamento no haberte llamado. Es que (perder) tu número de teléfono.
7. La radio está rota porque al niño (caer) esta mañana.
8. Tenemos que volver a casa porque (acabar) el dinero.

B. Encuesta (*Survey*) Vea los siguientes modelos y escriba cinco preguntas para sus compañeros de clase, usando los verbos **ocurrir, olvidar, perder, quedar** y **romper** para saber si les han pasado ciertas cosas. Deje un espacio en blanco al lado de cada pregunta. Luego, hágales sus preguntas a varios compañeros de clase. Si responden afirmativamente, pídales que firmen su papel. Trate de conseguir cinco firmas diferentes. Después, reporte a la clase la información sobre sus compañeros.

MODELO: E1: —¿**Se te perdieron** las llaves alguna vez?

E2: —Sí, **se me perdieron** una vez.

E1: —Firma aquí, por favor.

E1: (*para reportar a la clase*): A _____ (nombre del / de la estudiante) **se le perdieron** las llaves una vez.

C. Guiones El Sr. Pereda trabaja en la Oficina de Inmigración. Ayer tuvo un día fatal. En grupos de tres o cuatro personas, narren en el pasado lo que le pasó, usando el pretérito y el imperfecto, según las circunstancias. ¡OJO! La historia contiene varios usos de **se**.

1.

2.

3.

4.

5.

6.

7.

8.

Vocabulario **útil**	
acabarse la paciencia	
cortar(se)	
manchar(se)	to stain (oneself)
mojar(se)	to (get) wet
(poner) el despertador	
el artista	
la camisa	
el cuarto de baño	
la cuchilla de afeitar	razor
el jefe	
el lavabo	sink
la mancha	stain
el pijama	
mojado/a	wet

37 A and *en*

As you know, in most languages prepositions do not have a single meaning. Even though we generalize and say that the preposition *on* in English means *on top of*, we also say things like *get on the bus* (we are really *in* it), *hang the picture on the wall* (it is not really the same as *on the shelf*), and *arrive on time* (no relation whatsoever to *on top of*). In Spanish the prepositions **a** and **en** generally mean *to* and *in*, respectively, but often they have different meanings.

A. The Uses of *a*

- **movement toward: A** basically expresses *movement toward* in a literal and figurative sense. Note that this same idea is sometimes expressed with *to* in English when the movement is directed toward a noun, but it is usually not expressed with any preposition at all when the movement is directed toward another verb.

Fue a **la oficina.**	*She went to the office.*
Les mandó el paquete a **sus abuelos.**	*He sent the package to his grandparents.*
Comenzaron a **llegar** en 1981.	*They began to arrive in 1981.*

¿Recuerda Ud.?

The expression **volver a** + *infinitive* means *to do something again.*

Volvió a leer el párrafo.
He read the paragraph again.

Here are some of the most common verbs that are followed by the preposition **a** to imply *motion toward*.

acostumbrarse	comenzar (comienzo) (c)	ir
adaptarse	empezar (empiezo) (c)	llegar (gu)
aprender	enseñar	salir
asimilarse	entrar*	venir
ayudar	invitar	volver (vuelvo)

- **by means of: A** occurs in a number of set phrases to indicate *means of operation or locomotion*, or *how something was made*. English often uses *by* or *on* to express the same idea.

Está hecho a **mano.**	*It is made by hand.*
Lo hicieron a **máquina.**	*They made it by machine.*
Viajó a **caballo.**	*He traveled on horseback.*
Salió Ud. a **pie,** ¿verdad?	*You left on foot, right?*

- **a point in time or space, or on a scale:** English *at* is expressed in Spanish by **a** when *at* expresses *a particular point in time or on a scale*, or when *a point in space* means *position relative to some physical object*.

---

*In Spain, **entrar** is commonly used with **en** to express *motion toward*; in some areas of Latin America, it is used with **a.**

Tengo clase a **las ocho.**	*I have class at eight.*
Al **principio,** no querían quedarse.	*At the beginning (At first), they didn't want to stay.*
Los compré a **10 dólares** la docena.	*I bought them at 10 dollars a dozen.*
Manejó a **80 millas** por hora.	*She drove (at) 80 miles per hour.*
Todos se sentaron a **la mesa.**	*Everyone sat down at the table.*

B. The Uses of *en*

■ **position on or within: En** normally expresses English *in, into,* or *on.*

Viven en **una casa vieja.**	*They live in an old house.*
Los pusieron en **la maleta.**	*They put them in(to) the suitcase.*
La carta está en **la mesa.**	*The letter is on the table.*

In time expressions, **en** has the sense of *within.*

Lo hicimos en **una hora.**	*We did it in (within) an hour.*
Tendremos el dinero en **dos días.**	*We will have the money in (within) two days.*

English sometimes uses the preposition *at* to express the idea of *within an enclosure.* Spanish uses **en.**

¿Has estudiado en **la universidad?**	*Have you studied at the university?*
Estaban en **casa** cuando ocurrió el robo.	*They were at home when the robbery occurred.*

■ **observation of, or participation in, an event:** English distinguishes between being *at* an event as an observer and being *in* an event as a participant. Spanish does not, using the preposition **en** for both meanings. Additional context usually clarifies the sense intended.

¿Estuviste en **la boda?**	*Were you*	$\begin{Bmatrix} in \\ at \end{Bmatrix}$	*the wedding?*
Estuvieron en **el partido.**	*They were*	$\begin{Bmatrix} in \\ at \end{Bmatrix}$	*the game.*

Here are some of the more common verbs that take the preposition **en.**

consistir	inscribirse
convertirse (me convierto) (i)	insistir
entrar	tardar

Práctica   Elija la preposición apropiada para completar las siguientes oraciones.

1. Ayer pasé tres horas (a/en) la biblioteca.

2. Mis abuelos inmigraron (a/en) este país por razones económicas.

3. Hay una ceremonia de entrega de la ciudadanía (a/en) las tres (a/en) el estadio.

4. Muchos de los obreros migratorios mexicanos fueron invitados (a/en) trabajar (a/en) los Estados Unidos porque se necesitaba mano de obra en el campo.

5. Lo pasamos muy bien (a/en) la fiesta.

connect
SPANISH
www.connectspanish.com

AUTOPRUEBA Complete las siguientes oraciones con la preposición **a** o **en**, según el contexto.

1. Cuando hace buen tiempo, voy (a/en) pie a la universidad. Cuando llueve, tomo el autobús.
2. Los Hernández viven (a/en) una casa grande.
3. (A/En) dos días vamos a salir de vacaciones.
4. La policía multó (*fined*) a Osvaldo por manejar (a/en) 160 kilómetros por hora.
5. Aquí se vende la gasolina (a/en) dos dólares el galón.
6. Ponga los platos (a/en) la mesa, por favor.
7. Hemos invitado (a/en) todos nuestros amigos (a/en) una fiesta mañana.
8. El novio de Florencia va a llegar (a/en) tres días.
9. Había más de 40.000 personas (a/en) la fiesta.

Conversación

A. Ensalada de palabras Haga oraciones, juntando elementos de la lista con otros del cuadro. No se olvide de usar todas las preposiciones necesarias.

convertirse	estar	ir
empezar	inmigrar	llegar
establecerse	insistir	volver

MODELO: Muchas personas que emigran a otro país luego se convierten en ciudadanos del país.

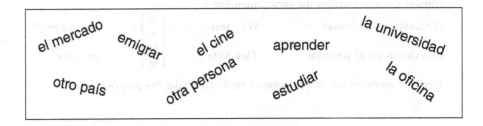

el mercado   emigrar   el cine   aprender   la universidad
otro país   otra persona   estudiar   la oficina

B. El crisol Repase las reglas para el uso de **por** y **para** (**Gramática 31**). Luego, complete el siguiente texto con la preposición apropiada, según el contexto: **a, en, por** o **para**. ¡OJO! No se necesita preposición en todos los contextos.

(Por/Para)[1] muchos estadounidenses, la cultura de los Estados Unidos está representada (por/para)[2] el concepto del crisol. (Por/Para)[3] muchos años los inmigrantes han llegado (a/en)[4] los Estados Unidos. Viajan (por/para)[5] barco y avión y cuando llegan, no saben (a/en)[6] hablar inglés y desconocen las costumbres del país. Pero, según ellos, el crisol empieza (a/en)[7] funcionar desde los primeros momentos y los inmigrantes no tardan (a/en)[8] aprender (a/en)[9] expresarse en el nuevo idioma y buscan (a/por/para)[10] maneras de adaptarse a la cultura.

Otros niegan la existencia del crisol. (Por/Para)[11] ellos, la realidad es otra. El inmigrante en realidad nunca se convierte (a/en)[12] «estadounidense» en el sentido de renunciar (a/en)[13] ser lo que era. Después de tres o cuatro generaciones, el italiano católico sigue siendo católico y el escandinavo protestante, protestante. (Por/Para)[14] razones de su cultura y de su religión, los judíos suelen casarse con otros judíos, y los anglosajones muchas veces buscan (a/por/para)[15] alguien de su mismo origen étnico. No es que no haya ninguna mezcla, pero es menos frecuente y menos rápida de lo que se cree.

C. Guiones Describa los siguientes dibujos, incorporando el vocabulario indicado y utilizando las preposiciones **a** o **en,** según el contexto.

La prines Bese la reini en el tron

1. besar, la princesa, el príncipe, el trono (*throne*)

El príncipe se convertín a una rhna

2. convertirse, correr, la rana (*frog*)

3. manejar, pensar, ponerle una multa, seguir

4. (no) exceder el límite de velocidad, explicar, la hija, el hospital, insistir

UN POCO DE TODO

¡OJO!

¡OJO!	Examples	Notes
perder (pierdo) **faltar a** **echar de menos** **extrañar**	María llegó tarde y **perdió** el tren. *María arrived late and missed the train.* Joaquín estaba enfermo y **faltó a** la reunión. *Joaquín was sick and missed the meeting.* Cuando mi esposo sale de viaje, siempre lo **echo de menos (extraño)** mucho. *When my husband leaves town, I always miss him a lot.*	*To miss an opportunity or deadline* because of poor timing is expressed in Spanish with **perder.** *To miss an appointment or an event* in the sense of *not attending it* is expressed with **faltar a.** *To miss a person* who is away or absent can be expressed by either **echar de menos** or **extrañar.**
ahorrar **salvar** **guardar**	Hoy en día es difícil **ahorrar.** *Nowadays, it's difficult to save (money).* El salvavidas **salvó** al niño. *The lifeguard saved the child.* José **guardó** un trozo de pan. ¿Te lo **guardo**? *José saved a piece of bread. Shall I keep it for you?*	All of these words mean *to save.* **Ahorrar** is used to refer to money (savings). **Salvar** refers to *rescuing or saving a person or thing from danger.* *To save* in the sense of *to set aside* is expressed with **guardar,** which also means *to keep.*
llevar **tomar** **hacer un viaje** **tardar en**	Los padres **llevan** a los niños al parque. *The parents take their children to the park.* Siempre **tomo** cuatro clases. *I always take four classes.* ¿**Tomamos** el autobús de las cuatro? *Shall we take the four o'clock bus?* Acabamos de **hacer un viaje** por toda África. *We just took a trip through all of Africa.* ¿Cuánto (tiempo) **tardas en** llegar a clase? *How long does it take you to get to class?* De niño, Paco siempre le quitaba los juguetes a su hermanita. *As a child, Paco always took toys away from his sister.* ¿Puedes subirle una taza de té? *Can you take a cup of tea up to her?*	*To take* is generally expressed in Spanish with two verbs, **llevar** and **tomar. Llevar** means *to transport* or *to take someone or something from one place to another.* **Tomar** is used in almost all other cases: *to take something in one's hand(s), to take a bus (train, etc.), to take an exam, to take a vacation.* Two common exceptions are *to take a trip,* expressed with **hacer un viaje,** and *to take a certain amount of time to do something,* expressed by **tardar** + *amount of time* + **en** + *infinitive.* As a general rule, when English *take* occurs with a preposition, it is expressed in Spanish by a single verb other than **tomar** or **llevar.** Here are some of the most common verbs of this type: **bajar** *to take down* **devolver** *to take back, return* **quitarle (algo) a alguien** *to take (something) away from someone* **quitarse** *to take off (clothing)* **sacar** *to take out* **subir** *to take up*

A. Volviendo al dibujo Elija la palabra o expresión que mejor complete cada oración. ¡OJO! También hay palabras de los capítulos anteriores.

Después de la Revolución Cubana de 1959, muchas personas de las clases media y alta decidieron (moverse/trasladarse)[1] a Miami. (Como/Porque)[2] muchos de ellos (llevaron/tomaron)[3] consigo el dinero que habían (ahorrado/salvado)[4] en Cuba, pudieron fundar negocios y no (llevaron/tardaron)[5] en prosperar. Además, por ser exiliados, el gobierno estadounidense los acogió bien y los (asistió/ayudó)[6] con dinero, documentos y trabajo, para que (sucedieran / tuvieran éxito)[7] en su adaptación. Así se formó la colonia cubana de la Florida, que (ha llegado a ser / se ha puesto)[8] una de las comunidades hispanas más prósperas de los Estados Unidos. (Por / Ya que)[9] su estatus económico, esta comunidad ha (logrado/sucedido)[10] una significativa influencia en las (cuestiones/preguntas)[11] políticas estadounidenses. Pero, como es natural, todos ellos (extrañan/pierden)[12] a su patria y (echan de menos / faltan)[13] a sus familiares. Muchos sueñan (con/de/en)[14] el día en que puedan (devolver/regresar)[15] a su país, lo cual depende (con/de/en)[16] que cambie la situación política de Cuba.

B. Intercambios Imagínense que, por razones económicas o políticas, Uds. y sus familiares tienen que emigrar a un país donde no se habla inglés. Háganse y contesten las siguientes preguntas para averiguar qué van a hacer.

1. ¿A qué país van a trasladarse Uds.? ¿Por qué?

2. ¿Por qué medio(s) de transporte pueden hacer el viaje? ¿Cuánto tiempo van a tardar en llegar? ¿Qué van a llevar? ¿Qué es lo que más van a echar de menos?

3. ¿Piensan establecerse en el nuevo país para siempre o van a ahorrar dinero con la esperanza de regresar a su patria algún día?

4. ¿Creen que van a ser bien acogidos en el nuevo país? ¿Qué tendrán que hacer para adaptarse y tener éxito? ¿Van a lograr asimilarse? ¿Van a hacerse bilingües? ¿Van a mantenerse unidos y defender su propia herencia cultural? Expliquen sus respuestas.

C. El barrio Pilsen   Complete el párrafo, dando la forma apropiada de los verbos y expresando en español las frases en inglés. Cuando se dan dos palabras entre paréntesis, escoja la palabra apropiada.

_____ (*Twenty years ago*),[1] si uno caminaba (por/para)[2] el barrio Pilsen en Chicago, se sentía profundamente deprimido. El barrio (mirar/parecer)[3] quieto y apagado, casi a punto de derrumbarse.[a] Hoy la misma caminata[b] produce una impresión completamente distinta. No hay duda que una parte de Pilsen —una buena parte, dirían[c] algunos— todavía (tener)[4] el aspecto gris y monótono de cualquier barrio pobre. Pero acá y allá (*are seen*)[5] brillantes colores rojos, verdes y amarillos. Ahora viejos coches Ford y Chevrolet comparten las calles con héroes de la historia de México. Gigantescas figuras aztecas y mayas luchan contra el deterioro urbano. (*It is*)[6] el muralismo.

Durante la Revolución Mexicana (1910–1920), el arte mural (ayudar)[7] a crear una nueva conciencia nacional entre los mexicanos, un nuevo orgullo cultural. Aquí en Pilsen, el pequeño México de Chicago, (ser/estar)[8] evidente que los murales (tener)[9] el mismo objetivo y el mismo efecto. (Por/Para)[10] ser un arte público, el muralismo (prestarse)[11] fácilmente a expresar los objetivos y las ansias de una generación de artistas (*who*)[12] tratan de afirmar su propia identidad cultural. La mayoría de los murales sugiere que la clave del progreso (por/para)[13] los hispanos actuales (ser/estar)[14] en su pasado indígena, no en la tradición europea.

_____ (*A short while back*),[15] las obras de los muralistas (*were exhibited*: exhibir)[16] (por/para)[17] el Museo de Arte Contemporáneo de Chicago como parte de una exposición itinerante de arte hispano, «Raíces Antiguas / Visiones Nuevas», que (*was realized*: realizar)[18] en diez museos de los Estados Unidos. Sin embargo, (por/para)[19] los muralistas, el impacto de su arte en su propia comunidad es más importante. Este arte callejero[d] (*is welcomed*)[20] con entusiasmo por los residentes de Pilsen; esto no debe sorprendernos, ya que los murales (*are aimed*: dirigir)[21] a la comunidad y (ser/estar)[22] pintados por artistas (*who*)[23] viven en ella. En el barrio, donde antes (haber)[24] una melancólica decadencia, ahora (*is found*)[25] un naciente sentimiento de orgullo y nuevas ansias de reconstrucción.

[a]*falling apart*   [b]*walk*   [c]*would say*   [d]*of the streets*

D. Antecedentes étnicos   Divídanse en grupos de tres a cinco estudiantes. Cada grupo va a estudiar los antecedentes étnicos de otro grupo de individuos que todos conocen: por ejemplo, la gente que vive en cierto piso de una residencia, los habitantes de una casa de apartamentos, la gente que vive en una calle determinada, los profesores de un departamento de la universidad, etcétera. Deben enterarse de cuándo llegaron los antepasados de cada individuo a este país, por qué salieron de su país de origen y cómo llegaron a la ciudad donde viven ahora. También deben averiguar la opinión de esas personas en cuanto a las leyes de inmigración de este país.

Luego, comparen los resultados de todos los estudios.

- ¿Qué semejanzas y diferencias hay entre los grupos estudiados?
- ¿Hay algún acuerdo con respecto a las leyes de inmigración?

A LEER

Lectura cultural *El futuro del inglés en los Estados Unidos*

Mucha gente debate la influencia de los inmigrantes hispanos en el dominio del inglés como lengua mayoritaria en los Estados Unidos. La mayoría de los expertos en lingüística dice que los recién llegados van a adquirir el inglés como todas las generaciones anteriores. Pero otros insisten en que muchos hispanos resisten aprenderlo y que el hecho de que continúen usando el español resultará[a] en la creación de un sistema de instituciones sociales para acomodar a las personas que eligen no aprender el inglés y en la fragmentación del país.

Algunos sociólogos están a favor de que se apoye el uso del español en las escuelas y de proporcionar algunos servicios esenciales. Proponen que darle ayuda en español en las oficinas públicas a la gente que lo necesita es cuestión de cortesía y que el negarlo es muy mala educación. Dicen que es importante que las escuelas les den instrucción en español a los estudiantes hispanohablantes para que estos no se atrasen[b] en sus estudios. De hecho, se ha probado recientemente que el aprender dos o más idiomas constituye un verdadero beneficio neurológico para los estudiantes porque fomenta la creación de ciertas sinapsis cerebrales que no se forman de otro modo. Pero en las escuelas muchos de los jóvenes hispanos son mayores que sus compañeros anglohablantes debido a las dificultades lingüísticas que experimentan aquellos.[c] Esta situación contribuye a que solo un 65 por ciento, más o menos, de adolescentes hispanos salga de la escuela secundaria con diploma en los Estados Unidos. Obviamente, la tasa[d] de estudiantes hispanos que abandonan sus estudios antes de graduarse de la escuela secundaria varía de estado en estado, y parece ser más alta en los grandes centros urbanos.

Hay algunos que creen que los hispanohablantes que emigran a los Estados Unidos no aprenden el inglés, pero algunas estadísticas indican que el 75 por ciento de los inmigrantes hispanos hablan inglés con regularidad después de vivir 15 años en los Estados Unidos. Para estas personas, el español llega a ser su segundo idioma y algunos de ellos dejan de usarlo totalmente. En cuanto a sus hijos, más del 70 por ciento usa el inglés como su primer idioma. De hecho, la tercera generación de las familias inmigrantes usa el español muy poco —o no lo usa nunca. Algunos críticos afirman que la presencia de tantos hispanohablantes en el país contradice estos datos.

Es obvio que es un tema bastante complicado, pero la mayoría de los sociólogos concluye que el uso actual del español no constituye ninguna amenaza para el dominio del inglés en los Estados Unidos sino una oportunidad. El aumento en el número de consumidores en Hispanoamérica tiene el potencial de beneficiar la economía estadounidense y sería muy útil que los hispanohablantes conservaran su español para poder trabajar con las compañías hispanoamericanas y prosperar en los mercados globales que caracterizan el siglo XXI.

[a] *will result* [b] *se... fall behind* [c] *the former* [d] *rate*

En una clase bilingüe

Comprensión y expansión

Conteste las siguientes preguntas según la lectura.

1. Muchos expertos creen que los inmigrantes hispanos van a adquirir eventualmente el inglés, pero ¿qué dicen otros?

2. ¿Por qué apoyan algunas personas el uso del español en las escuelas?

3. ¿Cuál es una explicación de la tasa alta de hispanos que abandonan la escuela secundaria sin diploma?

4. Según algunas estadísticas, ¿cómo cambia el uso del español en la segunda y tercera generación de las familias de inmigrantes hispanos? ¿Por qué creen otros críticos que estas estadísticas no corresponden a la realidad?

5. ¿Por qué consideran unos sociólogos que el uso del español en Estados Unidos constituye una oportunidad —no una amenaza— para el país? ¿Qué opina Ud.?

6. ¿Qué opina Ud.? ¿Qué sabe Ud. de programas bilingües en los Estados Unidos? ¿Qué estados tienen o han tenido programas bilingües? ¿Cómo se hace? ¿Y en el Canadá? ¿Qué provincias tienen escuelas bilingües? ¿Está Ud. a favor de la educación bilingüe en este país?

Del mundo hispano

No speak English

Aproximaciones al texto

El tono de una obra narrativa

You will recall from previous readings that the narrator is the agent who relates the story line and may represent, challenge, or criticize the ideas that are conveyed through the reading. For example, in the short story, **"Espuma y nada más,"** of **Capítulo 8,** the author Hernando Téllez employs a first-person narrator whose views reflect his own values, as well as his opinions of the disastrous social and political upheavals in his native Colombia. In this chapter, you will be asked to consider the significance of the tone of a narrative. How do the descriptions, dialogues, and nuances reveal the attitude and beliefs of the author toward the storyline that unfolds?

In Sandra Cisneros's "No speak English," from her semiautobiographical collection *La casa en Mango Street,* a young Mexican-American girl vividly narrates her experiences growing up in Chicago's South Side. The tone of the story is molded by the characters' strong cultural identity and the need to forge a new identity in order to achieve dreams in a complex bilingual, bicultural environment. Before reading "No speak English," consider the visual and sensory imagery of the setting evoked by the title. What would one expect to see and hear in a crowded apartment building of an inner-city Chicago neighborhood in the late 1960s and early 1970s? What tone would the reader anticipate in the reading: one of illusion and hope, or one of disillusion and despair? How would the reader's prior knowledge of and experience with disadvantaged youths in an impoverished minority area enable him or her to understand the tone of the narrative?

El tono

Paso 1. Lea el siguiente fragmento de «No speak English». ¿Cuál es el tono? ¿Cuál es el propósito del cuento? ¿Qué quiere compartir la narradora con el lector / la lectora?

Arriba, arriba, arriba subió con su nene-niño en una cobija[1] azul, el hombre cargándole las maletas, sus sombrereras color lavanda,[2] una docena[3] de cajas de zapatos de satín de tacón alto.[4] Y luego ya no la vimos.

Alguien dijo que porque ella es muy gorda, alguien que por los tres tramos de escaleras,[5] pero yo creo que ella no sale porque tiene miedo de hablar inglés, sí, puede ser eso, porque sólo conoce ocho palabras: sabe decir *He not here* cuando llega el propietario,[6] *No speak English* cuando llega cualquier otro[7] y *Holy smokes.* No sé dónde aprendió eso, pero una vez oí que lo dijo y me sorprendió.

[1]*blanket* [2]*sombrereras... lavender hat boxes* [3]*dozen* [4]*zapatos... high heel satin shoes* [5]*tramos... flights of stairs* [6]*landlord* [7]*cualquier... anyone else*

Paso 2. En su opinión, ¿cómo refleja el tono los pensamientos y valores de la narradora? ¿Y de su comunidad? ¿Por qué cree Ud. que la narradora se sorprende al oírla pronunciar expresiones como *Holy smokes*? ¿Habría sido diferente la perspectiva del cuento si el narrador hubiera sido del sexo masculino en vez del femenino? ¿Qué detalles se eliminarían y/o agregarían? Explique.

cargar (gu) to take, carry

chillar to shriek, screech, scream

cruzar (c) to cross

empujar to push

gritar to shout

hartarse (de) to become fed up (with)

jalar to pull

sonar (sueno) a (+ *sustantivo*) to sound like

suspirar to sigh

la cadera hip

la caja box

la cobija blanket

el dedo de pie toe

el departamento / piso apartment

la docena dozen

la escalera staircase

el hogar home, family domicile

el/la propietario/a landlord/landlady; owner

grueso/a thick, bulky, stout

nostálgico/a nostalgic

suavecito/a very smooth (*diminutive*)

calle abajo down the street

de súbito suddenly

para siempre forever

¡Por Dios! For goodness sake!

¡Puf! Ugh!

Los antónimos Busque el antónimo de cada palabra a continuación en la lista de vocabulario.

1. callarse
2. estrecho, delgado
3. empujar
4. lentamente
5. contentarse con

Chicago
IL

SOBRE LA AUTORA

La celebre escritora chicana, Sandra Cisneros (1954–), es conocida por sus novelas, cuentos, poemas y bosquejos (*sketches*) literarios que presentan al lector la experiencia hispánica desde el punto de vista de alguien que tiene herencia mexicana, ha crecido en los Estados Unidos y que, aunque habla inglés, todavía se encuentra entre el cruce (*crossroad*) de dos mundos culturales. Cisneros nació en Chicago, hija de madre mexicanoamericana y padre mexicano, y creció en un barrio pobre y minoritario del vecindario South Side. En su juventud la autora experimentó los mismos desafíos que se detallan en la experiencia semi-autobiográfica que se transmite por medio de la voz inocente, conmovedora y convincente de la joven narradora adolescente, Esperanza Cordero, en su renombrada colección de cuentos, *La casa en Mango Street* (1984). El cuento que se presenta a continuación, «No speak English», relata con fuerte realismo y sentido del humor las observaciones juveniles de una narradora quien muestra con una decisiva prosa fragmentada que el corazón sí se puede romper, especialmente cuando el ser humano se siente privado de esa lengua melódica, melancólica y expresiva que le da voz a sus sueños.

No speak English

1 Mamacita es la mujer enorme del hombre al cruzar la calle, tercer piso al frente. Rachel dice que su nombre debería ser *Mamasota*, pero yo creo que eso es malo.

El hombre ahorró su dinero para traerla. Ahorró y ahorró 5 porque ella estaba sola con el nene-niño en aquel país. Él trabajó en dos trabajos. Llegó noche a casa y salió tempranito. Todos los días.

Y luego un día Mamacita y el nene-niño llegaron en un taxi amarillo. La puerta del taxi se abrió como el brazo de un mesero. Y 10 va saliendo un zapatito color de rosa, un pie suavecito como la oreja de un conejo, luego el tobillo grueso, una agitación de caderas, unas rosas fucsia y un perfume verde. El hombre tuvo que jalarla, el chofer del taxi empujarla. Empuja, jala. Empuja, jala. ¡Puf!

Floreció de súbito. Inmensa, enorme, bonita de ver desde la pun-15 tita rosa salmón de la pluma de su sombrero hasta los botones de rosa de sus dedos de pie. No podía quitarle los ojos a sus zapatitos.

Arriba, arriba, arriba subió con su nene-niño en una cobija azul, el hombre cargándole las maletas, sus sombrereras color lavanda, una docena de cajas de zapatos de satín de tacón alto. Y luego ya 20 no la vimos.

Alguien dijo que porque ella es muy gorda, alguien que por los tres tramos de escaleras, pero yo creo que ella no sale porque tiene miedo de hablar inglés, sí, puede ser eso, porque sólo conoce ocho palabras: sabe decir *He not here* cuando llega el propietario, *No speak English* cuando llega cualquier otro y *Holy smokes*. No sé dónde aprendió eso, pero una vez oí que lo dijo y me sorprendió.

Dice mi padre que cuando él llegó a este país comió *jamanegs* durante tres meses. Desayuno, almuerzo y cena. *Jamanegs*. Era la única palabra que se sabía. Ya nunca come jamón con huevos. 35

Cualesquiera[1] sean sus razones, si porque es gorda, o no puede subir las escaleras, o tiene miedo al idioma, ella no baja. Todo el día se sienta junto a la ventana y sintoniza el radio en un programa en español y canta todas las canciones nostálgicas de su tierra con voz que suena a gaviota. 40

Hogar. Hogar. Hogar es una casa en una fotografía, una casa color de rosa, rosa como geranio con un chorro de luz azorada. El hombre pinta de color de rosa las paredes de su departamento, pero no es lo mismo, sabes. Todavía suspira por su casa color de rosa y entonces, creo, se pone a chillar. Yo también 45 lloraría.

Algunas veces el hombre se harta. Comienza a gritar y puede uno oírlo calle abajo.

Ay, dice ella, ella está triste.

Oh, no, dice él, no otra vez. 50

¿Cuándo, cuándo, cuándo?, pregunta ella.

¡Ay, caray! Estamos *en* casa. Ésta *es* la casa. Aquí estoy y aquí me quedo. ¡Habla inglés!, *speak English*, ¡por Dios!

¡Ay!, Mamacita, que no es de aquí, de vez en cuando deja salir[2] un grito, alto, histérico, como si él hubiera roto el delgado hilito[3] 55 que la mantiene viva, el único camino de regreso a aquel país.

Y entonces, para romper su corazón para siempre, el nene-niño, que ha comenzado a hablar, empieza a cantar el comercial de la Pepsi que aprendió de la tele.

No speak English, le dice ella al nene-niño que canta en un 60 idioma que suena a hoja de lata.[4] *No speak English, no speak English*. No, no, no. Y rompe a llorar.

[1]*Whatever*   [2]*deja… lets loose*   [3]*como… as if he had broken the delicate thread*   [4]*hoja… tin sheet*

Comprensión

A. ¿Quién es? Indique a quién se describe en cada oración a continuación: la narradora, Rachel, Mamacita, el hombre, el nene-niño, el padre de la narradora, la autora Sandra Cisneros o a varios personajes a la vez. ¿Hay descripciones que no se apliquen a ninguno? Apoye sus respuestas con referencias al texto.

1. Vive o ha vivido en un barrio pobre de un grupo minoritario.

2. No podía hablar inglés cuando llegó a los Estados Unidos, pero poco a poco empezó a aprenderlo y/o cantar en inglés.

3. Llevaba un sombrero con una pluma y zapatitos de color rosado.

4. Tiene o ha tenido miedo de hablar inglés.

5. Se siente o se sentía aislado/a y/o marginado/a en su hogar.

6. No pudieron conocer a su vecina porque no volvieron a verla después de su llegada.

7. Se sorprendió al oír la expresión *Holy smokes*.

8. Se ha hartado de comer jamón con huevos.

9. Insiste en que se asimile a la cultura mayoritaria para salir adelante.

10. Se impacienta cuando se enfrenta con las limitaciones del monolingüismo.

B. Interpretación Usando su imaginación, conteste las preguntas, inventando los detalles necesarios para describir el lugar donde habitan los vecinos de la narradora, y su ambiente. ¿Dónde queda el departamento y cómo sería por fuera y por dentro, en su opinión? ¿Cómo habría sido el departamento antes (y después) de la llegada de Mamacita y el nene-niño? ¿Qué colores, objetos y símbolos propios de la cultura de esta familia predominarían? ¿Cómo refleja el color rosa el estado de ánimo de Mamacita? ¿Qué cambios se efectuarán en la vivienda misma con el paso del tiempo, especialmente en cuanto el nene-niño empiece a crecer y a asimilarse a la cultura mayoritaria?

C. Aplicación Imagínese que Ud. es el nene-niño a los 20 años de edad y acaba de realizar su sueño de conseguir una beca (*scholarship*) para asistir a la universidad de su predilección. Escríbales una carta a sus padres agradeciéndoles por su apoyo, consejos y ayuda (tanto emocional como económica) durante su niñez, adolescencia y juventud.

- Hábleles de sus recuerdos de la niñez y de cómo y cuándo Ud. se dio cuenta de que podía comunicarse con los dos en ambos idiomas. ¿Qué medios de comunicación (la tele, la radio, la computadora, la red / el Internet) utilizaba para estar al tanto (*to be up to date*) de todo?

- Describa cómo Ud. llegó a ser bilingüe a pesar de las limitaciones del ambiente socio-económico en que creció y lo que ellos, sus padres, hicieron para que el inglés fuera parte de su vida diaria. ¿Qué sacrificios tuvieron que hacer ellos para que Ud. tuviera acceso a los recursos necesarios para seguir los estudios?

- ¿Cree Ud. que ha logrado éxito en su vida? ¿Cuáles son sus planes para el futuro? ¿Piensa Ud. que su destino será diferente del destino de sus antiguos compañeros del barrio? Explique.

- Por fin, ¿qué consejos les daría Ud. a otros jóvenes que vienen de una familia minoritaria pobre para que puedan asimilarse al nuevo ambiente y mantener su identidad cultural al mismo tiempo?

CINEMATECA

Al otro lado

For copyright reasons, the feature films referenced in Cinemateca have not been provided by the publisher. Each of these films is readily available through retailers or online rental sites such as Amazon, iTunes, or Netflix.

Antes de mirar

■ **LA PELÍCULA**   En México, la frase «al otro lado» se refiere al otro lado de la frontera, a los Estados Unidos, hacia donde muchos trabajadores salen en busca de trabajo. La película mexicana *Al otro lado* (2004) se divide en tres capítulos, cada uno en un lugar diferente, para contarnos tres versiones de la misma historia: un padre que tiene que salir de su país en busca de trabajo y su hijo o hija que quiere seguirlo. ¿Por qué tantas personas tienen que emigrar de su país? ¿Cómo es la vida cotidiana de un inmigrante?

■ **LA ESCENA** (7:03–14:28)   En esta escena, Rafael, un hombre de Michoacán, México, tiene que dejar a su familia y cruzar «al otro lado», pero lamenta tener que decírselo a su hijo, Prisciliano. ¿Alguna vez ha tenido Ud. que despedirse de su familia? ¿Cómo se sintió en esa ocasión? ¿Cómo reaccionaron los miembros de su familia?

Al mirar

Mire la escena e indique si las afirmaciones son ciertas (**C**) o falsas (**F**).

1. _____ Prisciliano quiere ir al lago para celebrar su cumpleaños.

2. _____ Rafael le dice a su hijo que va estar con él en su cumpleaños.

3. _____ Rafael va a los Estados Unidos pero va a regresar muy pronto.

4. _____ Rafael quiere a su familia.

5. _____ Toda la familia de Rafael está muy contenta con su decisión de irse al otro lado.

Después de mirar

■ Divídanse en grupos de dos o tres estudiantes para hablar de la escena. ¿Por qué le dice Rafael a Prisciliano que va a estar con él en su cumpleaños? ¿Creen Uds. que Rafael quiere irse? Para Prisciliano, ¿dónde está «el otro lado»? Escriban unas frases para resumir sus conclusiones y compártanlas con la clase.

■ Si un padre siente la obligación de cuidar a su familia, ¿es mejor quedarse cerca sin trabajo, o alejarse de la familia pero poder mandarles apoyo económico? Escríbale una carta a un pariente que se ha ido a otro lugar para trabajar y dígale si Ud. piensa que tomó la decisión correcta o no.

■ Busque en el Internet más información sobre el impacto económico en México de las remesas (*remittances*) que mandan los trabajadores mexicanos en los Estados Unidos a sus familias. ¿Es importante para la economía de México? ¿Ha cambiado la situación durante la recesión económica en los Estados Unidos?

10 La vida moderna

Los Picos de Europa, Asturias, España

En este capítulo

GRAMÁTICA

38. Future and Conditional
39. *If* Clauses with Simple Tenses
40. Comparisons

| SPANISH

www.connectspanish.com

A LEER

- **Lectura cultural:** La televisión en el mundo hispano
- **Del mundo hispano:** «Imágenes Photoshop» (Edmundo Paz Soldán)

CINEMATECA

María, llena eres de gracia (Colombia, 2004)

Describir y comentar

- Describa lo que pasa en estos dibujos. ¿Qué hacen las personas? ¿Qué edad tienen? ¿Cómo se comportan? ¿Por qué se comportan así?

- ¿Dónde hay alguien que fuma? ¿que se droga? ¿que se emborracha? ¿que hace ejercicio? ¿que sigue su dieta? ¿Dónde hay teleadictos?

- Use el vocabulario de la página siguiente para hacer una lista de los hábitos y costumbres que se ven en estos dibujos. ¿Cuáles de estas actividades clasificaría (*would you classify*) como perjudiciales para la salud? Póngalas en orden de gravedad, justificando su clasificación. ¿Cuáles clasificaría como beneficiosas?

- De todas las personas en estos dibujos, ¿cuál cree que es la más feliz? ¿Por qué? ¿Cree que sigue una vida feliz o que solamente parece feliz en este momento?

aprobar (apruebo)   to approve
bajar de peso   to lose weight
comportarse   to behave
consumir drogas   to take drugs
desaprobar (desapruebo)   to disapprove
emborracharse   to get drunk
fumar   to smoke
hacer daño   to harm, injure
hacer ejercicio   to exercise
prohibir (prohíbo)   to forbid, prohibit
subir de peso   to gain weight
tomar una copa   to have a drink

el/la adicto/a   addict
el alcohol   alcohol
los alucinógenos   hallucinogens
el azúcar   sugar
la borrachera   drunkenness; drinking spree, binge
el café   coffee
   la cafeína   caffeine
el calmante   sedative
el cigarrillo   cigarette
la cocaína   cocaine
la comida chatarra   junk food
el comilón, la comilona   heavy eater
el contrabando   contraband, smuggling

la dependencia   dependence
el ejercicio aeróbico   aerobic exercise
el estrés   stress
el/la fumador(a)   smoker
el gimnasio   gym, health club
el hábito   habit
la heroína   heroin
la marihuana   marijuana
la nicotina   nicotine
las pastillas   pills
la receta médica   prescription
el régimen   special diet, regimen
la salud   health
la sobredosis   overdose
el tabaco   tobacco; cigarettes
la televisión   television (programming)
   el televisor   television (set)
la toxicomanía   (drug) addiction
   el/la toxicómano/a   (drug) addict
el vicio   bad habit, vice

beneficioso/a   beneficial
borracho/a   drunk
goloso/a   sweet-toothed; greedy (about food)
perjudicial   damaging, harmful
saludable   healthy

Conversación

A. ¡Busque al intruso!   ¿Qué palabra no pertenece al grupo? Explique por qué.

1. el alcohol, tomar una copa, el toxicómano, la borrachera
2. el comilón, el cigarrillo, goloso/a, los dulces
3. la toxicomanía, consumir drogas, drogarse, aprobar
4. régimen, hacer ejercicio, el contrabando, saludable

B. Diferencias   Explique la diferencia entre cada par de palabras.

1. desaprobar / prohibir
2. tomar una copa / emborracharse
3. la televisión / el televisor
4. el hábito / el vicio
5. los alucinógenos / las pastillas

C. Estimulantes y calmantes   Identifique los estimulantes y calmantes de la lista de vocabulario. Indique cuáles de ellos son prohibidos en este país y cuáles no.

■ ¿Cuáles han sido prohibidos en el pasado pero ya no lo son? ¿Por qué se cambiaron las leyes?

■ ¿Cree Ud. que en el futuro van a cambiarse las leyes que regulan algunas de estas sustancias? ¿las de cuáles sustancias?

■ ¿Cuáles son los beneficios y los peligros de la legalización del tabaco? ¿del alcohol? ¿de la marihuana? ¿de la cocaína y otras drogas parecidas?

D. Categorías

Paso 1. En parejas, decidan cuáles de las palabras de la lista de vocabulario se pueden clasificar según las siguientes categorías. Cada palabra puede colocarse en una sola categoría.

Causan problemas   *Resultan de problemas*   *Resuelven problemas*

Paso 2. Cuando terminen su clasificación, compárenla con las de sus otros compañeros de clase. ¿Hay gran diferencia de opiniones? ¿Hay palabras que en realidad se *necesiten* colocar en más de una categoría? Expliquen.

E. Padre e hijo   ¿Qué le dice el hijo a su padre? ¿Qué quiere hacer el padre? ¿Cómo justifica su hábito? ¿Cree Ud. que la avanzada edad del padre es una justificación para su adicción al tabaco? ¿para otras dependencias? Cuando Ud. tenga 80 años, ¿va a permitirse el lujo de tener algunos vicios?

F. Entre todos

■ ¿Opina Ud. que se debe limitar el uso de la televisión de alguna manera?

■ ¿Hay semejanzas entre los intentos de controlar la televisión y los intentos de controlar la venta de tabaco? ¿Cuáles son?

■ ¿Es posible controlar a las personas muy comilonas, ya que se hacen daño a sí mismas?

■ De todas las dependencias, ¿cuáles tienen mayores repercusiones en la vida de los amigos y familiares de la persona adicta? ¿Por qué?

■ ¿Cuáles son las mejores formas de mantenerse en buena salud? ¿En qué consiste una dieta equilibrada?

■ ¿Es posible tener algunos vicios y al mismo tiempo mantener una vida saludable? Dé ejemplos específicos para justificar su respuesta.

GRAMÁTICA

Visit **www.connectspanish.com** to practice the vocabulary and grammar points covered in this chapter.

38 Future and Conditional

In general, the Spanish future (**el futuro**) corresponds to English *will*; the conditional (**el condicional**) corresponds to English *would*.

A. Forms of the Future and Conditional

Unlike other verb forms you have learned, regular forms of both the future and conditional use the entire infinitive as the stem. Note that only the **nosotros/as** forms of the future do not have a written accent, and all verbs—regular and irregular—use the endings shown in the following chart.

Future		Conditional	
hablaré	hablaremos	hablaría	hablaríamos
hablarás	hablaréis	hablarías	hablaríais
hablará	hablarán	hablaría	hablarían
comeré	comeremos	comería	comeríamos
comerás	comeréis	comerías	comeríais
comerá	comerán	comería	comerían
viviré	viviremos	viviría	viviríamos
vivirás	viviréis	vivirías	viviríais
vivirá	vivirán	viviría	vivirían

Twelve verbs have irregular stems in the future and conditional.*

caber → **cabr-**   poder → **podr-**   salir → **saldr-**
decir → **dir-**   poner → **pondr-**   tener → **tendr-**
haber → **habr-**   querer → **querr-**   valer → **valdr-**
hacer → **har-**   saber → **sabr-**   venir → **vendr-**

Nota comunicativa

English *would* does not always correspond to the Spanish conditional. Note the following uses.

- Polite requests with *would* in English can be expressed with the conditional or the past subjunctive in Spanish.

  ¿Podrías dejar de fumar?
  ¿Pudieras dejar de fumar?
  Would/Could you (please) stop smoking?

- English *would* meaning *used to* is expressed with the imperfect in Spanish.

  Siempre **fumábamos** un cigarrillo después de comer.
  We always would (used to) smoke a cigarette after eating.

---

*Most compound verbs have the same irregularities: **mantener** → man*tendr-*, **proponer** → pro*pondr-*, and so on. However, a few compound verbs maintain the infinitive as the stem for the future and conditional: **predecir** (*to predict*) → pre*decir-*, **bendecir** (*to bless*) → ben*decir-*.

B. Use of the Future and Conditional

In both Spanish and English, the most common use of the future and conditional is to indicate a subsequent action. The future describes an action that will take place sometime after a *present* reference point; the conditional describes an action that will take place sometime after a *past* reference point.

REFERENCE POINT		SUBSEQUENT ACTION
PRESENT	Prometen que	**no** fumarán otra vez.
	They promise that	*they won't smoke again.*
PAST	Prometieron que	**no** fumarían otra vez.
	They promised that	*they wouldn't smoke again.*

The use of the future tense, however, is less frequent in Spanish than in English. There are two common alternatives to the future tense.

1. **The Simple Present Tense.** For actions that occur in the immediate future, the simple present tense is used.

Los estudiantes **se reúnen** con el decano en diez minutos.	*The students will meet with the dean in ten minutes.*
Nos vemos mañana.	*We'll see each other tomorrow.*

2. **The *ir a* + *infinitive* Construction.** To express the future, **ir** is conjugated in the present tense; to express the conditional, it is conjugated in the imperfect.

Pedro **va a asistir** mañana.	*Pedro is going to attend (will attend) tomorrow.*
Sara pensaba que todos **iban a llegar** temprano.	*Sara thought that everyone was going to arrive (would arrive) early.*

The simple future often implies a stronger commitment or sense of purpose on the part of the speaker than the *ir a* + *infinitive* construction. Compare these examples.

¡**Iré** al concierto!	*I will go to the concert!*
Voy a ir al concierto esta noche.	*I'm going to go to the concert tonight.*

Besides indicating a subsequent action, the Spanish future and conditional have another common use: to express conjecture or uncertainty. The future expresses English *probably* + *present tense;* the conditional expresses English *probably* + *past tense.*

	Expression of a Fact	Probability or Conjecture
present	¿Qué hora **es**? *What time is it?*	¿Qué hora **será**? *I wonder what time it is.*
	Son las tres. *It's three.*	**Serán** las tres. *It's probably three.*
past	¿Cuántos años **tenía**? *How old was she?*	¿Cuántos años **tendría**? *I wonder how old she was.*
	Tenía 30 años. *She was 30 years old.*	**Tendría** 30 años. *She was probably 30 years old.*

As in English, the future tense can also be used to express commands.

Comerás las espinacas.   *You will eat your spinach.*
No matarás.   *Thou shalt not kill.*

Práctica

Paco es un adolescente de 15 años. No le gusta obedecer a sus padres para nada y, por lo tanto, cada vez que ellos le dicen que haga algo, les contesta que lo hará al día siguiente. Imaginándose que Ud. es Paco, conteste los siguientes mandatos y peticiones de sus padres. No se olvide de usar los complementos pronominales cuando sea posible.

MODELO: Paco, limpia tu habitación. → La limpiaré mañana.

1. Paco, saca la basura. *La sacaré mañana*
2. Paco, deja de fumar.
3. Paco, echa esos cigarrillos a la basura.
4. Paco, haz ejercicio.
5. Paco, ¿podrías poner la mesa?
6. Paco, tráeme unas galletas.
7. Paco, ¿pudieras hacerme un postre para la fiesta?
8. Paco, sal a caminar.

AUTOPRUEBA Complete el siguiente texto con la forma apropiada del futuro o del condicional de los verbos entre paréntesis.

Antes de presentarme para el examen para sacar mi licencia de conducir, creía que no (haber)[1] ningún problema. Había practicado[a] mucho y todos me aseguraban que el examen (ser)[2] muy fácil. Mi amigo Hugo me explicó exactamente lo que yo (tener)[3] que hacer. (*Yo:* Entrar)[4] en la oficina y le (dar)[5] mi nombre a la recepcionista. (Esperar)[6] unos minutos hasta que el examinador me llamara. Los dos (ir)[7] al coche y el examinador (verificar)[8] que el coche estaba en buenas condiciones. (*Nosotros:* Subir)[9] al coche y yo (seguir)[10] las indicaciones del examinador. ¡Fácil!

Pero no fue nada fácil. De hecho, fue un desastre. Me negaron[b] la licencia y estaba muy triste. La próxima vez me (*ellos:* aprobar),[11] (*Yo:* Estar)[12] menos nervioso. (Salir)[13] a practicar cada mañana. (Poder)[14] hacerlo todo automáticamente sin tener que pensar. Y al final del examen, ¡(tener)[15] la licencia!

[a]Había... *I had practiced*   [b]Me... *They refused to give me*

(handwritten answers in margin:)
1. habría / aprobarán
2. serán / 12. Estaré
3. tendrían / 13. Saldré
4. Entraría / 14. podré
5. daría / 15. tendré
6. esperaría
7. iríamos
8. verificaría
9. subiríamos
10. seguiría

Conversación

A. Intercambios En parejas, háganse y contesten las preguntas, según el modelo. Luego, compartan con la clase lo que han aprendido, usando el condicional.

MODELO: al salir de clase →

E1: ¿Qué harás al salir de esta clase?
E2: Iré a mi clase de biología.
E1: (Nombre de E2) dijo que iría a su clase de biología.

1. al salir de esta clase
2. al llegar a casa esta noche
3. antes de cenar
4. para ser más feliz
5. cuando te gradúes
6. este año para ayudar a otra persona

B. ¿Qué creía Ud. antes? Cuando Ud. era más joven, ¿cómo creía que reaccionaría ante las siguientes experiencias? Use los verbos indicados, más uno que le parezca apropiado, para inventar una oración para cada experiencia. No es necesario usar todos los verbos en una sola oración, ni usarlos en el mismo orden en que aparecen. Si Ud. nunca ha tenido ninguna experiencia de estas, ¿cómo cree que será?

MODELO: la universidad (aprender, asistir, vivir, ¿ ?) →
Creía que asistiría a una universidad lejos de mi casa, que viviría en la residencia el primer año, que aprendería cosas nuevas y que conocería a gente interesante.

1. la primera cita (llevar, pagar, salir, ¿ ?)
2. las drogas (consumir, experimentar, gustar, ¿ ?)
3. el examen para la licencia de conducir (chocar, practicar, tener problemas, ¿ ?)
4. el primer trabajo (emplear, ganar, poder, ¿ ?)
5. la primera experiencia con el alcohol (descubrir, emborracharse, tomar, ¿ ?)
6. vivir lejos de la familia (escribir, estar, ser difícil/fácil, ¿ ?)

C. ¿Qué hicieron? Imagínese que Ud. y un amigo / una amiga realizaron las siguientes actividades. Descríbanlas, incorporando en su descripción las respuestas a estas preguntas generales.

- ¿Qué motivos tendrían para hacerlas?
- ¿Cómo se sentirían al hacerlas?
- ¿Cómo se sentirían inmediatamente después?
- ¿Qué sentirían al día siguiente?
- ¿Les gustaría repetir la experiencia? ¿Por qué sí o por qué no?

MODELO: bailar toda la noche →
Tal vez estaríamos celebrando el fin de los exámenes. Nos sentiríamos muy contentos. Inmediatamente después, estaríamos cansadísimos, pero no querríamos ir a casa a dormir porque tendríamos hambre. Al día siguiente tendríamos mucho sueño y no podríamos levantarnos. ¡Claro que lo haríamos otra vez! Pero quizás bailaríamos un rato solamente, y después, nos iríamos a casa.

1. mirar la televisión por cinco horas seguidas
2. fumar marihuana
3. comer una comida grandísima
4. beber diez tazas de café durante el día
5. correr un maratón
6. comer en un restaurante vegetariano

Nota cultural

Los términos relacionados con las drogas y el alcohol cambian constantemente y son diferentes no solo en los distintos lugares del país sino también en cada barrio de la misma ciudad. Imagínese que un amigo hispano quiere aprender la jerga (*slang*) que se usa donde Ud. vive. Hágale una lista de los términos más usados, explicándole en español el significado de cada palabra o frase.

D. Guiones Ud. no conoce a las personas que aparecen en los siguientes dibujos, pero fijándose en los detalles de cada dibujo, puede especular sobre su personalidad, su estilo de vida, su pasado, etcétera. En grupos de tres o cuatro personas, describan a los individuos y las escenas que se ven. Usen el futuro o el condicional, según el caso.

MODELO: **1.** → Los niños tendrán 10 años. Esta será la primera vez que fuman. Una de las mujeres será la madre de los niños y la otra será la esposa de un clérigo. La madre… La otra mujer… Los niños…

1. **2.** **3.**

4.

39 *If* Clauses with Simple Tenses

An *if* clause is joined to a result clause. The two clauses can occur in either order.

> If you have time (*if* clause), you should see that movie (result clause).
> They will let us know (result clause) if they need anything (*if* clause).

If clauses can introduce two different perceptions of reality: (1) as possible or probable; (2) as hypothetical (contrary to fact). In Spanish, the first of these messages is expressed with the indicative; the second is expressed with the past subjunctive.

A. Possible or Probable Situation: Indicative

If the situation in the *if* clause is perceived as possible or probable, the indicative mood is used. The most common sequences of tenses in these sentences are shown in the following chart. Remember, the clauses can occur in either order.

If Clause	Result Clause
si + present indicative	present indicative future command

The phrase **como si** (*as if*) is always followed by the past subjunctive in Spanish because it signals a hypothetical situation.

Habla **como si** tuviera experiencia personal.
He speaks as if he had firsthand experience.

Anda **como si** estuviera borracha.
She walks as if she were drunk.

Si **me** llevas **a la fiesta,** te **pago** la gasolina.
If you take me to the party (probable), I'll pay for the gas.

Lo **veré** si voy **a España.**
I will see him if I go to Spain (possible).

Escríbeme si tienes **tiempo.**
Write me if you have time (possible).

B. Hypothetical (Contrary to Fact) Situation: Past Subjunctive

When the situation is perceived as hypothetical (contrary to fact), the past subjunctive is used in the *if* clause and the conditional is used in the result clause.

If Clause	Result Clause
si + past subjunctive	conditional

Si tuviera **mucho dinero,** me comportaría mejor.
If I had a lot of money (but I don't), I would behave better.

Cambiaría esa ley **si yo** tuviera **el poder de hacerlo.**
I would change that law if I had the power to do so (but I don't).

In most dialects of Spanish, the present subjunctive *never* occurs in an *if* clause. When a situation is hypothetical, it must be expressed in the past subjunctive.

Sometimes the *if* clause is only implied, not explicitly stated. In this case the result clause is still expressed in the conditional.

¿Qué haría Ud.?
What would you do (if you were in that situation, if you were I, and so on)?

No lo diría yo, claro.
I wouldn't say that, of course (if I were asked, and so on).

Práctica   Diga si se debe usar el subjuntivo o el indicativo en las siguientes oraciones. Luego, exprese en español las palabras *en letra cursiva azul*.

1. If this *is* a French restaurant, *I'll eat* my hat.
2. If *I knew* the answer, *I wouldn't ask*.
3. If *he weren't* so egotistical, *he wouldn't say* that.
4. *You can call* if *you need* anything.
5. *He speaks* as if *he approved* of it all.
6. My friends *would understand* if *I arrived* late.
7. If *you come*, *bring* your compact disks.
8. If *I see* him, *I'll tell* him you called.

Conversación

A. Los hábitos Pasamos mucho tiempo pensando en cómo sería nuestra vida si cambiáramos algunos de nuestros hábitos. En la lista que sigue, aparecen algunos de los hábitos que tienen ciertas personas. Explique qué pasaría si dejaran esos hábitos.

MODELO: Antonio consume drogas. →

Si no las consumiera, tendría menos problemas en el trabajo.

1. María Pilar es muy comilona.

2. Antoñito se entretiene con videojuegos todo el día.

3. Pedro se emborracha todas las noches.

4. Ángela fuma.

5. Rafael escucha música fuerte (*loud*) todo el día.

6. Amalia bebe diez tazas de café al día.

B. Los vicios y las connotaciones

Paso 1. Una de las causas socioculturales de los vicios son las connotaciones positivas que se asocian con las personas que los tienen. Por ejemplo, si uno fuma pipa, los demás creerán que es una persona intelectual o refinada. ¿Qué ideas «positivas» se asocian con los siguientes vicios?

1. Si uno fuma cigarrillos Marlboro,...

2. Si uno bebe vinos caros,...

3. Si uno fuma marihuana,...

4. Si uno puede beber mucho whisky sin emborracharse,...

5. Si uno juega con frecuencia en los casinos,...

6. Si uno tiene relaciones sexuales con muchas personas diferentes,...

7. Si uno inhala cocaína,...

8. Si uno se droga con éxtasis (heroína, ¿ ?),...

Paso 2. ¿Cree Ud. que son ciertas estas connotaciones «positivas»? ¿Son aplicables a personas de ambos sexos? Explique.

C. Las reacciones

Paso 1. Todos tenemos nuestra manera de manejar las pequeñas molestias (*hassles*) de todos los días. ¿Cómo reacciona Ud. en las siguientes situaciones comunes? Junte frases de cada columna. Puede inventar otras reacciones si quiere.

SITUACIONES COMUNES		REACCIONES POSIBLES
Si estoy nervioso/a		comer chocolate
Si estoy aburrido/a		dormir
Si estoy preocupado/a por mis clases		empezar un régimen
		fumar
Si tengo mucho trabajo y poco tiempo	+	hacer ejercicio
		ir de compras
Si tengo mucho tiempo y poco trabajo		llamar a un amigo / una amiga
		mirar la televisión
Si estoy preocupado/a por mi peso		sonreír
		tomar una copa
Si ¿ ?		¿ ?

Paso 2. ¿Cuáles son los mecanismos que se utilizan con más frecuencia para poder soportar las molestias? ¿Hay diferencias entre los usados por los hombres y los que usan las mujeres? ¿Cree Ud. que las respuestas serían diferentes si se entrevistara a personas de diferentes generaciones?

Paso 3. Ahora, indique qué haría Ud. en una situación menos común, como una de las siguientes.

1. Si me suspendieran (*they flunked*) en un examen importantísimo, _____.
2. Si ganara un millón de dólares en la lotería, _____.
3. Si un amigo / una amiga me dijera que él/ella tenía problemas a causa del consumo de alguna droga, _____.
4. Si *todos* los pantalones me quedaran demasiado estrechos (*tight*), _____.

D. Intercambios En parejas, háganse y contesten las siguientes preguntas. Luego, compartan con la clase lo que han aprendido.

1. Si dieras una fiesta y un invitado / una invitada te preguntara si allí se podía fumar marihuana, ¿qué le dirías?
2. Si ganaras un viaje para dos personas a cualquier país del mundo, ¿a quién invitarías? ¿Adónde irían Uds.?
3. Si pudieras cambiar algún aspecto de tu personalidad o de tu cuerpo, ¿cuál cambiarías? ¿Por qué? ¿Qué aspecto *no* cambiarías por nada del mundo?
4. Si la MGM te ofreciera un papel en una película de Hollywood, ¿lo aceptarías? ¿Con tal de qué?
5. Si todos pudiéramos leer los pensamientos de los demás, ¿cómo sería la vida social? ¿la vida política? ¿las relaciones entre enamorados?

E. El avestruz (ostrich) Conteste las preguntas, basándose en el anuncio.

■ ¿Qué sugiere la imagen del avestruz que esconde la cabeza?

■ ¿Es esta una manera lógica de resolver los problemas? ¿Por qué sí o por qué no?

■ ¿Conoce Ud. a personas que actúen como si la toxicomanía no fuera problema de todos?

■ ¿Nos afecta a todos el consumo de drogas? Explique.

Ante las drogas nadie puede esconder la cabeza.
Porque es un problema que nos afecta a todos.

F. La tecnología Muchos avances tecnológicos nos hacen la vida más fácil. En parejas, imagínense qué harían si las siguientes comodidades no existieran.

■ las computadoras
■ los estéreos
■ los gimnasios
■ los hornos microondas
■ el Internet
■ los teléfonos celulares
■ la televisión
■ ¿ ?

40 Comparisons

Comparisons establish equality (*as big as, as small as*, and so on) or inequality (*bigger than, smaller than*, and so on) between two or more objects. Comparisons may involve adjectives, nouns, adverbs, or verbs.

ADJECTIVE	He is *taller than* she is.
NOUN	We have *as many books as* they do.
ADVERB	She runs *faster than* anyone else does.
VERB	We read *as much as* Henry does.

The form of Spanish comparisons is determined by what is being compared and by whether the statement expresses equality or inequality.

A. Comparisons of Equality

Comparisons of equality (**las comparaciones de igualdad**) are expressed with three forms: one for adjectives and adverbs, one for nouns, and one for verbs. All contain the word **como**.

tan	+	{ adjective / adverb }	+	**como**
tanto, tanta, tantos, tantas	+	*noun*	+	**como**
		verb	+	**tanto como**

In addition to their comparative meanings, expressions with **tan(to)** also have quantitative meanings:

tan = *so*; **tanto/tantos** = *so much/many.*

¡Tengo **tantos problemas!**
I have so many problems!

¡Era **tan joven!**
He was so young!

No debes **fumar tanto.**
You shouldn't smoke so much.

■ When adjectives are involved, the adjective always agrees with the first noun mentioned. Adverbs do not show agreement.

ADJECTIVE	La cerveza **es tan** embriagadora **como** el vino.	*Beer is as intoxicating as wine.*
	El vino es **tan** embriagador **como** la cerveza.	*Wine is as intoxicating as beer.*
ADVERB	La cerveza no te afecta **tan** rápido **como** el vino.	*Beer does not affect you as quickly as wine (does).*

■ When nouns are involved, **tanto** agrees with the noun in number and gender. **Como** is invariable.

Ud. tiene **tantos** amigos **como** un millonario.
You have as many friends as a millionaire (does).

Le darán a él **tanta** ayuda **como** a los otros.
They'll give as much help to him as to the others.

■ When verbs are the point of comparison, the expression **tanto como** follows the verb. This expression shows no agreement.

Trabaja tanto como un mulo.
He works as hard as a mule.

Beben tanto como yo.
They drink as much as I do.

Note that subject pronouns are used after **como.**

B. Comparisons of Inequality

Comparisons of inequality (**las comparaciones de desigualdad**) are expressed with two forms in Spanish: one for adjectives, adverbs, and nouns; one for verbs. Both forms contain **más/menos** and **que.**

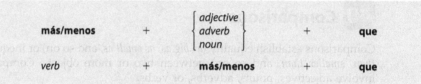

más/menos	+	*adjective* *adverb* *noun*	+	**que**
verb	+	**más/menos**	+	**que**

Comparisons of inequality are very similar to comparisons of equality.

■ As in comparisons of equality, the adjective agrees with the first noun. Adverbs do not show agreement.

ADJECTIVE	El tabaco es **menos** peligroso que la cocaína.	*Tobacco is less dangerous than cocaine.*
ADVERB	Hoy, la marihuana se consume más **frecuentemente** que en el pasado.	*Today marijuana is used more frequently than in the past.*
NOUN	Hay más **narcotráfico** hoy que en el pasado.	*There is more drug trafficking today than in the past.*
VERB	Cristóbal merece **ganar** más que yo.	*Cristóbal deserves to earn more than I (do).*

- As with comparisons of equality, subject pronouns are used after **que**.
- When a number (including any form of the indefinite article **un**) follows an expression of inequality, **que** is replaced by **de**.*

Tienen **menos de un** dólar.	*They have less than one dollar.*
Hay **más de 10.000** personas.	*There are more than 10,000 people.*

C. Irregular Comparative Forms

A few adjectives have both regular and irregular comparative forms. Note that the irregular forms do not use the word **más**.

Adjectives	Regular	Irregular
grande/pequeño	**más grande / más pequeño** (*size*) Filadelfia es **más grande que** Boston. pero **más pequeña que** Nueva York. *Philadelphia is larger than Boston, but smaller than New York.*	**mayor/menor** (*importance or degree*) Los efectos de la cocaína son **mayores que** los de la marihuana pero **menores que** los de la heroína. *The effects of cocaine are greater than those of marijuana but less than those of heroin.*
viejo	**más viejo / más nuevo** (*age of objects*) Mi carro es **más viejo que** el tuyo. *My car is older than yours.*	**mayor** (*age of people*)[†] Tengo una hermana **mayor que** yo. *I have a sister older than I (am).*
joven	**más joven** (*appearance of people; age relative to another time*) Hoy pareces **más joven que** hace un año. *Today you seem younger than (you did) a year ago.* Cuando yo era **más joven** (que ahora), me gustaba mucho mirar la televisión. *When I was younger (than I am now), I really liked to watch TV.*	**menor** (*age of people*) Soy **menor que** mi hermana *I am younger than my sister.*
(*continúa*)		

---

*__Que__ is retained with numbers in the expression **no** + *verb* + **más que** + *number* when it means *only* and no comparison is implied: **No tenemos más que 10 dólares.** (*We have only 10 dollars.*)

[†]Note that **mayor** is the best word to use whenever you want to communicate the idea of *old* or *older* with reference to people, regardless of the actual age involved: ¡Ay, **los mayores** nunca entienden nada! (*Oh, grown-ups never understand anything!*)

Adjectives	Regular	Irregular
bueno/malo	**más bueno / más malo** (*moral behavior*) Don Carlos es **más bueno que** su hermano. *Don Carlos is better (kinder, more good-hearted) than his brother.* Luisito no es **tan malo como** Carlitos. *Luisito isn't as bad (naughty, obnoxious) as Carlitos.*	**mejor/peor*** (*quality; abilities*) ¡Los precios están cada vez **peores**! *Prices are getting worse all the time!* Soy **mejor** estudiante **que** ellos. *I'm a better student than they (are).*

Práctica A   Combine las dos oraciones para expresar una comparación de igualdad.

1. Paco es comilón. Su hermana Celia es comilona también.
2. Se toma mucha cerveza aquí. También se toma mucho vino.
3. Marisa bajó de peso rápidamente. Felipe bajó de peso rápidamente también.
4. Jorge hace mucho ejercicio. Berta hace mucho ejercicio también.
5. El alcohol le hace daño al cuerpo. El tabaco también le hace daño.
6. Juan se emborrachaba con frecuencia. Su padre se emborrachaba mucho también.
7. Los cigarrillos franceses son muy fuertes. Así son los cigarrillos españoles también.

D. Superlatives

A statement of comparison requires two elements: one bigger (smaller, better, and so forth) than the other. In a superlative statement more than two elements are compared, with one being set apart from the others as the biggest (smallest, best, and so forth) of the group.

	COMPARATIVE	SUPERLATIVE
John is *tall*.	John is *taller* than Jim.	John is the *tallest* (of a specified or implied group).

In Spanish, the superlative (**el superlativo**) of adjectives and nouns is formed by adding the definite article to the comparative form. A comparison group, when mentioned, is preceded by the preposition **de**.

	COMPARATIVE	SUPERLATIVE
Juana es **alta**.	Juana es más **alta** que Jaime.	Juana es la más **alta** (del grupo).
Nevada es un estado **grande**.	Texas es más **grande** que Nevada.	De todos los estados, Texas y Alaska son los más **grandes**.
Este helado es **bueno**.	Este helado es mejor que ese.	Este helado es el mejor (de los tres).

***Mejor** and **peor** are also the irregular comparative forms of the adverbs **bien** and **mal**.

No, no cantas **tan mal como** Ernesto. Cantas **peor**.   *No, you don't sing as badly as Ernesto (does). You sing worse.*

Note the following contrast between Spanish and English in the word order of superlative statements.

Spanish								
article	+	noun	+	más / menos	+	adjective		
la		profesora		más		interesante		

English								
article	+	most / least	+	adjective	+	noun		
the		most		interesting		professor		

The four irregular forms **mayor, menor, mejor,** and **peor,** however, precede rather than follow the noun: **Es** *la mejor* **profesora de la universidad.**

Práctica B Gilda siempre dice que sus amigos, parientes o experiencias son mejores o peores que los de todos los demás. ¿Qué contestaría Gilda a las siguientes afirmaciones?

MODELO: Vivo en una calle muy segura. →

Puede ser, pero yo vivo en la calle más segura de la ciudad.

1. Nací en una región bellísima.
2. Compré un coche muy moderno.
3. Mi amiga tiene un ego grandísimo.
4. Mi ciudad tiene grandes problemas.
5. ¡Mi jefe es tan estúpido!
6. Probé un helado buenísimo.

AUTOPRUEBA Complete las siguientes oraciones con las palabras apropiadas para hacer comparaciones, según las indicaciones.

1. Comer legumbres es _____ [+] saludable _____ comer carne roja o dulces.
2. El helado de fresa es _____ [−] delicioso _____ el helado de chocolate.
3. La abuela de Pablo es _____ [*older*] _____ su abuelo.
4. La comida mexicana es _____ [=] sabrosa _____ la italiana.
5. La familia Vicario dona _____ [+] _____ 1.000 dólares al año a su caridad favorita.
6. La región donde vive Carlos es la _____ [+] bonita _____ todo el país.
7. Leo _____ [=] novelas _____ cuentos (*short stories*).
8. Mis hijos duermen _____ [=] _____ los tuyos.
9. Rosalba habla francés _____ [*better*] _____ Teresa.

Handwritten margin notes:

2. Sí

3. Sí

4. Los adultos consumen más azúcar de los niños

5. Las mujeres se preocupan tanto como los hombres

6.

[Top margin note over item 1: En este país se toma más alcohol que en España]

Conversación

A. ¿Está de acuerdo? ¿Está Ud. de acuerdo o no con las siguientes afirmaciones? Si no está de acuerdo, cambie la oración para que exprese su opinión.

1. Se toma tanto alcohol en este país como en España.
2. Las mujeres se emborrachan tanto como los hombres.
3. Se fuma menos hoy que antes.
4. Los adultos consumen menos azúcar que los niños.
5. Las mujeres se preocupan por la salud más que los hombres.
6. La comida mexicana es más saludable que la comida italiana.
7. El azúcar no refinado es mejor para el cuerpo que el azúcar refinado.
8. La televisión es tan peligrosa para los adultos como para los niños.

B. ¿Qué piensa Ud.? Exprese sus opiniones sobre los siguientes temas, usando comparaciones de igualdad o de desigualdad según sea necesario.

MODELO: aprender a hablar otro idioma / difícil / aprender a escribirlo →
Es más (menos) difícil aprender a hablar otro idioma que aprender a escribirlo.

1. el español / interesante / la historia
2. un coche nacional / bueno/a / un coche importado
3. pedir dinero / fácil / prestarlo
4. los perros / inteligente / los gatos
5. las drogas / peligroso/a / el alcohol
6. trabajar / importante / divertirse
7. el azúcar / hacerle daño al cuerpo / la cafeína
8. los mosquitos / malo/a / las cucarachas
9. dar regalos / agradable / recibirlos
10. vivir solo/a / bueno / tener compañero/a

C. Comparaciones En parejas, den tres cosas, animales o tipos de persona que pertenecen a las siguientes categorías. Luego, compárenlas según el modelo.

MODELO: tres profesores → los profesores de idiomas
los profesores de química
los profesores de sicología

Los profesores de sicología son los más locos de los tres.

Los profesores de idiomas son los más habladores de los tres.

Los de química son los más serios.

1. tres animales
2. tres bebidas
3. tres milagros (*miracles*) de la ciencia moderna
4. tres programas de televisión
5. tres actividades saludables
6. tres coches
7. tres aparatos electrónicos
8. tres vicios

D. Dos anuncios   Describa los anuncios.

- ¿Qué vicio intentan combatir?
- ¿Cuál de ellos invita a pensar en la salud de la persona adicta? ¿Cuál enfoca en las repercusiones que tiene en los demás miembros de la sociedad?
- En su opinión, ¿es una de estas técnicas más efectiva que la otra? ¿O es tan efectiva la una como la otra? Explique.
- Si Ud. pudiera inventar la técnica más efectiva de todas, ¿cuál sería? ¿Cómo ayudaría a las personas que tienen esta dependencia?

E.   Si fuera así...   En parejas, imagínense que están en las siguientes situaciones. ¿En qué aspectos sería su vida diferente de la que llevan ahora? Utilicen comparativos de igualdad, inferioridad y superioridad para mostrar por lo menos tres contrastes.

MODELO: Si no existiera la televisión,... →

Si no existiera la televisión, participaríamos en más actividades familiares y cultivaríamos más el arte de la conversación. No pasaríamos tanto tiempo en casa como ahora. Tal vez habría menos violencia en la familia y en la sociedad. Leeríamos más y buscaríamos otras maneras más creativas de pasar el tiempo, pero nuestro pensamiento sería menos «visual».

1. Si este fuera un país del Tercer Mundo,...
2. Si no existieran los automóviles,...
3. Si fuera legal el consumo de la marihuana, la cocaína, la heroína, etcétera,...
4. Si no necesitáramos dormir,...
5. Si no hubiera hispanos en este país,...
6. Si nadie tuviera que trabajar,...

F. ¿Qué opina Ud.?   Exprese sus opiniones sobre los siguientes temas. Justifique sus respuestas.

1. ¿Cuál es la mejor marca de coche (café, desodorante, helado)?
2. ¿Cuál es el estado (la ciudad, el premio, la universidad) más prestigioso/a de este país?
3. ¿Cuál es el/la peor (actor, actriz, clase, película, vicio) de todos/as?
4. ¿Cuál es el mayor problema de este/a (estado, mundo, país, universidad)?
5. ¿Quién es la persona más (aventurera, calmada, impulsiva, nerviosa, ¿ ?) de su familia?

G. El siglo pasado y ahora   Compare los siguientes aspectos de la vida en este país al principio del siglo XX con los de la vida moderna. Use expresiones comparativas y superlativas cuando sea posible. ¿Era mejor la vida en aquel entonces (*back then*) que ahora, o viceversa?

MODELO: la comida →

En aquel entonces se hacía la compra con más frecuencia que hoy en día, pero no se compraban tantos productos cada vez que se iba de compras. Se comía más comida fresca que hoy y se comía menos comida enlatada. Era más saludable, pero había menos variedad.

1. el fumar
2. la contaminación
3. el consumo del alcohol
4. la familia
5. los medios de comunicación
6. los medios de transporte
7. el consumo de las drogas
8. el sistema educativo
9. el estrés de la vida diaria (*daily*)

H. La tele, droga dura

Paso 1. Lea el siguiente párrafo.

Los niños españoles pasan alrededor de tres horas diarias delante del televisor. Pero eso no es nada si se compara con las cinco horitas que los estadounidenses permanecen atentos a sus pantallas. Más moderados son los franceses y los belgas, con una media de dos horas por día y comedidísimos resultan los alemanes, que «solo» pasan unos setenta y cinco minutos amarrados al duro aparato. El público infantil, vienen a decir algunos especialistas, necesita de la televisión con la misma ansiedad con la que un heroinómano busca su «papelina[a]» diaria o un alcohólico su botella.

[a]*sheet (containing drugs)*

Paso 2. Conteste las preguntas.

1. Según el párrafo, ¿cuál es el país en que se ve más la televisión? ¿En cuál de todos se ve menos?
2. ¿Pasan menos tiempo frente al televisor los españoles que los franceses?
3. ¿En qué nación se ve tanto la televisión como en Francia?
4. ¿Qué dependencias se comparan con la dependencia de la televisión en este párrafo? Describa estas comparaciones. ¿Está Ud. de acuerdo con ellas o no? ¿Por qué sí o por qué no?

Paso 3. Ahora, en grupos de tres personas comenten las siguientes preguntas. Después, compartan sus conclusiones con el resto de la clase.

1. En su opinión, ¿cuáles son los mayores méritos y los peores defectos de la televisión? ¿Cuáles serán algunas de las causas de la teleadicción?

2. Si Uds. observaran que sus hijos (¡o Uds. mismos!) se estaban volviendo teleadictos, ¿qué harían para evitarlo?

UN POCO DE TODO

¡OJO!

¡OJO!	Examples	Notes
grande **largo**	El Sahara es el desierto más **grande** del mundo. *The Sahara is the largest desert in the world.*	**Grande** is used to convey the notion of *large* or *big*.
	Necesitamos un salón más **grande**. *We need a bigger room.*	
	¡Es una **gran** persona! *She's great (a great person)!*	When **grande** precedes the noun it describes, it is shortened to **gran** and expresses the idea of *great*.
	¡Es un **largo** camino! *It's a long way!*	**Largo** is a false cognate; it doesn't mean *large* but *long*.
	El Nilo es el río más **largo** del mundo. *The Nile is the longest river in the world.*	
dejar de **impedir** (*like* **pedir**) **detener(se)** (*like* **tener**)	Por fin **dejé de** fumar. *I finally stopped smoking.*	Each of these expressions means *to stop*. **Dejar de** + *infinitive* means *to stop doing something.* When used negatively, it means *not to fail to* or *not to miss out on doing something.*
	No dejes de visitar las ruinas mayas. *Don't fail to visit the Mayan ruins.*	
	¿Les **impidió** el paso la nieve? *Did the snow stop (impede) you (get in your way)?*	**Impedir** means *to get in the way, to hinder, prevent,* or *to stop someone from doing something.* With the latter meaning, **impedir** is often followed by the subjunctive.
	Le van a **impedir** que se vaya. *They are going to stop (prevent) him from leaving.*	
	La nieve nos **detuvo** por más de una hora. *The snow detained us for over an hour.*	**Detener** means *to stop* or *to detain* in the sense of *to slow down* or *to hold up progress* and also in the sense of *to arrest.*
	Detuvieron a los contrabandistas en la frontera. *They stopped (to question or to arrest) the smugglers at the border.*	
(*continúa*)	**Me detuve** un instante antes de entrar en la reunión de Alcohólicos Anónimos. *I paused for a moment before entering the Alcoholics Anonymous meeting.*	The reflexive **detenerse** means *to stop moving* or *to pause.*

Examples	Notes
doler (duelo) **lastimar** **hacer daño** **ofender**	Me **duelen** mucho los pies. *My feet hurt (ache) a lot.*	*To hurt* meaning *to ache* (physically, mentally, or emotionally) is expressed with **doler.** Other English verbs that correspond to **doler** are *to grieve* and *to distress.*
	Trabajar en ese ambiente le **hizo daño** a (**lastimó**) los pulmones. *Working in that environment hurt (damaged) her lungs.*	When *to hurt* means *to cause someone bodily injury,* use **hacer daño** or **lastimar. Hacer daño** can also be used in a figurative sense to mean *to hurt someone's standing* or *status.*
	Se marchó sin despedirse y eso me **ofendió** (**dolió**). *She left without saying goodbye, and that hurt (grieved) me.*	When *to hurt* means *to injure someone's feelings,* the appropriate Spanish verb is **ofender,** although **doler** is also used.

A. Volviendo al dibujo   Elija la palabra o expresión que mejor complete las siguientes oraciones. ¡OJO! También hay palabras de los capítulos anteriores.

¡Bailaremos toda la noche! Vamos a celebrar el fin del semestre y no (dejaremos de / impediremos)[1] bailar hasta la madrugada.[a] Es una (gran / larga)[2] oportunidad para divertirnos y nos (haremos daño / ofenderemos)[3] si alguno de nuestros amigos más (cerca / íntimos)[4] decide (extrañar / faltar a)[5] la fiesta. ¡Todos deberán (asistir / atender)[6]!

(Porque / Ya que)[7] nos proponemos estar alegres y sin problemas en la fiesta, nadie querrá consumir sustancias que le (hagan daño / ofendan)[8] al cuerpo. Haremos lo posible para crear un ambiente en el que (nos sintamos / sintamos)[9] muy contentos. El (éxito / suceso)[10] de nuestra fiesta dependerá (de / en)[11] que todos nos (apoyemos / mantengamos)[12] y pensemos (de / en)[13] los demás tanto como (a / en)[14] nosotros mismos. ¡Nada (detendrá / impedirá)[15] que esta sea la mejor noche del semestre!

La (cita / fecha)[16] de la fiesta es el 15 de diciembre. La (hora / vez),[17] las ocho de la noche. Podrás quedarte (el tiempo / la vez)[18] que quieras y no importa si decides (hacernos / pagarnos)[19] una visita (baja / breve)[20] o (grande / larga).[21] ¡No te olvides de (llevar / tomar)[22] tu música favorita! Te esperamos. ¡Epa!

[a]*dawn*

B. Entre todos

■ Imagínese cómo serán algunos vicios, hábitos y costumbres en el año 2050. ¿Qué hará la gente para sentirse mejor o para escaparse de los problemas?

■ ¿Qué comidas se considerarán saludables que ahora no lo son? ¿y viceversa? Explique.

■ Hoy en día, se practican más y más los deportes «extremos». ¿Qué deportes extremos se practicarán en el año 2050? ¿Y cuáles ya no se practicarán? ¿Por qué?

C. Un hábito peligroso Complete el siguiente párrafo, dando la forma apropiada de los verbos y expresando en español las frases en inglés. Cuando se dan dos palabras entre paréntesis, escoja la palabra apropiada.

En todas partes (*are heard*)[1] graves advertencias[a] sobre las consecuencias del uso de las drogas y (*are organized*)[2] campañas nacionales para educar y convencer al público de su peligro. En Washington, Ottawa y en otras ciudades capitales del mundo, hay organizaciones (*that*)[3] se dedican a tratar de detener el tráfico mundial de las drogas. Aparte de los traficantes, parece que no hay nadie que (apoyar)[4] su consumo. Es evidente que las drogas (causar)[5] mucho sufrimiento y otros problemas.

Sin embargo, hay muchos que (afirmar)[6] que aun si (*were eliminated*)[7] la marihuana y la heroína, todavía habría otro hábito igual de peligroso —según ellos— y aun más extendido. ¿Qué dependencia es esta que (empezar)[8] antes de los 7 años de edad y nos (acompañar)[9] hasta la muerte? Los científicos lo (conocer/saber)[10] como $C_{12}H_{22}O_{11}$, o la sacarosa refinada. (*It is bought*)[11] y (*consumed*)[12] en grandes cantidades bajo el nombre de azúcar.

El azúcar (ser/estar)[13] tan peligroso porque su consumo produce calorías vacías, es decir, energía sin nutrimentos. Para un funcionamiento eficaz (ser/estar/hay)[14] necesario (mantener)[15] en el organismo humano un delicado equilibrio químico. La ingestión excesiva de azúcar produce un constante desequilibrio que tarde o temprano (afectar)[16] todos los órganos del cuerpo, incluso el cerebro. Está comprobado[b] que el azúcar (causar)[17] obesidad y (provocar)[18] síntomas de diabetes, cáncer y enfermedades del corazón. Puede que el azúcar (producir)[19] energía momentánea, pero su efecto a largo plazo[c] es la fatiga, la nerviosidad y una debilidad general. ¿Cuánto azúcar consume Ud.?

[a]*warnings* [b]*proven* [c]*a... in the long run*

D. La droga nueva En parejas, inventen y describan una droga nueva, uno de los milagros de la ciencia futura. ¿Para qué servirá la droga? ¿Qué enfermedades o problemas curará? ¿Por qué será mejor que otras marcas? ¿Cuáles serían las consecuencias si la gente la usara? ¿y si no la usara?

Lectura cultural *La televisión en el mundo hispano*

En este país estamos tan acostumbrados a la televisión que realmente no pensamos mucho en ella. La ponemos por muchas razones: para enterarnos de las últimas noticias, para informarnos sobre algún asunto de interés personal, para reírnos, para escuchar música o simplemente para relajarnos después de un día difícil. Hay programas para todos los intereses, incluyendo canales hispanohablantes. También la televisión tiene un papel muy importante en el mundo hispano.

En Hispanoamérica, mucha gente tiene acceso a los mismos programas que vemos en este país todos los días. Aún en los pueblos más pequeños y remotos se puede ver al lado de muchas casas antena parabólica para televisión por satélite. Y el gran número de países hispanohablantes en Hispanoamérica significa que la gente de un país puede disfrutar[a] de los programas que se producen en otro. Por ejemplo, se exportan muchas telenovelas[b] de Venezuela, Colombia y México a sus países vecinos. Otros programas en español llegan de este país, donde se estrenan[c] originalmente para el mercado hispano y luego son enviados a otros países. Y claro que los aficionados al fútbol americano y a otros deportes norteamericanos pueden ver los partidos de su equipo favorito.

Al mismo tiempo, los norteamericanos no tienen que perder sus programas preferidos cuando están de visita en Hispanoamérica. Pueden ver su programa favorito —doblado[d] en español o a veces en inglés si la parabólica puede captar la señal[e] original. Tampoco tienen que preocuparse por no estar al día[f] en cuanto a[g] lo que pasa en su país durante una ausencia. A veces en la televisión hispana hay más noticias sobre este país que sobre los países hispanoamericanos. Además, muchos hispanoamericanos están bien informados de las últimas tendencias de la cultura popular en este país, por ejemplo, los últimos éxitos musicales, películas y ropa de moda.

Sin embargo, hay algunas diferencias también. Los hispanoamericanos no suelen poner el televisor al despertarse en la mañana y dejarlo puesto hasta la hora de acostarse como se hace en muchas casas norteamericanas. Tampoco es común tener televisores por toda la casa. En el mundo hispano, ver la televisión tiende a ser una actividad que se comparte con toda la familia. El televisor generalmente es el centro de la sala donde se encuentra, y durante el programa, frecuentemente se hacen comentarios sobre lo que se ve. Lo que sí es cierto es que la televisión ha llegado a ser una parte importante en la vida cultural de los países hispanos como lo es en este país.

Obviamente, el aumento en el uso del Internet en muchas partes de Hispanoamérica va cambiando las costumbres y prácticas

[a]*enjoy* [b]*soap operas* [c]*se... are premiered* [d]*dubbed* [e]*signal*
[f]*estar... to be up to date* [g]*en... concerning*

A los miembros de esta familia, les gusta ver la televisión juntos.

respecto a los medios de comunicación. Hoy en día por ejemplo, sobre todo en las grandes metrópolis hispanoamericanas, se puede ver a individuos con sus computadoras portátiles que disfrutan de su programa de televisión preferido a cualquier hora del día o de la noche en casa o en el cibercafé más cercano.

Comprensión y expansión

Conteste las siguientes preguntas según la lectura.

1. ¿Cuáles son los programas muy populares producidos principalmente en Venezuela, Colombia y México? ¿En que otros países se ven estos programas?

2. Típicamente, ¿cuántos televisores hay en una casa hispana? ¿Y en la casa de Ud.? ¿Cuándo pone Ud. la tele? ¿Cuándo la apaga?

3. En cuanto a la actividad de ver televisión ¿cómo la hace la gente hispana? ¿Dónde? ¿Con quiénes? ¿Cómo es esto diferente de o parecido a las costumbres de Ud. y sus amigos y familiares?

Del mundo hispano

Imágenes Photoshop

Aproximaciones al texto

Lluvia de ideas (Brainstorming) *y pronosticación* (predicting)

One of the best strategies for reading a literary work consists of prereading selected passages and brainstorming various ideas that may or may not be related to the title and accompanying visual realia, such as line drawings. By relying on one's perceptions and preexisting general knowledge of a particular theme, the reader is allowed to make conjectures and therefore surmise the outcome of the literary work. The reader may return later to verify and validate the conjectures of the prereading exercise. This brainstorming, or **lluvia de ideas,** enables the reader to establish a specific context in which to view the action and allows him or her to guess the meanings, both denotative and connotative, of vocabulary items without consulting a dictionary. For example, think of the title of the short story that follows, **"Imágenes Photoshop."** From reading the title and viewing the accompanying drawings, the reader may conclude that the story will deal with the technological devices that allow one to alter, shape, and project photographic images. Since many readers can relate to the notion of editing digital images on their personal computers, the brainstorming process may conjure images of the process that allows one to document reality and alter it to create a virtual reality. However, upon reading the story, the reader quickly learns that the Photoshop images suggested by the title might also imply the deliberate removal of one undesirable image and the substitution of another that not only creates a new reality but also expresses a deeper affective, emotional reaction to it. After the reading, the reader may wish to return to his or her preconceived ideas about the thematic schema and consider how the conjectures made prior to the reading are validated or negated, and why.

Inferencias

Paso 1. Mirando el título y los dibujos que acompañan el cuento «Imágenes Photoshop», ¿qué pueden Uds. inferir? ¿Se refiere el cuento a imágenes de cosas, lugares y/o personas? ¿Qué podrían representar estas imágenes? Especulen acerca del significado de la palabra Photoshop y contesten las preguntas.

1. ¿Cómo y quién es el hombre que trabaja en la computadora? ¿Dónde se encuentra? ¿Qué está haciendo en la computadora?
2. ¿Qué conexión puede existir entre las personas que se ven en la foto al lado de la computadora y las que se ven en la imagen proyectada en la pantalla de la computadora? Expliquen.
3. ¿Cómo se han cambiado las dos imágenes? ¿Qué máquinas y aplicaciones se usarían para efectuar tales cambios?
4. En su opinión, ¿qué importancia puede tener la computadora y sus aplicaciones de Photoshop para el hombre?
5. Para el hombre, ¿cuál de las dos imágenes puede representar la realidad conflictiva y represiva de su niñez? ¿Cuál puede reflejar la realidad ideal y fotogénica que se puede crear por medio de las «imágenes» alteradas mediante la aplicación de Photoshop?

Paso 2. Ahora, lean el siguiente fragmento del cuento para saber si han adivinado algunos detalles que les servirían para comprender el tema.

Víctor nunca recordó con nostalgia su infancia en aquel pueblo árido,[1] de calles estrechas[2] y parques sin gracia[3] y cielo plomizo.[4] Por eso, apenas aprendió a usar Photoshop, retocó[5] sus fotos, ensanchó[6] sus calles, añadió una torre Eiffel a la desvalida[7] plaza principal, renovó los cielos con un azul sobresaturado.[8]

[...]

Nunca se llevó bien con sus padres, de quienes había heredado[9] su fealdad,[10] y los cambió por seres similares a Robert Mitchum y a Gene Tierney. Hizo desaparecer a sus tres hermanos de todas las fotos, y se quedó de único hijo.

[1]*dry* [2]*narrow* [3]*sin... without charm* [4]*grayish, lead-colored* [5]*retouched* [6]*widened* [7]*destitute* [8]*supersaturated* [9]*inherited* [10]*ugliness, homeliness*

Vocabulario para leer

alterar to alter
afearse to become ugly
asemejarse to resemble
borrar to erase
enterarse de algo to be informed of
hallarse to find oneself
heredar to inherit
llevarse bien/mal to get along well/poorly
prestarse to lend oneself
retocar (qu) to touch up

el/la aprendiz(a) apprentice
el archivo file
la arruga wrinkle
la billetera wallet
la calvicie baldness
la fealdad ugliness, homeliness
la imagen image

el mellizo twin
la papada double chin
el rostro face
la similitud similarity, resemblance

bullicioso/a noisy, boisterous
calvo/a bald
fotogénico/a photogenic
intocado/a untouched
parecido/a a resembling
retocado/a touched up, refinished
torpe awkward, clumsy

a medida que in proportion to, according to
con rabia with rage
de modo que so that
sospechosamente suspiciously

En otras palabras Explique en español el significado de las palabras y expresiones *en letra cursiva azul.*

1. Víctor nunca recordó *con nostalgia* su infancia en aquel pueblo árido, de calles *estrechas* y parques *sin gracia* y cielo plomizo.
2. Por eso, *apenas* aprendió a usar Photoshop, *retocó* sus fotos.
3. Alteró sus caras de modo que al final *no se asemejaban* en nada *a sí mismos.*
4. Retocó su propio rostro *surcado de arrugas* antes de tiempo, *la papada abusiva* y *la prematura calvicie.*
5. Mostraba *con orgullo* las fotos en su *billetera.*
6. En su lugar, colocó un *intocado* retrato.

Bolivia

SOBRE EL AUTOR

Edmundo Paz Soldán (1967–), uno de los narradores más notables de la nueva generación de escritores hispanoamericanos, nació en Cochabamba, Bolivia. En la actualidad es profesor de literatura hispanoamericana en la Universidad de Cornell. Su obra literaria consiste en novelas y colecciones de cuentos cuyos temas tratan del uso omnipresente de las nuevas tecnologías y el impacto de estas en los medios de comunicación y la vida cotidiana actual. Ha ganado varios premios literarios, incluso el Premio Erich Guttentag (Bolivia, 1992) por su novela *Días de papel*, el Premio Juan Rulfo (1997) por su obra *Dochera* y el premio Nacional de Novela de Bolivia por la obra *El delirio de Turing* (2003). En el cuento a continuación, «Imágenes Photoshop», de su colección *Amores imperfectos* (1998), el autor describe cómo la obsesión constante de un aficionado por las imágenes digitales le permite escaparse de la realidad y reinventarse a sí mismo en un mundo de fantasía. Los pasos que lo llevan a crear esa identidad ficticia contribuyen a un fin inesperado y sorprendente.

Imágenes Photoshop

1   Víctor nunca recordó con nostalgia su infancia en aquel pueblo árido, de calles estrechas y parques sin gracia y cielo plomizo. Por eso, apenas aprendió a usar Photoshop, retocó sus fotos, ensanchó sus calles, añadio una torre
5   Eiffel a la desvalida plaza principal, renovó los cielos con un azul sobresaturado.

    Tampoco tuvo un interés particular en sus compañeros de curso, a quienes consideraba torpes, bulliciosos, de rostros y cuerpos para el olvido.[1] Uno por uno, alteró sus
10   caras en su Macintosh, de modo que al final no se asemejaban en nada a sí mismos.[2] Uno de sus compañeros parecía ahora un mellizo de Michel Platini,* su jugador favorito. Otro era igual a Richard Gere, su actor preferido. Cuando le hacían notar las similitudes, él sonreía.
15   Nunca se llevó bien con sus padres, de quienes había heredado su fealdad, y los cambió por seres similares a Robert Mitchum y a Gene Tierney. Hizo desaparecer a sus tres hermanos de todas las fotos, y se quedó de único hijo. Una vez que comenzó, le fue fácil seguir. Retocó su propio
20   rostro surcado de[3] arrugas antes de tiempo, la papada abusiva y la prematura calvicie, y se prestó los ojos de Alain Delon[†] cuando era joven, y el resto del rostro y del cuerpo de Antonio Banderas. A su gorda esposa, a quien quería cada vez menos a medida que ella pasaba de la
25   juventud a la madurez[4] y se afeaba, la transformó en una Cameron Díaz pelirroja.[5] A su hija, patéticamente[6] parecida a su madre, en una aprendiz de Valeria Mazza.[‡] Mostraba con orgullo[7] las fotos en su billetera. Cuando alguien que las llegaba a conocer en persona le hacía notar la di-
30   ferencia, él decía, con solemne convicción, que ellas eran muy fotogénicas.

    Cuando su esposa se enteró que él la había borrado de sus fotos, rompió con rabia las fotos que guardaba de él, en las que se hallaba sospechosamente parecido a un ma-
35   duro Ricky Martin. Cuando su hija lo supo, se dijo que debía combatir la ofensa[8] con una ofensa mayor.

    ¿Cómo hacerlo? Encendió[9] la computadora y buscó en los archivos las fotos de su padre. Se le ocurrió[10] borrar con furia ese rostro que era la sumatoria[11] de los de Brad
40   Pitt y Batistuta.[§] En su lugar, colocó un intocado retrato de su padre, calvo y mofletudo,[12] feo y avejentado,[13] cruel víctima del tiempo antes de tiempo.

[1]para... *for oblivion, to be forgotten*   [2]no... *who appeared nothing like themselves*   [3]surcado... *furrowed by*   [4]middle age*   [5]red-haired*   [6]pathetically*   [7]pride*   [8]offense, insult*   [9]She turned on*   [10]Se... It occurred to her*   [11]sum total*   [12]chubby cheeked*   [13]prematurely aged*

Nota literaria

el género literario = la forma literaria de una obra (poesía, cuento o micro-cuento, novela, drama, crónica, periodismo, etcétera), caracterizada por su propia forma, estilo o contenido

renowned French soccer player

[†]*famous French actor, director, producer*

[‡]*Argentinean model and television personality*

[§]*Argentinean soccer player*

Comprensión

A. No es cierto Todos los siguientes comentarios sobre el cuento son falsos. Modifíquelos de acuerdo con la información del cuento.

1. Víctor guardaba recuerdos tiernos de su infancia en una gran ciudad histórica.

2. Puesto que se mantenía constantemente en contacto con su familia, y en particular con sus hermanos y compañeros de clase, Víctor pasaba su tiempo libre haciendo montajes de fotos de los años pasados.

3. El mundo de la arqueología y la antropología le fascina a Víctor y tiene mucho interés en los libros de los últimos expertos de esos campos.

4. A Víctor le costó mucho alterar las imágenes originales y sustituirlas por las nuevas y, por consiguiente, dejó de usar la aplicación de Photoshop en la computadora.

5. Aunque no estaba totalmente satisfecho de su propia imagen, Víctor decidió guardarla porque lo hacía lucir como su actor favorito.

6. Entre Víctor y su esposa, el amor parecía el ideal romántico y mejoraba con el paso del tiempo.

7. Víctor se negaba a llevar las fotos de su familia en su billetera y mostrárselas a otros porque no quería jactarse ni provocar envidia.

8. Su familia le rogaba a Víctor que no cambiara su imagen por nada porque lucía como la sumatoria de varias personalidades de gran renombre artístico.

B. Interpretación

Paso 1. Explore la denotación y algunas connotaciones de la palabra **borrar** y comente algunas interpretaciones posibles en la oración a continuación. Primero, haga un mapa semántico de la palabra **borrar**. ¿Cuáles son los verbos, sustantivos, adjetivos y otras expresiones que se asocian con la acción de **borrar**?

Se le ocurrió borrar con furia ese rostro que era la sumatoria de los de Brad Pitt y Batistuta.

Paso 2. Basándose en su mapa y en las ideas que genera, conteste estas preguntas. ¿Qué comentarios acerca de la despersonalización y el aislamiento se expresan? ¿Cree Ud. que es posible borrar de la memoria ciertos momentos, personas y lugares indeseables y/o desagradables? ¿Cómo y por qué?

C. Aplicación **Papel y lápiz** Vuelva a leer las líneas del cuento en las cuales se revelan las reacciones de la esposa y de la hija de Víctor en cuanto se enteraron de su metamorfosis por medio de la aplicación de Photoshop. Luego, imagínese que Ud. es un(a) psicólogo/a que se especializa en las relaciones familiares. En su cuaderno de apuntes, escriba un artículo para la prensa sobre los amores «imperfectos» que se pueden encontrar en el mundo de la ficción y que llevan al deterioro de las relaciones personales. ¿Qué consejos le podría ofrecer a alguien que fue víctima del engaño y desengaño que resultan de este tipo de relación virtual? Explore cómo los diversos medios de comunicación y las nuevas tecnologías (como el Internet) pueden ayudar a crear un ambiente falso, impersonal y perjudicial en el cual el amor «a distancia» florece como una gran obsesión y luego se desintegra, se disuelve, debido a la incomprensión, la traición y el aislamiento de un mundo virtual.

María, llena eres de gracia

Antes de mirar

■ **LA PELÍCULA** *María, llena eres de gracia* (2004) empieza en un pueblo cerca de Bogotá, Colombia. Cuando María renuncia al trabajo que tiene, un amigo le ofrece el trabajo de «mula», que consiste en cruzar la frontera llevando drogas u otras cosas de contrabando. María acepta el trabajo, el cual requiere que ella se trague bolsitas de cocaína para llevarlas dentro del estómago a los Estados Unidos. Contemple Ud. los múltiples peligros de aceptar un trabajo así. ¿En qué circunstancias aceptaría una persona hacer algo tan peligroso?

■ **LA ESCENA** (52:49–59:20) En esta escena, María, con unas compañeras suyas, llegan en avión al aeropuerto de Newark, New Jersey. Tienen que recoger su equipaje y pasar por la aduana (*customs*). Ella lleva el estómago lleno de bolsitas de cocaína. Si Ud. fuera (*were*) María, ¿cómo se sentiría? ¿En qué pensaría? ¿Qué temería?

Al mirar

Mire la escena e indique la(s) palabra(s) que mejor complete(n) cada oración.

1. El agente de aduana quiere examinar (**el pasaporte / la maleta**) de María.

2. María les dice a los agentes que va a Nueva York para quedarse en la casa de su (**hermana / novio**).

3. María dice que Franklin, el (**tío / papá**) de su futuro bebé, le había conseguido el (**boleto / pasaporte**).

4. Debido al (**cansancio / embarazo**) de María, los agentes no pueden exigirle que se haga una prueba de (**radiografía / orina**).

5. Al final, los agentes no detienen a María porque no tienen (**evidencia / sospecha**) de que lleva drogas en su estómago.

Después de mirar

■ Divídanse en grupos de dos o tres estudiantes para hablar de la escena. ¿Cómo es María? ¿Cómo reaccionó ante la situación? ¿Cómo se comportaron los agentes? Considerando las circunstancias, ¿fueron justos con María? Escriban unas frases para resumir sus conclusiones y compártanlas con la clase.

■ Imagínese que Ud. es director(a) de cine y tiene que dirigir una escena en que la actriz debe representar a una mujer culpable que está actuando como si fuera (*as if she were*) inocente. Escriba un párrafo explicando a la actriz cómo representar las emociones, los gestos y los movimientos de su personaje, María.

■ Busque en el Internet más información sobre las representaciones del tráfico de drogas en las artes. ¿En qué países se producen muchas películas sobre el narcotráfico? ¿Qué es un «narcocorrido»? ¿Hay artistas o escritores contemporáneos que abordan el tema?

11

La ley y la libertad individual

Santiago de Chile

En este capítulo

GRAMÁTICA

41. Other Forms of the Perfect Indicative
42. The Perfect Subjunctive
43. More on the Sequence of Tenses

www.connectspanish.com

A LEER

- **Lectura cultural:** ¿Cuándo se llega a la edad adulta en el mundo hispano?
- **Del mundo hispano:** «El sueño del pongo» (José María Arguedas)

CINEMATECA

El laberinto del fauno (España, 2006)

Describir y comentar

■ Imagínese que Ud. es testigo del episodio que se ve en esta serie de dibujos. Describa a los personajes y narre lo que pasa, contestando las siguientes preguntas: ¿Quién? ¿Qué? ¿Dónde? ¿Cuándo? ¿Por qué?

atrapar   to catch, capture

castigar (gu)   to punish

cometer un crimen (una infracción)   to commit a crime

encarcelar   to imprison

hacer cumplir   to enforce

juzgar (gu)   to judge

poner una multa   to (give a) fine

prohibir (prohíbo)   to outlaw, prohibit

violar la ley   to break the law

el/la abogado/a   lawyer

   el/la abogado/a defensor(a)   defense attorney

el/la acusado/a   defendant

las autoridades   authorities

la cadena perpetua   life imprisonment

la cárcel   prison, jail

el castigo   punishment

el crimen   crime (*in general*)

   el/la criminal   criminal

la delincuencia   delinquency; criminal activity

   el/la delincuente   delinquent; criminal

el delito   crime; criminal act

el/la fiscal   prosecuting attorney

el/la juez   judge

el juicio   trial; judgment

el jurado   jury

la multa   fine

la pena de muerte   the death penalty

la policía   police force

   el policía, la mujer policía   police officer

el/la testigo   witness

la víctima   victim

la violencia   violence

prohibido/a   forbidden, prohibited

seguro/a   safe, secure

Los delitos y los delincuentes

asaltar   to attack, assault

asesinar   to murder; assassinate

atracar (qu)   to hold up, mug

chantajear   to blackmail

espiar (espío)   to spy

falsificar (qu)   to forge, falsify

hacer trampa(s)   to cheat

plagiar   to plagiarize

robar   to rob, steal

secuestrar   to kidnap, hijack

sobornar   to bribe

violar   to rape

volar (vuelo)   to blow up

el asalto   attack, assault

el asesinato   murder

   el/la asesino/a   murderer

el atraco   hold-up, mugging

el chantaje   blackmail

el/la espía   spy

   el espionaje   spying, espionage

la estafa   graft, fraud

   el/la estafador(a)   person who commits graft

la falsificación   forgery

el ladrón, la ladrona   thief, robber

el plagio   plagiarism

el robo   theft, robbery

el secuestro   kidnapping, hijacking

el soborno   bribery

el terrorismo   terrorism

   el/la terrorista   terrorist

la trampa   trap

   el/la tramposo/a   cheater

la violación   violation of the law; rape

en los decadas setenta, tres ladrónes del presidente nixon robaron la oficio del las democratas para hacer trampa en el eleción. Despues de la publicación de sus delitos,

Conversación

A. Mapa semántico

Paso 1. Haga un mapa semántico para «la delincuencia», organizando todas las palabras de la lista de vocabulario (u otras palabras apropiadas que no estén en la lista), según las siguientes categorías.

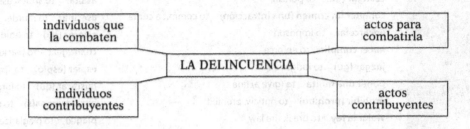

individuos que la combaten

LA DELINCUENCIA

actos para combatirla

individuos contribuyentes

actos contribuyentes

Paso 2. ¿Hay palabras que puedan colocarse en más de una categoría? Explique cómo o en qué contextos puede clasificarse una palabra en otra categoría.

B. Delitos En parejas, pongan los siguientes delitos en orden de gravedad. Después, comparen su análisis con los de los demás grupos de la clase. ¿Hay mucha diferencia de opiniones? ¿Qué criterio(s) se ha(n) usado para ordenar los delitos?

_____ el asesinato   _____ la estafa   _____ el soborno

_____ el atraco   _____ el plagio   _____ el terrorismo

_____ el chantaje   _____ el secuestro   _____ la violación

C. Diferencias léxicas Explique la diferencia entre cada par de palabras.

1. el policía / la policía
2. el abogado defensor / el fiscal
3. violar la ley / castigar
4. el robo / el secuestro
5. la víctima / el criminal
6. hacer trampas / asaltar

D. Los castigos En parejas, pongan los siguientes castigos en orden de gravedad (número 1 es el menos grave). ¿A qué delitos creen Uds. que se debe aplicar cada uno de ellos?

_____ la cadena perpetua

_____ encarcelar

_____ la pena de muerte

_____ poner una multa

E. **Entre todos**

■ Mencione algunas leyes relacionadas con el reglamento de tránsito. ¿Cuáles de estas leyes protegen a los conductores? ¿Cuál es el propósito de las otras? ¿Cuáles se desobedecen con mayor frecuencia?

■ ¿Se debe prohibir el manejar sin ponerse el cinturón de seguridad (*safety belt*)? ¿montar una moto o bicicleta sin llevar casco (*helmet*)?

■ ¿Se les debe exigir a los conductores mayores de 70 años que tomen un examen de conducir cada año?

■ ¿Qué impacto cree Ud. que tienen los programas de televisión y las películas en el nivel de violencia y crimen en nuestra sociedad? ¿Cómo influyen en el comportamiento de los niños y jóvenes los programas violentos que miran?

Podéis ver un par de asesinatos más y un atraco, pero después ¡a la cama!

GRAMÁTICA

41 Other Forms of the Perfect Indicative

Each simple tense in Spanish has a corresponding perfect form. Remember that the perfect forms consist of a conjugated form of **haber** plus the past participle of the main verb. The conjugation of **haber** shows person/number, tense, and mood. The past participle, when used with forms of **haber**, does not change.*

A. Forms of the Perfect Indicative

In **Gramática 23** you learned that the present perfect indicative is formed with the present tense of **haber** and the past participle: **he comido, he estudiado, he vivido.** Here are the other forms of the perfect indicative.

Pluscuamperfecto†	Futuro perfecto	Condicional perfecto
había andado	habré vivido	habría visto
habías andado	habrás vivido	habrías visto
había andado	habrá vivido	habría visto
habíamos andado	habremos vivido	habríamos visto
habíais andado	habréis vivido	habríais visto
habían andado	habrán vivido	habrían visto

LearnSmart

Visit **www.connectspanish.com** to practice the vocabulary and grammar points covered in this chapter.

Nota comunicativa

In most cases the use of the Spanish perfect forms corresponds closely to the use of the English perfect forms. Unlike English, however, no words can come between the elements of the Spanish perfect forms.

No lo **he visto nunca.**
I have never seen him.

---

*The past participle does change when used as an adjective with **ser** or **estar.** See pages 15 and 258 and **Gramática 35.**

†Literally, the *imperfect perfect.* There are also preterite perfect forms in Spanish: **hube trabajado, hubiste trabajado, hubo trabajado,** and so on. The preterite perfect is gradually disappearing; its use is now limited primarily to literature.

B. Uses of the Perfect Indicative

With these forms the word *perfect* implies *completion;* that is, the action described by the verb is viewed as completed with respect to some point in time. The present perfect expresses an action completed prior to a point in the present; the pluperfect (**el pluscuamperfecto**) expresses an action completed prior to a point in the past.

Lo detuvieron porque había **cometido** tres asaltos.*	*They arrested him because he had committed three assaults.*

Similarly, the future and conditional perfect forms express actions that will be completed before an anticipated time.

Sé que lo habrán **detenido** para mañana.	*I know that they will have arrested him by tomorrow.*
Sabía que lo habrían **detenido** para el día siguiente.	*I knew that they would have arrested him by the next day.*

The future and conditional perfect can also be used, like the simple future and conditional (**Capítulo 10,** page 286), to signal conjecture or probability.

¡¿Qué habrá hecho para merecerse eso?!	*What do you suppose he did (might have done) to deserve that?!*
Las autoridades habrían consultado con varios expertos.	*The authorities had probably consulted with various experts.*

In both English and Spanish, the future and conditional perfect are complex tenses that are used relatively infrequently. In this chapter, you will practice the present perfect and pluperfect verb forms and learn to recognize the future and conditional perfect.

Práctica Complete las siguientes oraciones, conjugando los verbos entre paréntesis en el pluscuamperfecto.

1. Nosotros no (pensar) en las consecuencias de nuestras acciones antes de realizarlas.
2. El fiscal (recomendar) una multa de $100, pero le pusieron una de $1.000 al acusado.
3. El jurado (examinar) toda la evidencia antes de declarar inocente al acusado.
4. Yo (descubrir) la verdad, pero nadie me creía.
5. Los testigos dijeron que me (ver).
6. Era obvio que los periodistas (manipular) el testimonio cuando anunciaron el castigo.

---

*In this example, the point in the past is indicated by the verb **detuvieron.** He had committed the assaults before that point.

Conversación

A. Explicaciones Complete las oraciones de una manera lógica, usando la forma apropiada del perfecto de indicativo según las indicaciones.

Paso 1. Use este punto de referencia: este momento (el presente). Se describen acciones completadas antes del punto de referencia.

MODELO: Este año yo (recibir) [número de] multa(s) por... →

Este año he recibido una sola multa por exceso de velocidad. Iba atrasada a la clase de español y por eso excedía la velocidad permitida. El policía me habló cortésmente, pero ¡no aceptó mi excusa! ¡Esa multa me costó $200!

1. Este año yo (sacar) notas más [adjetivo]...

2. Durante los últimos meses mis amigos y yo (ver) dos o tres películas realmente [adjetivo]...

3. Este semestre yo (conocer) a personas [adjetivo]...

4. Últimamente mi compañero/a de cuarto / esposo/a (hacer) cosas realmente [adjetivo]...

Paso 2. Use este punto de referencia: matricularse en la universidad (momento en el pasado). Se describen acciones completadas antes del punto de referencia.

MODELO: (Yo: Cumplir) [número de] años antes de →

Antes de matricularme en la universidad, solo había cumplido 16 años. La mayoría de mis amigos había cumplido 18 y por eso me sentía algo inseguro.

1. Mi madre/padre y yo (visitar) varias universidades...

2. (Yo: Decidir) vivir en [lugar] porque...

3. Ya (yo: cambiar de idea) mil veces con respecto a...

4. Todavía no (yo: tener) la oportunidad de...

B. Oraciones Complete las oraciones de una manera lógica, usando la forma apropiada del perfecto de indicativo de un verbo lógico.

MODELO: Cuando yo tenía 10 años, ya _____. →

Cuando yo tenía 10 años, ya había aprendido a nadar.

1. Cuando yo tenía 10 años, ya _____.
2. Mi padre/madre me dijo que a los 10 años, él/ella ya _____.
3. Este mes, por primera vez en mi vida, yo _____.
4. Se dice que el delincuente típico, antes de cumplir los 20 años, ya _____.
5. Cuando los detectives llegaron, el criminal ya _____.
6. El ladrón pudo entrar fácilmente en la casa porque nadie _____.

C. Intercambios

Paso 1. Inspirado por el ejemplo de los Siete Samuráis, un pueblo con un elevado índice de delincuencia decidió contratar a unos expertos para resolver el problema del crimen y de la violencia. Un mes después de su llegada, todo estaba en orden. En parejas, indiquen cuáles de las siguientes medidas (*measures*) habrían adoptado los expertos para resolver el problema, y también añadan algunas otras.

- Se habrían incautado (*confiscated*) todas las armas.
- Habrían repartido armas entre todos los ciudadanos.
- Habrían encarcelado a todos los hombres que tenían entre 18 y 35 años de edad.
- Habrían encontrado empleo para todos los adultos.
- Habrían instituido «la vergüenza pública» como castigo para varios delitos no violentos.
- Habrían modificado las leyes para que muchas actividades antes prohibidas ya no se consideraran ilegales.

Paso 2. Compartan su análisis con los demás de la clase. ¿Hay mucha diferencia de opiniones? ¿Hay alguna línea de conducta (*course of action*) que todos hayan recomendado? ¿Hay alguna que no haya recomendado nadie?

D. Intercambios En parejas, háganse y contesten las siguientes preguntas. Luego, compartan con la clase lo que han aprendido.

1. ¿Qué habías hecho antes de venir a esta universidad que influyó en tu decisión de estudiar aquí?
2. Desde que llegaste, ¿qué experiencia(s) ha(n) tenido gran impacto en tu vida? ¿qué persona(s)? Explica.
3. ¿En qué sentido ha sido diferente este semestre/trimestre del semestre/trimestre pasado? ¿Ha sido mejor o peor? ¿Por qué?
4. ¿Qué han hecho recientemente tus padres, o tus amigos, para que tu vida sea más cómoda o más feliz? ¿Qué favor le has hecho tú a alguno de tus amigos?
5. ¿Qué experiencia has tenido que crees que es única comparada con las experiencias de otras personas? ¿Cómo te ha afectado?

■ A través de la historia, *todas las medidas* de **Conversación C** se han recomendado para hacerle frente al crimen. ¿Cuál podría ser la justificación o razonamiento que se ha dado para cada línea de conducta? Explique.

■ Se dice que van en aumento los problemas de disciplina en las escuelas. ¿Cree Ud. que de veras ha habido un cambio en la conducta de los estudiantes? ¿En qué consiste este cambio? ¿Cómo cambian los problemas a medida que los alumnos pasan de la escuela primaria a la secundaria? ¿Qué ejemplos de mala conducta presenció Ud. (*did you demonstrate*) mientras asistía a la escuela primaria o secundaria?

■ ¿Cometió Ud. alguna falta de disciplina alguna vez? ¿Se consideraba a sí mismo/a como delincuente juvenil? Explique. ¿Cuáles son algunos de los estereotipos de los delincuentes juveniles? ¿Cree Ud. que es más difícil ser «un buen chico» o «una buena chica» hoy de lo que era hace diez o quince años? Explique.

■ ¿Qué acciones están prohibidas en esta universidad? En su opinión, ¿cuál es la más grave de estas? Explique. ¿Qué motivos se pueden tener para no obedecer las reglas universitarias?

■ En el pasado, los estadounidenses consideraban que el terrorismo era el problema «de otros». Para 2001 esta opinión ya había cambiado para siempre. ¿Por qué? ¿Qué había pasado?

■ ¿Cree Ud. que los terroristas son diferentes de los criminales corrientes (típicos)? ¿Por qué sí o por qué no? ¿Qué medios se han usado para eliminar o impedir el terrorismo? ¿Qué otras medidas deberían ponerse en práctica?

42 The Perfect Subjunctive

There are only two perfect subjunctive forms: the present perfect, which you learned in **Gramática 24,** and the pluperfect.

Presente perfecto de subjuntivo	Pluscuamperfecto de subjuntivo
haya leído	hubiera comprado
hayas leído	hubieras comprado
haya leído	hubiera comprado
hayamos leído	hubiéramos comprado
hayáis leído	hubierais comprado
hayan leído	hubieran comprado

The cues for the choice of the perfect forms of the subjunctive versus the indicative are the same as for the simple forms of the subjunctive. Like the present perfect indicative, the present perfect subjunctive expresses an action completed prior to the point in the present indicated by the main verb. The pluperfect subjunctive expresses an action completed prior to the point in the past indicated by the main verb.

Me alegro de que me haya escrito.	*I'm glad that she has written (wrote) me.*
Me alegraba de que me hubiera escrito.	*I was glad that she had written (wrote) me.*

In both examples, the act of writing is completed before the act of becoming glad.

Práctica   Conteste las preguntas, según el modelo.

MODELO: ¿Qué le molestaba al juez? (criminal / haber violar la ley) →
Le molestaba que el criminal hubiera violado la ley.

1. ¿De qué dudaba la presidenta de la universidad? (estudiante / haberle decir la verdad)
2. ¿Qué negaba el hombre? (su hija / haber conducir / 80 millas por hora)
3. ¿Qué les enfadó a los jueces? (los abogados / no haber llegar / a tiempo)
4. ¿Qué no le gustaba al ladrón? (los perros / haberle seguir / la pista [*trail*])
5. ¿Qué esperaba el delincuente? (amiga / haber traer / una lima [*file*])
6. ¿Con qué soñaban los Moreno? (su hijo / haber ganar / un premio en la lotería)

AUTOPRUEBA   Complete las siguientes oraciones con la forma apropiada del presente perfecto de subjuntivo o del pluscuamperfecto de subjuntivo, según el contexto.

1. Me alegro de que Uds. (venir) a visitarme esta semana.
2. A la víctima le sorprendía que el juez no (castigar) más severamente al ladrón.
3. A los vecinos les gusta que la policía (llegar) tan rápido.
4. Esperábamos que el testigo (ver) a la persona que había desaparecido.
5. A mis padres les enfada que yo no les (decir) la verdad.
6. El niño negaba que se le (romper) la ventana.
7. Dudo que las autoridades (detener) a una persona inocente.

Conversación

A. La herencia

Paso 1. Mire el dibujo. ¿Dónde están el padre y su hijo? ¿En qué contexto es normal que un padre le diga esto a su hijo? ¿Por qué son irónicas las palabras en este caso?

Paso 2. Ahora, haga comentarios, juntando las expresiones con las oraciones. ¡OJO! Será necesario cambiar el verbo en la segunda parte de cada nueva oración.

Dudo que   (No) Es posible que
(No) Es chistoso que   (No) Me sorprende que

MODELO: El padre le ha dicho tal cosa a su hijo. →
No es chistoso que el padre le haya dicho tal cosa a su hijo.

1. El hijo ha visitado a su padre en la cárcel.
2. Las autoridades han permitido la visita.
3. El padre no ha podido ofrecerle otra cosa como herencia a su hijo.
4. El artista ha presentado una visión tan pesimista.
5. La intención del artista ha sido criticar la sociedad.
6. El padre ha visto el futuro de su hijo de esa forma.

Paso 3. ¿En qué sentido expresa el dibujo cierto pesimismo acerca de los seres humanos y de la sociedad? ¿Está Ud. de acuerdo con este punto de vista? ¿Por qué sí o por qué no?

B. Un caso famoso Entre los años 1994 y 1995, el mundo siguió con gran interés el juicio de O.J. Simpson. ¿Recuerda Ud. algunos de los detalles de este famoso caso? Complete las siguientes oraciones con la forma apropiada del pluscuamperfecto (o indicativo o subjuntivo) de los verbos entre paréntesis, según el contexto.

1. Detuvieron a O.J. Simpson diciendo que él (matar) a Nicole Brown Simpson y a un amigo de ella, Ron Goldman.

2. La policía creía que el asesino (dejar) caer en el jardín de la casa de Simpson uno de los guantes que (llevar) al cometer el crimen.

3. Además, los investigadores sabían que el asesino (cortarse) al cometer el crimen, ya que la policía (encontrar) huellas de sangre entre los cadáveres y la casa de Simpson.

4. Según los fiscales, los análisis de sangre que (hacer) los expertos indicaban que solo Simpson (entre mil millones de individuos) pudo haber cometido el crimen. Para ellos, no había duda que Simpson (hacerlo).

5. ¿El motivo? Es verdad que Simpson (ver) a su ex esposa con otro hombre; era probable que (ponerse) celoso y violento.

6. Al terminar la presentación de la evidencia, los fiscales estaban seguros de que (ganar) el caso.

7. Los miembros del jurado, por otra parte, tenían dudas. No creían que Simpson (dejar) caer el guante en su jardín; pensaban que uno de los detectives (ocultarlo) allí para incriminar a Simpson.

8. Además, recordaron que cuando Simpson (probarse) el guante, ¡(quedarle) demasiado pequeño!

9. Los análisis de la sangre tampoco los convencieron del todo; era posible que uno (o varios) de los investigadores (contaminar) las muestras (*samples*).

10. Los miembros del jurado declararon inocente a Simpson; (deliberar) solo cuatro horas.

C. Entre todos

- Dentro de la cultura estadounidense, hay casos en que los criminales son o han sido objeto de admiración y hasta respeto. ¿Pueden Uds. dar algunos ejemplos de estos casos? ¿A qué se debe este fenómeno?

- En algunas películas estadounidenses —en *Training Day*, por ejemplo— se ha presentado una imagen negativa de algunos policías: como figuras corruptas y malas. ¿Qué otros ejemplos conocen Uds.? ¿Quiénes son «los buenos» y quiénes son «los malos» en películas como estas? ¿Es este un tema raro en las películas o es común? ¿Y en la vida real? Comenten.

- En muchos países europeos la policía no lleva armas. ¿Cree Ud. que esto sería posible en los Estados Unidos? ¿Cómo es la relación entre los ciudadanos estadounidenses y la policía?

- Para mejorar las relaciones entre la policía y la población, se ha propuesto que todo ciudadano sirva como policía durante un breve período de tiempo. ¿Mejoraría las relaciones este sistema? ¿De qué manera? ¿Qué desventajas tendría?

Nota cultural

Gran parte del lenguaje que tiene que ver con la delincuencia es bastante coloquial. ¿Cómo se pueden expresar o explicar en español las siguientes palabras y expresiones?

- *to frisk*
- *to plead the Fifth*
- *a snitch*
- *hit man*
- *white-collar crime*
- *to con*

43 More on the Sequence of Tenses

Remember that the tense of the subjunctive—present or past—used in the subordinate clause is determined by the verb form used in the main clause. Here is the summary of sequences you saw on pages 205–207 with all the forms included.

Main Clause	Subordinate Clause
present present perfect future future perfect command	present subjunctive present perfect subjunctive
preterite imperfect pluperfect conditional conditional perfect	past subjunctive pluperfect subjunctive

A. Main Verb Present → Subordinate Verb Present

When the main-clause verb is in the present, present perfect, future, or future perfect, or is a command, the subordinate-clause verb is usually in the present subjunctive.

■ The present perfect subjunctive is used when the action in the subordinate clause occurs *before* the action of the main-clause verb.

■ The present subjunctive expresses an action that occurs at the *same time* as the action of the main-clause verb or *after* it.

	Main Clause	Subordinate Clause
before	**PRESENT** **Espera** que Diego... *He hopes that Diego...*	**PRESENT PERFECT SUBJUNCTIVE** ya le **haya hablado.** *has already spoken to him.*
simultaneous	**PRESENT** **Insiste** en que Diego... *He insists that Diego...*	**PRESENT SUBJUNCTIVE** le **hable** todos los días. *speak to him every day.*
after	**PRESENT PERFECT** **Ha insistido** en que Diego... *He has insisted that Diego...* **FUTURE** **Insistirá** en que Diego... *He will insist that Diego...*	**PRESENT SUBJUNCTIVE** le **hable** mañana. *speak to him tomorrow.*

	Main Clause	Subordinate Clause
after	**FUTURE PERFECT** **Habrá insistido** en que Diego… *He will have insisted that Diego …* **COMMAND** **Insista** en que Diego… *Insist that Diego …*	**PRESENT SUBJUNCTIVE** le **hable** mañana. *speak to him tomorrow.*

B. Main Verb Past → Subordinate Verb Past

When the main-clause verb is in the preterite, imperfect, pluperfect, conditional, or conditional perfect, the subordinate-clause verb is in the past subjunctive (simple or perfect).

- The pluperfect subjunctive is used when the action in the subordinate clause occurs *before* the action of the main-clause verb.

- The imperfect subjunctive expresses an action that occurred at the *same time* as the action of the main-clause verb, or *after* it.

	Main Clause	Subordinate Clause
before	**IMPERFECT** **Era** bueno que Diego… *It was good that Diego …*	**PLUPERFECT SUBJUNCTIVE** ya le **hubiera hablado.** *had already spoken to him.*
simultaneous	**IMPERFECT** **Era** bueno que Diego… *It was good that Diego …*	**IMPERFECT SUBJUNCTIVE** le **hablara** todos los días. *spoke to him every day.*
after	**PRETERITE** El lunes **pidió** que Diego… *On Monday he asked that Diego …* **IMPERFECT** **Pedía** que Diego… *He used to ask that Diego …* **PLUPERFECT** El lunes **había pedido** que Diego… *On Monday he had asked that Diego …* **CONDITIONAL** **Pediría** que Diego… *He would ask that Diego …* **CONDITIONAL PERFECT** **Habría pedido** que Diego… *He would have asked that Diego …*	**IMPERFECT SUBJUNCTIVE** le **hablara** luego. *speak to him later on.*

Práctica Exprese las siguientes oraciones en inglés y explique si la acción del verbo en el subjuntivo ocurre antes, al mismo tiempo o después que la acción del verbo principal. En algunos casos, hay más de una traducción posible.

1. Es bueno que María nos llame.
2. Recomendaban que saliéramos de su país.
3. Dudaban que tú lo hubieras hecho.
4. Negarán que sus padres lo hayan mandado.
5. No me gusta que vuelvas a las dos de la mañana.
6. Habían pedido que lo trajeran al día siguiente.
7. Nadie quería que emigraran.
8. Es una lástima que no nos hayan escrito.

AUTOPRUEBA Complete el siguiente párrafo con la forma verbal apropiada de los verbos entre paréntesis. ¡OJO! Se puede usar cualquiera de los tiempos del subjuntivo que se han estudiado, según el contexto.

El año que viene voy a California a estudiar en la UCLA. Será la primera vez que habré vivido fuera de la casa de mis padres. Estoy muy entusiasmada. Mis padres están orgullosos de que la universidad me (ofrecer)¹ una beca, pero al mismo tiempo están tristes que pronto su querida hija (irse).² Querían que yo (escoger)³ una universidad más cercana, pero al final no encontré ninguna que me (gustar)⁴ tanto como la UCLA. Cuando informé a la universidad de mi ciudad que ya había aceptado la oferta de la UCLA, me ofrecieron más dinero a condición de que yo (estudiar)⁵ ciencias. Pero no quería especializarme en ciencias, y por eso les dije que no podía aceptar su oferta. Ahora creo que fue bueno que (aceptar)⁶ la primera oferta porque habría sido una gran tentación quedarme cerca de mi familia. Además. ¡Elena, mi mejor amiga, acaba de inscribirse en la UCLA también! Quiere que (nosotras: compartir)⁷ un cuarto en la residencia y quiere acompañarme cuando (visitar)⁸ la universidad por primera vez en julio. ¡Nos va a encantar la vida allí!

Conversación

A. Haga oraciones completas, juntando una frase de cada columna. Luego, añada información explicativa.

MODELO: Será difícil que ellos llamen al juez porque la última vez que estuvieron en la corte se portaron tan mal con ese mismo juez que él se enfadó y les dijo que no lo llamaran jamás.

1. La acción de la última columna ocurre *al mismo tiempo* o *después que* la de la primera.

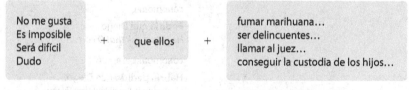

No me gusta
Es imposible
Será difícil
Dudo

+ que ellos +

fumar marihuana…
ser delincuentes…
llamar al juez…
conseguir la custodia de los hijos…

2. La acción de la última columna ocurrió *antes que* la de la primera.

Es increíble
Temo
Me alegro mucho de
Me parece mentira

+ que Uds. +

atrapar al criminal…
no obedecer la ley…
ponerle una multa…
darle la pena de muerte…

B. Guiones Imagínese que Ud. y su esposo/a han invitado a cenar a su casa a otra pareja. De repente, ellos notan la placa que Uds. recibieron el año pasado por su heroísmo al atrapar a varios ladrones peligrosos. En parejas, cuéntenles la historia de todo lo que ocurrió y cómo se solucionó el caso gracias a su astucia (*cunning*) y valor. Traten de usar lo siguiente en su narración, cuando sea apropiado.

- el subjuntivo
- los complementos pronominales
- algunos ejemplos del «**se** inocente»
- las formas perfectas de los verbos

¡Usen la imaginación para darle un final interesante a la historia!

C. Oraciones Haga oraciones completas, juntando una frase de cada columna. Luego, añada información explicativa. La acción de la última columna ocurría *al mismo tiempo* o *después que* la de la primera.

Insistían en No querían Era injusto Estaban tristes	**+** que (nosotros) **+**	leer el documento secreto… ver al abogado… copiar en el examen… ser detenidos…

D. Acciones futuras o completadas Complete las siguientes oraciones usando un tiempo verbal apropiado.

MODELO: Cuando yo tenía 8 años,… →

ACCIÓN FUTURA

temía que los demás se rieran de mí.

ACCIÓN YA COMPLETADA

me alegraba de que ya hubiera aprendido a escribir.

1. Cuando llegué a la clase de español una mañana, temía…

2. Después de ver mis notas el semestre/trimestre pasado, dudaba…

3. Para mi próximo cumpleaños, quiero…

4. Después de morir, espero…

5. Al graduarme de la universidad, mis padres temen…

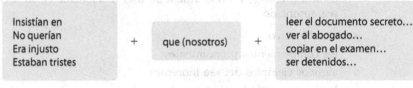

UN POCO DE TODO

¡OJO!

	Examples	Notes
pero **sino** **sino que** **no solo**	Joaquín es muy inteligente, **pero** estudia mucho de todas formas. *Joaquín is very bright, but he studies a lot anyway.*	English *but* is expressed as **pero, sino,** or **sino que** in Spanish. All three are conjunctions; they join two elements of a sentence. When the element preceding *but* is affirmative, **pero** is used.
	Quique no es muy inteligente, **pero** es buen estudiante. *Quique isn't very bright, but he's a good student.*	**Pero** can also be used after a negative element to mean *but* in the sense of *however,* introducing information that *contrasts with* or *expands* the previously mentioned concepts.
	El coche no es nuevo **sino** viejo. *The car isn't new but (rather) old.*	**Sino** and **sino que** are used only after a negative element. They introduce information that *contradicts and replaces* the first element. They mean *but* in the sense of *rather.* **Sino** connects a word or phrase (but not a clause) to the sentence; **sino que** connects a clause.
(continúa)	No quiero que me ayudes **sino que** te vayas. *I don't want you to help me but (rather) (that you) go away.*	

	Examples	Notes
pero **sino** **sino que** **no solo**	**No solo** trajeron pan **sino** también queso. *They brought not only bread but also cheese.* **No solo** vino **sino que** trajo a sus amigos. *She not only came but (also) brought her friends.*	English *not only . . . but (also)* is expressed in Spanish by **no solo… sino (que)**.
intentar **tratar de** **tratar** **probar(se) ([me] pruebo)**	Voy a **intentarlo.** No sé si tendré éxito. *I'm going to try (it). I don't know if I'll succeed.* No sé. **Trataré de** hacer todo lo posible. *I don't know. I'll try to do all I can.* Este libro **trata de** La Raza. *This book deals with La Raza.* **Se trata de** la justicia. *It's a question of justice.* Los **trató** sin respeto. *He treated them without respect.* ¡**Prueba** el vino! *Try the wine!* Van a **probar**te. No les digas nada. *They're going to test you. Don't tell them anything.* Voy a **probarme** estos pantalones antes de comprarlos. *I'm going to try on these pants before buying them.*	All of these words can express English *to try*. **Intentar** means *to try* or *to make an attempt*, as does **tratar de**, which is always followed by an infinitive in this meaning. In contrast, **intentar** can be used either alone or with **lo**. **Tratar de** can also mean *to deal with*. The expression **se trata de** means *it's about* or *it's a question of* and can never be used with a specific subject. When used without **de**, **tratar** means *to treat someone or something* in a particular way. **Probar** means *to try* or *to taste something*, or *to try someone* in the sense of *testing him or her*. **Probarse** means *to try on* (an article of clothing).
preguntar (hacer una pregunta) **pedir (pido) (i)**	No entiendo lo que me **preguntas.** *I don't understand what (question) you're asking me.* Los niños **hicieron** muchas **preguntas** durante su visita al museo. *The kids asked a lot of questions during their visit to the museum.* Ella les **pidió** que hablaran en voz baja. *She asked them to speak softly.* Te quiero **pedir** un favor. *I want to ask you a favor.*	As you reviewed in **Capítulo 7** (page 212), *to ask a question* is expressed in Spanish by either **preguntar** or **hacer una pregunta**. *To ask* in the sense of *requesting something from someone*—an object, a favor, an action—is expressed in Spanish by **pedir.**

A. Volviendo al dibujo

Elija la palabra que mejor completa cada oración. ¡OJO! También va a encontrar palabras de los capítulos anteriores.

El año pasado trajeron una serie de cuadros de Frida Kahlo al museo de arte de mi ciudad. Se había discutido mucho la (cuestión/ pregunta)[1] de la seguridad y fue una sorpresa cuando decidieron (darse cuenta de / realizar)[2] la exposición. No es que haya mucho crimen en mi ciudad, (pero / sino / sino que)[3] había habido robos en el museo anteriormente y (por / por que)[4] eso los ladrones pensaban (de/en/que)[5] sacar algo de nuestro museo era pan comido.[a] Sin embargo, a por lo menos un ladrón, se le había escapado un detalle importante: contábamos con[b] el mejor departamento de policía del país.

Una noche ese ladrón entró por el techo de la sala Frida Kahlo y se (llevó/tomó)[6] uno de los cuadros. De repente, sonó la alarma y el ladrón se fue corriendo. (Intentó/Trató)[7] escaparse (pero/sino)[8] no (tuvo éxito / sucedió)[9] porque la policía ya había llegado y (dejó/ detuvo)[10] al pobre ladrón. La policía (devolvió/volvió)[11] el cuadro al museo y (llevó/tomó)[12] al ladrón a la cárcel.

(Poco tiempo / Poca vez)[13] después, en el tribunal, el abogado defensor (trató / trato de)[14] (asistir/ayudar)[15] a su cliente, diciendo que la policía lo había (dejado/impedido)[16] robar el cuadro solo para mejorar su fama como «el mejor departamento de policía del país». (Pero/Sino)[17] el jurado no aceptó (esa cuenta / ese cuento)[18] y declaró culpable al acusado. La juez mandó que lo encarcelaran y ahora el pobre ladrón tiene (mucho tiempo / mucha vez)[19] que pensar (a/de/en)[20] lo que hizo.

[a]pan... *a piece of cake*   [b]contábamos... *we had*

B. Entre todos

- En los últimos años ha habido un aumento en la delincuencia juvenil. ¿Cuáles son algunos de los grupos en su comunidad que tratan de ayudar a los jóvenes delincuentes? ¿Qué hacen estos grupos? ¿También hay programas para ayudar a los padres de estos jóvenes?

- ¿Cree Ud. que se debe tratar a los adolescentes delincuentes como si fueran adultos? ¿Cuáles son algunos de los argumentos que se han presentado a favor y en contra de esta propuesta?

- En algunos lugares se ha sugerido que los padres sean forzados a responder por los delitos de sus hijos menores de edad. ¿Qué piensa Ud. de esto? ¿Equivale a tratar a los padres como delincuentes comunes? ¿Por qué sí o por qué no?

C. Cómo llegar a ser policía Complete los párrafos, dando la forma apropiada de los verbos y expresando en español las frases en inglés. Cuando se dan dos palabras entre paréntesis, escoja la palabra apropiada.

Yogi y Mark trabajan (por/para)[1] la policía británica. (*Both Yogi and Mark*)[2] están entre los muchos policías y detectives famosos (*who*)[3] (*have worked*)[4] en la gran Scotland Yard de Londres. Pero cuando Yogi y Mark comentan su trabajo entre sus amigos, no (*hacer*)[5] referencia al largo «brazo» de la ley (pero/sino)[6] a la larga «pata».[a] Yogi y Mark (ser/estar)[7] perros policía.

La policía británica (*utilizar*)[8] más de 1.500 perros que están especialmente (*trained: entrenar*)[9] para (*colaborar*)[10] en los distintos aspectos de la guerra contra el crimen, especialmente contra el tráfico de drogas y en la búsqueda de personas (*lost*).[11] En un solo año casi 14.000 arrestos fueron efectuados (por/para)[12] perros policía.

Aunque (*dogs have been used*)[13] como guardianes desde el antiguo Egipto, no fue hasta los años 40 que (*were established*)[14] los primeros centros de entrenamiento (por/para)[15] perros policía. Allí (*is developed: desarrollar*)[16] su olfato[b] y (*they learn*)[17] técnicas de rastreo.[c] Es necesario que las lecciones (ser/estar)[18] breves y que los entrenadores (*repeat them*)[19] hasta que las reacciones de los perros (*become*)[20] automáticas. Se insiste mucho en la obediencia absoluta: Durante todas las fases del entrenamiento, es importante que cada perro (*be trained by*)[21] una sola persona para que luego (*obedecer*)[22] a una sola voz.

La relación entre el perro y su amo empieza temprano; desde los tres meses el cachorro[d] que (*will be*)[23] perro policía vive en la casa del policía (*who*)[24] lo va a (cuidar/importar),[25] a fin de que (*establecerse*)[26] los lazos[e] de cariño y comprensión sin los cuales no puede existir una total confianza entre (*both*).[27] En realidad, (*they will not be*)[28] simplemente perro y amo (pero/sino)[29] verdaderos compañeros.

[a]*paw*   [b]*sense of smell*   [c]*tracking*   [d]*puppy*   [e]*bonds*

D. Nuestra hija Linda Imagínese que Ud. es la madre / el padre de Linda, una adolescente de 17 años. Su hija ha salido esta noche con amigas y Ud. está preocupado/a. Hable con su esposo/a de sus preocupaciones. Siga el modelo, usando expresiones de emoción y creando oraciones lógicas.

MODELO: robarle el coche →
    Espero que Linda haya cerrado bien el coche. Temo que se lo roben.

1. quitarle la bolsa
2. recibir una multa por conducir demasiado rápido
3. consumir drogas
4. violarla
5. ir a una fiesta «rave»
6. acabársele la gasolina
7. perderse en un barrio peligroso
8. fumar o drogarse

Lectura cultural ¿Cuándo se llega a la edad adulta en el mundo hispano?

En los Estados Unidos, a los 18 años, la edad en que un adolescente se convierte en adulto, uno puede independizarse legalmente de los padres. Al cumplir 18 años en los Estados Unidos, estos «adultos» pueden votar en todas las elecciones públicas, tienen permiso de manejar un auto y pueden inscribirse en el servicio militar. Sin embargo, no se les permite tomar bebidas alcohólicas hasta cumplir los 21 años. ¿Por qué cree Ud. que estas leyes pueden comunicar un mensaje confuso?

Es interesante notar que no hay ningún país hispanohablante en que la edad permitida para tomar bebidas alcohólicas sea mayor que la edad permitida para votar. Es casi universal en estos países tener una edad mínima de 18 años para votar y para consumir alcohol. Hay dos otros puntos interesantes. Primero, no solo se tiene el derecho de votar al llegar a los 18 años sino que hacerlo es un deber.[a] Aunque es difícil hacer cumplir con esta ley, votar es una obligación civil en países como el Perú, la Argentina, Chile, el Uruguay y hasta México. El segundo punto es que las leyes sobre el consumo de alcohol no suelen hacerse cumplir en la mayoría de los países hispanos. Es decir que si un joven de 15 ó 16 años quiere tomarse una copa, puede fácilmente entrar en un bar y pedirla sin problema. Tampoco es raro que los menores de 18 años tomen bebidas alcohólicas en casa con su familia. Cuando estos jóvenes cumplen 18 años, no es gran cosa tomar bebidas alcohólicas y no resulta, como ocurre en los Estados Unidos, en una ocasión para abusarse del licor la noche en que se cumplen 21 años.

La edad mínima para conducir varía entre los 16 años en países como México, Colombia y Puerto Rico y los 18 años en la mayor parte de los demás países. No todos los jóvenes hispanos consiguen su licencia de conducir automáticamente al cumplir cierta edad y muchos no la obtienen nunca, porque los requisitos para sacarla típicamente son muy exigentes.[b] Por lo tanto el entrenamiento[c] es riguroso y muy caro. Asimismo, la gran mayoría de los hispanos reside en las ciudades grandes en donde hay varias formas de transporte público y no hay espacio para muchos autos particulares.[d] También es notable que menos familias hispanas tienen suficiente dinero para comprar un auto, no digamos más de uno.

Es interesante que lo que en una sociedad se considere un derecho, no siempre lo es en otra. El «derecho» de conducir un auto a los 16 años en este país es considerado un privilegio en otros países. El «derecho» de votar en este país es además una obligación muy seria en algunos países. Y la falta del «derecho» de tomar bebidas alcohólicas que causa tantos problemas entre los menores de edad en este país, no tiene la misma importancia en la mayoría de los países hispanos en donde se toma alcohol con menos restricciones.

[a]*duty* [b]*demanding* [c]*training* [d]*private*

El tráfico en Lima, Peru

Comprensión y expansión

Conteste las siguientes preguntas según la lectura.

1. Al cumplir los 18 años en Estados Unidos, ¿qué se les permite hacer a los nuevos «adultos»? ¿Qué no se les permite?

2. ¿A qué edad se puede votar en Hispanoamérica en general? ¿Cómo es diferente la ley respecto al derecho de votar entre Hispanoamérica y este país?

3. ¿Cuáles son las diferencias entre Estados Unidos y los países hispanos respecto a las leyes sobre el consumo de alcohol por adolescentes? ¿Cuáles son las consecuencias de estas diferencias?

4. ¿A qué edad se les permite manejar un coche a los adolescentes en los países hispanos? ¿Cómo se explica que hay menos adolescentes con coches particulares en Hispanoamérica?

Del mundo hispano
El sueño del pongo
Aproximaciones al texto

Nota literaria

la literature comprometida
= narrativas que muestran los problemas del individuo y de la sociedad en que vive, con el fin de buscar soluciones

El ambiente histórico-social

As mentioned in **Capítulo 6,** socio-historical settings should be taken into account when reading many literary works. That setting determines many factors, such as the stratification of classes, relationships between characters, ongoing or deeply rooted conflicts between groups, and so on. "El sueño del pongo" is set in colonial Peru, as many of Jose María Arguedas's works are. The term **el pongo** refers to the indigenous servant who served his master inside the home, and was essentially a slave. This story reveals not only the plight of the indigenous servants, but also some of the author's sympathies. Much of his fiction is considered a literary documentation of the liberation movement in that area. As you read this story, keep in mind the colonial setting and the relationships between the characters (master and slave).

El lenguaje de la injusticia

Paso 1. Piense en la vida de los esclavos y de los patrones. ¿Cómo viven, cómo se relacionan entre ellos? Use Ud. la tabla para completar una lista de adjetivos y verbos que podrían asociarse con el pongo y el patrón, luego compare sus ideas con las de unos compañeros de clase.

Pongo	Patrón
obedecer	*ordenar*

Paso 2. Entre todos. ¿Con qué sueñan los pongos? Al leer el cuento, es probable que Uds. vean algunas de las palabras de sus listas y algunas de las ideas que acaban de comentar.

Vocabulario para leer

alcanzar (c) to reach, to be sufficient

alzar (c) to raise

aparecer (zc) to appear

apestar to stink

arrodillarse to kneel

cumplir to fulfill, to carry out orders

fingir (finjo) to pretend

humillarse to be humiliated, to humble oneself

lamer to lick

martirizar (c) to torment

revolcarse (qu) to thrash about

rezar (c) to pray

sacudir to shake

valer (like **salir**) to have value, to be useful

el ala *f.* wing

el desprecio contempt, disdain

el/la dueño/a owner

el espanto fear, fright

la fuerza strength

el tarro can, container

la voluntad will, wish

atemorizado frightened

desnudo naked

muerto dead

Oraciones. Indique la palabra correcta para completar cada oración.

1. Los religiosos _____ para comunicarse con Dios.
   a. lamen
   b. rezan
   c. valen

2. Los sirvientes tienen que _____ con las órdenes del patrón.
   a. cumplir
   b. martirizar
   c. sacudir

3. Los pájaros tienen dos patas y dos _____.
   a. alas
   b. espantos
   c. tarros

4. Una persona que se cree superior piensa que _____ más que otras personas.
   a. apesta
   b. sacude
   c. vale

5. Un patrón arrogante puede tratar con _____ a sus sirvientes.
   a. desprecio
   b. espanto
   c. muerto

6. En la sociedad moderna, las casas y las cosas tienen _____, pero las personas no.
   a. alas
   b. dueño
   c. tarro

7. Después del accidente, Carlos estaba nervioso y andaba con cara de _____.
   a. desprecio
   b. espanto
   c. voluntad

8. Hay quienes no van a la universidad porque, aunque sean inteligentes, no tienen _____ de estudiar.
   a. alas
   b. muerto
   c. voluntad

9. Existen personas a quienes les gusta _____ a los que ellos consideran anormales o inferiores.
   a. aparecer
   b. martirizar
   c. rezar

10. Los norteamericanos no saben si deben seguir sentados, ponerse de pie o _____ al saludar a un rey europeo.

   a. arrodillarse

   b. revolcarse

   c. sacudir

11. Los perros y los gatos _____ a los animalitos antes de comérselos.

   a. fingen

   b. sacuden

   c. valen

12. Los sirvientes más valientes se niegan a _____ ante el patrón.

   a. humillarse

   b. martirizar

   c. valer

13. Al patrón más cruel no le importa que un sirviente haya _____. Siempre puede comprar otro.

   a. atemorizado

   b. desnudo

   c. muerto

14. El excremento _____, pero es bueno para el jardín.

   a. alcanza

   b. alza

   c. apesta

15. Cuando una persona no tiene la ropa puesta, se dice que está _____.

   a. atemorizada

   b. desnuda

   c. muerta

Peru

SOBRE EL AUTOR

José María Arguedas (1911–1969) es uno de los escritores peruanos más conocidos de su siglo. Mestizo de herencia española y quechua, publicó numerosos poemas, cuentos y novelas, casi siempre sobre el tema del indígena y la opresión que sufría. Arguedas escribía en quechua y en español. En sus obras se describe el ambiente opresivo y cruel en que vivía el indígena peruano, y sus personajes indígenas a menudo expresan una filosofía de liberación o el liberacionismo. El cuento que se presenta aquí se publicó en 1965 en forma bilingüe con el título *El sueño del pongo: Cuento quechua. Pongoq mosqoynin: qatqa runăpa willakusqan.*

Pongoq mosqoynin (Qatqa runapa willakusqan)
El sueño del pongo (cuento quechua)

A la memoria de Don Santos Ccoyoccosi Ccataccamara, Comisario Escolar de la comunidad de   1
Umutu, provincia de Quispicanchis, Cuzco. Don Santos vino a Lima seis veces; consiguió que lo reci-
bieran los Ministros de Educación y dos Presidentes. Era monolingüe quechua. Cuando hizo su primer
viaje a Lima tenía más de sesenta años de edad; llegaba a su pueblo cargando a la espalda parte del
material escolar y las donaciones que conseguía. Murió hace dos años. Su majestuosa y tierna figura   5
seguirá protegiendo desde la otra vida a su comunidad y acompañando a quienes tuvimos la suerte
de ganar su afecto y recibir el ejemplo de su tenacidad y sabiduría.

Un hombrecito se encaminó a la casa-hacienda de su patrón. Como era siervo[1] iba a cumplir el
turno de pongo, de sirviente en la gran residencia. Era pequeño, de cuerpo miserable, de ánimo
débil, todo lamentable; sus ropas viejas.   10

El gran señor, patrón de la hacienda, no pudo contener la risa cuando el hombrecito lo saludó en
el corredor de la residencia.

—¿Eres gente u otra cosa? —le preguntó delante de todos los hombres y mujeres que estaban de
servicio.

Humillándose, el pongo no contestó. Atemorizado, con los ojos helados, se quedó de pie.   15

—¡A ver! —dijo el patrón— por lo menos sabrá lavar ollas,[2] siquiera podrá manejar la escoba,[3] con
esas sus manos que parece que no son nada. ¡Llévate esta inmundicia![4] —ordenó al mandón[5] de la
hacienda.

Arrodillándose, el pongo le besó las manos al patrón y, todo agachado,[6] siguió al mandón hasta la
cocina.   20

***

[1]sirviente   [2]pots   [3]broom   [4]filth   [5]foreman   [6]cowering

El hombrecito tenía el cuerpo pequeño, sus fuerzas eran sin embargo como las de un hombre común. Todo cuanto le ordenaban hacer lo hacía bien. Pero había un poco como de espanto en su rostro;[7] algunos siervos se reían de verlo así, otros lo compadecían.[8] «Huérfano[9] de huérfanos; hijo del viento de la luna debe ser el frío de sus ojos, el corazón pura tristeza», había dicho la mestiza cocinera, viéndolo.

El hombrecito no hablaba con nadie; trabajaba callado; comía en silencio. Todo cuanto le ordenaban, cumplía. «Sí, papacito; sí, mamacita», era cuanto solía decir.

Quizá a causa de tener una cierta expresión de espanto, y por su ropa tan haraposa[10] y acaso, también porque quería hablar, el patrón sintió un especial desprecio por el hombrecito. Al anochecer, cuando los siervos se reunían para rezar el Ave María, en el corredor de la casa-hacienda, a esa hora, el patrón martirizaba siempre al pongo delante de toda la servidumbre;[11] lo sacudía como a un trozo de pellejo.[12]

Lo empujaba de la cabeza y lo obligaba a que se arrodillara y, así, cuando ya estaba hincado,[13] le daba golpes suaves[14] en la cara.

—Creo que eres perro. ¡Ladra![15] —le decía.

El hombrecito no podía ladrar.

—Ponte en cuatro patas[16] —le ordenaba entonces.

El pongo obedecía, y daba unos pasos en cuatro pies.

—Trota de costado,[17] como perro —seguía ordenándole el hacendado.[18]

El hombrecito sabía correr imitando a los perros pequeños de la puna.[19]

El patrón reía de muy buena gana; la risa le sacudía todo el cuerpo.

—¡Regresa! —le gritaba cuando el sirviente alcanzaba trotando el extremo del gran corredor.

El pongo volvía, corriendo de costadito. Llegaba fatigado.

Algunos de sus semejantes,[20] siervos, rezaban mientras tanto el Ave María, despacio, como viento interior en el corazón.

—¡Alza las orejas ahora, vizcacha[21]! ¡Vizcacha eres! —mandaba el señor al cansado hombrecito. —Siéntate en dos patas; empalma las manos.[22]

Como si en el vientre[23] de su madre hubiera sufrido la influencia modelante de alguna vizcacha, el pongo imitaba exactamente la figura de uno de estos animalitos, cuando permanecen[24] quietos, como orando[25] sobre las rocas. Pero no podía alzar las orejas.

Golpeándolo con la bota, sin patearlo fuerte,[26] el patrón derribaba[27] al hombrecito sobre el piso de ladrillo del corredor.

—Recemos el Padrenuestro —decía luego el patrón a sus indios, que esperaban en fila.

El pongo se levantaba a pocos, y no podía rezar porque no estaba en el lugar que le correspondía[28] ni ese lugar correspondía a nadie.

En el oscurecer, los siervos bajaban del corredor al patio y se dirigían al caserío[29] de la hacienda.

—¡Vete pancita! —solía ordenar, después, el patrón al pongo.

* * *

Y así, todos los días, el patrón hacía revolcarse a su nuevo pongo, delante de la servidumbre. Lo obligaba a reírse, a fingir llanto.[30] Lo entregó a la mofa[31] de sus iguales, los colonos.*

---

[7]*face* [8]*lo… felt sorry for him* [9]*orphan* [10]*ragged* [11]*toda… all the servants* [12]*trozo… piece of hide* [13]*on his knees* [14]*golpes… light punches* [15]*Bark!* [16]*Ponte… Get down on all fours* [17]*de… sideways* [18]*landowner* [19]*desolate plateau of the Andes* [20]*peers* [21]*small rodent of the Andes* [22]*empalma… join your hands* [23]*womb* [24]*remain* [25]*praying* [26]*patearlo… kicking him hard* [27]*knocked over* [28]*fit* [29]*group of houses (for the servants)* [30]*weeping* [31]*Lo… He turned him over to the mockery*

---

*Indio que pertenece a la hacienda.

Pero… una tarde, a la hora del Ave María, cuando el corredor estaba colmado[32] de toda la gente 60
de la hacienda, cuando el patrón empezó a mirar al pongo con sus densos ojos, ése, ese hombrecito,
habló muy claramente. Su rostro seguía un poco espantado.

—Gran señor, dame tu licencia;[33] padrecito mío, quiero hablarte —dijo.

El patrón no oyó lo que oía.

—¿Qué? ¿Tú eres quien ha hablado u otro? —preguntó. 65

—Tu licencia, padrecito, para hablarte. Es a ti a quien quiero hablarte —repitió el pongo.

—Habla… si puedes —contestó el hacendado.

—Padre mío, señor mío, corazón mío —empezó a hablar el hombrecito— Soñé anoche que
habíamos muerto los dos juntos; juntos habíamos muerto.

—¿Conmigo? ¿Tú? Cuenta todo, indio —le dijo el gran patrón. 70

—Como éramos hombres muertos, señor mío, aparecimos desnudos. Los dos juntos; desnudos
ante nuestro gran Padre San Francisco.

—¿Y después? ¡Habla! —ordenó el patrón, entre enojado e inquieto por la curiosidad.

—Viéndonos muertos, desnudos, juntos, nuestro gran Padre San Francisco nos examinó con sus
ojos que alcanzan y miden[34] no sabemos hasta qué distancia. Y a ti y a mí nos examinaba, pensando, 75
creo, el corazón de cada uno y lo que éramos y lo que somos. Como hombre rico y grande, tú enfren-
tabas esos ojos, padre mío.

—¿Y tú?

—No puedo saber cómo estuve, gran señor. Yo no puedo saber lo que valgo.

—Bueno. Sigue contando. 80

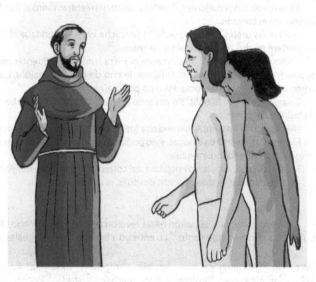

[32]*full*   [33]*permission*   [34]*measure*

—Entonces, después, nuestro Padre dijo con su boca: «De todos los ángeles, el más hermoso, que venga. A ese incomparable que lo acompañe otro ángel pequeño, que sea también el más hermoso. Que el ángel pequeño traiga una copa de oro, y la copa de oro llena de la miel de chancaca[35] más transparente».

85   —¿Y entonces? —preguntó el patrón.

Los indios siervos oían, oían al pongo, con atención sin cuenta[36] pero temerosos.[37]

—Dueño mío: apenas nuestro gran Padre San Francisco dio la orden, apareció un ángel, brillando, alto como el sol; vino hasta llegar delante de nuestro Padre, caminando despacio. Detrás del ángel mayor marchaba otro pequeño, bello, de luz suave como el resplandor[38] de las flores. Traía en las

90   manos una copa de oro.

—¿Y entonces? —repitió el patrón.

—«Ángel mayor: cubre a este caballero con la miel que está en la copa de oro; que tus manos sean como plumas cuando pasen sobre el cuerpo del hombre», diciendo, ordenó nuestro gran Padre. Y así, el ángel excelso,[39] levantando la miel con sus manos, enlució[40] tu cuerpecito, todo, desde la cabeza

95   hasta las uñas de los pies. Y te erguiste,[41] solo; en el resplandor del cielo la luz de tu cuerpo sobresalía,[42] como si estuviera hecho de oro, transparente.

—Así tenía que ser —dijo el patrón, y luego preguntó:

—¿Y a ti?

—Cuando tú brillabas[43] en el cielo, nuestro gran Padre San Francisco volvió a ordenar: «Que de

100   todos los ángeles del cielo venga el de menos valer, el más ordinario. Que ese ángel traiga en un tarro de gasolina excremento humano».

—¿Y entonces?

—Un ángel que ya no valía, viejo, de patas escamosas,[44] al que no le alcanzaban las fuerzas para mantener las alas en su sitio, llegó ante nuestro gran Padre; llegó bien cansado, con las alas

105   chorreadas,[45] trayendo en las manos un tarro grande. «Oye viejo —ordenó nuestro gran Padre a ese pobre ángel— embadurna[46] el cuerpo de este hombrecito con el excremento que hay en esa lata que has traído; todo el cuerpo, de cualquier manera; cúbrelo como puedas. ¡Rápido!» Entonces, con sus manos nudosas,[47] el ángel viejo, sacando el excremento de la lata, me cubrió, desigual,[48] el cuerpo, así como se echa barro en la pared[49] de una casa ordinaria, sin cuidado. Y aparecí avergonzado,[50] en

110   la luz del cielo, apestando…

—Así mismo tenía que ser —afirmó el patrón.— ¡Continúa! ¿O todo concluye allí?

—No, padrecito mío, señor mío. Cuando nuevamente, aunque ya de otro modo, nos vimos juntos, los dos, ante nuestro Gran padre San Francisco, él volvió a mirarnos, también nuevamente, ya a ti ya a mi, largo rato. Con sus ojos que colmaban[51] el cielo, no sé hasta qué honduras nos alcanzó,[52]

115   juntando la noche con el día, el olvido con la memoria. Y luego dijo: «Todo cuanto los ángeles debían hacer con ustedes ya está hecho. Ahora ¡lámanse el uno al otro! Despacio, por mucho tiempo». El viejo ángel rejuveneció[53] a esa misma hora; sus alas recuperaron su color negro, su gran fuerza. Nuestro Padre le encomendó vigilar[54] que su voluntad se cumpliera.

---

[35]*miel… light syrup derived from sugar*   [36]*sin… endless*   [37]*fearful*   [38]*radiance*   [39]*exalted*
[40]*polished*   [41]*te… you stood up straight*   [42]*stood out*   [43]*you were shining*   [44]*de… with scaly feet*   [45]*stained*   [46]*smear*   [47]*knotty*   [48]*unevenly*   [49]*se… mud is smeared on the wall*   [50]*ashamed*
[51]*filled up*   [52]*hasta… to what depths he penetrated us*   [53]*became young again*   [54]*to watch, stand guard*

Comprensión

A. ¿Cierto o falso? Indique si cada oración es cierta o falsa. Después, corrija las oraciones falsas con información correcta (no solo con la palabra **no**).

1. El *hombrecito* del cuento es el hijo menor del hacendado.
2. El pongo es pequeño, pero fuerte.
3. El pongo trabaja sin rebelarse ni quejarse.
4. Entre otras tareas, el pongo tiene que entrenar a los perros del hacendado.
5. El hacendado martiriza al pongo todas las mañanas a la hora del desayuno.
6. El hacendado maltrata al pongo psicológicamente, pero no físicamente.
7. Cuando el pongo le pide permiso de hablar al hacendado, lo hace de una forma muy cortés.
8. El pongo le cuenta al hacendado un sueño que ha tenido; soñó que ellos estaban muertos y desnudos.
9. Los otros indios y el hacendado escuchan con interés al pongo.
10. En el sueño del pongo, el hacendado y su pongo terminan cubiertos de miel y felices al lado de los ángeles.

B. Interpretación Las diez citas a continuación no están en orden. Seleccione Ud. seis citas y conteste las siguientes preguntas sobre cada una. ¿Cuándo ocurre en el cuento? ¿Quién lo hace o dice? ¿Por qué? ¿Qué significa?

MODELO: De todos los ángeles, el más hermoso, que venga.

Esta cita es parte del sueño del pongo. El pongo cuenta que «nuestro gran padre San Francisco» llamó a los ángeles para servirle después de juzgar al pongo y al hacendado.

1. Ahora, ¡lámanse el uno al otro! Despacio, por mucho tiempo.
2. ¡Alza las orejas ahora, vizcacha!
3. Así tenía que ser.
4. Huérfano de huérfanos… el corazón pura tristeza.
5. ¡Llévate esta inmundicia!
6. Oye viejo, embadurna el cuerpo de este hombrecito con el excremento que hay en esa lata que has traído.
7. Padre mío, señor mío, corazón mío.
8. No podía rezar porque no estaba en el lugar que le correspondía ni ese lugar correspondía a nadie.
9. Lo sacudía como a un trozo de pellejo.
10. Yo no puedo saber lo que valgo.

C. Aplicación. En la literatura, y a veces en la vida, los sueños revelan información importante. Los psicólogos creen que los sueños pueden relevar nuestros deseos y temores, entre otras cosas. ¿Qué revela el sueño que el pongo cuenta? ¿Qué significa en cuanto a las relaciones entre los indígenas y los españoles? ¿Cuál cree Ud. que es la reacción del patrón al oír el sueño? ¿Cree Ud. que el sueño del pongo es típico de los sirvientes y esclavos? ¿Cree que este es un sueño de verdad o solo es un cuento inventado por el pongo? Escriba un ensayo de tres o cuatro párrafos expresando sus pensamientos sobre el tema.

CINEMATECA

El laberinto del fauno

Antes de mirar

- **LA PELÍCULA** *El laberinto del fauno* (2006) tiene lugar en España después de la Guerra Civil. Ofelia es una niña con mucha imaginación, a quien le gustan los cuentos de hadas (*fairy tales*). Ella entra en un mundo fantástico como escape de las atrocidades de la guerra; sin embargo, los dos mundos tienen ciertas similitudes. ¿Cuáles son los elementos típicos de un cuento de hadas? Haga Ud. una lista. ¿Es todo agradable? ¿Hay cosas espantosas?

- **LA ESCENA** (52:05–53:38) Para entrar por completo en el reino mágico, Ofelia tiene que probar su identidad de verdadera princesa. En esta escena, el fauno le da a Ofelia instrucciones para cumplir una fase de la prueba. ¿Puede Ud. pensar en otras historias con este tipo de reto (*challenge*)? ¿Cuáles son los obstáculos que el/la protagonista supera en las historias que conoce? (¡**OJO!** En esta escena, el fauno usa los mandatos informales plurales (vosotros), una forma antigua de hablar respetuosamente a una sola persona. Revise los mandatos informales en el **Capítulo 4**, página 123.)

Al mirar

Mire la escena y use el subjuntivo para reescribir las instrucciones del fauno.

El fauno quiere que Ofelia…

1. _____ lo que él tiene en la mano.
2. _____ la mandrágora debajo de la cama de su madre.
3. _____ cuidado.
4. _____ a cabo (*go through with*) la prueba.

El fauno no quiere que Ofelia…

5. _____ ni _____ nada.

Después de mirar

Divídanse en grupos de dos o tres estudiantes para hablar de la escena. ¿Les parecen difíciles las instrucciones del fauno? En la misma situación, ¿seguirían Uds. las instrucciones sin fallar? ¿sin cuestionarlas? Si han visto la película, describan lo que pasa en las escenas que siguen y si Ofelia sale de la prueba sin problemas o no.

En casos de guerra, el tener leyes estrictas y obedecer a la autoridad se presentan como una necesidad, para el bien de la gente, de los soldados, etcétera. Pero esto a veces crea conflictos ideológicos. ¿Cree Ud. que la seguridad es más importante que la libertad de tomar decisiones propias? Escriba un párrafo considerando los riesgos de sacrificar ciertas libertades a cambio de preservar el orden social y viceversa.

Busque en el Internet más información sobre la películas del director mexicano Guillermo del Toro, por ejemplo, *Cronos*, *Hellboy*, *Mimic* y *El espinazo del diablo*. ¿Son películas parecidas? ¿Qué impresión le da a Ud. el director? Busque una entrevista con él para saber más sobre sus intereses.

12

El trabajo y el ocio

Marbella, España

En este capítulo

 connect
SPANISH
www.connectspanish.com

Describir y comentar

▪ Identifique las profesiones y oficios que se ven en este dibujo y explique qué hace el individuo que ejerce cada uno. ¿Qué rasgos de personalidad y qué habilidades tendrá la persona que escoja estas ocupaciones? ¿Qué tipo de preparación se requiere en cada caso?

▪ En su opinión, ¿cuál de estas ocupaciones es la más peligrosa? ¿la más (des)agradable? ¿la más lucrativa? ¿Con qué culturas o regiones se asocian algunos de estos oficios? ¿con qué clase social? ¿con qué sexo? Explique sus puntos de vista al respecto.

convenir (*like* **venir**)   to be appropriate

ejercer (**ejerzo**) **una profesión**   to practice a profession

entrevistar   to interview

  entrevistarse en   to have an interview with; to be interviewed by

escoger (**escojo**)   to choose

especializarse (**c**) **en**   to specialize in; to major in

estar de vacaciones   to be on vacation

ir de vacaciones   to go on (a) vacation

jubilarse   to retire

relajarse   to relax

tomar vacaciones   to take time off

valorar   to value; to appreciate

el aprendizaje   apprenticeship

el descanso   rest; leisure

las diversiones   amusements

el entrenamiento   (sports) training

el entretenimiento   entertainment

la entrevista   interview

la especialización   major

el ocio   leisure time; relaxation

el pasatiempo   pastime; hobby

la preparación   preparation; job training

el prestigio   prestige

el tiempo libre   free time

las vacaciones   vacation

Profesiones y oficios

el/la artista   artist; movie star

el bailarín, la bailarina   dancer

el/la basurero/a   garbage collector

el/la beisbolista*   baseball player

el bombero, la mujer bombero   firefighter

el/la enfermero/a   nurse

el/la maestro/a   teacher

el/la músico[†]   musician

el/la oficinista   office clerk

el/la periodista   journalist

el/la piloto/a   pilot

el/la reportero/a   reporter

el soldado, la mujer soldado   soldier

el/la torero/a   bullfighter

el/la vaquero/a   cowboy, cowgirl

el/la vendedor(a)   salesperson

Conversación

A. Asociaciones   ¿Qué palabra o frase de la segunda columna asocia Ud. con cada palabra o frase de la primera? Explique en qué basa su asociación. ¡OJO! Hay varias respuestas posibles en cada caso.

1. el aprendizaje
2. el ocio
3. ejercer una profesión
4. la entrevista
5. tomar vacaciones

a. escoger una especialización
b. la preparación
c. la solicitud
d. relajarse
e. el tiempo libre

---

*The ending **-ista** can be added to many sports to indicate the individual who plays that sport: **futbolista, tenista, ciclista.** Remember that in most parts of the world, **fútbol** refers to soccer; thus a **futbolista** is a soccer player.

[†]The ending **-ista** can be added to many musical instruments to indicate the individual who plays that instrument: **pianista, guitarrista, flautista.**

B. Diferencias léxicas Explique la diferencia entre cada par de palabras.

1. el descanso / la preparación
2. el oficio / la profesión
3. jubilarse / tomar vacaciones
4. el entretenimiento / el pasatiempo
5. valorar / despreciar

C. Los años de preparación En parejas, hagan una lista de cinco de los oficios o profesiones que más les interesen. Luego póngalos en una lista de acuerdo con los años de preparación que exige cada uno.

D. Las profesiones y el prestigio

Paso 1. ¿Qué cualidades de la lista A son características indispensables de las personas que ejercen las profesiones de la lista B? Explique.

A		B	
la afabilidad	la elocuencia	abogado/a	médico/a
la agresividad	la fuerza física	artista de cine	militar
la ambición	la imaginación	basurero/a	modelo
la astucia	la independencia	bombero / mujer bombero	piloto/a
la capacidad de organización	la inteligencia	científico/a	pintor(a)
	la paciencia	escritor(a)	político / mujer político
la curiosidad	la valentía (*bravery*)	futbolista	sacerdote
la destreza física		maestro/a	secretario/a

Paso 2. Ahora, ponga en orden las profesiones según el mayor o menor prestigio que tienen dentro de la sociedad.

- ¿A qué se debe ese prestigio (o la falta de él)? ¿al sueldo que gana una persona que ejerce esa profesión? ¿a la fama? ¿a los años de preparación necesarios para lograr la profesión? ¿a la importancia de los servicios que prestan esas personas a la sociedad? ¿ ?

- ¿Está Ud. de acuerdo con el prestigio que tiene cada profesión? ¿Hay profesiones que deben tener más (o menos) prestigio del que tienen actualmente? Comente.

Nota cultural

En el mundo hispano existen muchas opiniones diferentes sobre cómo formar el femenino de las profesiones que tradicionalmente han ejercido solo los hombres. En muchos casos, la forma femenina puede hacerse simplemente cambiando la -o final en **-a (el médico / la médica)** o añadiendo una **-a** cuando la forma masculina termina en consonante **(el contador / la contadora)**. Si el sustantivo termina en otra vocal, el artículo que lo acompaña generalmente indica el sexo de la persona **(el artista / la artista)**. Pero si la forma femenina ya existe con otro significado, estas reglas no pueden aplicarse. (Por ejemplo, **el químico** significa *male chemist*, pero **la química** significa *chemistry*.) También problemático es el hecho de que en algunos casos la forma femenina se refiera a la esposa del hombre que ejerce la profesión indicada: en muchos países, por ejemplo, así se entiende **la presidenta**. Otra solución es referirse a la mujer profesional de la siguiente manera: **la mujer** + *nombre de profesión*. Así se crean pares como **el policía / la mujer policía** y **el soldado / la mujer soldado**.

E. **Los benificios y condiciones**   A veces lo más atrayente de una profesión son las condiciones de trabajo o la satisfacción personal que la profesión proporciona al individuo. Aquí hay una lista de beneficios y condiciones de trabajo. En parejas, elijan los cuatro más importantes y los cuatro de menor importancia. Luego, expliquen su decisión a la clase.

Queremos un trabajo…

1. ☐ que nos permita resolver problemas internacionales.
2. ☐ que nos ofrezca seguridad económica para el resto de la vida.
3. ☐ que nos permita ser líderes (ser jefes, manejar personal, etcétera).
4. ☐ que nos ofrezca la oportunidad de viajar mucho.
5. ☐ en el que el horario sea flexible.
6. ☐ en el que tengamos varios meses de vacaciones anuales.
7. ☐ que sea bien pagado y de mucho prestigio.
8. ☐ en el que podamos ejercer nuestra creatividad.
9. ☐ que nos permita quedarnos en casa la mayor parte del tiempo.
10. ☐ que consista en aportar algo significativo a la sociedad.
11. ☐ en el que nuestros compañeros de trabajo sean simpáticos.
12. ☐ de gran/poca responsabilidad.
13. ☐ que sea interesante y siempre variado.
14. ☐ en el que logremos fama nacional o mundial.

GRAMÁTICA

44 Review of Verb Forms

LearnSmart

Visit **www.connectspanish.com** to practice the vocabulary and grammar points covered in this chapter.

There are three main groups of Spanish verbs, those with infinitives ending in **-ar, -er,** and **-ir.** A conjugated verb has two main parts: a stem and an ending. The stem identifies the action (**habl-**), and the ending indicates the tense, mood, and person/ number of the action (**-amos**): **hablamos.**

You have learned five indicative forms: present, imperfect, preterite, future, and conditional. Each of these has a perfect equivalent: the corresponding form of **haber** + the past participle.* You have also learned two subjunctive tenses, the present and the past, with their corresponding perfect forms. The imperative does not show tense; the different forms of the imperative correspond to the subject (formal, informal, singular, and plural) and to whether the command is affirmative or negative.

---

*As stated earlier in the second footnote on p. 315, the perfect forms of the preterite are disappearing. They are included here only for the sake of instruction.

The following charts show the verbs **hablar, comer,** and **vivir** conjugated in all of these forms in the third-person singular. Also listed are the imperative forms. Can you give the remaining forms of each conjugation?

		Simple Verb Forms				
		Indicative	**Subjunctive**		**Imperative**	
					Affirmative	**Negative**
-ar	present	habla	hable	*Ud.*	hable	no hable
	imperfect	hablaba	hablara	*Uds.*	hablen	no hablen
	preterite	habló		*tú*	habla	no hables
	future	hablará		*vosotros/as*	hablad	no habléis
	conditional	hablaría				
-er	present	come	coma	*Ud.*	coma	no coma
	imperfect	comía	comiera	*Uds.*	coman	no coman
	preterite	comió		*tú*	come	no comas
	future	comerá		*vosotros/as*	comed	no comáis
	conditional	comería				
-ir	present	vive	viva	*Ud.*	viva	no viva
	imperfect	vivía	viviera	*Uds.*	vivan	no vivan
	preterite	vivió		*tú*	vive	no vivas
	future	vivirá		*vosotros/as*	vivid	no viváis
	conditional	viviría				

	Perfect Verb Forms: *haber* + Past Participle			
	Indicative	**Subjunctive**		**Past Participle**
present	ha	haya		
pluperfect	había	hubiera	*-ar*	hablado
preterite	hubo		*-er*	comido
future	habrá		*-ir*	vivido
conditional	habría			

Práctica   Complete las siguientes oraciones con la forma apropiada del verbo entre paréntesis. ¡OJO! A veces hay más de una posibilidad.

PRÁCTICA
connect
SPANISH
www.connectspanish.com

1. Mis padres (ponerse) furiosos cuando les dije que (*yo: querer*) especializarme en la sicología de los gatos. Ellos deseaban que yo (ejercer) una profesión prestigiosa, en la que (*yo: tener*) un sueldo muy alto. Pero a mí siempre me ha fascinado el comportamiento de los gatos. ¡Me gustaría (ser) una de ellas, pues así tal vez los comprendería mejor!

2. Si no quieres que los extraterrestres te (llevar) a otro planeta, no (*tú: salir*) a la calle a montar en bicicleta a las tres de la mañana. Si lo haces, bajarán en su platillo volador y te (*ellos: poner*), junto con tu bicicleta, en una botella para hacer sus experimentos.

3. Anoche, cuando llegó Cecilia, hacía dos horas que la fiesta (terminar), pero algunos de nosotros todavía (estar) allí. Cecilia (ponerse) muy triste por no haber llegado a tiempo y lloró tanto que (*nosotros: decidir*) comenzar la fiesta otra vez. ¡A Cecilia (gustarle) mucho las fiestas!

4. Mi madre se habría vuelto loca si mi padre (jubilarse) hace diez años, porque ahora ella no lo (soportar) en casa todo el día. Él prometió que no (hacer) nada cuando ya no tuviera que trabajar, y hasta hoy (cumplir) su promesa.

5. El médico le dijo a la paciente que le (convenir) tomar vacaciones, pues era necesario que (*ella: relajarse*). Eso fue después de que ella le (contar) que (*ella: ver*) un fantasma todas las noches, al salir del trabajo.

6. En muchos países, es necesario que uno (escoger) su especialización antes de entrar a la universidad. Si Ud. hubiera estudiado en uno de esos países, ¿en qué profesión (especializarse)?

AUTOPRUEBA   Complete el siguiente texto con la forma verbal apropiada de los verbos entre paréntesis, según el contexto. ¡OJO! Se puede usar cualquiera de las formas verbales que se han estudiado.

Hace un año que estudio en la universidad. (*Yo: Divertirse*)[1] mucho, aunque a veces ha sido difícil. Mis padres no estaban contentos cuando les (decir)[2] que quería estudiar arte. Habrían preferido que (*yo: especializarse*)[3] en algo que (tener)[4] que ver con las ciencias, pero al final los convencí de que es más importante que (*yo: estudiar*)[5] algo que me (interesar).[6]

Mi mejor amiga Elena y yo todavía compartimos una habitación en la residencia. Durante el otoño ella (enamorarse)[7] de un chico que vive en otra residencia, pero después de unos meses (romper)[8] con él porque (preocuparse)[9] por sus estudios. Siempre le digo que necesita (relajarse)[10] de vez en cuando, pero no me (escuchar).[11] Elena quiere que (*nosotras: vivir*)[12] en un apartamento el año que viene, pero no estoy segura. Este año (*yo: conocer*)[13] a muchas personas interesantes y las (extrañar)[14] si no viviera aquí. (*Nosotras: Ver*)[16] qué pasa.

Conversación

A. Consejos académicos Imagínese que Ud. es consejero/a en la universidad y que los siguientes estudiantes lo/la visitan para que los aconseje sobre las clases que deben tomar. Dados los planes que tienen ellos para el futuro, ¿qué clases les recomienda Ud.?

MODELO: Carmen quiere hacerse periodista. →

Sería conveniente que estudiara inglés y ciencias políticas. También convendría que tomara algunas clases de oratoria (*public speaking*).

1. Laura quiere hacerse médica.
2. Roberto quiere hacerse beisbolista.
3. Julio quiere hacerse hombre de negocios.
4. Mercedes quiere hacerse abogada.
5. Francisco quiere hacerse sicólogo.
6. Pedro quiere ser torero.

B. ¿Sería mejor?

Paso 1. En este país, la norma establecida es trabajar cuarenta horas a la semana en cinco días (de nueve a cinco). Pero quizás sería posible mejorar el sistema si se hicieran algunos cambios. En parejas, completen las siguientes oraciones con las formas apropiadas del imperfecto de subjuntivo de los verbos *en letra cursiva azul* y comenten las ventajas o desventajas que resultarían si se hicieran esos cambios. Luego, háganse preguntas para averiguar el porqué de sus respuestas.

1. Sería (mejor/peor/igual) si se *poder* trabajar cuarenta horas en menos de cinco días.
2. Sería (mejor/peor/igual) si se *empezar* y *terminar* la jornada (*workday*) a la hora que la persona quisiera (con tal de trabajar el total de horas debido).
3. Sería (mejor/peor/igual) si se *mantener* una edad límite obligatoria para la jubilación.
4. Sería (mejor/peor/igual) si los papás también *recibir* un descanso pagado por el tiempo que pasan cuidando a sus hijos recién nacidos.
5. Sería (mejor/peor/igual) si se *permitir* que una persona *empezar* a trabajar jornada de tiempo completo a la edad que quisiera.
6. Sería (mejor/peor/igual) si se *permitir* que una persona *aceptar* dinero extra en vez de asistencia médica (*health benefits*).

Paso 2. De todos los cambios sugeridos, ¿cuál es el que Uds. creen que tendría el efecto más beneficioso? Compartan con la clase lo que han decidido.

C. Entre todos

- Cuando Ud. era niño/a, ¿qué profesión u oficio querían sus padres que Ud. ejerciera de adulto/a? ¿Por qué? ¿Estaba de acuerdo con los deseos de sus padres o tenía otras ambiciones? ¿Cuáles eran?

- De las profesiones y oficios nombrados por los miembros de la clase, ¿cuál se menciona con mayor frecuencia? ¿Por qué cree Ud. que a tantos niños les atrae esa profesión? ¿Qué ocupación se menciona menos? ¿Cómo se explica esto?

- ¿Cuántos de Uds. todavía quieren llegar a ejercer el oficio que les atraía de niño/a? Los que han cambiado de idea deben explicar por qué.

D. Club El Nogal Mire el anuncio. ¿Qué servicios les ofrece a los negociantes el Club El Nogal de Bogotá? ¿Qué tipo de negociante lo usaría? En la lista de servicios que se ofrecen, ¿cuáles se usan para los negocios? ¿para la diversión? ¿para ambos? En su opinión, ¿es preferible combinar el trabajo con el ocio o prefiere Ud. separarlos? Explique.

■ Una de las técnicas que se usan para reducir las tensiones relacionadas con el ejercicio de una profesión es alternar el trabajo con el ocio. En su opinión, ¿es normal que toda ocupación cause tensiones? ¿Por qué sí o por qué no?

■ Hoy en día, hay empresas que les ofrecen a sus empleados un gimnasio, con todo el equipo moderno. ¿Le parece a Ud. un servicio útil? ¿A quién(es) intenta beneficiar? ¿Qué otros servicios les deben ofrecer las empresas a sus empleados para disminuir el estrés que les causa el trabajo?

■ ¿Tendrá menos estrés una persona que trabaja en una ocupación que le gusta? En general, ¿trabaja la gente por gusto o por necesidad?

■ ¿Puede considerarse como «trabajo» el preparar la comida en casa? ¿el escribir un poema? ¿Qué es lo que para Ud. constituye «trabajo»?

F. **El estrés y las profesiones** La tensión relacionada con el trabajo es uno de los peligros más serios para el individuo en la sociedad actual. ¿Qué oficios causarán más tensiones? El texto a continuación presenta los resultados de una investigación sobre este tema. En parejas, lean el texto y después contesten las siguientes preguntas.

1. De las profesiones que menciona el texto, ¿cuáles causan estrés? ¿Por qué razones? ¿Cuáles de ellas les parecen menos estresantes? Expliquen sus respuestas, intentando identificar las causas del estrés relacionado con cada ocupación. ¿Hay otras profesiones que producen más tensiones que las que menciona el texto?

2. Si Uds. tuvieran un trabajo estresante, ¿qué estrategias usarían para reducir el estrés? En general, ¿qué cambios podrían efectuarse en la sociedad actual para mejorar las condiciones del trabajo? (Piensen en el horario, las vacaciones, las horas extraordinarias, la edad mínima para jubilarse, el ambiente, los muebles, etcétera.) ¿Qué consecuencias tendrían estos cambios en el mundo laboral?

El HIT-PARADE DE LAS PROFESIONES CON RIESGO DE ESTRÉS

No todas las profesiones requieren el mismo esfuerzo y la misma atención y por esta razón los resultados frente al estrés según la ocupación dan distintos índices de peligrosidad. Según un estudio realizado por INSERM y especialistas del Instituto americano, las quince profesiones que tienen más riesgo de contraer enfermedades producidas por el estrés son las siguientes:

1. Controlador aéreo.	**9.** Dentista.
2. Piloto de avión.	**10.** Camarero.
3. Conductor de tren.	**11.** Ejecutivo de una empresa.
4. Profesores y catedráticos.	**12.** Cajera de un supermercado.
5. Institutriz.[a]	**13.** Policía.
6. Agente de cambio y bolsa.	**14.** Programador.
7. Mayorista.[b]	**15.** Periodista.
8. Minero.	

[a]*Governess.*   [b]*Wholesaler.*

45 Progressive Forms

A. Formation of the Progressive

The progressive consists of a conjugated form of the auxiliary verb **estar** plus the present participle (**el gerundio**). In English, the present participle ends in *-ing: singing, writing*. The Spanish present participle ends in **-ndo: cantando, escribiendo**. The present participle ends in **-ando** for **-ar** verbs and in **-iendo** for **-er** and **-ir** verbs.*

cantar → **cant**ando   correr → **corr**iendo   vivir → **viv**iendo

If the stem of an **-er** or **-ir** verb ends in a vowel, the **i** of the participle ending changes to **y.**

caer → **cayendo**	leer → **leyendo**
construir → **construyendo**	oír → **oyendo**

-Ir stem-changing verbs show the second stem change in the participle: **e → i, o → u.**†

pedir → **pidiendo**   dormir → **durmiendo**

As with the perfect forms, only the auxiliary verb shows tense, mood, and person/number; the form of the present participle never changes.

The five simple forms of the indicative have corresponding progressives, as do the two simple forms of the subjunctive. Can you complete the conjugations of these verbs?

El progresivo	
Indicativo	**Subjuntivo**
presente estoy bailando	esté terminando
imperfecto estaba riendo	estuviera oyendo
pretérito estuve bebiendo	
futuro estaré diciendo	
condicional estaría viendo	

B. Placement of Object Pronouns with Progressive Forms

Object pronouns may precede the auxiliary verb or follow and be attached to the participle.

Se está **entrevistando** en Dell. ⎫
Está **entrevistándose** en Dell.‡ ⎭   *He's interviewing with Dell.*

---

*The present participles of **ir** and **poder** are irregular: **yendo** and **pudiendo.** They are used infrequently.

†When the **e → i** stem change produces a stem ending in **i,** the **i** of the progressive ending is dropped: **reír: ri-+-iendo → riendo.**

‡Note the use of a written accent mark when the pronoun is attached to the participle. See Appendix 1.

Práctica A   Imagínese que Ud. ayuda a redactar (*edit*) un manuscrito. En ciertos párrafos, el autor quiere poner énfasis en la idea de que la acción que describe está en progreso. Para lograrlo, Ud. necesita cambiar los siguientes verbos por la forma progresiva, usando el verbo **estar**. ¿Qué forma se debe usar en cada caso?

1. mira
2. decías
3. se despertará
4. morirían
5. viste
6. dieran
7. puse
8. nos bañamos
9. traigo
10. duermas
11. repetían
12. vea
13. leerían
14. te afeitas
15. lo oyéramos

C. Uses of the Progressive Forms

Whereas the perfect forms describe actions that are completed at some point in the past, the progressive forms describe actions that are ongoing or in progress. Because both the simple present tense and the simple imperfect tense can also describe actions in progress, it is important to learn the difference between those two simple tenses and the progressive forms.

The progressive is used in Spanish:

■   to indicate an *action in progress* at the moment of speaking.

No puede hablar con Ud. porque **está durmiendo.**	He can't speak with you because he's sleeping.
¿Qué **estará haciendo?**	What can she be doing?

■   to describe an *action that is different from what is normal* or customary, whether or not it is in progress at the moment of speaking.

Este semestre **estoy tomando** cinco cursos.	I'm taking five classes this semester. (I usually take four.)
Estaba pasando las vacaciones en casa.	He was spending his vacation at home. (He usually took a trip.)

■   to *add emotional impact* to the narration of an ongoing action.

¡Qué diablos **estará pensando!**	What in the world could he be thinking!
¡Por fin **estamos terminando** este libro!	We are finally finishing this book!

The subjunctive progressive expresses the same three meanings as the indicative progressive. It is used whenever the structural and message criteria for the use of the subjunctive are met. The choice between present and past progressive forms of the subjunctive is determined by the same criteria as for the simple forms.

Dudo que el niño **esté divirtiéndose** en este momento. Mírele la cara.	I doubt that the child is having a good time right now. Look at his face.
¡Nos alegraba mucho que ella **estuviera especializándose** en física!	We were really pleased that she was majoring in physics!

¿Recuerda Ud.?

Other verbs that can be used as auxiliaries with the progressive are **seguir, continuar, ir, venir,** and **andar.** The use of each changes the meaning of the progressive slightly.

seguir/continuar + *participle:* to continue in progress, to keep on (doing something)

La semana que viene **seguiremos hablando** de las profesiones en la sociedad actual.
Next week we will continue talking about professions in contemporary society.

ir + *participle:* to focus on progress toward a goal

Vamos avanzando en la construcción de la casa.
We are making progress in the construction of the house.

venir + *participle:* to emphasize the repeated or uninterrupted nature of an action over a period of time

Desde hace tiempo **vienen diciendo** lo mismo.
For some time now they have kept on saying the same thing.

andar + *participle:* to imply that the action in progress is disorganized or unfocused

Anda pidiéndoles ayuda a todos.
He's going around asking everyone for help.

In general, the progressive forms are used much less frequently in Spanish than in English. The progressive is *not* used in Spanish:

■ to indicate a future or anticipated action; simple forms are used for this purpose.

Nos casamos en junio.   *We are getting married in June.*
Dijo que **iban** con Raúl.   *She said they were going with Raúl.*

■ with the verbs **ser, ir, venir, poder,** and **tener** (except in very infrequent cases); use the simple forms with these verbs.

Tenemos muchos problemas   *We are having lots of problems*
  últimamente.   *lately.*
Venían a la fiesta cuando ocurrió   *They were coming to the party when*
  el choque.   *the crash occurred.*

Práctica B   Decida si se debe usar un tiempo simple o una forma progresiva para expresar los verbos *en letra cursiva azul*. Luego, dé la forma apropiada.

1. They *are having* problems with crime in that area.
2. What *are you doing*? Stop that!
3. Don't talk so loud; your father *is sleeping*.
4. He *is going to get* another interview.
5. They *are visiting* Tahiti later this summer.
6. *Will* you *be arriving* by plane or by boat?
7. They're *leaving* at nine o'clock.
8. It was time for reforms—the workers *were causing* many problems.

AUTOPRUEBA   Complete las siguientes oraciones con uno de los tiempos progresivos de los verbos entre paréntesis, según el contexto.

1. Graciela no puede contestar el teléfono ahora porque (dormir).
2. Mientras mi padre estaba leyendo el periódico, yo (comer) mi desayuno.
3. Son las ocho de la noche y en este momento mis padres (ver) la televisión.
4. Dudo que (llover) ahora porque veo el sol por la ventana.
5. ¿Quién (tocar: *conjecture*) a la puerta a estas horas de la noche?
6. (Nosotros: Limpiar) la casa ayer durante ocho horas.
7. ¿Por qué (hacer) cola todo el mundo en la calle?
8. Me sorprende que Juan (hablar) con Marisol porque me dijo que no se llevaba bien con ella.

Conversación

A. Pero hoy... Complete las siguientes oraciones con una forma progresiva. Use pronombres cuando sea posible.

MODELO: Suelo estudiar español por la mañana, pero hoy _____
porque _____. →

Suelo estudiar español por la mañana, pero hoy estoy estudiando por la tarde porque fui a una fiesta anoche, volví a casa muy tarde y dormí hasta el mediodía.

1. En mi familia, normalmente desayunamos a las siete de la mañana porque mi padre va al trabajo poco después. Pero últimamente _____ porque _____.

2. Antes, casi nadie compraba una computadora personal, pero ahora todas las familias _____ porque _____.

3. Anteriormente, solo los deportistas hacían ejercicio en el gimnasio. Ahora, en cambio, cada vez más personas _____ porque _____.

4. Por lo general, no pedimos comida a domicilio (*take out*), pero hoy _____ porque _____.

B. ¡Cómo vuela el tiempo! (*How time flies!*)

Paso 1. Tanto en español como en inglés, para expresar que el tiempo se nos pasa sin que nos demos cuenta, decimos: «¡Cómo vuela el tiempo!» Pero, ¿en qué pasamos el tiempo? Ordene las actividades según la cantidad de tiempo que Ud. cree que pasa haciéndolas. ¿En cuáles considera que está haciendo algo útil y en cuáles cree que está perdiendo el tiempo?

_____ buscando objetos perdidos

_____ comiendo

_____ durmiendo

_____ esperando a personas con quienes tiene cita

_____ esperando en los semáforos

_____ haciendo cola

_____ haciendo tareas domésticas

_____ leyendo la propaganda comercial que llega por correo

_____ leyendo y mandando correo electrónico

_____ marcando números de teléfono

_____ vistiéndose

_____ ¿ ?

Paso 2. Ahora, compare sus resultados con los de sus compañeros de clase. ¿Cuáles son las actividades en que la mayoría de los estudiantes pasa más tiempo? ¿Y en cuáles pasa la mayoría menos tiempo? Entre todos, comenten las varias posibilidades hasta llegar a un acuerdo sobre las maneras más «típicas» de pasar el tiempo. Si quieren saber los resultados de una investigación al respecto, ¡miren el texto de la **Conversación F** en la página 356!

C. Guiones En grupos de tres o cuatro personas, expliquen lo que están haciendo las personas en los siguientes dibujos. Contesten las preguntas e incorporen complementos pronominales cuando sea posible. ¡Usen la imaginación!

- ¿Dónde están y qué están haciendo las distintas personas?
- ¿Por qué están haciendo lo que hacen?
- ¿Qué estación del año se ve en cada dibujo? ¿Cómo se sabe eso?

Vocabulario útil

caer		pedalear	
correr		**saltar**	to jump
empujar		**sonreír** (*like* reír)	
esperar		**tirar**	to throw
jugar (juego) (gu)			
al fútbol (americano)		**el equipo**	
montar en bicicleta		**las hojas**	
patear	to kick	**la pelota**	

1.

Vocabulario útil

animar	to cheer	**rebotar la pelota**	to bounce
caer			the ball
deslizarse (c)	to go sledding		
en trineo		**el cesto**	
esquiar (esquío)		**la chimenea**	
ganar		**el humo**	
gritar		**los jugadores**	
jugar (juego) (gu) al		**la nieve**	
baloncesto		**el público**	
mirar		**adentro**	
patinar	to skate	**afuera**	
perder (pierdo)			

2.

- ¿Cree Ud. que la gente hoy en día practica más deportes que antes o menos? ¿Qué motivaciones tendrá la gente para hacer más ejercicio? ¿para hacer menos?

- En general, parece que en esta sociedad las mujeres participan en los deportes menos que los hombres. ¿Por qué cree Ud. que ocurre esto? ¿Cree Ud. que esto ha cambiado o está cambiando entre la gente joven? ¿entre la gente mayor? Explique.

- ¿Practica Ud. algún deporte? ¿Está entrenándose ahora para alguna competencia? Comente.

- ¿Cuáles son algunas de las nuevas diversiones que están apareciendo hoy en día? ¿Cree Ud. que los videojuegos ayudan a los niños a desarrollar nuevas aptitudes? Expliquen.

E. **¿Qué estará haciendo?**   En parejas, háganse y contesten preguntas para descubrir qué actividades —verdaderas o imaginarias— podrán estar haciendo las personas citadas en los momentos indicados.

> MODELO: Acaban de otorgarte (*They've just awarded you*) el Premio Nóbel de matemáticas. ¿Y tu maestro de matemáticas de la escuela secundaria? →
> Estará sufriendo un ataque al corazón.

1. Los Sres. Alonso acaban de llegar al teatro. ¿Y la niñera? ¿Y sus hijos, en casa?

2. Acabas de nacer. ¿Y tu padre?

3. Acabas de conocer al hombre / a la mujer de tus sueños. ¿Y él/ella?

4. Acabas de llegar a casa después de estudiar todo el día. ¿Y tus compañeros?

5. Los de tu clase se gradúan hoy de la universidad. ¿Y tú y tus amigos?

6. Tus amigos te miran asombrados y te aplauden. ¿Y tú?

F. **¿En qué perdemos el tiempo?**   El siguiente texto presenta los resultados de una investigación que se hizo sobre la cantidad de tiempo que pasamos haciendo actividades poco productivas. ¿Cómo se compara la ordenación que Ud. hizo en la **Conversación B** con los datos que presenta este texto? ¡Léalo para averiguarlo!

¿EN QUÉ PERDEMOS EL TIEMPO?

A lo largo de nuestra vida pasamos cinco años esperando en las colas, seis meses parados ante los semáforos y dos años marcando números de teléfono. Datos tan curiosos como éstos y otros muchos han salido a la luz tras los estudios de un investigador en gestión del tiempo, Michael Fortino, que preside la Priority Management Pittsburgh, Inc. El trabajo de Fortino y sus colegas se realizó entre la población de los Estados Unidos y arrojó resultados como los siguientes: el ciudadano medio norteamericano pasa seis años de su vida comiendo, un año buscando efectos personales —el paraguas, una zapatilla, la cartera...— en casa o en la oficina; tres años esperando a las personas con las que está citado, ocho meses abriendo cartas que no le interesan y cuatro años haciendo labores del hogar. La conclusión es que a la gente lo que le importa no es no perder el tiempo sino perderlo como le da la gana.

46 Restrictions on the Use of the *-ndo* Form

A. Present Participle versus Conjugated Verb

In English, the present participle can be used as an adjective. In most cases where the English present participle functions as an adjective, this idea is expressed in Spanish with an adjective clause introduced by **que**. Compare these sentences.

La mujer que canta es roquera. *The woman singing is a rock star.*
Recibieron una carta que describía *They got a letter describing the job.*
   el puesto.

Práctica A   Exprese en español las palabras entre paréntesis, según el contexto.

1. El hombre (*reading*) allí es un consejero (*working*) con los delincuentes.
2. ¿Cómo se llama el chico (*relaxing*) en aquel banco?
3. No logro encontrar el texto (*dealing*) de aprendizaje.
4. La persona (*interviewing*) a ese hombre, es el jefe del departamento.
5. La científica (*entering*) con el policía tenía un enorme pájaro en el hombro.
6. Ese hombre (*wearing*) una camisa blanca es un escritor famosísimo.

B. *-ndo* Form versus Infinitive

In English, the *-ing* form can function as a noun. It can be the subject or direct object of a sentence or the object of a preposition. In Spanish, the **-ndo** form can *never* function as a noun. The only Spanish verb form that can do so is the infinitive. Compare these sentences.

SUBJECT	(El) **Leer*** es mi pasatiempo favorito.	*Reading is my favorite pastime.*
DIRECT OBJECT	Prefieren **nadar** en una piscina.	*They prefer swimming in a pool.*
OBJECT OF A PREPOSITION	Después de **comer** la fruta, se sintió mal.	*After eating the fruit, he felt sick.*

Práctica B   Escoja la forma apropiado para completar las siguientes afirmaciones.

1. Antes de (tomar/tomando) una decisión importante, consulto con mis padres.
2. (Vivir/Viviendo) en una residencia estudiantil, uno aprende muchas cosas importantes de la vida.
3. A los estudiantes les gusta (meterse/metiéndose) en asuntos políticos o sociales.
4. (Sufrir/Sufriendo) es bueno para el alma (*soul*).
5. Una persona que pasa mucho tiempo cada día (mirar/mirando) la televisión es poco creativa.
6. Todo de lo que he aprendido en la universidad, lo aprendí (leer/leyendo) libros.
7. (Escribir/Escribiendo) los ejercicios en el cuaderno realmente me ayudó a mejorar mi español.
8. Es difícil tener éxito en el mundo de la política sin (tener/teniendo) mucho dinero.
9. En este país, (trabajar/trabajando) es más importante que (relajarse/relajándose).

---

*The use of **el** with the infinitive when it functions as a subject or direct object is optional.

Some Spanish verbs have a special adjective form that is created by adding **-ante, -ente,** or **-iente** to the stem: **interesante, absorbente, siguiente.**

Ese niño **sonriente** es mi hijo.
That smiling child is my son.

Tienen muchas plantas **colgantes.**
They have a lot of hanging plants.

Since not all verbs have this special form, it is best to consult a dictionary.

Nota comunicativa

In both English and Spanish, the *-ing/-ndo* form can function as an adverb, describing the main verbal action of a sentence. In English, this use is sometimes introduced by the preposition *by;* no preposition is used in Spanish.

Aprenderás nuevo vocabulario **leyendo** buenos libros.
You'll learn new vocabulary by reading good books.

Conversación

A. Orden lógico ¿Qué actividades siguen y preceden a las siguientes acciones? Siga el modelo.

MODELO: Me lavo los dientes. →

Me lavo los dientes antes de hablar con alguien por la mañana y después de comer.

1. Me pongo el pijama.
2. Le compro ¿ ? a mi novio/a (esposo/a, mejor amigo/a).
3. Voy a la biblioteca.
4. Me pongo muy contento/a.
5. Le hablo a mi profesor(a) de español en español.

B. El género de las profesiones Estudien la lista y determinen cuáles de las profesiones nombradas se asocian comúnmente con los hombres, cuáles se asocian normalmente con las mujeres y cuáles son ejercidas por ambos sexos. Luego, nombren algunos deportes o pasatiempos que se han asociado tradicionalmente con los hombres o con las mujeres, y comenten si estas ideas están cambiando en la sociedad actual.

abogado	físico
ama de casa	ingeniero
arquitecto	juez
barbero	jugador de fútbol
boxeador	misionero
cocinero	policía
electricista	sacerdote
enfermero	soldado

C. Modern School

Paso 1. En parejas, comenten el siguiente anuncio. ¿Qué se ofrece? ¿Qué razones se dan para convencer a los posibles clientes? Háganse y contesten preguntas sobre los datos presentados en el anuncio para llenar el formulario que este trae. ¿Qué curso escogería cada uno de Uds.? ¿Por qué?

Paso 2. Ahora, en una hoja de papel aparte, clasifiquen los cursos que ofrece el anuncio en las cuatro categorías indicadas en la tabla. Después, comparen sus respuestas con las de sus compañeros. ¿En qué puntos coinciden? ¿En cuáles difieren? ¿Cómo explican Uds. estas diferencias en cuanto a sus opiniones?

	Oficios	Pasatiempos
principalmente para hombres		
principalmente para mujeres		

Vocabulario útil

correr	jogging
divertirse	
(me divierto) (i)	
hacer gimnasia	
jugar (juego)	
(gu) al béisbol	
saltar	
el banco	
el bateador	
el campo	field
el lanzador	pitcher
el paraguas	
la pareja	
la raqueta	
el tenis	

D. Descripciones Describa a las personas del dibujo. Incorpore en cada descripción una cláusula adjectival con **que,** una frase en tiempo progresivo y un infinitivo. Siga el modelo y use el vocabulario de la lista.

MODELO: El pájaro que canta en el centro del dibujo está celebrando la llegada de la primavera. (El) Cantar es su manera de expresar su alegría.

E. La universidad y su futuro

Paso 1. ¿Debe ser función de la universidad preparar a los estudiantes para futuros empleos? ¿Cuál era la función de la universidad en el siglo XIX? ¿Cuáles de los siguientes conocimientos ha adquirido Ud. y qué habilidades ha desarrollado como resultado de todos sus años de educación? ¿Cuáles cree que lo/la han preparado para la vida profesional? Explique sus respuestas.

aceptar el fracaso

aprender de memoria

colaborar con otros como miembro de un equipo

escribir trabajos de investigación

estudiar solo para sacar buenas notas

hablar con elocuencia

hablar español

leer mucho y rápidamente

organizar bien el tiempo

prepararse para un examen

tener paciencia

trasnochar

vivir con otros en una residencia estudiantil

Paso 2. ¿Cuáles de estos conocimientos y habilidades *no* lo/la van a ayudar en el futuro? ¿Por qué no? Nombre algo que no haya aprendido en la universidad ni en la escuela pero que cree que le sirva en el futuro. ¿Debería ser parte de la educación formal en el futuro? ¿Por qué sí o por qué no?

Las **Actividades A** y **B** en esta sección son un repaso de todas las secciones ¡Ojo! de este libro.

A. En español Dé la palabra española que mejor corresponda a las palabra *en letra cursiva azul.*

1. It *looked* like we would never be able to do it, *but* my family *saved* for years and finally *succeeded* in buying a cottage by the lake.

2. *Because* the food was awful, he *became* angry and refused *to pay the bill.* *Both* the chef *and* the maitre d' talked to him *because* they were afraid the scene *would hurt* business in the restaurant.

3. They *both* lived only three miles from here and *attended* services regularly every *time* Rev. Miles spoke. *Since they moved* to Peakwood we don't see them much anymore.

4. She works very hard *to support* her family; her parents *insist on* helping *to take care of* the children *since they realize* that she cannot afford *to take* them to a sitter.

5. *I don't care* if you *miss* two or three meetings, but I *get* upset if you *stop* others from *attending.* If you *feel* dissatisfied, fine, but *don't try to* influence others.

6. When the man *left* the room, he *did not realize* that he *had left* his briefcase next to the chair. I *think he returned* the next day *to look for* it.

B. Oraciones Elija la palabra que mejor completa cada oración.

1. Estoy pensando (con/de/en) hacerme ingeniera.

2. El niño (se movía / se mudaba) constantemente. Por fin se cayó de la cama (pero / sino que) no se (hizo daño / ofendió).

3. (Echaron de menos / Faltaron a / Perdieron) el autobús porque estaban trabajando y no (realizaron / se dieron cuenta) de (la hora / el tiempo / la vez) hasta que era demasiado tarde.

4. ¿Te (cuida/importa) si fumo? He (probado / tratado de) (dejar/detener) este hábito varias veces, pero nunca he tenido (éxito/suceso).

5. ¿No quiere Ud. (probarse/tratar) el suéter antes de (llevárselo/tomárselo) a casa?

6. Es (un dato / una fecha / un hecho) muy conocido/a que en los parques nacionales los osos (*bears*) dependen demasiado (a/de/en) los seres humanos. Precisamente, si queremos (ahorrarlos/salvarlos) tenemos que (dejar de / detener) «civilizarlos» tanto.

7. Si Uds. quieren (suceder / tener éxito) en el mundo de los negocios, tienen que (pagar/prestar) mucha atención a toda esta información. Es (cuestión/pregunta) de dedicación y disciplina.

C. Una decisión importante   Complete el siguiente diálogo, dando la forma apropiada antes de los verbos entre paréntesis y expresando en español las frases en inglés. Cuando se dan dos palabras entre paréntesis, escoja la palabra apropiada.

Luis visita a su amigo Ernesto, quien a solo cuatro meses ante de graduarse piensa dejar la universidad para viajar alrededor del mundo.

LUIS: (*Tú:* Mirar),¹ Ernesto, yo creo que (ser/estar)² una idea excelente viajar (por/para)³ el mundo. Es bueno que todos (ver)⁴ otros países y que (conocer)⁵ a la gente (*who*)⁶ vive allí. Algún día, cuando yo (tener)⁷ la oportunidad, yo también (hacerlo).⁸ (*What*)⁹ yo todavía no (entender)¹⁰ es por qué diablos tienes que (hacerlo)¹¹ ahora mismo. (*You must realize*)¹² que en solo cuatro meses, te (haber)¹³ graduado y (tener)¹⁴ tiempo para (hacer)¹⁵ todos los viajes que quieras. Me parece increíble que no (*tú:* poder)¹⁶ esperar un poco más.

ERNESTO: Cuatro meses o cuatro años... (ser/estar)¹⁷ igual, Luis. (*I feel*)¹⁸ como hipócrita aquí y siempre (*I have felt*)¹⁹ así. Tú sabes que yo (venir)²⁰ a estudiar aquí (por/para)²¹ mis padres, (*who*)²² insisten en que su hijo (tener)²³ una buena preparación académica. Sabes que ahora me (especializar)²⁴ en derecho porque mi abuelo (querer)²⁵ que yo (*become*)²⁶ abogado. (*Yo:* Haber)²⁷ trabajado mucho y (haber)²⁸ sacado buenas notas a fin de que todos (estar)²⁹ orgullosos de mí...

LUIS: ¿Qué (haber)³⁰ de malo en eso? Es verdad que (*tú:* haber)³¹ trabajado mucho. No conozco a nadie que (ser/estar)³² un estudiante más serio que tú. Sin embargo, yo siempre pensaba que tú (ser/estar)³³ contento.

ERNESTO: Contento con los amigos, sí, pero con los estudios, jamás. ¿Es que voy a (ser/estar)³⁴ una persona culta porque me sé una serie de nombres y fechas? La sabiduría no (consistir)³⁵ en (*what*)³⁶ se sabe (sino / pero / sino que)³⁷ en (*what*)³⁸ se entiende y no hay nada aquí que me (haber)³⁹ ayudado a entender nada.

LUIS: Y tan pronto como (*tú:* haber)⁴⁰ visitado cinco o seis países, ¿crees que lo (ir)⁴¹ a entender todo? No (*tú:* ser/estar)⁴² tonto. Es posible que (*studying*)⁴³ no (ser)⁴⁴ la mejor manera de «instruirse», (pero / sino / sino que)⁴⁵ el viajar tampoco lo es. Si (ser)⁴⁶ así, todos (*would become*)⁴⁷ pilotos y azafatas, ¿verdad que sí?

ERNESTO: (*Tú:* Reírse)⁴⁸ si quieres, Luis, pero ya (*yo:* haber)⁴⁹ tomado mi decisión.

D. ¿Renunciar a los estudios o no?   ¿Se identifica Ud. más con el punto de vista de Luis o con el de Ernesto? Si Ud. decidiera dejar los estudios por un tiempo indefinido para viajar, ¿cómo se sentirían sus padres? ¿Por qué? ¿Tendrían la misma reacción si dejara los estudios para trabajar en vez de viajar?

En parejas, preparen una lista de cuatro razones o motivos para dejar la universidad y cuatro para no hacerlo. Luego, compartan su lista con el resto de la clase. ¿Hay mucha diferencia de opiniones? Expliquen.

Lectura cultural El tiempo libre a la hispana[a]

Para los hispanos el tiempo libre es muy importante. Sin embargo, sus actividades en los días de descanso difieren de las de otros grupos. Como la población hispana va aumentándose rápidamente en este país, muchas compañías quieren saber qué hacen los hispanos en su tiempo libre para poder venderles sus productos y servicios más efectivamente. Las investigaciones de estas compañías revelan que a los hispanos les gustan más las actividades recreativas que pueden hacer con la familia y los amigos. Este hecho revela la importancia que se da a las relaciones interpersonales en la cultura hispana.

En la cultura norteamericana, es posible que cada miembro de la familia participe en una actividad diferente, según sus propias preferencias. Por ejemplo, mientras que el padre juega al golf, la madre va de compras, el hijo practica un deporte y la hija va al cine. Esto es menos común entre las familias hispanas. En muchos casos los miembros de una familia pasan tiempo juntos. Frecuentemente van a la casa de un familiar, en donde todos comen y charlan y gozan de[b] la compañía de los demás. Cuando salen, es normal que vayan en grupos de tres, cuatro o más para comprar un helado o un refresco o solo para pasear y hablar con otros amigos. También tienden a ver la televisión menos que otros grupos culturales, prefiriendo otras actividades que tienen un elemento social más fuerte.

Esta tendencia de hacer las cosas en grupo puede explicar por qué el excursionismo,[c] el montañismo[d] y otras actividades más individuales son menos populares entre los hispanos. Por ejemplo, una encuesta tomada por el Servicio de Bosques Nacionales[e] en California revela que los hispanos prefieren ir a los parques para hacer un *picnic* o visitar alguna atracción natural como las Cataratas de Niágara con toda la familia.

Otra encuesta demuestra que los hispanos en los Estados Unidos viajan tanto o más que otros grupos culturales. El 48 por ciento de las familias hispanas dijo que habían salido de vacaciones durante el año anterior, sobre todo a los parques de atracciones,[f] a la playa o a sitios históricos. También viajan al extranjero con frecuencia, no solo a los países hispanohablantes sino a Europa, Asia y otros lugares. En total, las costumbres hispanas en cuanto a lo que hacen en su tiempo libre comprueban la importancia que asignan a sus relaciones con los amigos y la familia.

[a]a... *Hispanic style* [b]gozan... *enjoy* [c]*hiking* [d]*mountain climbing* [e]Servicio... *National Forest Service* [f]parques... *amusement parks*

Una tarde en el Parque Chapultepec, México, D. F.

Comprensión y expansión

1. ¿Por qué se investigó la actividad de los hispanos en su tiempo libre? ¿Qué información se reveló?

2. En cuanto a la actividad de los miembros de una familia típica en los ratos libres, ¿qué contraste se puede observar entre las familias norteamericanas y las familias hispanas?

3. ¿Cómo se podría explicar que las actividades como el excursionismo y el montañismo sean más populares entre los norteamericanos que entre los hispanos? Si no practican tanto estas dos actividades, entonces, ¿qué prefieren hacer los hispanos en los parques?

4. En el año anterior, ¿qué porcentaje de familias hispanas salió de vacaciones? ¿Adónde fueron? ¿Suelen viajar al extranjero?

5. ¿Cómo le gusta distraerse a su familia? ¿Les gusta más hacer actividades en grupo o individuales? ¿Cuáles son las formas más populares de pasar el tiempo donde vive Ud.?

Del mundo hispano
La fiaca

Aproximaciones al texto

El drama

Writers and readers depend on certain conventions or patterns when they write and read. Genre is an important convention, serving as a kind of contract between the writer and the reader. Although many writers use defamiliarization to make the experience of reading more interesting, they must respect literary conventions to some extent or the reader simply will not comprehend their work.

Drama is one of the five major genres; the others are the novel, the short story, the essay, and the poem. In comparison with other genres, many literary theorists consider drama to be the genre most bound by convention and the least difficult to define. Like other genres, it includes a theme (**el tema**) and, like novels and short stories, it has a story line or plot (**el argumento**). Drama, as well as narrative, is generally constructed around a conflict (**el conflicto**) between individuals or beliefs. In other respects, the characteristics of drama are unique to the genre.

Nota literaria

la acotación = notas que se ponen en una obra de teatro y que indican la acción de los personajes

Las acotaciones. En una obra de teatro, las acotaciones, o direcciones teatrales, pueden ser de poca o de mucha importancia. En algunos guiones, el dramaturgo da pocas indicaciones sobre cómo se debe ver la escena, dejando libres al director y a los actores; pero en otros, las direcciones son muy detalladas. En *La fiaca*, afortunadamente, hay muchas acotaciones explícitas que nos ayudan a visualizar los gestos y la actuación de los actores. Por ejemplo, estas son las primeras líneas del acto IV, sin las acotaciones completas.

> **Néstor** (*con* _____): ¡Peralta! (*Es* _____, *con* _____.)
> **Peralta** (*lo mira* _____): ¿Cómo estás?
> **Néstor** (_____ *y* _____): ¡Fantástico!

En parejas, desarrollen posibles direcciones y representen la breve conversación entre Néstor y Peralta de tres modos distintos, según las acotaciones diferentes. Algunas parejas deben presentar sus «escenas» a la clase. ¿Ven ahora Uds. lo importante que son las acotaciones?

Vocabulario para leer

acordarse (me acuerdo) to remember

animarse to get one's courage up

agarrar to grab, to get hold of

armársele una to get in trouble

atreverse to dare (to do something)

disparar to shoot (*a gun*)

dormitar to doze, snooze

echar to throw out

eructar to burp

faltar a to be absent (from), to miss

fijarse to notice, observe

hacer de cuenta to make believe

importar to matter

meterse to get into physically, or involved in

morirse (me muero) (u) de ganas to be dying (to do something)

probar (pruebo) to try (something)

putear to curse, say bad words; to insult

sonar (sueno) to ring, to sound

la banda gang

los deberes homework

la fiaca laziness

el maricón (la maricona) sissy, wimp

la pavada trivial thing

el tipo guy

¡bárbaro! great!

dale come on . . . (do it, give it a try)

Relaciones léxicas

Paso 1. Empareje cada palabra con su definición o sinónimo.

1. _____ bárbaro
2. _____ deberes
3. _____ disparar
4. _____ eructar
5. _____ fiaca
6. _____ putear
7. _____ sonar
8. _____ tipo

a. expeler por la boca gases del estómago
b. fantástico
c. hombre
d. insultar
e. oírse
f. pereza
g. tareas
h. hacer fuego con un arma

Paso 2. Empareje cada palabra con su antónimo.

1. _____ acordarse
2. _____ agarrar
3. _____ armársele una
4. _____ echar
5. _____ faltar
6. _____ maricón
7. _____ meterse

a. asistir
b. no estar en líos
c. guardar
d. macho
e. olvidar
f. salir
g. soltar

Paso 3. Empareje cada palabra con su definición o sinónimo.

1. _____ atreverse	**a.** animarse
2. _____ banda	**b.** desear mucho
3. _____ dale	**c.** hacer experiencia de algo
4. _____ fijarse	**d.** observar
5. _____ importar	**e.** pandilla
6. _____ morirse de ganas	**f.** tener importancia (para alguien)
7. _____ pavada	**g.** tontería
8. _____ probar	**h.** vamos, no vaciles

SOBRE EL AUTOR

Ricardo Talesnik (1935–), es un escritor argentino muy conocido que ha ganado premios por su trabajo en el teatro, el cine y la televisión. Sus obras comentan la sociedad moderna de una forma irónica, pero comprensiva, con gran sentido del humor. Entre sus obras más vistas están *Cien veces no debo* y *Los japoneses no esperan*, las dos sobre diferentes aspectos del matrimonio y las esperanzas que este inspira hoy en día y sus desilusiones.

Argentina

La fiaca

IV   1

Néstor acostado muy córnodo, con las manos cruzadas debajo de la cabeza, dormita sereno. Suena el timbre[1] Algo sobresaltado,[2] se levanta y va a la puerta. Abre.

Néstor *(con alegre sorpresa):* ¡Peralta! *(Es vacilante, inseguro, con permanente expresión de asombro.[3])*

Peralta *(lo mira de arriba a abajo):* ¿Cómo estás?   5

Néstor *(satisfecho y despreocupado):* ¡Fantástico! ¿Qué hacés por aquí?

Peralta: Vine a ver cómo estabas… Como faltaste así, sin avisar…

Néstor: Te llamó mi mujer, ¿no?

Peralta: Esteee… No, lo que…

[1]*doorbell* [2]*startled* [3]*astonishment*

10   **Néstor:** ¿Lo comentaste con alguien?

    Peralta: ¡No, con nadie!

    Néstor: Pasá, Pasá…

    Peralta (*entra*): Un minuto… Me hice una escapada, sabés… (*Mira su reloj*.) Tengo que entrar dentro de un ratito…

15   **Néstor** (*natural*): ¿Me lo vas a decir a mí… ? ¿No comiste?

    Peralta: Sí… una porción de pizza… Si no, no hacía a tiempo.

    Néstor (*jovial*): ¡No era para tanto![4]

    Peralta (*siempre hurgándolo[5] con la mirada*): ¡Y… qué sé yo!

    Néstor (*le alcanza una silla*): Sentate.

20   **Peralta** (*lo hace*): ¿Tu mujer ya se fue al trabajo?

    Néstor: Sí. (*Se zambulle[6] en la cama.*)

    Peralta (*pausa; con la boca abierta*): ¿Qué te pasó?

    Néstor: Nada… Me agarró fiaca.

    Peralta (*pasmado[7]*): ¿Qué cosa?

25   **Néstor:** Fiaca.

    Peralta: Ah, claro… (*Traga[8] saliva. Pausa.*) Estee…[9] ¿te duele algo?

    Néstor: No, Viejo. Ya te dije: tengo fiaca.

    Peralta: No, yo digo… como te metés en la cama…

    Néstor: ¡Y… la fiaca!

30   **Peralta:** Te agarró así… ¿de golpe?[10]

    Néstor: Más o menos.

    Peralta (*pausa*): En la oficina se comentó mucho.

    Néstor (*sonriente*): Me imagino.

    Peralta: Como es la primera vez que faltás… La Chancha[11] anduvo preguntando.

35   **Néstor** (*seriamente comprensivo*): Lógico.

    Peralta (*no puede creer que Néstor no se alarme*): Se te puede armar una podrida bárbara.[12]

    Néstor (*sin inmutarse[13]*): ¿Te parece?

    Peralta: Digo yo, no sé… Como faltaste sin avisar[14]… así… porque sí nomás…

    Néstor (*ufano[15]*): ¡Y bueno… qué se le va a hacer!

40   **Peralta:** En una de ésas te mandan el médico y… ¿te imaginás?

    Néstor: Claro, claro.

    Peralta: Para mí[16] que se te arma.

    Néstor (*igual*): ¡En fin! Vamos a ver qué pasa.

    Peralta (*se para*): Bueno.

45   **Néstor:** ¿Ya te vas?

    Peralta (*mira su reloj*): Sí. Por ahí demora el colectivo[17] y…

    Néstor (*sale de la cama, serio, sugerente*): ¿Nunca faltaste un lunes?

    Peralta (*escandalizado*): ¡No!

    Néstor (*se acerca*): Tenés que probar. Tiene un gustito de lindo[18]… Todo cambia, se transforma…

50   **Peralta** (*inquieto pero interesado*): ¿Se… transforma?

    Néstor (*necesita alguien con quien compartir la gran aventura*): Sí. ¡Todas las cosas te resultan distintas, nuevas… cualquier pavada, eh! La ves de otra forma… Las sábanas, la ventana… El reloj, el diario, los cigarrillos… Hasta tu cara te parece diferente: ¡te mirás en el espejo y sos otro tipo!

    Peralta (*muy interesado*): ¡No me digas!

55   **Néstor:** Pero tenés que saborearlo[19] con tiempo. El domingo a la noche te acostás y decís: mañana no me levanto nada, me da fiaca levantarme… Entonces agarrás y pones el despertador para que suene —no te olvidés de esto que es muy importante—… Después te dormís lo más tranquilo. A la mañana suena el despertador. El brazo se te mueve solo. Cuando estás por putear, te acordás. ¡Qué placer,[20] viejo! Lo parás, te tapás[21] bien, y seguís durmiendo! (*Nota el efecto de sus palabras.*) ¿Qué tal?

60   **Peralta** (*deslumbrado[22]*): ¿Y después… después qué se siente?

    Néstor: Te sentís más liviano[23]… ¿Viste cuando tomás algo efervescente para eructar? Bueno… ¡igualito, igualito!

    Peralta: ¿No te da miedo?

    Néstor: ¿Vos tenés miedo cuando eructás?

65   **Peralta** (*hace memoria*): No.

---

[4]¡No… *It's not such a big deal!*   [5]*digging into him*   [6]Se… *He dives*   [7]*stunned*   [8]*swallows*
[9]*Ahh…*   [10]¿de… *suddenly?*   [11]La… *nickname given to boss*   [12]*armar… cause big trouble*
[13]*getting upset*   [14]*calling in*   [15]*self-satisfied*   [16]Para… *Seems to me*   [17]*demora… the bus runs late*
[18]Tiene… *It feels good*   [19]*savor it*   [20]*pleasure*   [21]Lo… *You turn it off, you cover up*   [22]*dazzled*
[23]*light*

Néstor: Y bueno.

Peralta: Y no… ¿no te acordás de la Chancha?

Néstor: Para nada.

Peralta: Este… ¿y no pensás en el trabajo pendiente[24]?

Néstor (*carcajada*[25] *irónica*)**:** ¡Dale Peralta…! ¡A vos te interesa tu trabajo? 70

Peralta (*cohibido*[26])**:** No, la verdad que no…

Néstor: ¡Entonces…! (*Cálido.*[27]) Decime… ¿Qué te gustaría hacer?

Peralta: ¿Cómo?

Néstor: ¿Cuál es la cosa que más te gustaría hacer?

Peralta (*avergonzado y al fin*)**:** Bailar… 75

Néstor (*entusiasta*)**:** ¡Sensacional, flaco! ¡Eso sí que vale la pena!

Peralta (*sonriente*)**:** ¿Te parece?

Néstor: ¡Seguro!

Peralta: Lo que pasa es que… No sé bailar.

Néstor: ¿Nunca trataste de aprender? 80

Peralta: Bueno… Una vez fui a un lugar… Pero me resultaba muy difícil, no le agarraba la mano… Además me salía muy caro y entonces…

Néstor: ¡Haberlo sabido antes…![28] ¡Yo te puedo enseñar!

Peralta (*encantado*)**:** ¿Sí?

Néstor: ¡Claro! 85

Peralta: Y decime… ¿Sabés todos los bailes? (*Néstor asiente ampuloso.*[29])

Néstor: ¿A vos cuál te gusta?

Peralta (*con pudor*[30])**:** El tango…

Néstor: ¡Sensacional!

Peralta (*entusiasmado*)**:** ¡¿Sabés bailar el tango?! 90

Néstor (*fanfarrón*[31])**:** ¡Seguro!

Peralta: ¡Qué grande!

Néstor: ¡Esperá! (*Busca en algún lugar.*)

Peralta: ¿Qué vas a hacer?

Néstor: ¡Enseñarte! (*Saca un CD y lo pone en un reproductor.*) 95

Peralta (*mira la hora, se preocupa. Sin convicción, con voz emocionada*)**:** ¡Es tardísimo! ¡Ya no llego ni…!

Néstor: ¡No importa… llegás tarde y listo[32]!

Peralta: ¡No, viejo, la Chancha me va a…! (*Suena un tango. Peralta hipnotizado.*)

Néstor: ¡Escuchá, escuchá qué tango!

Peralta (*olvidándose de todo, fascinado*)**:** ¡Qué divino! 100

Néstor: Fijate, mirá lo que hago. Y uno y dos y tres y cuatro… Y uno y dos y tres y cuatro… ¿Ves? Con la música… siguiendo el compás[33]… ¿Ves qué fácil…? Y uno y dos y tres y cuatro… Dale, hacé lo mismo que yo… (*Peralta se muere de ganas, pero no se atreve.*) ¡Dale! (*Peralta lo imita grotesco.*) ¡Eso, eso…! ¡Muy bien…! Y uno y dos y tres y cuatro… Y uno y dos y tres y cuatro… ¡Bien…! ¡Muy bien! (*Poniéndose delante de Peralta.*) Bueno, ahora hacé de cuenta que soy una mujer. (*Peralta lo mira* 105 *escandalizado. Néstor más cerca.*) ¡Dale, agarrame! (*Peralta se avergüenza.*) ¡Dale, Peralta, sin miedo! (*Le toma una mano, y con la otra, coloca la de Peralta en su cintura*) ¡Vamos… bailá! (*Peralta se anima un poco.*) ¡Así, así…! ¡Bien, Peralta, bien…! ¡muy bien! (*Peralta, arrebatado,*[34] *baila con toda seriedad.*) ¡Bárbaro, Peralta…! ¡Dale, segui…! ¡Segui así!

Peralta: ¡Ché, tan difícil no es! 110

Néstor: ¿Viste?

Peralta (*para y mira la hora*)**:** ¡Uy, Dios, mirá la hora! ¡La Chancha me mata! (*Corre a la puerta.*) ¡Chau, chau, Vignale!

Néstor (*sonriente, le grita sin moverse de su lugar*)**:** ¡A que[35] de chico[36] te gustaba jugar a algo!

Peralta (*paralizado con la mano en el picaporte.*[37] *Vuelve lentamente su cabeza*)**:** ¿Cómo? 115

Néstor (*detiene la música*)**:** De chico… ¿a qué te gustaba jugar?

Peralta (*atrapado*)**:** ¿De chico…? (*Olvida la hora. Le brillan los ojos. Recuerda*) ¡Ja… de chico…!

---

[24]*to be done* [25]*guffaw* [26]*awkward* [27]*Warm* [28]*¡Haberlo… I wish I had known that!*
[29]*flamboyant* [30]*reserve* [31]*boasting, showing off* [32]*it's OK* [33]*rhythm* [34]*captivated*
[35]*A… I'll bet* [36]*de… when you were a kid* [37]*doorknob*

Néstor (*En esta escena debe haber mucha improvisación y más desarrollo*)**:** Yo hacía toda la banda. Yo era el jefe Clark Wilson, y los secuaces[38]: Chiquito Jones, Ricky Sands y Tom Parker. Tenemos que
120 asaltar el Banco de Chicago. (*Como los chicos cuando juegan solos, diferenciando cada personaje. Acento de series dobladas[39] al español.*) Bien, allí está el Banco. ¿Están listos, muchachos? Okey, Jefe, cuando quiera. Tú por allí, Chiquito. Tú, Ricky, por atrás. ¡Sígueme, Tom! ¡Ya! («*Corren» para «entrar» en el banco.*) ¡Nadie se mueva! (*Hace el ruido y el gesto de disparar hacia arriba.*) ¡Todo el mundo al suelo! (*Una seña a los «secuaces».*) ¡Al trabajo, muchachos! (*Dispara furiosamente. Se sacude al recibir varios
125 impactos*) ¡Ah, malditos… me hirieron[40]! (*Suelta[41] el arma y se desploma.[42] Peralta, que siguió fascinado la acción, da un salto y se ubica junto a Néstor para disparar con fiereza[43] su ametralladora[44] con sonido.*) ¡Es un rasguño[45]… ! ¡Huye, Charlie! ¡Te juegas el pellejo![46]
Peralta: ¡No, Clark, moriré a tu lado! (*Dispara con sonidos.*)
Néstor: ¡Eres uno de los míos, Charlie!
130 **Peralta:** ¡Ah, cerdos… me dieron![47] (*Muere*)
Néstor (*se arrastra[48]*)**:** Charlie… ! ¡Ah! (*Estira[49] un brazo y «muere» sobre Peralta. Permanecen «muertos» unos segundos y luego se levantan riendo felices y se palmean.[50]*)
Peralta (*embalado[51]*)**:** ¡Yo, de chico, agarraba el escobillón,[52] me ponía delante del espejo y cantaba! (*Néstor corre a buscar el escobillón.*)
135 **Néstor:** ¡Torná!
Peralta (*lo recibe con gran alegría. Como si fuera un micrófono. Es un cantante*)**:** A continuación, tengo el gusto de presentarles al destacado[53] cantante Rodolfo Peralta… (*Saluda, «agradeciendo» aplausos. Canta fragmento de un bolero. Sonríe, radiante.*)
Néstor (*sincero. conmovido[54]*)**:** ¡Bien, Peralta!
140 **Peralta** (*plácido, todavía sonriente*)**:** La Chancha… (*Recordando. Más serio.*) La Chancha… (*Harrorizado, pasándole el escobillón a Néstor.*) ¡La Chancha!
Néstor (*deseando con el alma que se quede*)**:** Hacete la rata, Peralta!
Peralta (*titubea*)**:** La rata…
Néstor: Hacé como yo: ¡faltá!
145 **Peralta** (*como un chico*)**:** La Chancha me mata si me hago la rata.
Néstor: ¡Mañana inventás cualquier cosa… dale!
Peralta: ¿Y qué digo… ? Tengo que llevar un certificado…
Néstor: ¡No, por un día no hace falta!
Peralta: ¿Y los deberes? ¡Tengo que hacer los deberes!
150 **Néstor:** ¡Qué te importan los deberes!
Peralta: ¡Eh… ! ¡Después me saco insuficiente[55]!

[38]*henchmen* [39]*series… dubbed TV series* [40]*wounded* [41]*He drops* [42]*se… collapses* [43]*se… positions himself* [44]*machine gun* [45]*scratch* [46]¡*Te… You're risking your skin!* [47]*cerdos… bastards . . . they got me!* [48]*se… He drags himself* [49]*He reaches out* [50]*se… they pat each other on the back* [51]*excited* [52]*mop* [53]*outstanding* [54]*moved* [55]*me… I'll get bad grades*

Néstor: ¡Sos maricón, eh! ¡Mirame a mí, que no tengo miedo!

Peralta: ¿Y si te expulsan del colegio?

Néstor: ¡No me importa!

Peralta (*fuera del juego*)**:** No, yo no puedo… no me animo… ¿Sabés una cosa, Vignale? Yo nunca me 155
hice la rata…

Néstor: ¡Yo tampoco… hoy es la primera vez… !

Peralta (*mira la hora, a punto de llorar*)**:** ¡Se me va a armar una! (*Va a la puerta.*)

Néstor (*lo sigue*)**:** ¡No le des el gusto! ¡No vayás!

Peralta: No me atrevo, Vignale. (*Puerilmente asustado.*) ¿Qué les digo ahora? 160

Néstor: ¡No vayás, Peralta… quedate conmigo!

Peralta (*se detiene, exasperado*)**:** ¡No puedo, Vignale… ! ¡Ayudame, inventá algo! ¿Qué le digo a la
Chancha?

Néstor: ¡Te enseño más bailes!

Peralta (*temblando*)**:** ¡Tengo miedo, Vignale! ¿No entendés… ? ¡Ayudame! 165

Néstor: ¡Asaltamos el banco, cantás con el micrófono!

Peralta (*puchereando*[56])**:** ¡La Chancha debe estar hablando de mí… ! ¡Dios mío, ¿qué me irá a hacer?

Néstor: ¡Globalnot[57] no existe, Peralta! ¡Hay un potreré[58]! ¡Está lleno de chicos jugando a la pelota!

Peralta (*grita*)**:** ¡El potrero no está más! ¡Los chicos son tipos como nosotros! ¡Están todos adentro,
trabajando! ¡Y yo no estoy en mi lugar… ! ¿Qué digo, Vignale? ¡Me van a echar… ! ¡Me van a echar… ! 170

Néstor: (*desesperado*)**:** ¡No seas maricón, Peralta! ¡Quedate a jugar conmigo!

Peralta (*grita y se larga*[59] *a llorar*)**:** Yo también quiero jugar! ¡Pero no puedo, no puedo! (*Se abraza a
Néstor sollozando.*[60]) ¡No puedo hacerme la rata!

Néstor: (*conmovido, le apoya una mano en la cabeza; sabe que deberá seguir solo*): Está bien, viejo, está
bien. 175

Peralta (*sosegado*[61])**:** Yo no puedo…

Néstor: Está bien, ya pasó…

Peralta (*hipando, sonándose*[62] *con el pañuelo*)**:** No hay caso, no puedo…

Néstor: Bueno, andá… andá.

Peralta: Chau, Vignale… (*Se va.*) 180

Néstor (*triste*)**:** Chau, Peralata…

*Néstor queda inmóvil, mirando la puerta. Luego se vuelve y avanza a proscenio. Piensa, vacila, teme. Mira
la hora. Se acerca al teléfono, titubea,*[63] *se aparta. Lucha para no ceder.*[64] *De pronto, se encamina decidido a la cama. Se acuesta, enérgico. Incorpora medio cuerpó, flexiona las piernas y cruza las manos sobre
las rodillas. Mira hacia adelante con la cabeza erguida, desafiante.*[65] *Respira hondo y tararea,*[66] *con los* 185
dientes apretados,[67] *con ritmo más lento pero vehemente, la marcha que «tocó» para entrar al baño
cuando decreió «el día de la fiaca».*[68]

[56]*starting to cry* [57]*the company that employs Néstor and Pealta* [58]*field, open lot* [59]*se… really
starts to* [60]*sobbing* [61]*more calm* [62]*hipando… hiccupping, blowing his nose* [63]*hesitates*
[64]*Lucha… He struggles not to give in* [65]*defiant* [66]*hums* [67]*clenched* [68]*la… Refers to the end
of the first act, when Néstor declares "Fiaca Day" and pretends to march and play the trumpet in
a celebratory parade.*

Comprensión

A. Oraciones. Seleccione la respuesta correcta.

1. Néstor y Peralta son _____.
   a. colegas
   b. hermanos
   c. vecinos

2. Peralta visita a Néstor en casa para _____.
   a. comer pizza
   b. pedirle dinero
   c. ver cómo está

3. Peralta no piensa quedarse mucho tiempo porque tiene que _____.
   a. ir al hospital
   b. regresar a la oficina
   c. visitar a otros amigos

4. Néstor le explica a Peralta que falta al trabajo por _____.
   a. una emergencia
   b. enfermedad
   c. la fiaca

5. Peralta se preocupa mucho por la Chancha, su _____.
   a. esposa
   b. hermana
   c. jefa

6. Néstor le enseña a Peralta a _____.
   a. bailar tango
   b. cantar boleros
   c. eructar fuerte

7. Néstor y Peralta juegan _____.
   a. a las cartas
   b. al fútbol
   c. a ladrones y policías

8. Néstor quiere que Peralta se haga la rata, o que _____.
   a. deje de limpiar su casa
   b. se duerma en la oficina
   c. falte al trabajo

B. Interpretación. Conteste con oraciones completas.

1. Néstor y Peralta hacen diferentes actividades durante su visita. ¿Qué significa cada juego o actividad, simbólicamente? ¿Qué revela de la personalidad de cada hombre?

2. ¿Qué quiere Néstor que haga Peralta? ¿Por qué? ¿Cómo se siente Néstor? ¿Por qué no lo hace Peralta? ¿Cómo se siente él?

C. Aplicación. ¿Qué pasa antes o después del Acto IV? Imagínese que Néstor tiene una familia, padres, amigos o compañeros de casa. ¿Cómo responden otros personajes a su ataque de fiaca? Escriba una escena entre Néstor y su esposa, padre u otra persona.

CINEMATECA

Habana Blues

Antes de mirar

- **LA PELÍCULA** *Habana Blues* (2005) narra la historia de un grupo de músicos cubanos que están a punto de ser reconocidos por un público internacional. Algunos ven su música como una oportunidad de viajar fuera de su país, ser famosos y tener las cosas que la vida cubana no puede ofrecerles. Otros confrontan los sacrificios que tendrían que hacer para dedicarse a esta nueva vida. ¿Qué sabe Ud. de Cuba? ¿Cómo es la vida cotidiana para los cubanos? ¿Qué limitaciones existen para ellos a causa de la situación política y económica en Cuba?

- **LA ESCENA** (6:35–9:01) En esta escena un músico (Ruy) y su esposa (Caridad) discuten sobre las decisiones personales que tienen que tomar para mantener a sus dos hijos. ¿Tiene Ud. aspiraciones profesionales o artísticas? ¿Qué tipo de sacrificio haría para realizar sus sueños? ¿Qué haría su familia para apoyarlo/la?

Al mirar

Mire la escena e indique si las afirmaciones son ciertas (**C**) o falsas (**F**).

1. _____ Caridad quiere dedicarse por completo a la artesanía para ganar más dinero.

2. _____ Ella va a continuar sus estudios universitarios mientras trabaja.

3. _____ Ruy y Caridad van a continuar hablando de su decisión al día siguiente, cuando se despierten.

4. _____ Caridad quiere que Ruy trabaje más para apoyar a su familia.

5. _____ Ruy está muy enojado con la decisión de Caridad.

Después de mirar

- Divídanse en grupos de dos o tres estudiantes para hablar de la escena. ¿Es típica de una pareja casada la conversación? ¿Por qué? ¿Qué impresión le da de las familias cubanas y de las decisiones personales que tienen que tomar? ¿Han experimentado Uds. algo igual en su propia vida? Escriban unas frases para resumir sus conclusiones y compártanlas con la clase.

- En muchos países, es difícil tener una carrera profesional como artista, músico / mujer músico o escritor(a). Escríbale una carta a un amigo o amiga que quiere dejar los estudios o el trabajo para dedicarse a su arte por completo (*full-time*). Decida si Ud. está a favor o en contra de la idea y use en su carta un lenguaje persuasivo. Empiece con una lista de sus razones.

- Busque en el Internet más información sobre el arte cubano. ¿Cuáles son los temas que los artistas exploran? ¿Parece ser importante la política en el arte cubano? ¿Y la vida cotidiana? ¿Qué otros temas ve?

APPENDICES

1. Syllabication and Stress

A. SYLLABICATION

- The basic rule of Spanish syllabication is to make each syllable end in a vowel whenever possible.

ci-vi-li-za-do	ca-ra-co-les	so-ñar	ca-sa-do

- Two vowels should always be divided unless one of the vowels is an unaccented **i** or **u.** Accents on other vowels do not affect syllabication.

fe-o	bue-no	ac-tú-e	des-pués
pre-o-cu-pa-do	ne-ce-sa-rio	rí-o	a-vión

- In general, two consonants are divided. Although the **Real Academia Española** no longer considers the consonant combinations **ch, ll,** and **rr** to be single letters, for syllabication purposes they are still treated as such and should never be divided. Double **c** and double **n,** however, *are* separated.

en-fer-mo	ban-de-ra	mu-cha-cha	ac-ci-den-te
doc-to-ra	cas-ti-llo	a-rroz	in-na-to

- The consonants **l** and **r** are never separated from any consonant preceding them, except for **n** and **s.**

ha-blar	a-trás	a-brir	pa-dre	En-ri-que
com-ple-to	is-la	o-pre-si-vo	si-glo	

- Combinations of three and four consonants are divided following the rules above. The letter **s** should go with the preceding syllable.

es-truc-tu-ra	con-ver-tir	ex-tra-ño	obs-cu-ro
cons-tan-te	es-tre-lla	in-fle-xi-ble	ins-truc-ción

B. STRESS

How you pronounce a specific Spanish word is determined by two basic rules of stress. Written accents to indicate stress are needed only when those rules are violated. Here are the two rules of stress.

1. For words ending in a vowel, **-n**, or **-s**, the natural stress falls on the next-to-last syllable. The letter **y** is *not* considered a vowel for purposes of assigning stress.

   ha-blan   pe-*rri*-to   tar-*je*-tas   a-me-ri-*ca*-na

2. For words ending in *any other letter*, the natural stress falls on the last syllable.

   pa-*pel*   di-fi-cul-*tad*   es-*toy*   pa-re-*cer*

If these stress rules are violated by the word's accepted pronunciation, stress must be indicated with a written accent.

   re-li-*gión*   e-*léc*-tri-co   fran-*cés*   ha-*blé*
   ár-bol   *Pé*-rez   *cés*-ped   ca-*rác*-ter

Note that words that are stressed on any syllable other than the last or next-to-last will always show a written accent. Particularly frequent words in this category include adjectives and adverbs ending in **-ísimo** and verb forms with pronouns attached.

   mu-*chí*-si-mo   la-*ván*-do-lo   *dár*-se-las   *dí*-ga-me-lo

Written accents to show violations of stress rules are particularly important when diphthongs are involved. A diphthong is a combination of a weak (**i, u**) vowel and a strong (**a, e, o**) vowel (in either order), or of two weak vowels together. The two vowels are pronounced as a single sound, with one of the vowels being given slightly more emphasis than the other. In all diphthongs the strong vowel or the second of two weak vowels receives this slightly greater stress.

   ai: paisaje   *ue*: vuelve   *io*: rioja   *ui*: fui   *iu*: ciudad

When the stress in a vowel combination does not follow this rule, no diphthong exists. Instead, two separate sounds are heard, and a written accent appears over the weak vowel or the first of two weak vowels.

   a-*í*: país   *ú*-e: acentúe   *í*-o: tío   *ú*-i: flúido

C. USE OF THE WRITTEN ACCENT AS A DIACRITIC

The written accent is also used to distinguish two words with similar spelling and pronunciation but different meaning.

- Nine common word pairs are identical in spelling and pronunciation; the accent mark is the only distinction between them.

dé	*give*	**de**	*of, from*	**sí**	*yes*	**si**	*if*
él	*he*	**el**	*the*	**sólo***	*only*	**solo**	*alone*
más	*more*	**mas**	*but*	**té**	*tea*	**te**	*you*
mí	*me*	**mi**	*my*	**tú**	*you*	**tu**	*your*
sé	*I know*	**se**	*(pronoun)*				

- Diacritic accents are used to distinguish demonstrative adjectives from demonstrative pronouns, although this distinction is disappearing in many parts of the Spanish-speaking world.[†]

---

*Recently, the **Real Academia Española** formally eliminated the requirement for an accent on the adverb **sólo**, so both **sólo** and **solo** are correct. Except for occurrences in authentic texts, *¡Avance!* does not use the accent.

[†]The **Real Academia Española** formally eliminated the requirement for diacritic accents to distinguish demonstrative pronouns from demonstrative adjectives from the Spanish language in 1994. Except for occurrences in authentic texts *¡Avance!* does not use the accent.

aquellos países	those countries	**aquéllos**	those ones
esa persona	that person	**ésa**	that one
este libro	this book	**éste**	this one

■ Diacritic accents are placed over relative pronouns or adverbs that are used interrogatively or in exclamations.

cómo	how	**como**	as, since	**por qué**	why	**porque**	because
dónde	where	**donde**	where	**qué**	what	**que**	that

2. Spelling Changes

In general, Spanish has a far more phonetic spelling system than many other modern languages. Most Spanish sounds correspond to just one written symbol. Those that can be written in more than one way are of two main types: those for which the sound/letter correspondence is largely arbitrary and those for which the sound/letter correspondence is determined by spelling rules.

A. In the case of arbitrary sound/letter correspondences, writing the sound correctly is mainly a matter of memorization. The following are some of the more common arbitrary, or *nonpatterned*, sound/letter correspondences in Latin American Spanish.

SOUND	SPELLING	EXAMPLES
/b/ + *vowel*	b, v	barco, ventana
/y/	y, ll, i + *vowel*	haya, amarillo, hielo
/s/	s, z, c	salario, zapato, cielo
/x/ + e, i	g, j	general, gitano, jefe, jinete

Note that, although the spelling of the sounds /y/ and /s/ is largely arbitrary, two patterns occur with great frequency.

1. /y/ Whenever an unstressed **i** occurs between vowels, the **i** changes to **y.**

leió → leyó   creiendo → creyendo   caieron → cayeron

2. /s/ The sequence **ze** or **zi** is rare in Spanish. Whenever a **ze** or **zi** combination would occur in the plural of a noun ending in **z** or in a conjugated verb (for example, an **-e** ending on a verb stem that ends in **z**), the **z** changes to **c.**

luz → luces   voz → voces   empez- +é → empecé   taza → tacita

B. There are three major sets of *patterned* sound/letter sequences.

SOUND	SPELLING	EXAMPLES
/g/	g, gu	gato, pague
/k/	c, qu	toca, toque
/gʷ/	gu, gü	agua, pingüino

1. /g/ Before the vowel sounds /a/, /o/, and /u/, and before all consonant sounds, the sound /g/ is spelled with the letter **g**.*

gato   gorro   agudo   grave   gloria

Before the sounds /e/ and /i/, the sound /g/ is spelled with the letters **gu**.

guerra   guitarra

2. /k/ Before the vowel sounds /a/, /o/, and /u/, and before all consonant sounds, the sound /k/ is spelled with the letter **c**.

casa   cosa   curioso   crystal   club   acción

Before the sounds /e/ and /i/, the sound /k/ is spelled with the letters **qu**.

queso   quitar

3. /g^w/ Before the vowel sounds /a/ and /o/, the sound /g^w/ is spelled with the letters **gu**.

guante   antiguo

Before the sounds /e/ and /i/, the sound /g^w/ is spelled with the letters **gü**.

vergüenza   lingüista

These spelling rules are particularly important in conjugating, because a specific consonant sound in the infinitive must be maintained throughout the conjugation, despite changes in stem vowels. It will help if you keep in mind the patterns of sound/letter correspondence rather than attempt to conserve the spelling of the infinitive.

/ga/ = **ga**	lle*ga*r	/ge/ = **gue**	lle*gue* (*present subjunctive*)
/ga/ = **ga**	lle*ga*r	/ge/ = **gué**	lle*gué* (*preterite*)
/gi/ = **gui**	se*gui*r	/go/ = **go**	si*go* (*present indicative*)
/gi/ = **gui**	se*gui*r	/ga/ = **ga**	si*ga* (*present subjunctive*)
/xe/ = **ge**	reco*ge*r	/xo/ = **jo**	reco*jo* (*present indicative*)
/xe/ = **ge**	reco*ge*r	/xa/ = **ja**	reco*ja* (*present subjunctive*)
/g^wa/ = **gua**	averi*gua*r	/g^we/ = **güe**	averi*güe* (*present subjunctive*)
/ka/ = **ka**	sa*ca*r	/ke/ = **qué**	sa*qué* (*preterite*)

3. Verb Conjugations

The chart on pages A-5 – A-7 lists common verbs whose conjugations include irregular forms. The chart lists only those irregular forms that cannot be easily predicted by a structure or spelling rule of Spanish. For example, the irregular **yo** forms of the present indicative of verbs such as **hacer** and **salir** are listed, but the present subjunctive forms are not, since these forms can be consistently predicted from the present indicative **yo** form. For the same reason, irregular preterites are listed, but not the past subjunctive, since this form is based on the preterite. Affirmative **tú** commands are listed, but not **Ud.** or **Uds.** commands (affirmative or negative), since these are identical to the present subjunctive forms for those persons. Some spelling irregularities, such as **busqué**, are also omitted, since these follow basic spelling rules (Appendix 2).

Note the use of color to call out stem and spelling changes and irregular verbs. Many verbs in this chart serve as models of other verbs with the same irregularities.

---

*Remember that before the sounds /e/ and /i/ the *letter* **g** represents the *sound* /x/: **gente**, **lógico**.

Infinitive	Indicative					Present Subjunctive	Affirmative tú Command	Participles	
	Present	Imperfect	Preterite	Future	Conditional			Present	Past
abrir									abierto
andar			anduve						
caber	quepo		cupe	cabré	cabría				
caer	caigo								
conducir	conduzco		conduje						
conocer	conozco								
construir	construyo		construí construiste construyó construimos construisteis construyeron					construyendo	
creer			creí creíste creyó creímos creísteis creyeron					creyendo	
cubrir									cubierto
dar	doy		di diste dio dimos disteis dieron			dé			
decir	digo dice dices decimos decís dicen		dije dijeron	diré	diría		di	diciendo	dicho
errar	yerro yerras yerra erramos erráis yerran								
escribir									escrito
estar	estoy		estuve			esté			
haber	he has ha hemos habéis han		hube	habré	habría	haya			

Infinitive	Indicative					Present Subjunctive	Affirmative tú Command	Participles	
	Present	Imperfect	Preterite	Future	Conditional			Present	Past
hacer	hago		hice hizo	haré	haría		haz		hecho
ir	voy vas va vamos vais van	iba	fui fuiste fue fuimos fuisteis fueron			vaya	ve	yendo	
morir	muero mueres muere morimos morís mueren		morí moriste murió morimos moristeis murieron					muriendo	muerto
oír	oigo oyes oye oímos oís oyen		oí oíste oyó oímos oísteis oyeron					oyendo	oído
oler	huelo hueles huele olemos oléis huelen								
pedir	pido pides pide pedimos pedís piden		pedí pediste pidió pedimos pedisteis pidieron						
pensar	pienso piensas piensa pensamos pensáis piensan								
poder	puedo puedes puede podemos podéis pueden		pude	podré	podría			pudiendo	
poner	pongo		puse	pondré	pondría		pon		puesto
querer	quiero quieres quiere queremos queréis quieren		quise	querré	querría				

Infinitive	Indicative					Present Subjunctive	Affirmative tú Command	Participles	
	Present	Imperfect	Preterite	Future	Conditional			Present	Past
reír	río ríes ríe reímos reís ríen		reí reíste rio reímos reísteis rieron			ría rías ría riamos riais rían		riendo	reído
romper									roto
saber	sé		supe	sabré	sabría	sepa			
salir	salgo			saldré	saldría		sal		
sentir	siento sientes siente sentimos sentís sienten		sentí sentiste sintió sentimos sentisteis sintieron					sintiendo	
seguir	sigo sigues sigue seguimos seguís siguen		seguí seguiste siguió seguimos seguisteis siguieron					siguiendo	
ser	soy eres es somos sois son	era	fui fuiste fue fuimos fuisteis fueron			sea	sé		
tener	tengo tienes tiene tenemos tenéis tienen		tuve	tendré	tendría		ten		
traducir	traduzco		traduje tradujeron						
traer	traigo		traje trajeron						
valer	valgo			valdré	valdría				
venir	vengo vienes viene venimos venís vienen		vine	vendré	vendría		ven	viniendo	
ver	veo	veía	vi						visto
volver	vuelvo vuelves vuelve volvemos volvéis vuelven								vuelto

4. Prepositional Pronouns

A. FORMS OF PREPOSITIONAL PRONOUNS

mí	nosotros/as
ti	vosotros/as
Ud., él, ella	Uds., ellos, ellas

With the exception of the first- and second-person singular forms (**mí, ti**), the prepositional pronouns are the same as the subject pronouns. They are used when preceded by **para, por, a, de, en, sin,** and most other prepositions. The preposition and pronoun together form a prepositional phrase.

¿Piensas mucho **en ella**?	*Do you think of her a lot?*
Toma, es **para ti.**	*Take it, it's for you.*

When **mí** or **ti** occurs with **con,** the special forms **conmigo** and **contigo** are used.

Lo siento, pero no puedo ir **contigo**.	*I'm sorry, but I can't go with you.*

Note that the prepositions **según** and **entre** are always used with subject pronouns.

Según tú, el partido fue aburrido, ¿verdad?	*According to you, the game was boring, right?*
Entre tú y yo, él es un imbécil.	*Between you and me, he's an idiot.*

B. USES OF PREPOSITIONAL PRONOUNS

Third-person indirect-object pronouns may have more than one meaning: **le** = *to you, to him, to her;* **les** = *to you all, to them.* This ambiguity is often clarified by using a prepositional phrase with **a.**

Le doy el libro	{ a **él.** { a **ella.**	*I'm giving the book* { to him. { to her.
Les escribo	{ a **Uds.** { a **ellos.**	*I'm writing* { to you all. { to them.

The prepositional phrase with **a** is also used with object pronouns for emphasis.

Me da el libro a **mí,** no a **ella.**	*He's giving the book to me, not to her.*

5. Possessive Adjectives and Pronouns

Spanish possessive adjectives have two forms: a short form that precedes the noun and a long form that follows it.

A. POSSESSIVE ADJECTIVES THAT PRECEDE THE NOUN*

English possessive adjectives (*my, his, her, your;* and so on) do not vary in form. Spanish possessive adjectives, like all adjectives in Spanish, agree in number with the noun they modify—that is, with the *object possessed.* The possessive adjectives **nuestro** and

---

*The forms of the Spanish possessive adjectives appear in the **¿Recuerda Ud.?** box on page 112, **Capítulo 4.**

vuestro agree in gender as well. These forms of the possessive adjective always precede the noun.

Mi coche es viejo.	*My car is old.*
Mis coches son viejos.	*My cars are old.*
Nuestra abuela falleció el año pasado.	*Our grandmother passed away last year.*
Nuestros tíos viven in New Jersey.	*Our aunt and uncle live in New Jersey.*

Since **su(s)** can express *his, her, its, your,* and *their,* ambiguity is often avoided by using a prepositional phrase with **de** and a pronoun object. In this case, the definite article usually precedes the noun.

El padre de él se sentó al lado de **la madre de ella** y viceversa.	*His father sat next to her mother and vice versa.*
Así que su coche venía por esta calle. ¿Y **el coche de él**?	*So, your car was coming up this street. And what about his car?*

B. POSSESSIVE ADJECTIVES THAT FOLLOW THE NOUN

EMPHATIC POSSESSIVE ADJECTIVES

	Singular		Plural	
	Masculine	Feminine	Masculine	Feminine
mine	mío	mía	míos	mías
your (informal)	tuyo	tuya	tuyos	tuyas
your (formal) } *his* *her*	suyo	suya	suyos	suyas
our	nuestro	nuestra	nuestros	nuestras
your (pl. informal)	vuestro	vuestra	vuestros	vuestras
your (pl. formal) } *their*	suyo	suya	suyos	suyas

The long, or emphatic, possessive adjectives are used when the speaker wishes to emphasize the possessor rather than the thing possessed. Note that all these forms agree in both number and gender and that they always follow the noun, which is usually preceded by an article.

José es **un amigo mío.**	*José is a friend of mine.*
Mi cartera está en la mesa; **la cartera tuya** está en el estante.	*My wallet is on the table; your wallet is on the bookcase.*

Compare the preceding sentences, in which emphasis is given to the possessor, with the following sentences expressed with the nonemphatic possessives.

José es **mi amigo.**	*José is my friend.* (more emphasis on *friend*)
Mi cartera está en la mesa; **tu mochila** está en el estante.	*My wallet is on the table; your backpack is on the bookcase.* (more emphasis on the item)

C. POSSESSIVE PRONOUNS

Whenever a noun is modified by an adjective or an adjective phrase, the noun can be omitted in order to avoid repetition within a brief context (one or two sentences). In such an instance, the definite article and the adjective or adjective phrase are left standing alone.

Prefiero el café regular sobre **el** (café) **descafeinado.**	*I prefer regular coffee over decaf (coffee).*
Los jóvenes de este país, como **los** (jóvenes) **de otras partes del mundo,** a veces tienen problemas con sus padres.	*Young people in this country, like those (the young people) in other parts of the world, sometimes have problems with their parents.*

When possessive adjectives stand for nouns, the emphatic form is used, preceded by the appropriate definite article.

Mi disfraz es más impresionante que **su disfraz.** → Mi disfraz es más impresionante que **el suyo.**	*My costume is more impressive than her costume.* → *My costume is more impressive than hers.*
Su presentación y **nuestra presentación** recibieron un premio. → Su presentación y **la nuestra** recibieron un premio.	*Their presentation and our presentation received a prize.* → *Their presentation and ours received a prize.*
Su foto se encontró mezclada con **mis fotos.** → Su foto se encontró mezclada con **las mías.**	*His photo was found mixed in with my photos.* → *His photo was found mixed in with mine.*

The definite article is usually omitted after forms of **ser.**

—¿**Es tuyo** ese libro?	*—Is that book yours?*
—No, no **es mío.** Será de Ramón.	*—No, it isn't mine. It must be Ramón's.*

6. Demonstrative Adjectives and Pronouns

A. DEMONSTRATIVE ADJECTIVES

To indicate the relative distance of objects from the speaker, English has two sets of demonstrative adjectives: *this/these* for objects close to the speaker and *that/those* for objects farther away. English has two corresponding place adverbs: *here* and *there.* In Spanish, there are three sets of demonstrative adjectives: **este, esta, estos/as** for this/these, **ese, esa, esos/as** for that/those (near), and **aquel, aquella, aquellos/as** for that/those (far).

If **libro** is the noun being described, the phrase **este libro** indicates a book near the speaker: **este libro, aquí. Ese libro** indicates a book away from the speaker but close to the person addressed: **ese libro, allí.* Aquel libro, allí (allá)** indicates a book that is at a distance from both the speaker and the person addressed. These relationships are indicated in the following diagram.

***Ese libro** can also indicate a book away from both speakers. **Aquel libro** would then indicate a book even farther away from both speakers.

X speaker (**este libro** que yo tengo **aquí**)

Y listener (**ese libro** que tú tienes **allí**)

Z third location (far) away from both speaker X and listener Y (**aquel** libro **allá**)

B. DEMONSTRATIVE PRONOUNS

You can replace demonstrative adjectives and nouns with demonstrative pronouns to avoid unnecessary repetition by following the pattern that you have already seen with adjectives and possessive constructions (Appendix 5). Like demonstrative adjectives, demonstrative pronouns agree with the noun in number and gender. Note that demonstrative pronouns can be accented on the stressed syllable.*

Este coche es de mi padre y **ese coche** es de mi madre. → Este coche es de mi padre y **ese (ése)** es de mi madre.	_This car is my father's and that car is my mother's → This car is my father's and that one is my mother's._
Esta mujer es mi madre y **aquellas mujeres** son mis tías. → Esta mujer es mi madre y **aquellas (aquéllas)** son mis tías.	_This woman is my mother and those women are my aunts. → This woman is my mother and those are my aunts._

C. NEUTER DEMONSTRATIVE PRONOUNS

The neuter pronouns **esto, eso,** and **aquello** refer to concepts or processes that have no identifiable gender. The neuter forms are also used to ask for the identification of an unknown object. They have no written accent.

No comprendo **esto.**	_I don't understand this (concept, idea, action, etc.)._
Voy al laboratorio todos los días y **eso** me ayuda.	_I go to the lab every day, and that (going there often) helps me._
¿Qué es **esto**?	_What is this?_

7. _Tener_ and _hacer_ Expressions

In addition to **ser** and **estar,** Spanish uses the verbs **tener** and **hacer** to express the concept of _to be._

Tener combines with certain nouns that are usually expressed with _to be_ + _adjective_ in English.

tener _____ años	_to be _____ years old_
cuidado/prisa	_careful / in a hurry_
éxito/suerte	_successful/lucky_
frío/calor	_cold/hot_
hambre/sed/sueño	_hungry/thirsty/sleepy_
miedo/vergüenza	_afraid/embarrassed_
razón (no tener razón)	_right (to be wrong)_

---

*The **Real Academia Española** formally eliminated the requirement for accents distinguishing demonstrative pronouns from demonstrative adjectives in 1994. With the exception of their use in authentic texts, _¡Avance!_ uses the unaccented forms.

Another common **tener** expression is **tener ganas de** + *infinitive,* which expresses English *to feel like* + *present participle.*

Tengo ganas de dormir.   *I feel like sleeping.*

Weather conditions expressed with *to be* in English are usually expressed with **hacer** in Spanish.

Hace (mucho) frío/calor/fresco.	*It is (very) cold/hot/cool.*
sol/viento.	*sunny/windy.*
Hace (muy) buen tiempo.	*It is (very) nice out.*
mal tiempo.	*The weather is (very) bad.*

Verbs that refer to precipitation, such as **nevar (ie), llover (ue),** and **lloviznar,** are conjugated only in the third-person singular. There is no **hacer** expression to describe these conditions.

Nieva mucho en Colorado.	*It snows a lot in Colorado.*
Llueve ahora, pero antes sólo **lloviznaba.**	*It's raining now, but before it was only drizzling.*

8. Answers to Select Activities

Capítulo 1

Gramática 1 Autoprueba

1. los   **2.** la   **3.** las   **4.** el   **5.** Las   **6.** el

Gramática 2 Autoprueba

1. falsa   **2.** francesas   **3.** primeros   **4.** estupendo   **5.** irresponsables   **6.** típico   **7.** malos
8. mexicana

Gramática 3 Autoprueba

1. está   **2.** es   **3.** están   **4.** son   **5.** está   **6.** es, somos   **7.** estamos   **8.** Eres

Gramática 4 Autoprueba

1. Suelo   **2.** conocemos   **3.** oigo   **4.** duerme, duermo   **5.** pertenece   **6.** extraña
7. nos divertimos   **8.** almuerzas

Gramática 5 Autoprueba

1. las   **2.** la   **3.** los   **4.** me   **5.** nos   **6.** te   **7.** lo

Un poco de todo C

1. son   **2.** están (estamos)   **3.** Es   **4.** las   **5.** considera   **6.** expresa   **7.** son   **8.** producen   **9.** causan   **10.** muchos   **11.** intentamos   **12.** estamos   **13.** un   **14.** es   **15.** son   **16.** comprenden (comprendemos)   **17.** vive   **18.** forma   **19.** hay   **20.** grandes   **21.** hay   **22.** son

A leer

Lectura cultural

Comprensión y expansión

Possible Answers   **1.** Se forman por los medios de comunicación y de las personas que viajan al extranjero.   **2.** de la televisión, el cine, la música, la radio y los periódicos y revistas   **3.** Tienen familias numerosas. Las mujeres se visten de colores vívidos. Pasan toda la noche bailando y tomando.   **4.** Todos los días comen hamburguesas, pizza y pollo frito. Son arrogantes. Solo manejan coches deportivos.   **5.** Que somos organizados, respetamos las leyes, somos trabajadores, cumplidos y trabajadores.

Del mundo hispano Parte 1

Comprensión

1. No corresponde a ningún pasaje específico sino al tiempo que iba a hacer cuando llegó el vagabundo.   **2.** Corresponde al pasaje cuando llegó el vagabundo a la posadera para pedirle hospitalidad a Mariana.   **3.** No corresponde a ningún pasaje específico sino al marido de Mariana que va todas las semanas a la aldea para vender sus mercancías. **4.** Corresponde al pasaje en el que las dos empleadas de la posada vuelven de la huerta cuando empieza a llover.   **5.** Corresponde a la escena cuando Mariana salió a la huerta después de encontrar al vagabundo en su cocina la próxima mañana.

Del mundo hispano Parte 2

Vocabulario para leer: ¿Cierto o falso?

1. comercio (F: No hace mención de esto en la primera parte.)   **2.** azotar (F: No durmió tranquilamente.)   **3.** desesperada (C)   **4.** piedad, hosco, temible (F: El vagabundo se aprovecha de la posadera.)   **5.** aldea (F: Dice que se quedará «un tiempo».)

Comprensión A

1. Su casa era ancha y grande. C   **2.** Desde la llegada del vagabundo, ella estaba contenta y tranquila. F   **3.** Antonio era hosco y temido; además tenía 14 años más que ella. C   **4.** Ella era joven y guapa. C   **5.** Constantino era un simple aparcero y estaba enamorado de ella también. C   **6.** El señor posadero tenía motivos para permitir esto. C   **7.** Ninguno de ellos tenía la conciencia pura. C

Capítulo 2

Gramática 6 Autoprueba

1. hablan   **2.** usa   **3.** oye   **4.** aprende, enseñan   **5.** fomenta

Gramática 7 Autoprueba

1. les   **2.** nos   **3.** me   **4.** le   **5.** te   **6.** les

Gramática 8 Autoprueba

1. me la, te la   **2.** nos lo, se lo   **3.** se las   **4.** se la   **5.** te lo, lo

Gramática 9 Autoprueba

1. permitían   **2.** acompañaban   **3.** veíamos   **4.** comía   **5.** pasaba   **6.** íbamos/iban

Gramática 10 Autoprueba

1. se peina   **2.** se mira   **3.** afeitarse   **4.** bañar   **5.** quitarse   **6.** nos vemos   **7.** despertar **8.** se compra

Un poco de todo B

1. son   **2.** están   **3.** son   **4.** son   **5.** están   **6.** ser   **7.** están   **8.** Es   **9.** son

A leer

Lectura cultural

Comprensión y expansión

1. En parte porque muchos inmigrantes que llegan a este país tienen ascendencia indígena.   **2.** Porque muchos argentinos tienen raíces europeas, de Francia, Alemania, Suiza, España e Italia.   **3.** los inmigrantes europeos a la Argentina en 1880, los inmigrantes jamaiquinos a Costa Rica en 1870 y los inmigrantes japoneses al Perú en 1899   **4.** la inmigración en búsqueda de libertad religiosa, la inmigración forzada (esclavos) y la inmigración para escaparse de la persecución política.

Del mundo hispano

Aproximaciones al texto: Personajes

1. Un personaje de otra época, porque los mitos y las leyendas no suelen ser muy realistas.   **2.** Un personaje que representa solo una o dos características porque los mitos y leyendas simplifican los elementos del cuento.   **3.** Un personaje que es totalmente bueno o malo porque los personajes representan lo bueno o lo malo.   **4.** Un personaje estereotípico porque debe representar lo bueno o lo malo.

Vocabulario para leer: Oraciones

1. época, llena, llantos   **2.** leyenda, fantasma   **3.** rostro   **4.** se atrevieron   **5.** se paraba   **6.** su raza   **7.** traicionó   **8.** ahogado

Comprensión

A. 1. b   **2.** a   **3.** c   **4.** a   **5.** c   **6.** a, d   **7.** b   **8.** b   **9.** a   **10.** b   **11.** a, d   **12.** b   **13.** a   **14.** b   **15.** a, d   **16.** c   **17.** b   **18.** a

Capítulo 3

Gramática 11 Autoprueba

1. me preocupa   **2.** nos molesta   **3.** les cae   **4.** les interesa   **5.** le disgustan   **6.** les gustan   **7.** me importa

Gramática 12 Autoprueba

1. se vistió   **2.** Se puso   **3.** sirvió   **4.** dieron   **5.** salió   **6.** se encontraron   **7.** llegaron   **8.** saludaron   **9.** prometió   **10.** se despidieron   **11.** se fueron   **12.** comenzaron

Gramática 13 Autoprueba

Possible Answers   **1.** Raúl Castro llegó a ser dictador hace X años. / Hace X años que Fidel Castro cedió su presidencia a su hermano Raúl.   **2.** México se independizó de España hace X años. / Hace X años que México se independizó de España.   **3.** Juan Carlos es rey de España desde hace X años. / Hace X años que Juan Carlos es rey de España.   **4.** Evita Perón murió hace X años. / Hace X años que Evita Perón murió.
5. La ciudad de Santo Domingo fue fundada hace más de 500 años. / Hace más de 500 años que la ciudad de Santo Domingo fue fundada.

Gramática 14 Autoprueba

1. manejaba   **2.** oí   **3.** me di   **4.** podía   **5.** Logré   **6.** bajé   **7.** pasaba   **8.** Tenía   **9.** Abrí   **10.** tenía   **11.** había   **12.** se detuvo   **13.** preguntó   **14.** podía   **15.** expliqué   **16.** era   **17.** invitó   **18.** fuimos   **19.** regresamos   **20.** ayudó   **21.** Estaba

Gramática 15 Autoprueba

1. Los padres de Gloria, que (quienes) viven en Nueva York, son de Puerto Rico.
2. Nuestra casa, que se encuentra en la esquina de la próxima calle, es roja.   **3.** Teresa hablaba del vecino que (a quien) no conocíamos.   **4.** Pablo me compró un anillo de diamantes que vimos en la tienda.   **5.** Rosalva ya comió los chocolates que le compré.

Un poco de todo C

Possible Answers

O'H: Bueno, estudiantes, es hora de entregar la tarea de hoy. Todos tenían que escribirme una breve composición sobre la originalidad, ¿no es cierto? ¿Me *la* escribieron?

J: Claro. Aquí tiene Ud. *la mía.*

O'H: Y Ud., Sra. Chandler, ¿también hizo *la* tarea?

CH: Sí, *la* hice, profesor O'Higgins, pero no la tengo aquí.

O'H: Ajá. Ud. *la* dejó en casa, ¿verdad? ¡Qué original!

CH: No, no *la* dejé en casa. Sucede que mi hijo tenía prisa esta mañana, el coche se descompuso y mi marido *lo* llevó al garaje.

O'H: Ud. me perdona, pero no veo la relación. ¿Me *la* quiere explicar?

CH: Bueno, anoche, después de escribir la composición, *la* puse en mi libro como siempre. Esta mañana salimos, mi marido, mi hijo y yo, en el coche. Siempre dejamos a Paul —mi hijo— en su escuela primero, luego mi marido me deja en la universidad y entonces él continúa hasta su oficina. Esta mañana, como le dije, mi hijo tenía mucha prisa y cogió mi libro con *los suyos* cuando bajó del coche. Desgraciadamente no vi que cogió *el mío*. Supe que *lo* cogió cuando llegamos a la universidad. Como ya era tarde, no pude volver a la escuela de mi hijo. Así que mi marido se ofreció a buscarme el libro. Pero el coche se descompuso y…

O'H: Bueno, Ud. me *la* puede traer mañana, ¿no?

CH: Sin duda, profesor.

A leer

Lectura cultural

Comprensión y expansión

1. Son más numerosas y conocidas. **2.** «Comimos unos platos deliciosos hechos de una especie de cacto.» (d) «Hubo música, y varios bailes o danzas.» (a, b, c) «Cocinaron la comida en una barbacoa.» (a, b) «Compré unas figuritas de animales hechos de la planta.» (c) «Sirvieron las cebollas con una salsa muy rica.» (a) «Cada año celebran la pesca en ese pueblo.» (b) «Tocaron una música bellísima en el órgano grande.» (d) «Es una celebración divertida que ocurre en el verano.» (b, c)

Del mundo hispano

Comprensión

A. 1. cabía, agradaba (C) **2.** quería, fueron, se llevaron (C) **3.** respondió (F: Mamá Elena se enojó y salió.) **4.** había, desistió (C) **5.** se cambió (C) **6.** pidió, se sentía (F: Pedro le pidió a Mamá Elena la mano de Tita.)

Capítulo 4

Gramática 16 Autoprueba

1. Deje de fumar. **2.** Duerma siete u ocho horas por noche. **3.** Coma menos dulces.
4. No tome tanto. **5.** Evite el estrés. **6.** Consulte conmigo más frecuentemente.

Gramática 18 Autoprueba

1. recuerden **2.** asistan **3.** hagan **4.** coma **5.** salgamos **6.** tenga **7.** encontremos
8. te laves

Gramática 19 Autoprueba

1. Come… No comas… **2.** Viaja… No viajes… **3.** Sal… No salgas… **4.** Acuéstate…
No te acuestes… **5.** Ponte… No te pongas… **6.** Camina/Toma… No camines/tomes…
7. Escucha/Mira… No escuches/mires…

Un poco de todo C

1. era **2.** parecía **3.** llegaron **4.** estoy **5.** le dijo **6.** recibió **7.** quien **8.** decidió
9. tenía (tuve) **10.** me gustaba (me gustó) **11.** me dijo **12.** corto **13.** quería
14. que **15.** me puse **16.** salí **17.** hacía **18.** estaba **19.** caminamos (caminábamos)
20. comenzó **21.** me preguntó **22.** era **23.** me escuchaba **24.** tenía **25.** volvió
26. lo visitaba **27.** le pedía **28.** vez

A leer

Lectura cultural

Comprensión y expansión

Possible Answers **1.** Tiene que ver con las responsabilidades y el apoyo entre los miembros de una familia extendida. **2. a** no tradicional **b.** tradicional **c.** tradicional **d.** no tradicional **e.** tradicional **f.** no tradicional

Del mundo hispano

Vocabulario para leer: Oraciones

1. febril **2.** se besan **3.** herida **4.** presentir **5.** teme **6.** plazo **7.** el alma

Comprensión A

1. el amante **2.** la muerte de su amada **3.** Eran amantes. **4.** Era inquieta y ansiosa. Presentía su muerte y la brevedad de su tiempo con su amante. **5.** Quería darle eternidad con sus besos y su alma con cada abrazo. **6.** El poeta no podía comprender la ansiedad de su amante. Esta comprendía y presentía que no tenían mucho tiempo juntos. **7.** Se siente triste ahora. Parece arrepentirse de no haberla comprendido.

Capítulo 5

Gramática 20 Autoprueba

1. Lo que **2.** quien / la que / la cual **3.** que / la que / la cual **4.** que **5.** que / los que / los cuales **6.** quienes / que / los que / los cuales **7.** que / el que / el cual

Gramática 21 Autoprueba

1. Nunca hay invitados… **2.** Roberto ya no tiene el reloj… **3.** No había nadie en la calle… **4.** No conozco a ningún escritor… **5.** No encontramos ninguna foto de Elena… **6.** Nuestros padres nunca salen… / Nuestros padres no salen a pasear nunca. **7.** No me gusta ni el tango ni el merengue. **8.** ¡Ah! Tampoco me gusta la salsa.

Gramática 22 Autoprueba

1. representa **2.** haya **3.** va **4.** puedan **5.** acabe **6.** acepten **7.** siga

Un poco de todo C

1. sea **2.** pasar **3.** Escuche **4.** sea **5.** Compre **6.** se la prepare **7.** se la lave **8.** se preocupe **9.** se lo haga **10.** empiece

A leer

Lectura cultural

Comprensión y expansión

1. Es parecida. **2.** Llueve más allí que en cualquier otra parte del mundo. (b) Se cultiva mucho la papa. (a) Se ven ranchos en tierras llanas como en Tejas. (d) Hay una cantidad reducida de oxígeno en el aire. (a) Se mina el cobre mucho en este lugar. (b) Tiene volcanes activos en su cordillera. (e) Allí existen plantas y animales que no se ven en ninguna otra zona. (c) Esta región agrícola se extiende por Argentina y Uruguay. (d) Elaboran suéteres de lana para llevar y exportar. (a) Llueve menos allí que en cualquier otra parte del mundo. (b)

Del mundo hispano

Aproximaciones al texto: Una introducción. Paso 2

1. una máquina **2.** IWM mil **3.** reducido **4.** suficiente **5.** igual **6.** superior **7.** antiguos **8.** sin **9.** placer **10.** salir de un apuro **11.** inmediatamente **12.** los mismos **13.** eran necesarias

Comprensión A

1. esas instituciones eran anticuadas y ya no era necesaria la educación   **2.** usar la IWM mil   **3.** contenía todo el saber humano y todos los conocimientos de las bibliotecas, los libros y los museos   **4.** solo se contentaba con tenerla cerca   **5.** la pérdida de la creatividad   **6.** estaban al límite de tolerancia para pastillas estimulantes   **7.** encontrar la IWM mil   **8.** los miran con desconfianza   **9.** seres horribles, los árboles   **10.** quitarse la ropa

Capítulo 6

Gramática 23 Autoprueba

1. has estudiado, he podido   **2.** han dado, ha besado   **3.** ha observado, han salido **4.** Han/Habéis visto, hemos ido   **5.** has encontrado, hemos hecho

Gramática 24 Autoprueba

1. haya esperado   **2.** haya demorado   **3.** hayan limpiado   **4.** haya dado   **5.** haya servido   **6.** se haya derretido   **7.** se haya acabado   **8.** hayan dejado

Gramática 25 Autoprueba

1. pague   **2.** haya   **3.** da, tiene   **4.** haya   **5.** cueste, sea   **6.** usa   **7.** interesan   **8.** esté

Un poco de todo C

1. levanté la cabeza   **2.** vi   **3.** estaba   **4.** pensaba en eso   **5.** Sabía   **6.** podía   **7.** grité **8.** salí corriendo   **9.** pensaba   **10.** llegué a casa   **11.** abrí   **12.** salía   **13.** me preguntó **14.** respondí   **15.** sonrió   **16.** explicó   **17.** venía   **18.** le gustaba   **19.** Quise   **20.** tenía **21.** dije   **22.** necesitaba   **23.** conocía   **24.** pudo   **25.** le dije   **26.** no éramos   **27.** hacías **28.** quería   **29.** Nos poníamos de acuerdo   **30.** me miró   **31.** sugirió   **32.** volvió **33.** balbuceé   **34.** no había remedio

A leer

Lectura cultural

Comprensión y expansión

Possible Answers   **1.** Cristina Fernández de Kirchner (la Argentina), Michelle Bachelet (Chile), Laura Chinchilla (Costa Rica), Dilma Rousseff (el Brasil). Otras mujeres: Isabel Perón (la Argentina), Violeta Chamorro (Nicaragua)   **2.** El alto nivel de educación que reciben las prepara para la política y la globalización y las comunicaciones las mantiene al corriente de la política internacional.   **3.** Había muchos gobiernos autoritarios.   **4.** Se han creado comisiones parlamentarias para asuntos de mujeres y sistemas de cuotas.

Del mundo hispano

Aproximaciones al texto: ¿Masculino o femenino?

Possible Answers   **1.** M   **2.** M   **3.** F   **4.** M   **5.** F   **6.** M   **7.** F   **8.** M   **9.** F   **10.** M

Vocabulario para leer: Connotaciones y dibujos

Possible Answers **Paso 1. 1.** el carnicero, la paliza, tosco   **2.** la cinta, el collar, la lágrima, la mariposa, el pendiente, la plata, soñadora   **3.** convidar, salvar, el lujo   **4.** aborrecer, amenazar, dar pena, odiar, el cansancio, la paliza, borracho/a, celoso/a, desdichado/a, estrafalario/a, necio/a, tosco/a **Paso 2. 1.** F   **2.** F   **3.** F   **4.** F

	Lugar en que está(n)	Características físicas	Características sicológicas y emocionales	Sueños e ideales
Rosamunda	el tren	vieja y delgada	soñadora y charlona	artista del teatro
el soldado	el tren	alto y pálido	curioso y simpático	
los hijos	(no Florisel) en casa (Florisel) muerto	(Florisel) pálido y delgado	(las hijas) descaradas y necias (el otro hijo) bruto (Florisel) interesado y curioso	(Florisel) su madre
el marido	en casa		bruto; autoritario; abusa física y sicológicamente de su esposa con palizas y gritos	hacer lo que quiera

Capítulo 7

Gramática 26 Autoprueba

1. fue **2.** Usé **3.** me encontré **4.** llegaron **5.** me puse **6.** resolví **7.** Decidí **8.** fue **9.** empezaron **10.** tuvo **11.** recibió **12.** pidió

Gramática 27 Autoprueba

1. quiera **2.** sea **3.** sepa **4.** hable **5.** tenga **6.** siga **7.** trabaje **8.** vaya **9.** ofrezca **10.** se quede

Gramática 28 Autoprueba

1. se pusiera **2.** llevara **3.** se vistiera **4.** usara **5.** se quitara **6.** dejaran **7.** regresara **8.** tuviera **9.** se preocuparan

Gramática 29 Autoprueba

1. conocieran **2.** acabe **3.** tenga **4.** contestan **5.** vivan **6.** quería **7.** podía **8.** son

Un poco de todo C

1. vinieron **2.** llegaron **3.** es **4.** significó **5.** se llamaba **6.** debía **7.** daba **8.** necesitaba **9.** recibía **10.** había **11.** tuvieran **12.** Era **13.** produjeran **14.** se cultivaban **15.** pudiera **16.** odiaban **17.** les imponían **18.** se convirtieron

A leer

Lectura cultural: Comprensión y expansión

1. Las personas deben tratarse con atención y respeto, tratarse de Ud. y usar títulos de respeto. **2.** Porque es descortés empezar las negociaciones sin primer hacer preguntas de interés personal y familiar. **3.** Un ejemplo es comunicar malas noticias indirectamente en vez de comunicarlas directa y bruscamente, como lo suelen hacer los norteamericanos. **4.** la China, la India, Rusia e Irán; Todos deben tener en cuenta las diferencias culturales.

Del mundo hispano
Aproximaciones al texto: La metáfora extendida

	¿Cuándo ocurre?	¿Qué denotaciones temporales hay?
Nivel 1	la edad moderna	la televisión un meteorólogo el zoológico
Nivel 2	los tiempos bíblicos	el barco grande la mujer y sus tres hijos el hecho de meter todos los muebles y animales en el barco la sugerencia de que lloverá por muchos días

Es una recreación humorística de un episodio de la Biblia. El humor proviene del hecho de referirse a Dios como un gran meteorólogo, de la revelación lenta del nivel bíblico y de la percepción por parte de los lectores de que el narrador no tiene idea del destino que le espera.

Vocabulario para leer: Relaciones léxicas

1. Centroamérica es como la cintura de las tres Américas por su lugar y forma.   **2.** Las frutas del racimo se cocinan para hacer la mermelada.   **3.** La compañía multinacional tiene que desembarcar en otros países para establecerse en ellos.   **4.** Muchos religiosos creen que uno renace espiritualmente cuando se bautiza.   **5.** Las comidas jugosas atraen a las moscas.   **6.** Las compañías norteamericanas formaron un tipo de dictadura en la «Banana Republic».

Capítulo 8

Gramática 30 Autoprueba

1. cambiaran   **2.** terminar   **3.** pueda   **4.** negocie   **5.** animar   **6.** rece   **7.** estuvieron
8. construyan

Gramática 31 Autoprueba

1. por   **2.** para   **3.** para   **4.** Para   **5.** por   **6.** por, para   **7.** por

Gramática 32 Autoprueba

1. calentarse   **2.** Se van a invertir / Van a invertirse / Se invertirán   **3.** se casaron
4. se escriben   **5.** se oponga   **6.** se convirtieron   **7.** se quedaron, se enfermaran
8. se despertara   **9.** se asustan

Gramática 33 Autoprueba

1. se alegran, estén / se alegraron, estuvieran   **2.** se enojaron, intervinieron   **3.** Salimos
(*presente*), llegan / Saldremos, lleguen / Salimos (*pretérito*), llegaron   **4.** buscaba, cubriera
5. sorprende, cueste / sorprendió / costara   **6.** dio, se perdieran   **7.** salió, supieran
8. dijo, tuviera

Un poco de todo C

1. hace muchísimos años   **2.** fuera   **3.** se reunieron   **4.** habló   **5.** necesitamos
6. vean   **7.** apareció   **8.** habitaran   **9.** devoraron   **10.** destruyeron   **11.** pusieron
12. empezaran   **13.** admiraran   **14.** devastaron   **15.** de los que   **16.** pudieron
17. tuviera   **18.** la cual (que)   **19.** cubrió   **20.** decidieron   **21.** Sabían   **22.** iban
23. hicieran   **24.** se preparaban   **25.** se arrojaron   **26.** descubrieron   **27.** vivieran
28. arrojó   **29.** estaba   **30.** me den   **31.** se arrojaron   **32.** comió

A leer

Lectura cultural

Comprensión y expansión

1. Es una persona que ejerce métodos alternativos tradicionales de medicina.   **2.** Eran prácticas tradicionales, con especialistas en diferentes aspectos, por ejemplo, plantas medicinales y tratamiento de males espirituales.   **3.** Cuando curaban el alma del paciente, se pedía la intervención de los dioses.   **4.** Tejían la ropa con símbolos especiales para garantizar la buena salud u otro beneficio, como la fertilidad o una vida sin desastres naturales.   **5.** Investigan los atributos de algunas de estas plantas para ver si se pueden ofrecer la cura de alguna enfermedad «incurable».

Del mundo hispano

Vocabulario para leer: Oraciones

1. afeite   **2.** espuma   **3.** aturdido   **4.** colgado   **5.** clandestino   **6.** mancharse   **7.** pulida   **8.** comprobarlo

Comprensión A

a. 1: cuelguen   **b.** 5: cometa   **c.** 3: está   **d.** 2: afeite   **e.** 4: pueda   **f.** 6: matar

Capítulo 9

Gramática 34 Autoprueba

1. Se construyó la fortaleza en el siglo XVIII.   **2.** Se perdieron las costumbres después de la llegada de los europeos.   **3.** Se ha rechazado la oferta.   **4.** Muchas joyas han sido descubiertas en la isla.   **5.** Muchos robos fueron cometidos en esa zona de la ciudad.   **6.** La ciudad fue fundada en 1757.

Gramática 35 Autoprueba

1. están   **2.** fue   **3.** estoy   **4.** están   **5.** fue   **6.** fue   **7.** fueron   **8.** está

Gramática 36 Autoprueba

1. a   **2.** en   **3.** En   **4.** a   **5.** a   **6.** en   **7.** a, a   **8.** en   **9.** en

Un poco de todo C

1. Hace veinte años   **2.** por   **3.** parecía   **4.** tiene   **5.** se ven   **6.** Es   **7.** ayudó   **8.** es   **9.** tienen   **10.** Por   **11.** se presta (se prestó)   **12.** que   **13.** para   **14.** está   **15.** Hace poco   **16.** fueron exhibidas   **17.** por   **18.** se realizó   **19.** para   **20.** es acogido   **21.** se dirigen   **22.** son   **23.** que   **24.** había   **25.** se encuentra

A leer

Lectura cultural

Comprensión y expansión

1. Dicen que resisten aprenderlo y que esto resultará en la fragmentación del país.   **2.** Es importante que los hispanohablantes reciban instrucción en español para no atrasarse en sus estudios.   **3.** La dificultad lingüística que tienen en la escuela.   **4.** Para el 70 por ciento de la segunda generación, el español es su segundo idioma, y la tercera generación usa el español poco o nunca. Algunos dicen que el gran número de hispanohablantes en el país contradice estas estadísticas.   **5.** Conservar el español puede ser oportuno a la hora de buscar trabajo en este mundo de mercados globales.

Del mundo hispano

Vocabulario para leer: Los antónimos

1. chillar   **2.** grueso   **3.** jalar   **4.** de súbito   **5.** hartarse de

Comprensión A

1. varios   **2.** el padre de la narradora y el nene-niño   **3.** Mamacita   **4.** Mamacita
5. Mamacita   **6.** la narradora y Rachel   **7.** la narradora   **8.** el padre de la narradora
9. el hombre   **10.** el hombre

Capítulo 10

Gramática 38 Autoprueba

1. habría   **2.** sería   **3.** tendría   **4.** Entraría   **5.** daría   **6.** Esperaría   **7.** iríamos
8. verificaría   **9.** Subiríamos   **10.** seguiría   **11.** aprobarán   **12.** Estaré   **13.** Saldré
14. Podré   **15.** tendré

Gramática 39 Autoprueba

1. tomara, tendría   **2.** fumaran, toserían   **3.** Podrías, comieras   **4.** Estaría, tomara
5. Compra, pasas   **6.** hace, iremos/vamos

Gramática 39 Autoprueba

1. más, que   **2.** menos, que   **3.** mayor, que   **4.** tan, como   **5.** más, de   **6.** más, de
7. tantas, como   **8.** tanto, como   **9.** mejor, que

Un poco de todo C

1. se oyen   **2.** se organizan   **3.** que   **4.** apoye   **5.** causan   **6.** afirman   **7.** fueran
eliminadas (se eliminaran)   **8.** empieza   **9.** acompaña   **10.** conocen   **11.** Se compra
12. se consume   **13.** es   **14.** es   **15.** mantener   **16.** afecta   **17.** causa   **18.** provoca
19. produzca

A leer

Lectura cultural

Comprensión y expansión

1. las telenovelas; Se ven en los Estados Unidos y en todos los países hispanos.
2. Típicamente hay una en la sala en una casa hispana.   **3.** Suele ser una actividad
para toda la familia, que se reúne en la sala para ver programas juntos.

Del mundo hispano

Comprensión A

1. Víctor recordaba con desdén su infancia en un pueblo árido de calles estrechas.
2. Víctor no se llevaba bien con sus padres ni con sus hermanos y compañeros de clase
y en sus fotos alteradas, cambió las imágenes de sus padres y borró a sus hermanos.
3. A Víctor le fascinan los personajes bonitos del cine y de los deportes.   **4.** Se obsesiona
por alterar imágenes porque es tan fácil hacer.   **5.** Estaba muy contento con su imagen
alterada y se la mostraba a todos con orgullo.   **6.** Víctor quería a su esposa cada vez
menos.   **7.** Víctor les mostraba sus fotos alteradas a todos.   **8.** La hija de Víctor se enojó
cuando descubrió las imágenes alteradas y sustituyó la de su padre con una imagen
intocada.

Capítulo 11

Gramática 41 Autoprueba

1. habías llamado   **2.** habían salido   **3.** había anunciado   **4.** habíamos violado
5. habían asesinado

Gramática 42 Autoprueba

1. hayan venido   **2.** hubiera castigado   **3.** haya llegado   **4.** hubiera visto   **5.** haya
dicho   **6.** hubiera roto   **7.** hayan detenido

Gramática 43 Autoprueba

1. haya ofrecido **2.** se vaya **3.** escogiera **4.** gustara **5.** estudiara **6.** hubiera aceptado **7.** compartamos **8.** visite

Un poco de todo C

1. para **2.** Tanto Yogi como Mark (Yogi tanto como Mark) **3.** que **4.** han trabajado **5.** hacen **6.** sino **7.** son **8.** utiliza **9.** entrenados **10.** colaborar **11.** perdidas **12.** por **13.** se han usado los perros (los perros han sido usados) **14.** se establecieron **15.** para **16.** se desarrolla **17.** aprenden **18.** sean **19.** las repitan **20.** lleguen a ser (se hagan) **21.** sea entrenado por **22.** obedezca **23.** será **24.** que **25.** cuidar **26.** se establezcan **27.** los dos (ambos) **28.** no serán **29.** sino

A leer
Lectura cultural
Comprensión y expansión

1. Pueden votar en las elecciones, manejar e inscribirse en el servicio militar. No pueden tomar bebidas alcohólicas. **2.** En general, se puede votar a los 18 años. En muchos países hispanohablantes, no es solo un derecho sino un deber. **3.** En países hispano-hablantes, generalmente es legal consumir alcohol a los 18 años, pero típicamente, no es una ley que hacen cumplir. Los jóvenes pueden conseguir alcohol fácilmente a los 15 ó 16 años. **4.** Dependiendo del país, entre los 16 y 18 años. Muchos no la consiguen porque los requisitos son muy exigentes y menos familias tienen coches en los países hispanohablantes.

Del mundo hispano
Vocabulario para leer: Oraciones

1. b. **2.** a **3.** a **4.** c **5.** a **6.** b **7.** b **8.** c **9.** b **10.** a **11.** b **12.** a **13.** c **14.** c **15.** b

Comprensión A

1. F **2.** C **3.** C **4.** F **5.** F **6.** F **7.** C **8.** C **9.** C **10.** F

Capítulo 12

Gramática 44 Autoprueba

1. Me he divertido **2.** dije **3.** me especializara **4.** tuviera **5.** estudie **6.** interese **7.** se enamoró **8.** rompió **9.** se preocupaba **10.** relajarse **11.** escucha **12.** vivamos **13.** he conocido / conocí **14.** extrañaría **15.** Veremos

Gramática 45 Autoprueba

1. está durmiendo **2.** estaba comiendo **3.** están viendo **4.** esté lloviendo **5.** estará tocando **6.** Estuvimos limpiando **7.** está haciendo **8.** esté hablando

Gramática 46 Autoprueba

1. Vivir / El vivir **2.** esperar **3.** gritar / que gritaba **4.** durmiendo **5.** decidirse **6.** Repetir / El repetir **7.** que habla **8.** estudiar / que estudiaba **9.** cocinar **10.** que describía

Un poco de todo C

1. Mira **2.** es **3.** por **4.** vean (veamos) **5.** conozcan (conozcamos) **6.** que **7.** tenga **8.** lo haré **9.** Lo que **10.** entiendo **11.** hacerlo **12.** Debes de darte cuenta **13.** habrás **14.** tendrás **15.** hacer **16.** puedas **17.** es **18.** Me siento **19.** me he sentido **20.** vine **21.** por **22.** que (quienes) **23.** tenga **24.** especializo **25.** quería (quiere) **26.** me hiciera (me haga) **27.** He **28.** he **29.** estén **30.** hay **31.** has **32.** sea **33.** estabas **34.** ser **35.** consiste **36.** lo que **37.** sino **38.** lo que **39.** haya **40.** hayas **41.** vas **42.** seas **43.** (el) estudiar **44.** sea **45.** pero **46.** fuera **47.** se harían (nos haríamos) **48.** Ríete **49.** he

A leer

Lectura cultural

Comprensión y expansión

1. Porque muchas compañías estadounidenses querían saber qué hacen los hispanos en su tiempo libre.   **2.** Las familias norteamericanas no siempre pasan su tiempo libre juntos, sino que cada uno participa en actividades que él o ella prefiere. Las familias hispanas prefieren pasar su tiempo libre juntos, en los parques, casa de familiares o amigos, etcétera.   **3.** El excursionismo y el montañismo son actividades más individuales, no familiares. Las familias prefieren hacer *picnic* o visitar atracciones naturales en los parques.

Del mundo hispano

Vocabulario para leer: Relaciones léxicas

Paso 1. 1. b   **2.** g   **3.** h   **4.** a   **5.** f   **6.** d   **7.** e   **8.** c **Paso 2. 1.** e   **2.** g   **3.** b   **4.** c   **5.** a   **6.** d   **7.** f **Paso 3. 1.** a   **2.** e   **3.** h   **4.** d   **5.** f   **6.** b   **7.** g   **8.** c

Comprensión A

1. a   **2.** c   **3.** b   **4.** c   **5.** c   **6.** a   **7.** c   **8.** c

This vocabulary does not include exact or close cognates of English. Also omitted are certain common words well within the mastery of second-year students such as cardinal numbers, articles, pronouns, possessive adjectives, and so on. Adverbs ending in **-mente** and regular past participles are not included if the root word is found in the vocabulary or is a cognate. Terms are generally defined according to their use(s) in this text.

The gender of nouns is given except for masculine nouns ending in **-l, -o, -n, -e, -r,** and **-s,** and feminine nouns ending in **-a, -d, -ión,** and **-z.** Nouns with masculine and feminine variants are listed when the English correspondents are different words (*grandmother, grandfather*): in most cases, however, only the masculine form is given (**abogado, piloto**). Adjectives are given only in the masculine singular form. Based on the **Real Academia Española**'s 1994 decision, the letter combinations **ch** and **ll** are no longer treated as separate letters and are alphabetized accordingly. Irregular verbs found in the verb charts of **Apéndice 3** are set all in color: **andar.** Verbs with stem changes or spelling changes in the *present tense* show the **yo** form of the present tense in parentheses with stem-vowel or spelling changes indicated in color: **sentarse (me siento); conocer (conozco); escoger (escojo); actuar (actúo).** Verbs with changes in the third person *preterite* and the *present participle* show the stem vowel (**i** or **u**) in parentheses after the present tense **yo** form: **preferir (prefiero) (i); morirse (me muero) (u).** Verbs with any other spelling changes in the first person *preterite* or *present subjunctive* show the change in parentheses: **buscar (qu); pagar (gu); empezar (empiezo) (c); averiguar (ü).**

The following abbreviations are used in this vocabulary.

abbrev.	abbreviation	*inf.*	infinitive
adj.	adjective	*interj.*	interjection
adv.	adverb	*inv.*	invariable
anot.	anatomy	*m.*	masculine
coll.	colloquial	*n.*	noun
conj.	conjunction	*pl.*	plural
f.	feminine	*p.p.*	past participle
fig.	figurative	*prep.*	preposition
gram.	grammar	*s.*	singular

A

a at; to; **a caballo** on horseback; **a medida que** as, at the same time as; in proportion to; according to; **a su modo** in his/her own way

abajo *adv.* below; **calle abajo** down the street; **hacia abajo** downward

abalorio glass bead

abandonar to leave, abandon

abanico fan

abarcar (qu) to include

abeja bee

abierto (*p.p. of* **abrir**) open; opened

abismo abyss

abnegado self-denying, unselfish

abogado lawyer; **abogado defensor** defense attorney

abogar (gu) to advocate

abono fertilizer

abordar to address

aborrecer (aborrezco) to hate, abhor

aborto abortion

abrazar(se) (c) to hug (each other)

abrazo hug

abrelatas *m. s., pl.* can opener

abreviatura abbreviation

abrigo overcoat; shelter

abrir (*p.p.* **abierto**) to open: **abrir el paso a** to make way for

abrochar to button up, fasten

absoluto absolute; **en absoluto** not at all

absorber to absorb

absorto: estar absorto to be entranced, amazed

abundar to abound

abuela grandmother

abuelo grandfather; *pl.* grandparents

aburrido bored; boring

aburrir to bore

abusivo abusive

abuso abuse

acá (over) here; **acá y allá** here and there

acabar to end, finish; **acabar con** to put an end to; **acabar de** + *inf.* to have just (*done something*); **acabarse** to run out of

academia academy

académico academic

acampar to camp

acaparar to hoard

acariciar to caress

acaso perhaps, maybe, perchance

acatar to obey

acceso access; **tener acceso a** to have access to

accidente accident

acción action; stock, share of stock; **Día** (*m.*) **de Acción de Gracias** Thanksgiving Day; **entrar en acción** to take action

accionista *m., f.* stockholder

acelerar to speed up, accelerate

aceptable acceptable

aceptar to accept

acera sidewalk

acerca de about, concerning, with regard to

acercarse (qu) (a) to approach, draw near (to)

acero steel

acertado pertinent

achatado *adj.* flat

achinado Chinese-like

aclamar to acclaim

aclarar to clarify, clear up

acogedor welcoming

acoger (*like* **coger**) to welcome

acogida *n.* welcome

acometer to attack; to rush upon

acomodar to place; to adapt, accommodate; **acomodarse** to find oneself a seat; to settle into a comfortable position

acompañar to accompany

aconsejar to advise

acontecer (acontezco) to happen, occur

acontecimiento event, happening

acordarse (me acuerdo) to remember

acostar (acuesto) to put to bed; **acostarse** to lie down; to go to bed

acostumbrarse (a) to become accustomed (to)

acotación annotation (*theater*)

acrobacias *pl.* acrobatics

actitud attitude

activar to activate

actividad activity

activista *n. m., f.* activist

activo active

acto act; ceremony

actriz actress

actual current, present-day

actualidad: en la actualidad at the present time, currently

actualmente at present, now

actuar (actúo) to act, behave

acudir to come; **acudir a** to turn to, resort to

acuerdo agreement, pact; **de acuerdo con** in accordance with; **estar de acuerdo** to be in agreement; **ponerse de acuerdo** to come to an agreement

acumular to accumulate, amass

acunar to cradle

acurrucarse (qu) to hunker, squat on one's haunches

acusado *n.* accused

acusar to accuse

adaptación adaptation

adaptarse (a) to adapt (to)

adecuado appropriate

adelantar to move forward

adelante: de ahora en adelante from now on; **salir adelante** to get ahead

adelanto *n.* advance; **adelanto de la técnica** technological advance

adelgazar (c) to lose weight

ademán *n.* gesture

además (de) in addition (to)

adentro *adv.* inside, indoors

adherencia bond, connection; membership

adhesivo: tira adhesiva adhesive strip; bandage

adicción addiction

adición addition

adicto *adj.* addicted

adiestramiento training

adinerado wealthy, well-to-do

adivinar to guess

adjetival: cláusula adjetival *gram.* adjective clause

adjetivo *gram.* adjective

administración administration; **administración de empresas** business administration

admiración admiration

admirador admirer

admirar to admire

admisible admissible

admitir to admit

adolescencia adolescence

adolescente adolescent

¿adónde? where (to)?

adoptación adoption

adoptar to adopt

adorado adored

adormecido sleepy

adornar to adorn

adquirido: síndrome de inmunodeficiencia adquirida (SIDA) acquired immune deficiency syndrome (AIDS)

adquirir (adquiero) to acquire

adulterio adultery

adulto adult

adverbio *gram.* adverb

adversario adversary

advertencia warning

advertir (advierto) (i) to tell, inform

aéreo *adj.* air; **controlador aéreo** air-traffic controller

aeróbico *n. pl.* aerobics; *adj.* aerobic

aeropuerto airport

afabilidad affability

afanarse to work, toil

afearse to become ugly

afectar to affect

afecto affection

afeitar(se) to shave (oneself); **cuchilla de afeitar** razor blade

afición hobby

aficionado *n.* fan; *adj.* enthusiastic; fond

afilado pointed

afiliación affiliation

afirmación statement

afirmar to state

afirmativo affirmative

afligido sorrowful, grieving

afortunado fortunate
africano *adj.* African
afroamericano *n., adj.* African American
afrocubano *adj.* Afrocuban
afrontar to face, confront
afuera *adv.* outside, outdoors; *n. pl.* suburbs, outskirts
agacharse to crouch; to squat
agarrar to grab, get hold of; **agarrarle la mano a** to get the hang of (*something*)
agencia agency
agente *m., f.* agent; **agente de cambio y bolsa** stockbroker; **agente doble** double agent; **agente secreto** secret agent
agitación agitation; shaking
agitar to stir; to shake
agnosticismo agnosticism
agnóstico *n.* agnostic
agobiado overwhelmed
agónico agonizing
agonizante agonizing
agotamiento using up, exhaustion
agradable pleasant
agradar to please
agradecer (agradezco) to thank
agravar to aggravate, make worse
agraz: en agraz quite short
agregar (gu) to add
agresividad aggressiveness
agrícola *m., f.* agricultural
agricultor farmer
agrupar to group, assemble
agua *f.* (*but* **el agua**) water; **agua corriente** running water; **agua potable** drinking water
aguantar to put up with
aguardar to await
agudizar (c) to heighten, sharpen
agudo acute, extreme
águila *f.* (*but* **el águila**) eagle
aguja needle; syringe
agujero hole
ahí there
ahijado godchild
ahogar(se) (gu) to drown
ahogo oppresion
ahora *adv.* now; **ahora mismo** right now; **ahora que** *conj.* now that; **de ahora en adelante** from now on
ahorrar to save
ahorros savings; **cuenta de ahorros** savings account
aire air
aislado isolated
aislamiento isolation
aislar to isolate
¡ajá! *interj.* aha!
ajedrez *m.* chess
ajeno a unaware of
ajo garlic
ajustado tight-fitting
ajustar to adjust; to tighten

ajuste adjustment
ala *f.* (*but* **el ala**) wing
alargarse (gu) to lengthen
alarma alarm
alarmado alarmed
alarmante alarming
alarmarse to become alarmed
alba *f.* (*but* **el alba**) dawn
albañil mason
albedrío (free) will
albergar (gu) to harbor; to shelter
albergue *n.* shelter
alcachofa artichoke
alcalde mayor
alcaldía mayor's office
alcance *n.* reach; **estar al alcance** to be within reach
alcanzar (c) to reach
alcoba bedroom
alcohólico alcoholic; **Alcohólicos Anónimos** Alcoholics Anonymous
aldea village, town
alegar (gu) to allege
alegrar to make happy; **alegrarse (de)** to get happy (about)
alegre happy
alegría happiness
alejado distant
alejarse to leave
alemán *n.* German
Alemania Germany
alentador encouraging
alerto alert
aletear to flutter
alfabetización literacy
alfarería pottery (*making*)
alfarero potter
algo something; *adv.* somewhat
algún, alguno some; **algun día** someday; **alguna vez** sometime; once; ever (*with a question*); **algunas veces** sometimes
aliado ally
alianza alliance
alimentación food
alimentar to feed
alimenticio *adj.* food
alimento *n.* food
alisar to smooth (out)
alistar(se) to get (oneself) ready
aliviado relieved
aliviar to alleviate, relieve
alivio relief
allá (over) there; **acá y allá** here and there; **el más allá** the hereafter, life after death; **más allá** further; **más allá de** beyond
allegado follower, supporter
allí there
alma *f.* (*but* **el alma**) soul
almacén store, department store
almacenar to store
almorzar (almuerzo) (c) to eat lunch

almuerzo lunch
alquiler *n.* rent
alrededor de *adv.* around, about
alterar to alter
alternar to alternate
alternativa *n., adj.* alternative
altillo loft, attic
altiplano high plateau
altivez pride
altivo proud
altura height
alto tall; high; **en alta mar** *s.* on the high seas; **en voz alta** in a loud voice; aloud
altruista *n. m., f.* altruist; *adj.* altruistic
altura height; altitude
alucinógeno *n.* hallucinogen; *adj.* hallucinogenic
aludir (a) to allude (to), refer (to)
alumno student
alusión allusion
alzado constucted
alzar (c) to raise, lift
amable kind
amado *n.* loved one
amamantar to nurse
amanecer *n.* dawn
amanecer (amanezco) to dawn; to wake up
amante *m., f.* lover
amar to love
amargar (gu) to make bitter
amargo bitter
amarillo yellow
amarrado tied, bound
amasar to knead
amazónica: Selva Amazónica Amazon Forest/Jungle
ambición ambition
ambicioso ambitious
ambiental environmental
ambientalista *m., f.* environmentalist
ambiente atmosphere; **medio ambiente** environment
ámbito ambit, scope, realm
ambos both
ambulante: vendedor ambulante street vendor
amenaza threat
amenazar (c) to threaten
ameno pleasing, pleasant
americano *n., adj.* American; **fútbol americano** football
ametralladora machine gun
amigo friend
amistad friendship
amnistía amnesty
amo/a (*f., but* **el ama**) master; **amo/a de casa** homemaker
amonestación admonition, warning
amonestar to warn
amontonado piled up
amor love
amoroso *adj.* love

amparar to help
ampliar (amplío) to extend
anacrónicamente anachronistically
anacronismo anachronism
analfabetismo illiteracy
analfabeto illiterate
análisis analysis
analizar (c) to analyze
ancho wide
anciana old woman
anciano *n.* old man; *adj.* old, ancient
andamio scaffold
andar to walk
andén platform (*train station*)
andino *adj.* Andean
andrajoso ragged
ángel angel
anglicano *n., adj.* Anglican
angloamericano *n., adj.* Anglo-American
anglohablante *adj.* English-speaking
angloparlante *adj.* English-speaking
anglosajón *n.* Anglo-Saxon
ángulo angle
angustia anguish
anillo ring; **anillo de compromiso** engagement ring; **anillo de diamantes** diamond ring
animado animated
animar to encourage; **animarse** to become enlivened; to get one's courage up
ánimo spirit; intention; courage
aniversario anniversary
anoche last night
anochecer (anochezca) to grow dark
anónimo anonymous; **Alcohólicos Anónimos** Alcoholics Anonymous; **S.A.** *abbrev. of* **sociedad anónima** corporation (Inc.)
anotar to make a note of
ansia *f.* (*but* **el ansia**) yearning
ansiedad anxiety
ansioso anxious
ante *prep.* before, in front of, in the presence of; **ante todo** above all
antecedentes *pl.* background, record
antemano: de antemano beforehand
antena antenna; **antena parabólica** satellite TV
antepasado ancestor
anterior *adj.* previous; prior; **al día anterior** (on) the previous day; **año anterior** previous year; **mes anterior** previous month
antes *adv.* before; **antes de** before; **antes (de) que** *conj.* before
anticipación anticipation
anticipado: por anticipado in advance
anticipar to anticipate
anticonceptivo *adj.* contraceptive
anticuado antiquated
antifantasma *adj., inv.* antighost, ghostbusting

antiguo old; ancient; former
antiyanqui anti-American
antónimo antonym
antropología anthropology
anual annual, yearly
anudar to tie, knot
anular to annul
anunciar to announce
anuncio announcement; advertisement; commercial
añadir to add
año year; **año anterior** previous year; **año escolar** school year; **año pasado** last year; **cada año** every year; **cumplir... años** to turn ... years old; **hace... años** ... years ago; **tener... años** to be ... years old; **todos los años** every year
apagado shut off; listless; faded
apagar (gu) to blow out (*candles*); to turn off (*a light*)
Apalaches *m. pl.* Appalachians (*mountains*)
aparato appliance; apparatus, machine
aparcero sharecropper
aparecer (aparezco) to appear
apariencia appearance
apartamento apartment
aparte separate; **aparte de** apart from; **hoja de papel aparte** separate sheet of paper
apasionado passionate
apellido family name, surname
apenas hardly
apertura opening
apestar to stink
apetitoso appetizing
apilado piled, stacked
aplacar (c) to assuage
aplastar to crush, squash
aplaudir to applaud
aplauso applause
aplicable applicable
aplicación application
aplicado studious
aplicar (qu) to apply
apoderarse (de) to take power (over)/control (of)
aportación contribution
aportar to bring; to contribute
aporte contribution
apostar (apuesto) to bet
apostólico apostolic
apoyar to support
apoyo *n.* support
apreciar to hold in esteem, think well of
aprecio esteem
aprender to learn; **aprender de memoria** to memorize
aprendiz apprentice
aprendizaje learning; apprenticeship
apresurarse to hurry
apretado tight; thick (*beard*)

apretar to squeeze, press
aprobación approval
aprobar (apruebo) to approve
apropiado appropriate, correct
aprovechar to make use of; **aprovecharse (de)** to take advantage (of)
aproximadamente approximately
aproximado approximate
aproximarse to approach
aptitud aptitude
apto suitable
apuesto handsome
apuntar to write down
apuntes *pl.* notes
apurado *adj.* hurried, rushed
apuro haste; tight spot; **sacar (qu) de un apuro** to get out of a pinch
aquel, aquella *adj.* that (over there); *pron.* that one (over there); **en aquel entonces** back then
aquello that, that thing
aquí here
árabe *n.* Arab
arbitrario arbitrary
árbol tree; **tala de árboles** logging
archivo archive, file
arcilla clay; **arcilla cocida** fired clay
arco arch
ardiente: capilla ardiente funeral chapel
arena sand
arete earring
argentino *n., adj.* Argentine, Argentinian
argumento reasoning; argument
árido dry
arista edge
arma *f.* (*but* **el arma**) weapon; **arma de fuego** firearm
armado armed
armar una podrida *coll.* to cause trouble; **armársele una** to get in trouble
armazón frame
armonía harmony
arquitecto architect
arquitectura architecture
arrabal suburb; outskirts
arraigado deeply rooted
arraigarse (gu) to become entrenched
arrancar (qu) to start (*a motor*); to move out, rush forward
arranque *m.* fit (of anger)
arrasar to devastate, destroy
arrastrar(se) to drag (onself)
arreglar to arrange
arremolinar to whirl around
arrepentido regretful
arrepentirse de to regret
arrestado arrested
arresto arrest
arriba *adv.* above; **boca arriba** face up; **calle arriba** up the street; **hacia arriba** upward
arribar to reach port, arrive

arrodillar to kneel down
arrogante arrogant
arrojar(se) to throw, fling (oneself)
arroyo stream
arroyuelo brook
arroz *m.* rice
arruga wrinkle
arruinar to ruin, destroy
arte *f. (but* **el arte**) art
artesanal *adj.* pertaining to handicrafts
artesanía handicrafts
artículo article
artificial artificial; **fuegos artificiales** fireworks; **preservativo artificial** artificial preservative
artilugio gadget, contraption
artista *m., f.* artist
artístico artistic
asa *f. (but* **el asa**) handle
asado roasted
asaltar to attack
asalto attack, assault
ascendencia ancestry
ascender (a) to amount (to)
ascensor elevator
asco: dar asco to disgust, sicken
asegurar to assure, guarantee
asemejarse to resemble
asentar (asiento) to sharpen
asesinar to murder
asesinato murder
asesino murderer
así *adv.* so, thus, in this/that manner; **así como** as well as; **así que** *conj.* so, then
asiático *adj.* Asian
asiento seat
asignar to assign
asimilación assimilation
asimilarse to become assimilated
asimismo in a like manner, in the same way, likewise
asir to take hold of
asistencia attendance; assistance; **asistencia médica** health benefits
asistente *m., f.* assistant; **asistente de vuelo** flight attendant
asistir to attend
asociación association
asociado: estado libre asociado commonwealth
asociar to associate
asomarse to look or lean out
asombrado surprised
asombro astonishment
asombroso surprising
asopao de pollo *a spicy, brothy soup from Puerto Rico composed mainly of rice and chicken*
aspecto appearance; aspect
áspero sour
aspiración aspiration, goal
aspirante *m., f.* candidate

aspirar (a) to aspire (to); to inhale
aspirina aspirin
astrología astrology
astucia cunning, shrewdness
astuto astute
asumir to assume (*responsibilities*)
asunto matter, affair, issue
asustar to frighten; **asustarse** to become frightened
atacar (qu) to attack
ataque attack; **ataque al corazón** heart attack
atar to tie
atardecer late afternoon
ateísmo atheism
atemorizar (c) to scare; **atemorizarse** to become scared
atención attention; **prestar atención** to pay attention
atender (atiendo) to take care of; to wait on; to attend to
atenerse (like tener) to be guided by; to depend on
atentamente attentively
atento attentive
ateo atheist
aterrador frightening
aterrorizar (c) to terrify, frighten
atestado crammed
atinar to manage (to)
atípico atypical
Atlántico: Océano Atlántico Atlantic Ocean
atleta *m., f.* athlete
atlético athletic
atracar to hold up, mug
atracción: parque de atracciones amusement park
atraco hold-up, mugging
atractivo *n.* attraction; *adj.* attractive
atraer (like traer) to attract
atrapar to catch, capture
atrás *adv.* back, backward; behind; ago; **hacia atrás** backward
atrasar to fall behind
atrasado late
atravesar (atravieso) to cross
atrayente attractive
atreverse (a) to dare (to)
atribuido (a) attributed (to)
atribuir (like construir) to attribute
atributo attribute
atrocidad atrocity
atrofiar to atrophy
atroz atrocious
aturdido dazed, stunned
auditorio *n.* auditorium
augurio omen
aumentar to increase
aumento increase
aun *adv.* even
aún *adv.* yet, still

aunque although, even if
auscultar to examine by auscultation
ausencia absence
australiano *adj.* Australian
auténtico authentic
autobiografía autobiography
autobiográfico autobiographical
autobús bus
autómata *m.* robot
automático automatic; **cajero automático** ATM machine
automovilístico *adj.* automobile, automotive
autonomía autonomy
autopista freeway, superhighway
autoprueba self-test
autor author
autoridad authority
autoritario authoritarian
autorización authorization
autorizar (c) to authorize
auxiliar *adj.* auxiliary; **auxiliar** (*m., f.*) **de vuelo** flight attendant; **llanta auxiliar** spare tire
auxilio help, aid, assistance
avance advance
avanzado advanced
avanzar (c) to advance
ave *f. (but* **el ave**) bird
avena oat(s); **pan de avena** oatmeal bread
avenida avenue
aventajado prematurely aged
aventura adventure
aventurero adventurous
avergonzado ashamed, embarrassed
averiguar (g) to find out
avestruz *m.* ostrich
ávido avid
avión *m.* airplane
avisar to warn; to notify
ay *interj.* oh!, oh dear!
ayer yesterday
ayuda help, assistance
ayudar to help
ayuntamiento town hall
azafata flight attendant
azafrán saffron
azorado astonished; embarrassed
azotar to whip against
azotea flat roof
azteca *n., adj. m., f.* Aztec
azúcar sugar
azucarado sweetened, sugarcoated
azul blue

B

bahía *n.* bay
bailar to dance
bailarín dancer
baile dance
baja casualty (*military*)

bajar to lower; to get (down), out of; to descend; **bajar de peso** to lose weight

bajo *adj.* short (*height*); low; **bajo riesgo** at risk; *adv.* below; **barrio bajo** slum; **en voz baja** in a low (quiet) voice; *prep.* under

bala bullet

balancearse to rock

balanceo rocking

balbucear to stutter, stammer

balcón balcony

baloncesto basketball

balsa raft

balsámico healing

bananero *adj.* banana; pertaining to bananas

bancario *adj.* bank

banco bank; bench

banda band, gang

bandeja tray

bandera flag

bañar to bathe; **bañarse** to take a bath

baño bath; **cuarto de baño** bathroom; **darse un baño** to take a bath

baraja deck of cards

barajar to catch, intercept

barato cheap, inexpensive

barba beard

barbacoa barbecue

barbado bearded

barbarie *f.* barbarism; savagery

¡bárbaro! *interj.* great!

barbero barber

barbilla tip of the chin

barca boat

barco ship, boat

barra de pan baguette

barrer to sweep

barrera barrier

barricada barricade; **predicador de barricada** soapbox orator/preacher

barrio neighborhood; **barrio bajo** slum

barro clay

barrote thick bar

basar(se) (en) to base, found (*an opinion*); to be based (upon)

base *f.* base; **base de datos** database

básico basic

basílica basilica

básquetbol basketball

basquetbolista *m., f.* basketball player

bastante *adj.* enough, sufficient; *adv.* enough; rather, quite

bastar (con) to suffice, be enough

bastardillo *adj.* italic

basura trash; **comida basura** junk food; **sacar (qu) la basura** to take out the trash

basurero garbage collector

batalla battle

bateador (*baseball*) batter

batidora beater

batiente door jamb

batir to beat

bautizar (c) to baptize

bayeta thick flannel

bebé baby

beber to drink

bebida drink, beverage

beca scholarship

béisbol baseball

beisbolista *m., f.* baseball player

belgo *n.* Belgian

belleza beauty; **sala/salón de belleza** beauty parlor/salon

bello beautiful; **la Bella Durmiente** Sleeping Beauty

bendecir (*like* **decir**) to bless

bendición blessing

beneficiar to benefit

beneficio benefit; profit, gain

beneficioso beneficial

besar to kiss

beso kiss; **dar un beso** to kiss; to give a kiss

bíblico biblical

biblioteca library

bibliotecario librarian

bicicleta bicycle

bicolor two-colored

bien *n. pl.* goods; *adv.* well; **bien educado** well-mannered; well educated; **caer bien** to strike (one) well, make a good impression; **(no) llevarse bien (con)** to (not) get along (with); **pasarlo bien** to have a good time; **portarse bien** to behave

bienestar well-being

bienhechor benefactor

bienvenido *adj.* welcome

biftec *m.* steak

bilingüe bilingual

bilingüismo bilingualism

billar billiards, pool; **salón de billar** billiards, pool hall

billete ticket

billetera wallet

biología biology

bisabuela great-grandmother

bisabuelo great-grandfather; *pl.* great-grandparents

bisnieta great-granddaughter

bisnieto great-grandson; *pl.* great-grandchildren

blanco white; **espacio en blanco** blank

bloqueo blockade

boca mouth; **boca arriba** face up

boda wedding

bodega grocery store

bofetada slap in the face

boicoteo boycott

bol bowl

bola ball

bolero *a type of song/dance or ballad*

boleto ticket

bolígrafo pen

bolita de miga bread crumb

boliviano *n.* Bolivian

bolo: cancha de bolos bowling alley

bolsa bag, sack; **agente** (*m., f.*) **de cambio y de bolsa** stockbroker; **Bolsa** stock market

bolsillo pocket

bombardear to bombard

bombardeo bombing

bombero firefighter; **mujer** (*f.*) **bombero** (female) firefighter

bombilla lightbulb

bondad goodness, kindness

bonito pretty

boquiabierto stunned

bordar to embroider

borde edge

borrachera drunkenness

borracho *adj.* drunk

borrar to erase; **borrarse** to disappear

bosque forest; **bosque primario** old-growth forest

bosquejo outline; sketch

bota boot

botar to throw, fling, hurl

bote boat

botella bottle

botón button

boxeador boxer

brazo arm

brecha gap

breve brief

brevedad brevity

brillante brilliant, bright

brillar to shine

brillo gleam, shine

brisa breeze

británico *adj.* British

brocha brush

broma joke; **broma pesada** practical joke; **gastar una broma** to play a prank; **hacer bromas** to play jokes

bromista *m., f.* joker

bronca anger

bronco hoarse

brotar to gush

bruja witch; **Día** (*m.*) **de las Brujas** Halloween

brujo wizard; warlock

bruscamente suddenly; unexpectedly

brutalidad brutality

bruto stupid

buceo scuba diving

budista *n., adj. m., f.* Buddhist

buen, bueno *adj.* good; kind; **hacer buen tiempo** to be good weather

bufanda scarf

bufo *adj.* comic, comedy

bullicioso noisy, boisterous

bulto form, shape

burla joke
burlarse (de) to make fun (of), poke fun (at)
busca search
buscar (qu) to look for
búsqueda search

C

caballero gentleman
caballerosidad chivalry
caballo: horse; **a caballo** on horseback
cabellera s. fronds (tree)
cabello hair
caber to fit; **no cabe duda** there is no doubt
cabeza head
cabizbajo head down
cabo: al cabo de at the end of; **al fin y al cabo** after all; at last; **llevar a cabo** to carry out; to fulfill
cacería n. hunting
cacha handle
cachorro puppy
cacique n. chief
cacto cactus
cada inv. each; every; **cada cual** each one; **cada vez más** more and more; **cada vez mayor** greater and greater; **cada vez menor** fewer and fewer; younger and younger; **cada vez menos** fewer and fewer; **cada vez que** whenever, every time that
cadáver corpse, body
cadena chain; **cadena perpetua** life imprisonment
cadera hip
caer to fall; **caer bien/mal** to strike (one) well/badly, make a good/bad impression; **dejar caer** to drop (an object)
café coffee; cafe
cafeína caffeine
cafetera coffeepot, coffee maker
cafetería cafeteria
caja box
cajero cashier; teller; **cajero automático** ATM machine; **tarjeta de cajero** ATM card
cajón drawer
calamidad natural natural disaster
calavera skull
calcetín sock
calculadora calculator
calcular to calculate
cálculo: hoja de cálculo spreadsheet
calçot a type of onion
caldo broth
calendario calender
calentarse (me caliento) to get warm, warm up
calidad quality
cálido warm
caliente hot (temperature)

calificado qualified; trained; described
callado quiet
callarse to become quiet
calle f. street; **calle abajo** down the street; **calle arriba** up the street
calleja narrow street
callejero adj. (of the) street
calmado calm
calmante sedative
calmar(se) to calm (down)
calor heat; **hacer calor** to be hot (weather); **hacer un calor de todos los demonios** to be hot as hell
caloría calorie
calvario suffering
calvicie f. baldness
calvo bald
calzado shod, wearing shoes
cama bed
cámara camera; **Cámara de Representantes** House of Representatives
camarero waiter
cambiar to change; **cambiar de idea/opinión** to change one's mind
cambio change; **a cambio de** in exchange for; **agente** (m., f.) **de cambio y bolsa** stockbroker; **en cambio** on the other hand
camilla stretcher
caminar to walk
caminata n. walk, hike; **hacer/darse una caminata** to go on/for a hike
camino road
camión m. truck; bus
camioneta pickup truck
camisa shirt
camisería shirt making
camiseta T-shirt
campamento camp
campana bell
campanilla bell
campaña campaign
campesino peasant, country person
campiña country, countryside
campo countryside; field
canadiense n. Canadian
canal channel
canalizar (c) to channel
Canarias: Islas Canarias Canary Islands
cancelar to cancel
cáncer cancer
cancha court (sports); **cancha de bolos** bowling alley; **cancha de racket** racquetball court; **cancha de squash** squash court; **cancha de tiro** shooting range
canción song
candidato candidate
cansado tired
cansancio fatigue, weariness
cansar to tire; **cansarse** to get tired
cantar to sing

cántaro jug, pitcher
cantidad quantity
cantina saloon
cantinela plea
caos m. chaos
capa layer; cape
capacidad ability; capacity
capacitado qualified, having the aptitude
capaz capable
Caperucita Roja Little Red Riding Hood
capilla chapel; **capilla ardiente** fun-eral chapel
capital f. capital (city); adj. **pena capital** capital punishment
capitalismo capitalism
capitán captain
capítulo chapter
capricho whim, demand
captar to capture
capturar to capture
cara face
carabela caravel (ship)
carácter character, disposition, nature
característica n. characteristic
característico adj. characteristic
caracterizar (c) to characterize
¡caray! interj. good heavens!
carcajada guffaw
cárcel f. jail, prison
carga burden
cargar (gu) to charge (to an account); to carry; to load
cargo post, office; **estar a cargo (de)** to be in charge (of); **hacerse cargo (de)** to take charge (of)
Caribe n. Caribbean
caribeño adj. Caribbean
caricatura caricature; cartoon
caricaturista m., f. cartoonist
caricia caress
cariño affection
cariñoso affectionate
carnaval carnival, Mardi Gras
carnavalesco adj. pertaining to carnival, Mardi Gras
carne f. meat; **carne de res** beef
carnet m. card; **carnet de identidad** I.D. card
carnicero butcher
carnívoro carnivorous
caro expensive
carrera career, profession; university specialty, major; race (contest)
carretera highway
carrito shopping cart
carro car; cart
carta letter
Cartago Carthage
cartel cartel; sign
cartelera (movie) listings
cartera wallet
cartucho grocery bag

casa house; **ama** (*f.*, *but* **el ama**) **de casa** homemaker; **casa editorial** publishing house; **casas habitacionales** living quarters

casarse (con) to marry, get married (to someone)

casco helmet; farmhouse and surrounding buildings

caserío farmhouse, country house

casero domestic, household

casi almost

casillero locker

caso case; **en caso de (que)** *conj.* in case; **hacer caso (de)** to pay attention (to), take into account

castañetear to chatter

castaño brown, chestnut

castellano Spanish (*language*)

castigar to punish

castigo (gu) punishment

castillo castle

castrista *adj. m., f.* pertaining to Fidel Castro

casualidad chance

catalán *n. language from the Spanish region of Catalonia*

Cataluña Catalonia

catarata waterfall

catástrofe *f.* catastrophe

catastrófico catastrophic

catedral *f.* cathedral

catedrático *n.* university professor

categoría category

categórico categorical

catolicismo Catholicism

católico *n., adj.* Catholic

caucho rubber

caudaloso abundant

caudillo chief, leader

causa cause; **a/causa de** because of

causar to cause

caverna cave

cayado walking stick, cane

caza hunting

cazar (c) to hunt

cebolla onion

ceder to yield

cegado por la ira blind with rage

cegador blinding

ceguera blindness

celda cell

celebración celebration

celebrar to celebrate

célebre famous

celos *m. pl.* jealousy

celoso jealous

celular: teléfono celular cellular telephone

cementerio cemetery

cena dinner/supper

cenar to eat dinner/supper

ceniza ash

censo census

centrar to center

centro center; downtown; **centro comercial** shopping mall

Centroamérica Central America

centroamericano *adj.* Central American

cepillado: pino cepillado scrubbed pine

cerámica ceramics, pottery

cerca *adv.* nearby, close by; **cerca de** near, close to

cercano *adj.* near, close

cerdo pig; *coll.* bastard

cerebro brain

ceremonia ceremony

cerrajería locksmith's trade

cerrar (cierro) to close

certidumbre *f.* certainty

certificado certificate

cerveza beer

cesar to stop

césped lawn

cesto basket, hamper

chacra: peón de chacra farm worker

chal shawl

chambergo slouched, broad-brimmed hat

champaña champagne

chancaca maize cake

chantaje blackmail

chantajear to blackmail

chaqueta jacket

charla chat, discussion

charlar to chat

chatarra: comida chatarra junk food

cheque check; **cobrar un cheque** to cash a check

chica girl

chicanismo Chicanoism

chicano *n., adj.* Mexican American

chicle chewing gum

chico boy

chile (hot) pepper

chileno *n., adj.* Chilean

chillar to shriek, screech, scream

chimenea chimney

chinitos *pl.* curls (*hair*)

chiripá *gaucho's dress trousers*

chirrido creaking

chisme gossip

chismear to gossip

chiste joke

chistoso funny

chocar (qu) to collide, crash

chófer chauffeur, driver

choque crash, collision

chorizo *type of sausage*

chorreado soaked

chorro gush, stream

chupete pacifier

churrasco grilled steak

churrasquería steakhouse

cicatriz scar

cíclico cyclical

ciclo cycle

ciego blind

cielo heaven; sky

cien, ciento one hundred; **por ciento** percent

ciencia science

científico *n.* scientist; *adj.* scientific

cierto certain; sure; true

cifra number, figure

cigarillo cigarette

cigarro cigar

cima top, summit

cine movie theater; movies (*industry*)

cinematográfico *adj.* movie, film

cinta tape; **libro grabado en cinta** book on tape

cintura waist, waistline

cinturón belt; **cinturón de seguridad** safety belt

circo circus

circulación circulation; traffic

circular to circulate

circunstancia circumstance

cirio candle

cirugía surgery; **cirugía estética** cosmetic surgery; **cirugía plástica** plastic surgery

cirujano surgeon

cita appointment; date; quotation

citado cited

citar to arrange to meet

ciudad city

ciudadanía citizenship

ciudadano citizen

cívico civic

civil: guerra civil civil war

civilización civilization

civilizado civilized

civilizar (c) to civilize

clandestino clandestine, secret

claro *adj.* clear; light; *interj.* ¡**claro!** of course!; ¡**claro que no!** of course not!; ¡**claro que sí!** of course!

clase *f.* class; **clase media** middle class; **compañero de clase** classmate; **ir a clase** to go to class

clásico classic

clasificación classification

clasificar (qu) to classify

cláusula *gram.* clause; **cláusula adjetival** adjective clause; **cláusula dependiente/independiente** dependent/independent clause; **cláusula subordinada** subordinate clause

clavar to pierce, stick; to rivet

clave *n.* key; main element; *adj. inv.* key

clavo nail; hook

clérigo priest

clero clergy

cliente *m., f.* client, customer

clima *m.* climate

climatizado air-conditioned
climatológico climatological
clínica clinic
club *m.* club
cobarde coward
cobardía cowardice
cobertizo shed
cobija blanket
cobrar to charge (*someone for some-thing*); **cobrar un cheque** to cash a check
cobre copper
cobro: valores al cobro accounts payable
cocaína cocaine
coche car
cochino pig
cocido: arcilla cocida fired clay
cocina kitchen
cocinar to cook
cocinero cook, chef
cocotero coconut tree
codificado codified
código postal zip code
coexistencia coexistence
coexistir coexist
coger (cojo) to catch; to take, pick up; to hold
cohete rocket
cohibido awkward
coincidencia coincidence
coincidir to coincide
cojear to limp
cola line; **hacer cola** to be/stand/wait in line
colaboración collaboration
colaborar to collaborate
colchón bedding, mattress
colección collection
coleccionista collector
colectivo collective; *Arg.* bus
colega *m., f.* colleague
colegio secondary school
colesterol cholesterol
coletazo lash
colgante hanging
colgar (cuelgo) (gu) to hang
colina hill
colmado full; **verse colmado** to reach one's highest point
colmar to fill (to the brim)
colmillo fang
colocación placement
colocar (qu) to place, put
colombiano *n.* Colombian
Colón: Cristobal Colón Christopher Columbus; **colón** *monetary currency of Costa Rica*
colonia colony
colonización colonization, settlement; indigenous person who belonged to an estate
colonizar (c) to colonize, settle
colono colonist, settler

coloquial colloquial
colorado ruddy; **ponerse colorado** to blush
colorido coloring, color
columna column
combatir to fight
combinación combination
combinar to combine
combustible fuel
comedia comedy
comedido restrained
comedor dining room
comentar to comment (on), talk about
comentario comment, remark
comenzar (comienzo) (c) to begin
comer to eat; **dar de comer** to feed
comercial *adj.* commercial; **centro comercial** shopping mall; **propaganda comercial** advertisement; **secretariado comercial** commercial secretaryship
comercialización commercialization
comerciante *m., f.* merchant
comercio business; trade; **comercio justo** fair trade; **libre comercio** free trade
comestibles *m. pl.* foods, provisions
cometer to commit
cómico funny; **dibujo cómico** cartoon; **tira cómica** comic strip
comida food; meal; **comida a domicilio** take-out food; **comida basura** junk food; **comida chatarra** junk food
comienzo beginning
comilón heavy eater
comitiva retinue
como like; as; **así como** as well as; **como consecuencia** as a result; **tal como** such as; **tan... como** as... as; **tan pronto como** as soon as; **tanto... como...** both... and...
comodidad comfort
cómodo comfortable
compacto: disco compacto compact disc
compadecer (compadezco) to feel sorry for, take pity on
compadre friend, buddy; godfather
compañero companion, partner; **compañero de clase** classmate; **compañero de cuarto** roommate; **compañero de curso** (graduating) classmate; **compañero de trabajo** coworker
compañía company
comparación comparison
comparar to compare
comparativo *n., adj. gram.* comparative
comparsa costumed group
compartir to share
compás rhythm
compasión compassion
competencia competition
competir (compito) (i) to compete
competitivo competitive
complacer (zc) to please

complejo complex
complementar to complement
complemento *gram.* object, complement; **complemento pronominal** object pronoun; **pronombre de complemento directo** direct object pronoun; **pronombre de complemento indirecto** indirect object pronoun
completar to complete
completo complete; **por completo** completely; **tiempo completo** full-time
complicación complication
complicado complicated
componer (*like* **poner**) to make up, compose
comportamiento behavior
comportarse to behave (oneself)
composición composition
compra *n.* shopping; **hacer la compra** to go shopping; **ir de compras** to go shopping
comprador buyer
comprar to buy
comprender to understand
comprensión *n.* understanding
comprensivo *adj.* understanding
comprobado proven
comprobar (*like* **probar**) to prove
comprometerse (a) to make a commitment (to)
comprometido committed
compromiso commitment; **anillo de compromiso** engagement ring
computación programming (*computer*)
computadora computer
computar to compute
común common; **común y corriente** common, everyday
comunicación communication; **medios de comunicación** media
comunicar (qu) to communicate
comunidad community
comunismo communism
comunista *adj. m., f.* communist
con with; **con frecuencia** frequently
conceder to grant
concentración concentration
concentrarse to be centered
concepto concept
conciencia conscience
concientización consciousness raising
concierto concert
concilliador conciliatory
conciso concise
concluir (*like* **construir**) to conclude
conclusión conclusion
concreto concrete
concurrir to concur
concurso contest
condado county
condena sentence (*law*); condemnation

condenar to condemn

condición condition; **a condición (de) que** *conj.* provided that

condolido feeling pity, sorry

conducir (conduzco) to drive; to lead; **licencia de conducir** driver's license

conducta conduct; **línea de conducta** course of action

conductor driver

conejo rabbit

conexión connection

confección tailoring; clothing industry; **corte (*m.*) confección** ready-made clothing

confederación confederation

conferencia lecture

confesión confession

confiable reliable

confianza confidence

confiar (confío) to entrust

confidencia: hacer confidencias to tell secrets

configurarse to become shaped, formed

confín boundary, limit; **todos los confines** everywhere

confirmar to confirm

conflicto conflict

conforme agreeable, resigned

conformista *adj. m., f.* conformist

confrontación confrontation

confrontar to confront

confundido confused

confuso confused

congelado frozen

congreso congress

conjetura conjecture

conjugar (gu) to conjugate

conjunto (musical) group

conmemorar to commemorate, remember

conmemorativo commemorative

conmigo with me

conmovedor *adj.* moving

conmovido moved (*emotionally*)

connotación connotation

cono cone

conocer (conozco) to know; to meet

conocimiento knowledge

conquista conquest

conquistador conqueror

conquistar to conquer

consabido aforementioned; well-known; usual

consciente aware, conscious

consecuencia consequence; **como consecuencia** as a result

conseguir (*like* **seguir**) to get, obtain

consejero counselor

consejo advice; **dar consejos** to give advice; **pedir (pido) (i) consejos** to ask for advice

conservación conservation

conservador conservative

conservar to keep, maintain

considerar to consider

consiguiente: por consiguiente consequently

consistente consistent

consistir en to consist of

consola wall table

consonante consonant

conspirar to conspire

constante constant

constitución constitution

constituir (*like* **construir**) to compose, make up

construcción construction

construir (construyo) to build

consultar to consult

consultorio doctor's office

consumidor consumer

consumir to consume, take, use; **consumir drogas** to take drugs

consumo consumption, use

contabilidad accounting; **contabilidad mercantil** mercantile bookkeeping

contacto contact

contador accountant, bookkeeper

contaminación pollution

contaminar to pollute

contar (cuento) to tell; to count; **contar con** to count on; to include

contemplar to contemplate

contemporáneo contemporary

contendiente *m., f.* contender, opponent

contendor contender, opponent

contener (*like* **tener**) to contain

contenido *n.* content

contentarse to be pleased

contento content, happy

conteo count, tally

contestar to answer

contexto context

contigo with you

continente continent

continuación: a continuación following, next

continuar (continúo) to continue

continuo continuous

contra against; in opposition to

contraatacar (qu) to counterattack

contrabandista *m., f.* smuggler

contrabando contraband

contradecir (*like* **decir**) to contradict

contradicción contradiction

contradictorio contradictory

contraer (*like* **traer**) to contract

contrario opposite; contrary; **lo contrario** the opposite

contrarrevolucionario counterrevolutionary

contraste contrast

contratar to hire, contract

contrato contract

contribución contribution

contribuir (*like* **construir**) to contribute

contribuyente *adj.* contributing

contrincante opponent

control de la natalidad birth control

controlador aéreo air-traffic controller

controlar to control

controversia controversy

controvertible controversial

convalecer (convalezco) to convalesce

convaleciente *m., f.* convalescent (patient)

convencer (convenzo) to convince

convención convention

convencional conventional

convencionalismo conventionalism

conveniente convenient; advisable; worthwhile

convenir (*like* **venir**) to be appropriate

convento convent

conversación conversation

conversador talkative

conversar to converse, talk

conversión conversion

converso convert

convertir(se) ([me] convierto) (i) to convert

convicción conviction

convidar to invite

convincente convincing

convivencia living together

cooperación cooperation

cooperar to cooperate

cooperativa *n.* cooperative

copa drink; glass; **copa (de un árbol)** tree top; **tomar una copa** to have a drink

copiar to copy

coqueta *n. f.* flirt; *adj. f.* flirtatious

coquetón *n. m.* flirt; *adj. m.* flirtatious

coraje courage

corazón heart; **ataque al corazón** heart attack

corbata tie

cordillera mountain range

cordón cord, braid

cornisa cornice

corolario corolary

corona crown; wreath

corporación corporation

correcto correct

corrector correcting, corrective

corredor corridor

corregir (corrijo) (i) to correct

correo post office; mail; **correo electrónico** e-mail; **por correo** by mail

correr to run

corresponder to correspond

correspondiente corresponding

corriente *n.* current month; current trend; *adj.* current; common; running; **al corriente** informed; **agua corriente** running water; **común y corriente**

common, everyday; **cuenta corriente** checking account

corrupción corruption
corrupto corrupt
cortacésped *m.* lawn mower
cortar to cut
corte *f.* court (*of law*); *m.* cut; **corte confección** ready-made clothing; **corte de electricidad** power outage; **Corte Suprema** Supreme Court
cortesía courtesy
cortésmente courteously
corto short (*length*)
cosa thing
cosecha harvest
coser to sew
costa coast; cost, price; **a costa de** at the cost of
costado side; **de costado** sideways
costar (cuesto) to cost; to be difficult
costarricense *n. m., f.* Costa Rican
costoso costly
costumbre *f.* custom, habit
cotidiano daily, everyday
creación creation
crear to create
creatividad creativity
creativo creative
crecer (crezco) to grow
creciente growing
crecimiento growth
crédito credit; **tarjeta de crédito** credit card
creencia belief
creer to believe, think
cremallera zipper
crespo unruly, unmanageable
cresta crest
creyente *n. m., f.* believer; **no creyente** nonbeliever
cría raising
criada maid
crianza childrearing; upbringing
criar (crío) to raise, bring up
crimen crime (*in general*)
criminalidad crime, criminality
criollismo *s. custom typical of the Americans*
criollo *adj.* Creole
crisis *f.* crisis
crisol melting pot
cristal crystal; mirror
cristianismo Christianity
cristianizar (c) to Christianize
cristiano *n.* Christian
Cristo Christ
Cristobal Colón Christopher Columbus
criterio criterion
crítica *n.* criticism
criticar (qu) to criticize
crítico *adj.* critical
croata *n. m., f.* Croatian

crónica *n.* chronicle
crónico *adj.* chronic
cronología chronology
cronológico chronological
crucifijo crucifix
crucigrama *m.* crossword puzzle
crudo raw
crujido creaking sound
cruz cross
Cruzada Crusade
cruzar (c) to cross
cuaderno notebook
cuadra city block; stable
cuadro square; table (*chart*); picture; **a cuadros** plaid
cual which, who; **cada cual** each one; **el/la/los/las cual(es)** that/he/she/ the one which/who; **lo cual** what
¿cuál? what?, which?; **¿cuál(es)?** which (ones)?
cualesquiera whatever
cualidad quality
cualquier *adj.* any
cualquiera *rel. pron.* anyone
cuando when; **de vez en cuando** once in a while
¿cuándo? when?
cuanto *adv.* as much as; **en cuanto** as soon as; **en cuanto a...** as far as ... is concerned; **unos cuantos** a few
¿cuánto? how much?; **¿cuántos?** how many?
cuarto *n.* room; **cuarto de baño** bathroom; **compañero de cuarto** roommate; *adj.* fourth
cubano *n., adj.* Cuban
cubanoamericano *n., adj.* Cuban American
cubeta bucket
cubierto (*p.p. of* **cubrir**) covered
cubrir (*p.p.* **cubierto**) to cover
cucaracha cockroach
cuchilla de afeitar razor blade
cuchillo knife
cuello neck
cuenta account, bill; **cuenta corriente** checking account; **cuenta de ahorros** savings account; **darse cuenta de** to realize, become aware of; **tener en cuenta** to take into account; to keep in mind
cuento story; **cuento de hadas** fairy tale
cuero leather
cuerpo body
cuestión question, matter
cuestionar to question
cuestionario questionnaire
cuidado care, caution; **con cuidado** carefully, cautiously; **tener cuidado** to be careful, cautious
cuidar to take care of
culinario culinary
culminación end

culminante culminating, highest
culminar to finish
culpa fault
culpable *n.* culprit: *adj.* guilty
cultivable arable
cultivar to cultivate
cultivo cultivation
culto well-educated
cultura culture
cumpleaños *s., pl.* birthday
cumplido pleasantry
cumplidor reliable
cumplir to complete, fulfill; **cumplir... años** to turn ... years old; **hacer cumplir** to enforce
cuñada sister-in-law
cuñado brother-in-law; *pl.* sisters- and brothers-in-law
cuota quota
cura *m.* priest; *f.* cure
curación cure, treatment
curandero healer
curar to cure; **curar el ombligo** to tie off the umbilical cord at birth
curativo curative
curiosidad curiosity
curioso curious
cursivo: letra (*s.*) **cursiva** italics
curso course
curtido tanned (*like leather*)
curva curve
custodia custody
cuyo whose

D

daga dagger
daguerrotipo daguerreotype
dama lady
danza dance
danzante *m., f.* dancer
danzar (c) to dance
dañar to damage
dañino harmful
daño harm, injury; damage; **hacer daño** to harm, hurt, injure
dar to give; **dar a luz** to give birth; **dar al mar** to face the sea; **dar asco** to disgust, sicken; **dar con** to find, come across; **dar consejos** to give advice; **dar de comer** to feed; **dar igual** to be the same to; **dar la gana** (*to do*) whatever one feels like doing; **dar las gracias** to thank; **dar origen a** to cause; **dar pasos** to take steps; **dar regalos** to give gifts; **dar sepultura** to bury; **dar una fiesta** to have a party; **darse cuenta de** to realize, become aware of; **darse la mano** to shake hands; **darse palmadas en la espalda** to pat on the back; **darse un baño** to take a bath; **darse una caminata** to go on/for a hike

dato fact, result, datum; data, information; **base** (*f.*) **de datos** database

de of; from; **de compras** shopping; **de modo que** so that; **de súbito** suddenly

deambular to wander

debajo underneath, below

debatir to debate

deber *n.* duty; *pl.* homework

deber to owe; **deber** + *inf.* should, must; **deberse a** to be due to

debido a due to

débil weak

debilidad weakness

debilitación weakening, debilitation

década decade

decadencia decadence

decano dean

decidido resolute, determined

decidir to decide

decir to say, tell; **es decir** that is to say; **querer decir** to mean

decisión decision; **tomar una decisión** to make a decision

decisivo decisive

declaración statement, declaration

declarar to declare

decorar to decorate

decretar to order, decree

dedicación dedication

dedicarse (qu) (a) to dedicate oneself (to)

dedo finger; **dedo de pie** toe; **dedo gordo** thumb; **yema del dedo** fingertip

deducir (*like* **conducir**) to deduce

defecto fault

defender (defiendo) to defend

defendiente *m., f.* defendant

defensa defense

defensor defender; **abogado defensor** defense attorney

deficiente deficient

déficit *m.* deficit

definición definition

definir to define

definitivo definitive, final

deforestado deforested

deformar to deform

degollar (deguello) to cut the throat

deidad deity

dejar to leave, leave behind; to allow, permit; to quit; to drop (*a course*); **dejar caer** to drop (*an object*); **dejar de** + *inf.* to stop (*doing something*); **dejar de lado** to leave aside; **dejar en paz** to leave alone; **dejar plantado** to stand someone up; **no dejar de** + *inf.* to not neglect to (*do something*), not miss out on (*doing something*)

delantal apron

delante de in front of

deleite delight

deletrear to spell

delfín dolphin

delgado thin

deliberado deliberate

deliberar to deliberate

delicado delicate

delicioso delicious

delincuencia delinquency

delincuente *n., adj. m., f.* delinquent

delineante *m., f.* draftsman, draftswoman; *m.* drafting (*profession*)

delirio delirium

delito crime, criminal act

demanda request

demandado defendant

demás other; **los demás** the others

demasiado *adj.* too much; *pl.* too many; *adv.* too; too much

demente crazy

democracia democracy

democrático democratic

demografía demography

demográfico demographic

demoler (demuelo) to tear down, demolish

demonio: hacer un calor de todos los demonios to be hot as hell

demora delay

demorar to delay

demostración demonstration

demostrar (demuestro) to demonstrate

denominarse to be named

denso dense

dentista *m., f.* dentist

dentro de within, in

denunciar to denounce

departamento department; apartment

dependencia dependence

depender (de) to depend (on)

dependiente *n.* sales clerk; *adj.* dependent; **clausula dependiente** *gram.* dependent clause

deportar to deport

deporte sport

deportista *m., f.* sportsman, sports-woman

deportivo *adj.* sports

depositar to deposit

depresión depression

deprimido depressed

derecha *n.* right; **a la derecha** on/to the right

derechista *n., adj. m., f.* right-wing

derecho *n.,* right; law; *adj.* right; right-hand

derramar to spill

derretirse (me derrito) (i) to melt

derribar to tear down, demolish

derrocamiento overthrow

derrocar (qu) to overthrow

derrochado squandered

derrumbamiento collapse

derrumbar to tear down; **derrumbarse** to fall apart, collapse

desabrochado unfastened

desacreditar to discredit

desacuerdo disagreement

desafiar (desafío) to defy

desafío *n.* challenge

desaforado lawless, outrageous

desafortunadamente unfortunately

desafortunado *n.* unfortunate person

desagradable unpleasant, disagreeable

desagradar to displease

desagradecido *n.* ungrateful person

desahogo: con desahogo comfortably

desamparado *n.* homeless person; *adj.* abandoned

desamparo helplessness

desanimar to discourage

desaparecer (*like* **aparecer**) to disappear

desaparecido *n.* disappeared person

desaparición disappearance

desaprobar (*like* **probar**) to disapprove

desarmado unarmed

desarrollar to develop

desarrollo development; **en vías de desarrollo** developing

desasosegado uneasy, anxious

desastre disaster

desastroso disastrous

desatar to untie

desatendido ignored

desayunar to have breakfast

desayuno breakfast

desazonado restless

descabalado incomplete

descansar to rest; **que en paz descanse** rest in peace

descanso rest, leisure

descarado impudent

descendencia descent

descender (desciendo) to descend

descendiente *m., f.* descendant

descomponer (*like* **poner**) to break down

desconfianza distrust

desconocer (*like* **conocer**) to not know, be ignorant of

desconsolado dejected

desconocido unknown

descontento *n.* discontent

descortés impolite, discourteous

describir (*p.p.* **descrito**) to describe

descripción description

descriptivo descriptive

descrito (*p.p. of* **describir**) described

descubrimiento discovery

descubrir (*p.p.* **descubierto**) to discover

desde *prep.* since (*time*); from; **desde entonces** from then on; **desde hace** + *period of time* for + *period of time*; **desde que** *conj.* since

desdeñoso disdainful, scornful

desdicha unhappiness

desdichado unfortunate; wretched

deseable desirable

desear to want, desire

desechable disposable **producto desechable** disposable product
desembarcar (qu) to disembark
desempeñar un papel to play (fulfill) a role
desempleado *n.* unemployed person
desempleo unemployment
desenamorado fallen out of love
desenchufado unplugged
desenfrenado unrestrained
desengaño disappointment
desenlace denouement
desentonar to be out of place
desenvainar to unsheathe, draw
deseo desire
desequilibrio imbalance
desesperación desperation
desesperado desperate
desesperar to lose hope; to dispair
desfilar to parade
desfile parade
desgajar to break off
desganado apathetic
desgano reluctance
desgarrador tearing, heartrending
desgarrar to tear, split
desgraciadamente unfortunately
deshacer (*like* **hacer**) to undo
deshonesto dishonest
deshumanización dehumanization
deshumanizante dehumanizing
desierto desert
designado designated
desigual *adv.* unevenly
desigualdad inequality
desilusión disillusion
desilusionarse to become disillusioned
desinflado deflated, flat; **llanta desinflada** flat tire
desinteresado uninterested
desistir (de) to desist (from)
deslizar (c) to glide (*boat*); **deslizarse** to slip out; **deslizarse en trineo** to go sledding
deslomarse to break one's back
deslumbrado dazzled
desmovilización demobilization
desnudo naked
desnutrición malnutrition
desnutrido undernourished
desobedecer (*like* **obedecer**) to disobey
desodorante deodorant
desolación desolation
despacho office (*specific room*)
despacio *adv.* slowly
despedir (*like* **pedir**) to fire; **despedirse** to say goodbye
despegar (gu) to take off (*airplane*); to remove
despertador alarm clock; **reloj** (*m.*) **despertador** alarm clock
despertar(se) (**[me] despierto**) to awaken, wake up

despiado restless
despierto (*p.p. of* **despertar**) awake
despiojarse to delouse oneself
desplazado *n.* displaced person
desplazamiento displacement; shifting (*from one place to another*)
desplegar (despliego) (gu) to unfold
despoblación rural movement away from the countryside
despoblado uninhabited
despreciar to look down on
desprecio disdain
desprender to loosen, release
despreocupado carefree
después *adv.* afterwards; **después de** after; **después (de) que** *conj.* after
destacado outstanding
destacarse (qu) to stand out
destello sparkle, twinkle
desteñido worn, faded
destinado a destined to, for
destino destination; fate
destreza skill
destrozado shattered
destrucción destruction
destruir (*like* **construir**) to destroy
desvalido destitute
desventaja disadvantage
desvestirse (*like* **vestir**) to get undressed
detalladamente in detail
detallar to detail, give details
detalle detail
detectivismo *n.* investigating
detención arrest
detener(se) (*like* **tener**) to detain; to stop; to arrest
detenidamente attentively
detenido *n.* detained person
deteriorado deteriorated
deteriorar to deteriorate
deterioro deterioration
determinación determination
determinado specific, fixed
determinar to determine
detestar to detest
detrás de behind
deuda debt
devastador devastating
devastar to devastate
devoción devotion
devolución return
devolver (*like* **volver**) to return (*an object*)
devoto *n.* devotee; *adj.* devout, pious
día *m.* day; **al día** daily; **al día siguiente** (on) the following day; **algún día** someday; **Día de Acción de Gracias** Thanksgiving Day; **Día de las Brujas** Halloween; **Día de los Difuntos/ Muertos** All Souls' Day; **Día de Todos los Santos** All Saints' Day; **día festivo** holiday; **estar al día** to be up to date; **hoy (en) día** nowadays; **ponerse al día**

to bring oneself up-to-date; **primer día** first day; **todo el día** all day; **todos los días** every day
diabetes *f.* diabetes
diablo devil
diabólico diabolic
diagonal *n.* diagonal (line), slash
dialecto dialect
diálogo dialogue
diamante diamond; **anillo de diamantes** diamond ring
diario *n.* journal, diary; *adj.* daily
diarrea diarrhea
dibujar to draw
dibujo drawing; **dibujo animado** cartoon; **dibujo cómico** cartoon
diccionario dictionary
dicha happiness
dichosamente luckily
dictador dictator
dictadura dictatorship
dictar to dictate
diente tooth
dieta diet; **estar a dieta** to be on a diet
dietético *adj.* diet; **comida diatética** health food
diezmo tithe
diferencia difference; **a diferencia de** unlike
diferenciar to distinguish; to differ
diferente different
diferir (difiero) (i) to differ
difícil difficult; **llevar una vida difícil** to lead a difficult life
dificultad difficulty
dificultar to make difficult
difunto dead person; **Día de los Difuntos** All Souls' Day
difusión spreading
digerido digested
digitalizado digital
dignidad dignity
dilema *m.* dilemma
diluido diluted
dimensión dimension
diminutivo *gram.* diminutive
diminuto diminutive, small
dinero money
dios god
Dios God; **¡por Dios!** for goodness sake!
diosa goddess
diplomacia diplomacy
diplomático diplomatic
dirección address; direction
directo direct; **pronombre de complemento directo** *gram.* direct object pronoun
dirigente *m., f.* leader
dirigir (dirijo) to direct; **dirigirse** to head toward
disciplina discipline
disciplinar to discipline

disco disc; **disco compacto** compact disc (CD); **disco duro** hard drive
discordia discord
discoteca discotheque
discreción discretion
discriminación discrimination
discriminar to discriminate
disculpar to forgive
disculpas: pedir (pido) (i) disculpas to apologize
discurso speech
discusión discussion
discutir to argue
diseñar to design
diseño design
disfraz *m.* costume, disguise
disfrazar(se) (c) to disguise (oneself); to dress up in costume
disfrutar de to enjoy
disgustar to annoy
disimular to pretend; to hide
disminuir (*like* construir) to diminish, reduce, lessen
disparar to fire (*a weapon*)
disparate foolish remark
dispersión dispersion
disponer (de) (*like* poner) to have at one's disposal
disponible available, on hand
disposición disposal
dispuesto (*p.p. of* disponer) *adj.* clever; **estar dispuesto (a)** to be ready (to)
disputar to dispute; to debate
disquete diskette
distancia distance; **en larga distancia** for long distance (calling)
distanciar(se) to distance (oneself)
distinción distinction
distinguir (distingo) to distinguish
distintivo distinctive
distinto different
distorsionado distorted
distorsionar to distort
distracción distraction
distraer (*like* traer) to distract
distribución distribution
distribuir (*like* construir) to distribute
distrito district
disturbio disturbance
disuadir to dissuade
diversidad diversity
diversión entertainment, amusement
diverso several; diverse
divertido fun
divertirse (me divierto) (i) to enjoy oneself
dividir to divide
divinidad divinity
divino divine
divorciado divorced
divorciarse (de) to get divorced (from)
divorcio divorce

doblado dubbed
doblar to fold
doble double; **agente** (*m., f.*) **doble** double agent
doblegar (gu) to bend, force
docena dozen
dócilmente docilely
doctorado doctorate
doctrina doctrine
documento document
dólar dollar
dolencia affliction
doler (duelo) to hurt
doliente *adj.* mourning
dolor pain, ache
dolorido hurt, saddened
doloroso painful
doméstico domestic; **tarea doméstica** household chore
domicilio home, residence; **comida a domicilio** take-out food
dominación domination
dominar to dominate, have sway over; to control
dominicano *n.* Dominican; **República Dominicana** Dominican Republic
dominio domain; power; command; **dominio general** common knowledge
don *title of respect used with a man's first name*
donar to donate
donativo donation
donde where
¿dónde? where?
donjuán womanizer; a "Don Juan"
doña *title of respect used with a woman's first name*
dorado golden
dormir (duermo) (u) to sleep; **dormirse** to fall asleep
dormitar to doze, snooze
dormitorio bedroom
dorso *n.* back (*side*)
drama *m.* play
dramático dramatic
dramatismo dramatic nature
dramatización dramatization
dramatizar (c) to act out, dramatize
drástico drastic
droga drug; **consumir drogas** to take drugs; **tráfico de drogas** drug trafficking
drogarse (gu) to take drugs
ducha shower
ducharse to take a shower
duda doubt; **no cabe duda** there is no doubt; **sin duda** doubtless
dudar to doubt
dudoso doubtful
duelo duel
dueño owner
dulce *n.* candy, sweet; *adj.* sweet

dulzura sweetness
duque duke
duradero lasting
durante during
durar to last
durmiente: la Bella Durmiente Sleeping Beauty
duro hard; **disco duro** hard drive

E

e and (*used instead of* **y** *before words beginning with* **i** *or* **hi**)
echar to throw; to throw out; to fire; **echar de menos** to miss, long for; **echarse a** + *inf.* to begin + *gerund*
eco echo
ecología ecology
ecológico ecological
ecologista *adj. m., f.* ecological
economía economy
económico economical
economizar (c) to economize
ecuatoriano *n.* Ecuadorean
edad age; **Edad Media** Middle Ages
edición edition
edificación building
edificio building
Edipo Oedipus
educación education; upbringing
educado: bien educado well-mannered; well educated; **mal educado** bad-mannered; poorly educated
educar (qu) to rear, bring up (*children*); to educate
educativo educational
efectivamente indeed
efectivo *n.* cash; **pagar en efectivo** to pay in cash; *adj.* effective
efecto effect, result
efectuar (efectúo) to carry out
efervescente effervescent
eficaz effective
Egipto Egypt
egoísmo selfishness
egoísta *n. m., f.* egotist; *adj.* egotistical, selfish
ejecutar to execute
ejecutivo *n., adj.* executive
ejemplar *n.* sample
ejemplo example; **por ejemplo** for example
ejercer (ejerzo) to practice (*a profession*); to exert (*influence*)
ejercicio exercise; **hacer ejercicio** to exercise
ejército army
elaborar to make, manufacture; to elaborate
elección election; **elección limpia** fair election
electo elected

electoral: planilla electoral electoral slate

electricidad electricity; **corte** (*m.*) **de electricidad** power outage

eléctrico electric

electrodoméstico appliance

electrónica electronics

electrónico electronic; **correo electrónico** e-mail; **por correo electrónico** by e-mail

elegante elegant

elegir (elijo) (i) to elect

elemento element

elevado elevated, high

elevar to elevate

eliminar to eliminate

elocuencia eloquence

embadurnar to smear

embajada embassy

embalado excited

embarazada pregnant

embarazo embarrassment

embargo: sin embargo nevertheless, however

embelesado fascinated; delighted

embobado fascinated

emborracharse to get drunk

embriagador intoxicating

embrujado bewitched

embutir to cram, stuff

emigración emigration

emigrante *m., f.* emigrant

emigrar to emigrate

emisora broadcasting station

emitir to emit, give out

emoción emotion

emocionado excited, moved, touched

emocional emotional

emocionarse to be moved, touched

empalizada fence

empalmar las manos to join one's hands

empanada *turnover pie or pastry*

empapado soaked, drenched

emparejar to pair, match

empedrado *n.* cobblestone; *adj.* cobblestoned

empeñarse to insist

empeorar to become worse

empezar (empiezo) (c) to begin, start

empleado employee, worker

emplear to employ, use

empleo job; work, employment

empollón bookworm

emprender to try; to undertake

empresa business; corporation; **administración de empresas** business administration

empresarial managerial, business

empresario employer; manager; businessman/woman

empujar to push

empuñar to clutch

enajenar to alienate; to drive insane

enamorado *n.* person in love; *adj.* in love

enamorarse (de) to fall in love (with)

enano dwarf

encabezado led

encaminarse to head (for, toward)

encantador charming

encantar to delight

encararse con to confront

encarcelado imprisoned

encarcelar to imprison

encargarse (gu) (de) + *inf.* to take charge (of)

encender (enciendo) to light; to turn on (*television, radio*)

encendido lit

encerrar (like cerrar) to lock up

enchufar to plug in

encía gum *anot.*

encima *adv.* in addition; **por encima de** above, over

encoger (like coger) to shrink; **encoger el alma** to sadden

encomendar (encomiendo) to entrust (*someone with something*)

encontrar (encuentro) to find; **encontrarse** to be located

encuentro encounter

encuesta survey

endecasílabo hendecasyllabic verse (*verse containing 11 syllables*)

enderezarse (c) to straighten up, stand up straight

endulzar (c) to sweeten

enemigo enemy

energía energy; **energía solar** solar energy

enfadado mad

enfadarse (con) to get angry (with)

énfasis *m.* emphasis; **poner énfasis** to emphasize

enfatizar (c) to emphasize, stress

enfermarse to get sick

enfermedad illness, sickness

enfermero nurse

enfermo *n.* sick person; *adj.* sick, ill

enflaquecer (enflaquezco) to make/get thinner

enfocar(se) (qu) (en) to focus (on)

enfrentamiento confrontation

enfrentarse con to face

enfrente de in front of

enfriarse (enfrío) to get cold, cool down

engañar to deceive

engaño deception

engendrar to cause, produce

enjabonar to soap

enlace link

enlatado canned

enloquecido crazed, insane

enlucir (enluzco) to polish

enmascarado masked

enojarse (con) to get angry (with)

enorme huge, enormous

enredarse to become tangled

enriquecer (enriquezco) to enrich; **enrique-cerse** to become rich

enrollar to roll (up)

ensalada salad

ensanchar to widen

ensayar to try out; to rehearse

ensayista *m., f.* essayist

ensayo essay

enseguida immediately

enseñanza *n.* teaching, education

enseñar to teach

ensombrecer (ensombrezco) to darken

ensuciar to dirty, soil

entendedor: a buen entendedor pocas palabras a word to the wise is enough

entender (entiendo) to understand

enterarse (de) to find out (about), be informed (of)

entero entire

enterrar (entierro) to bury

entidad entity

entierro burial

entonces then, at that moment; **desde entonces** from then on; **en aquel entonces** back then

entornar to half-close

entrada entrance; admission ticket; entrée

entrar to enter; **entrar en acción** to take action

entre between; among

entregar (gu) to turn over; to hand in

entremezclado mixed

entrenador trainer

entrenamiento training

entrenar to train

entrerriano *inhabitant of Entre Ríos*

entretenerse (like tener) to entertain oneself

entretenimiento entertainment

entrevista interview

entrevistado *n.* interviewee; *adj.* interviewed

entrevistador interviewer

entrevistar to interview; **entrevistarse con** to have an interview with

entumecido numb

entusiasmado enthusiastic, excited

entusiasmar(se) to become enthusiastic

entusiasmo enthusiasm

enumeración enumeration

envase (food) container; **envase de lata** (tin) can; **envase de vidrio** (glass) jar

envejecer (envejezco) to grow old

enviar (envío) to send

envidia envy

¡epa! *interj.* hey!

episodio episode

época period (*time*)

equilibrar to balance

equilibrio balance

equipo equipment; team
equivalente equivalent
equivaler (a) (*like* **salir**) to equal, be
    equivalent (to)
equivocarse (qu) to be mistaken, wrong
erguirse (me irgo) to stand up
erizar (c) to bristle
erradicar (qu) to eradicate
errar to wander
eructar to burp
erudito learned, erudite
erupción: estar en erupción to be
    erupting
esbelta slender
escala scale
escalera stairs, staircase; ladder
escamoso scaly
escandalizarse (c) to be scandalized
Escandinavia Scandinavia
escandinavo n. Scandinavian
escapada n. escape
escapar(se) (de) to escape (from)
escarlata adj. m., f. scarlet
escarmentar (escarmiento) to learn
    a lesson
escasez scarcity
escaso scarce
escena scene
escenario setting
escéptico skeptic
esclavo slave
escoba broom
escobillón mop
escoger (*like* **coger**) to choose
escolar adj. school; **año escolar**
    school year
escombros pl. debris
esconder to hide
escribir (p.p. **escrito**) to write; **máquina**
    de escribir typewriter
escritor writer
escritorio desk
escritura writing
escuadrón squadron
escuchar to listen
escuela school; **escuela primaria**
    elementary school; **escuela**
    secundaria middle/high school
escuetamente simply, directly
ese/a adj. that; pron. that (one)
esencial essential
esforzarse (*like* **forzar**) to strive, make
    an effort
esfuerzo effort
esgrima fencing (*sport*)
esmero: con esmero painstakingly
eso neuter pron. that (stuff); **por eso** for
    that reason
espacial: transbordador espacial space
    shuttle
espacio space; **espacio en blanco** blank
espada sword

espagueti spaghetti
espalda back; **darse palmadas en la**
    espalda to pat on the back
espantar to frighten, scare
espanto fright
espantoso frightening
España Spain
español n. Spaniard; Spanish (*language*);
    adj. Spanish; **de habla española**
    Spanish-speaking
españolizar (c) to Hispanicize
especia spice
especial special
especialista m., f. specialist
especialización specialization; major
    (*university*)
especializarse (c) (en) to specialize (in); to
    major (in)
especie f. species
especificar (qu) to specify
específico specific
espectacular spectacular
espectáculo spectacle; show
especular to speculate
espejo mirror
espera: sala de espera waiting room
esperanza hope
esperar to hope, wish; to wait for; to expect
espía m., f. spy
espiar (espío) to spy
espinacas pl. spinach
espionaje spying, espionage
espíritu spirit
espiritual spiritual
espléndido splendid, magnificent
esplendor splendor, magnificence
esplendoroso magnificent, radiant
esposa wife
esposo husband
espuma foam, froth
esquela obituary notice
esqueleto skeleton
esquema m. diagram
esquiar (esquío) to ski
esquina corner
esquinado angular, having corners
estabilidad stability
estabilizarse (c) to stabilize
estable adj. stable
establecer (establezco) to establish;
    establecerse to get settled,
    established
establecimiento establishment
estación season; station
estadio stadium
estadística statistic
estado state; **Estados Unidos** United
    States; **estado libre asociado** common-
    wealth; **golpe de estado** coup d'etat
estadounidense n. m., f. person from the
    United States; adj. m., f. U.S., from the
    United States

estafa graft, fraud
estafador person who commits graft,
    fraud
estallar to break out
estancia ranch
estante bookshelf; shelf
estaño tin
estar to be; **estar a cargo (de)** to be in
    charge (of); **estar a dieta** to be on a
    diet; **estar a favor de** to be for/in favor
    of; **estar a la venta** to be on/for sale;
    estar absorto to be entranced, amazed;
    estar al alcance to be within reach of;
    estar al día to be up to date; **estar de**
    acuerdo to be in agreement; **estar**
    de vacaciones to be on vacation; **estar**
    de visita to be visiting; **estar dispuesto**
    (a) to be ready (to); **estar en erupción**
    to be erupting; **estar para** + inf. to be
    about to (*do something*); **estar por** + inf.
    to remain to be done; **sala de estar**
    living room
estatal adj. state, relating to the state
estatura height; stature
estatuto statute
este/a adj. this; pron. this (one); **esta**
    noche tonight; **este año** this year
estereo stereo
estereotipado stereotyped
estereotípico stereotypical
estereotipo stereotype
esterilidad sterility
estético: cirugía estética cosmetic
    surgery
estiércol manure
estilo style
estimable worthy
estimación estimation; evaluation
estimar to estimate; to think, consider
estimulante stimulant
estimular to stimulate
estirar to stretch
esto neuter pron. this (stuff)
estoicismo stoicism
estorbo hindrance
estrafalario outlandish, eccentric, odd,
    strange
estrategia strategy
estratégico strategic
estrechar(se) to shake (oneself);
    estrechar(se) la mano to shake hands
estrechez closeness
estrecho tight; narrow
estrella star
estrellado starry
estrellarse to crash
estremecedor terrifying
estremecerse (me estremezco) to shiver
estrenar(se) to debut, premiere
estreno debut, premiere
estrés m. stress
estresante stressful

estricto strict
estrofa stanza; verse
estructura structure
estuche case; sheath
estudiante student
estudiantil *adj.* student; **residencia estudiantil** dormitory
estudiar to study
estudio study
estudioso *n.* bookworm; scholar; *adj.* studious
estufa stove
estupendo wonderful
estúpido stupid
estupor stupor
etapa stage, step, era
etcétera et cetera
eternidad eternity
ético ethical
étnico ethnic
eucalipto eucalyptus
Europa Europe
europeo *n., adj.* European
euskera *m.* Basque (*language*)
evaluar (evalúo) to evaluate
evangélico evangelical
evangelizador evangelist
evento event
evidencia evidence
evidente obvious
evitar to avoid
evocar (qu) to evoke
evolucionar to evolve
exactitud accuracy, exactness
exacto exact, accurate; correct
exageración exaggeration
exagerar to exaggerate
exaltar to praise
examen test
examinador examiner
examinar to examine
exceder to exceed
excelente excellent
excelso lofty, sublime
excepción exception
excesivo excessive
exceso excess
exclamar to exclaim
excluir (*like* **construir**) to exclude
exclusivo exclusive
excremento excrement
excursión excursion
excursionismo hiking
excusa excuse
excusar to excuse
exequias *pl.* funeral rites
exhibir to exhibit
exhortar to warn
exigente demanding
exigir (exijo) to demand; to require
exiliado *n.* exile (*person*); *adj.* exiled
exilio exile

existencia existence
existir to exist
éxito success; **tener éxito** to be successful
exorcizar (c) to exorcise
exótico exotic
expandir to expand
expansión expansion
expectativa expectation
expedición expedition
experiencia experience
experimentación experience
experimentar to experience
experimento experiment
experto expert
explicación explanation
explicar (qu) to explain
explicativo explanatory
exploración exploration
explorar to explore
explosión explosion
explotación exploitation
explotar to exploit; to explode
exponer (*like* **poner**) to explain, expound
exportar to export
exposición exposition, exhibition
expresar to express
expresión expression
expresivo expressive
exprimir to exert
expulsar to expel
exquisito exquisite
éxtasis *f.* ecstasy
extático ecstatic
extender (extiendo) to extend, expand
extendido widespread
extenso extensive
exterior outside
externo external
extracto extract
extradición extradition
extraer (*like* **traer**) to extract
extranjero *n.* abroad, overseas; *adj.* foreign; **idioma** (*m.*) **extranjero** foreign language
extrañar to miss, long for
extraño strange
extraordinario extraordinary; **hacer horas extraordinarias** to work overtime
extraterrestre extraterrestrial
extremista *m., f.* extremist
extremo *n., adj.* extreme
extrovertido extroverted, outgoing

F

fábrica factory
fabricación manufacture, production
fabricar (qu) to manufacture, make
fachada facade
fácil easy
facilidad facility, ease
facilitar to facilitate, make easier

factoría factory
facultad faculty, power
falda skirt
falla flaw
fallar to fail
fallecer (fallezco) to die
fallecido deceased
fallecimiento death, demise
falsificación forgery
falsificar (qu) to forge, falsify
falso false
falta lack
faltar a to miss, not attend
fama fame; reputation
familia family
familiar *n.* relative; *adj.* familiar; (of the) family
famoso famous
fanatismo fanaticism
fantasía fantasy
fantasma *m.* ghost
fantasmagórico ghostly
fantástico fantastic
farmacéutico *n.* pharmacist; *adj.* pharmaceutical
farmacia pharmacy
fascinar to fascinate
fase *f.* phase, stage
fastidiar to bother
fatalista *adj. m., f.* fatalistic
fatiga fatigue
fatigarse (gu) to become fatigued, weary
fauno faun
favor favor; **estar a favor de** to be for/in favor of; **por favor** please
favorecer (favorezco) to favor
favorito favorite
fe *f.* faith
fealdad ugliness
febril feverish; restless
fecha date
felicidad happiness
feliz happy; **llevar una vida feliz** to lead a happy life
femenino feminine
feminista *n., adj. m., f.* feminist
fenómeno phenomenon
feo ugly
feria fair, festival
ferocidad ferocity
feroz ferocious
férreo: vía férrea railway, railroad
ferrocarril railroad
ferroviario pertaining to railroads or railways
fértil fertile
fertilidad fertility
festejar to celebrate; to wine and dine
festividad festivity
festivo: día (*m.*) **festivo** holiday
fiaca laziness
fibra fiber

ficción fiction
ficticio fictitious
fidelidad fidelity
fideo noodle
fiebre *f.* fever
fiel faithful
fiereza ferocity, fierceness
fiesta party; **dar una fiesta** to have a party
figura figure, shape
figurita figurine
figurar to figure, be/take part in; **figurarse** to imagine
fijarse to notice
fijo stationary; set, definite
fila line
Filadelfia Philadelphia
Filipinas: Islas Filipinas Philippine Islands
filmado filmed
filo cutting edge (*of a knife*)
filosofía philosophy; **filosofía y letras** humanities
filosófico philosophical
fin end; purpose; **a fin de** + *inf.* in order to (*do something*); **a fin de que** *conj.* so that; **al fin y al cabo** after all; at last; **en fin** in short; **fin de semana** weekend; **por fin** finally
final end; **a finales de** at the end of; **al final** at the end
financiar to finance
financiero financial
finca farm
fincar (qu) to rest, reside
fingir (finjo) to fake, feign
firma signature
firmar to sign
fiscal prosecuting attorney
física physics
físico physical
fisiología physiology
flaco skinny
flautista *m., f.* flautist
flecha arrow
flecos *pl.* fringe
flor *f.* flower
florecer (florezco) to flourish; to flower, bloom
flotar to float
fluidez fluidity
folclórico folkloric
folleto brochure
fomentar to promote
fonda restaurant
fondo background; back; fund; bottom; **en el fondo** if the truth be told; **retirar fondos** to withdraw funds; **reunir (reúno) fondos** to raise funds
fonógrafo phonograph, record player
forma form, shape; manner, way
formación training, education; formation

formar to form, shape; **formar parte** to make up
formato format
formular to formulate
formulario form
fortalecer (fortalezco) to strengthen
fortuna fortune
forzar (fuerzo) (c) to force
forzoso forceful
foto *f.* photo; **sacar una foto** to photograph, take a picture
fotogénico photogenic
fotografía photograph; photography
fracasar to fail
fracaso failure
fragmentación fragmentation
fraile friar, monk
francés *n.* French (*language*); French person; *adj.* French
Francia France
franquista *adj. m., f.* pertaining to Franco, former dictator of Spain
frase *f.* phrase
fraternal: vínculo fraternal fraternal bond
frecuencia frequency; **con frecuencia** frequently
frecuente frequent
frenar to brake
freno brake
frente *m.* front; *f.* forehead; **frente a** faced with; in front of; **hacer frente a** to face
fresa strawberry
fresco *n.* coolness; *adj.* cool; fresh; **hacer fresco** to be cool (*weather*)
frescura coolness; freshness
fricasé: pollo en fricasé chicken fricassee
frígido frigid
frigorífico refrigerator
frío *n., adj.* cold; **hacer frío** to be cold (*weather*); **tener frío** to be cold
frito fried; **patatas fritas** French fries; **pollo frito** fried chicken
frontera border
fronterizo *adj.* border
frustración frustration
frustrado frustrated
frustrar to frustrate
fruta fruit
frutal fruitful
fruto fruit (*as part or name of a plant*); fruit (*product, result*)
fucsia fuchsia
fuego fire; **arma de fuego** firearm; **fuegos artificiales** fireworks
fuente *f.* source
fuera *adv.* outside; **por fuera** from the outside
fuerte strong
fuerza strength
fumador smoker
fumar to smoke

función function
funcionamiento functioning
funcionar to function
funda sheath
fundador founder
fundar to found
fúnebre *adj.* funereal
furia fury
furioso furious
fusilar to shoot
fusilamiento shooting, execution
fútbol soccer; **fútbol americano** football
futbolista *m., f.* soccer/football player
futurista futuristic
futuro *n., adj.* future

G

gabinete cabinet
gafas (eye)glasses
galardonado award-winning
galería gallery
galleta cookie; cracker
gallina hen
gallo rooster
galón gallon
gamba prawn
gamín street child
gana: dar la gana (*to do*) what-ever one feels like doing; **de buena gana** willingly; **tener ganas de** + *inf.* to feel like (*doing something*)
ganadería cattle industry
ganado cattle
ganancia earning, profit
ganar to earn; to win
gandul pigeon pea
ganga bargain
garaje garage
garantía guarantee
garantizar (c) to guarantee
gasa gauze, muslin
gasolina gasoline
gastar to spend; **gastar una broma** to play a prank
gasto expense
gastronómico gastronomic
gato cat
gaviota seagull
gemelo twin
gemir to moan (**gimo**) (**i**)
generación generation
generacional generational
general *n., adj.* general; **dominio general** common knowledge; **por lo general** in general
generalización generalization
generalizado generalized
generar to generate
género gender; genre
generoso generous
genético genetic

genio genius; genie
gente *f. s.* people
geografía geography
geográfico geographic
geranio geranium
gerencia management
gerente *m., f.* manager
germánico *adj.* Germanic
gerundio *gram.* gerund
gestión management
gesto grimace; gesture
gigante *n., adj.* giant
gigantesco gigantic
gimnasia *s.* gymnastics
gimnasio gymnasium
Ginebra Geneva
girar to turn
giro: hacer **un giro** to take a turn, tour
glorioso glorious
glosario glossary
glotón glutton
gobernador governor
gobernante *m., f.* ruler
gobernar (gobierno) to govern
gobierno government
goce delight
goloso sweet-toothed; greedy (*about food*)
golpe blow, hit; **golpe de estado** coup d'etat
golpear to hit
gordo: dedo gordo thumb
gorra cap
gota drop (*of water*)
gozar (c) de to enjoy
grabado recorded; **libro grabado en cinta** book on tape
grabadora recorder
grabar to record
gracia grace
gracias thank you; **dar las gracias** to thank; **Día** (*m.*) **de Acción de Gracias** Thanksgiving Day; **romance de gracias** expression of gratitude
grado degree, grade
graduarse (me gradúo) to graduate
gráfica graph, diagram
grafología graphology
gramática grammar
gran, grande great; large, big; **Gran Bretaña** Great Britain; **no es gran novedad** it's nothing new
grandeza greatness, grandeur
grano grain
grasa fat
gratis free
gratitud gratitude
grave serious
gravedad seriousness
gris gray
gritar to shout
grito shout, cry
grocería *n.* grocery store

grosero vulgar, crude
grúa tow truck
grueso thick, bulky, stout
grumo blob
grupo group; **grupo de presión** lobbyist
guante glove
guapo handsome
guardar to keep; to set aside; to save
guardería day care center
guatemalteco *n.* Guatemalan
gubernamental governmental
guerra war; **guerra civil** civil war
guerrero warrior
guerrillero *n., adj.* guerrilla
guía *f.* guidebook; *m., f.* guide (*person*)
guiar (guío) to guide
guion script
guisado stew; stewed meat
guisante pea
guiso dish (*food*); stew
guitarra guitar
guitarrista *m., f.* guitarist
gustar to be pleasing to
gusto taste

H

haber to have (*auxiliary*); **hay** there is; there are
habilidad skill, ability
habitación room
habitacional: casas habitacionales living quarters
habitante *m., f.* inhabitant
habitar to live in; to inhabit
hábito habit
habituado (a) accustomed (to)
habitual customary, usual
habla *f. (but* **el habla**) speech; **de habla española** Spanish-speaking
hablador talkative
hablar to talk, speak
hacendado farmhouse; country home
hacelotodo *m., f.* do-it-all
hacer (*p.p.* **hecho**) to do; to make; **desde hace** + *period of time* for + *period of time;* **hace...** *period of time...period of time* ago; **hace... años** ... years ago; **hace un mes / una hora** one month/hour ago; **hacer a un lado** to push aside; **hacer bromas** to play jokes; **hacer buen/mal tiempo** to be good/bad weather; **hacer calor/fresco** to be hot/cool (*weather*); **hacer caso (de)** to pay attention (to), take into account; **hacer cola** to be/stand/wait in line; **hacer confidencias** to tell secrets; **hacer cumplir** to enforce; **hacer de cuenta** to make believe; **hacer daño** to harm, hurt, injure; **hacer ejercicio** to exercise; **hacer frente a** to face; **hacer hincapié en** to insist on; to stress, emphasize;

hacer horas extraordinarias to work overtime; **hacer la compra** to go shopping; **hacer la maleta** to pack a suitcase; **hacer la rata** to play hooky; **hacer las paces** to make up; to make peace; **hacer memoria** to jog one's memory; **hacer noticia** to make the news; **hacer picnic** to have a picnic; **hacer referencia a** to refer to; **hacer sol** to be sunny; **hacer trampa(s)** to cheat; **hacer travesuras** to play pranks; **hacer trucos** to play tricks; **hacer un calor de todos los demonios** to be hot as hell; **hacer un giro** to take a turn, tour; **hacer un sondeo** to conduct a survey; **hacer un viaje** to take a trip; **hacer una caminata** to go on/for a walk/hike; **hacer una pregunta** to ask a question; **hacer una visita** to pay a visit; **hacerse** to become; to turn into; **hacerse cargo (de)** to take charge (of); **hacerse una idea** to conceive, imagine; **máquina para hacer palomitas de maíz** popcorn popper
hacia toward; **hacia abajo** downward; **hacia arriba** upward; **hacia atrás** backward
hacinado stacked up
hada *f. (but* **el hada**) fairy; **cuento de hadas** fairy tale; **hada madrina** fairy godmother
halagado flattered
hallar to find
hallazgo finding, discovery
hambre *f. (but* **el hambre**) hunger; **pasar hambre** to go hungry; **tener hambre** to be hungry
hamburguesa hamburger
haraposo ragged
hartarse (de) to become fed up (with)
harto full, stuffed; **estar harto (de)** to be fed up (with)
hasta *adv.* even; *prep.* until; up to; **hasta luego** see you later; **hasta pronto** see you soon; **hasta que** *conj.* until
hastío boredom
hebilla belt buckle
hecho *n.* fact; matter; **de hecho** in fact; (*p.p. of* **hacer**) done; made; **hecho a mano** handmade
helado ice cream
hemisferio hemisphere
heredar to inherit
heredero *m., f.* heir
herencia inheritance; heritage
herida *n.* wound
herir (hiero) (i) to wound
hermana sister
hermano brother; *pl.* siblings; **hermanos políticos** brothers- and sisters-in-law
hermoso beautiful
héroe hero

heroína heroin; heroine
heroinómano heroin addict
heroísmo heroism
herrería blacksmithing
hervido boiled
heterogéneo heterogeneous
híbrido hybrid
hielo ice
hierba grass; herb
hierro iron
hija daughter
hijo son; *pl.* children; **hijo único** only child; **hijos políticos** sons- and daughters-in-law
hilera row
hilito delicate (tiny) thread
hincado kneeling
hincapié: hacer hincapié en to insist on; to stress, emphasize
hipar to hiccup
hipermercado large supermarket; large discount store
hipnotismo hypnotism
hipnotizado hypnotized
hipócrita *m., f.* hypocrite
hipotético hypothetical
hispánico *n., adj.* Hispanic
hispano *n., adj.* Hispanic
Hispanoamérica Hispanic America
hispanoamericano *n., adj.* Hispanic American
hispanohablante *n. m., f.* Spanish speaker; *adj.* Spanish-speaking
histérico hysterical
historia history; story
histórico historical
hogar home, family domicile
hoguera bonfire
hoja leaf; blade (*of a knife*); **hoja de cálculo** spreadsheet; **hoja de papel** sheet of paper
holganza leisurely stay
holgazanería laziness
hombre man; **hombre de negocios** businessman
hombro shoulder
homicidio homicide
homogéneo homogeneous, similar
homosexualidad homosexuality
hondo deep
hondura depth
hondureño *n.* Honduran
honesto honest
honra honor
honradamente honorably
honradez honesty, integrity
honrar to honor
hora hour; time of day; **¿a qué hora?** at what time?; **hace una hora** an hour ago; **hacer horas extraordinarias** to work overtime; **¿qué hora es?** what time is it?

horario schedule
horizonte horizon
horno oven; **horno microondas** microwave oven
horrendo horrendous
horrorizar (c) to horrify, terrify
hosco sullen, gloomy
hospitalidad hospitality
hostil hostile
hostilidad hostility
hotelería hotel industry
hoy today; **hoy (en) día** nowadays
hoya hole, pit
huelga strike
huella track; trace
huérfano orphan
huerta garden
huerto orchard; garden
hueso bone
huésped *m., f.* guest
huevo egg
huir to flee
humanidad humanity
humanitario humanitarian
humano *adj.* human; **ser humano** human being
húmedo damp, moist
humilde humble
humillación humiliation
humillado humiliated
humillarse to humble oneself
humo smoke
humor mood; humor
hundir to sink; **hundirse** to set (*sun*)
huracán hurricane
hurgar (gu) to delve, dig into (*something*)

I

ibérico Iberian
ida: pasaje de ida one-way passage/ticket
idea idea; **cambiar de idea** to change one's mind; **hacerse una idea** to conceive, imagine
idealista *adj. m., f.* idealistic
idéntico identical
identidad identity; **carnet (*m.*) de identidad** I.D. card
identificar (qu) to identify
ideología ideology
idioma *m.* language
idiomático idiomatic
iglesia church
ignorancia ignorance
ignorante ignorant
ignorar to not be aware of, not know; to ignore
igual equal; same; **al igual que** just as; **dar igual** to be the same to
igualdad equality
igualitario egalitarian
ilegal illegal

iluminado enlightened
iluminar to illuminate
ilusión illusion
ilusorio illusory
ilustración illustration
ilustrar to illustrate
imagen *f.* image, picture
imaginación imagination
imaginar(se) to imagine
imaginario imaginary
imán magnet; **piedra imán** lodestone
imborrable indelible
imitar to imitate
impacientarse to become impatient
impaciente impatient
impacto impact
impedir (like pedir) to impede, prevent
imperar to reign
imperativo *gram.* imperative
imperfecto *gram.* imperfect
imperialista *n. m., f.* imperialist
imperioso imperious
impermeable raincoat
ímpetu *m.* impetus; drive
implementar to implement
implicar (qu) to imply; to involve
imponer (like poner) to impose
importancia importance
importante important
importar to matter; to import
importe cost
imposible impossible
imposición imposition
impredecible unpredictable
imprescindible indispensable
impresión impression
impresionante impressive
impresionar to impress
impresora printer
imprevisible unforeseeable
imprimir (*p.p.* impreso) to print
improbable improbable
improvisación improvisation
improvisar to improvise
improviso: de improviso unexpectedly
impuesto *n.* tax; *adj.* (*p.p. of* **imponer**) imposed
impulsar to impel, force
impulsivo impulsive
impulso impulse
inadmisible inadmissible
inalámbrico: teléfono inalámbrico cordless telephone
inaugurar to inaugurate
inca *n. m., f.* Inca; *adj.* Incan
incaico *adj.* Incan
incautado confiscated
incedencia incidence
incendio fire
incesante incessant
incidir en to fall into (*something*)
incitar to incite

inclinación inclination
inclinar(se) to bend (over); **inclinarse a** + *inf.* to be inclined to (*do something*)
incluir (*like* **construir**) to include
inclusive including
incluso including
incómodo uncomfortable
incomprensible incomprehensible
incomprensión incomprehension
incomunicación lack of communication
inconformidad nonconformity
incontenible unstoppable
inconveniente: no tener inconveniente to have nothing against
incorporar to incorporate; **incorporarse** to sit up
incorpóreo fictitious
increíble incredible
incriminar to incriminate
incurable incurable; hopeless; irremediable
indeciso indecisive
indefenso defenseless
indefinido indefinite
independencia independence; **Día de la Independencia** Independence Day
independiente independent; **cláusula independiente** *gram.* independent clause
independizarse (c) to become independent
indeterminado indeterminate
indicación indication; instruction
indicar (qu) to indicate
indicativo *gram.* indicative
índice index
indiferente indifferent
indígena *n. m., f.* native; *adj.* indigenous, native
indignante indignant
indio Native American
indirecto: pronombre de complemento indirecto *gram.* indirect object pronoun
individuo *n.* individual
indócil unruly
indolencia carelessness
indulto pardon
industria industry
industrialización industrialization
inédito unpublished
ineficaz ineffective; inefficient
inesperado unexpected
inestabilidad instability
inestable unstable
inevitable unavoidable
inexacto inexact
inexpresivo inexpressive
infancia infancy
infantería de línea infantry of the line
infantil *adj.* children's; **tasa de mortalidad infantil** infant mortality rate
infeliz unhappy
inferior lower

inferioridad inferiority
inferir (infiero) (i) to infer
infiel *n. m., f.* infidel, unbeliever; *adj.* unfaithful
infierno hell
infinitivo *gram.* infinitive
infinito *n.* infinity; *adj.* infinite
inflación inflation
influencia influence
influenciar to influence
influir (*like* **construir**) to influence
información information
informado informed
informal: mandato informal *gram.* informal command
informar to inform; **informarse** to find out
informática computer science
informe report
infracción infraction
infranqueable unsurmountable
infundir to infuse
ingeniería engineering; **ingeniería genética** genetic engineering
ingeniero engineer
ingenio ingenuity
ingeniosidad ingenuity
ingestión ingestion
Inglaterra England
inglés *n.* English person; English (*language*); *adj.* English
ingrediente ingredient
ingresar to deposit (*funds*)
ingresos *pl.* earnings, revenue
inhalar to inhale
iniciar to initiate
injuriar to insult, offend
injusticia injustice
injusto unjust, unfair
inmaduro immature
inmediato immediate
inmensamente immensely
inmenso enormous
inmersión immersion
inmigración immigration
inmigrante *m., f.* immigrant
inmigrar to immigrate
inminente imminent
inmortal immortal
inmóvil immobile
inmundicia filth
inmunodeficiencia: síndrome de inmunodeficiencia adquirida (SIDA) acquired immune deficiency syndrome (AIDS)
inmutarse to become upset
innecesario unnecessary
inocente innocent
inolvidable unforgettable
inquieto restless; enterprising
inquietud concern
inquilino tenant, boarder

inquisición Inquisition
inquisitivo inquisitive
insatisfacción dissatisfaction
insatisfecho (*p.p. of* **insatisfacer**) *adj.* dissatisfied
inscribirse (*p.p.* **inscrito**) to enroll, join
insecto insect
inseguridad insecurity
inseguro unsure
insignificante insignificant
insinuarse (me insinúo) to wheedle, work one's way
insistir en to insist on
insólito unusual
insoportable unbearable, intolerable
inspiración inspiration
inspirar to inspire; to cause
instalado set up
instalarse to establish oneself
instante instant
instar to urge
instaurar to establish
instigador instigator
instigar (gu) to instigate
instintivo instinctive
institución institution
instituir (*like* **construir**) to institute
instituto institute
institutriz governess
instrucción instruction
instruirse (*like* **construir**) to be informed
insultante insulting
insulto insult
insurgente *n.* insurgent
intachable irreproachable; exemplary
integración integration
integrar to make up; **integrar(se)** to integrate (oneself)
intelectual intellectual
inteligencia intelligence
inteligente intelligent
intención intention
intensificación intensification
intensificar (qu) to intensify
intenso intense
intentar to try, attempt
intento attempt
interamericano inter-American
intercambiar to exchange
intercambio exchange, interchange
interés interest
interesante interesting
interesar to be interesting to; **interesarse (en)** to become interested (in)
interiormente internally
interminable unending
internacional international
internarse to go deep into (*an area*)
Internet *m.* Internet; **navegar el Internet** to surf the Internet
interno internal
interpretación interpretation

interpretar to interpret
intérprete *m., f.* interpreter
interrogación interrogation
interrogante question
interrogatorio interrogation
interrumpir interrupt
interrupción interruption
intervención intervention
intervencionismo interventionism
intervencionista *adj. m., f.* interventionist
intervenir (*like* **venir**) to intervene
íntimo intimate
intocado untouched
intolerancia intolerance
intransferible nontransferable
introducir (*like* **conducir**) to introduce
introvertido introverted
intuición intuition
inundación *f.* flood
inundar to flood
inútil useless
inválido disabled person
invasor invader
inventar to invent
invento invention
inversión investment
invertir (**invierto**) (**i**) to invest
investigación investigation
investigador investigator; **investigador privado** private investigator
investigar (**gu**) to investigate
invierno winter
invitación invitation
invitado guest
invitar to invite
involucrado involved
ir to go; **ir a** + *inf.* to be going (to do something); **ir a casa** to go home; **ir a clase** to go to class; **ir de compras** to go shopping; **ir de vacaciones** to take a vacation; **irse** to go away; **¡vaya!** *interj.* really!; well!
ira anger; **cegado por la ira** blind with rage
Irak Iraq
Irlanda Ireland
irónico ironic
irreflexivo unthinking, rash
irremediablemente hopelessly
irresponsable irresponsible
irritar to irritate
isla island; **Islas Canarias** Canary Islands; **Islas Filipinas** Philippine Islands
israelita *m., f.* Israeli
Italia Italy
italiano *n., adj.* Italian
itinerante *adj.* traveling
izquierda *n.* left; **a la izquierda** on/to the left
izquierdista *n. m., f.* leftist; *adj. m, f.* left-wing
izquierdo *adj.* left

J

jabón soap
jalar to pull
jamaicano *n.* Jamaican
jamaiquino *n.* Jamaican
jamás never
jamón ham
Japón Japan
japonés *m.* Japanese (*language*); *adj.* Japanese
jaquemate checkmate (*chess*)
jardín garden
jardinero gardener
jefe boss, supervisor
jerez *m.* sherry
jerga slang; jargon
Jesucristo Jesus Christ
jesuita *n., adj. m., f.* Jesuit
jíbaro Puerto Rican peasant
jinete horseman, rider
jornada workday
joven *n. m., f.* young person, youth; *adj.* young
joya jewel
joyería jewelry making
jubilación retirement
jubilarse to retire
judaísmo Judaism
judeocristiano Judeo-Christian
judío Jewish person
juego game; **en juego** in play
juez *m., f.* judge
jugada play, move (*in a game*)
jugador player
jugar (**juego**) (**gu**) (**a**) to play
jugo juice
jugoso juicy
juguete toy
juguetón playful
juicio judgment; **someter a juicio** to try (*in court*)
junta board; assembly; **junta militar** military junta
juntar to put together; **juntarse** to gather
junto a near, next to; **junto con** along with, together with
juntos together
jurado jury
juramentar to swear in
jurar to swear
jurídico judicial
justicia justice
justificación justification
justificar (**qu**) to justify
justo just, fair; **comercio justo** fair trade
juvenil juvenile
juventud youth
juzgar (**gu**) to judge

K

kayac *m.* kayak
kepis *m.* kepi (*military cap*)
kerosén kerosene
kilo kilogram
kilómetro kilometer

L

laberinto labyrinth
labio lip
labor *f.* labor, work, task
laboral *adj.* pertaining to work
laboratorio laboratory
laboriosamente laboriously
laborioso hard-working
labrador laborer
labrar to plow
laca hair spray
lácteo: producto lácteo dairy product
lado side; **al lado de** next to; **de al lado** next door; **dejar de lado** to leave aside; **hacer a un lado** to push aside; **ningún lado** nowhere; **por otro lado** on the other hand
ladrar to bark
ladrillo brick
ladrón robber, thief
lago lake
lágrima tear
laguna small lake
lamentable pitiful
lamentar to lament, regret
lamento cry, lament
lamer to lick
lámpara lamp
lana wool
lancear to wound with a lance
lanzador pitcher (*baseball*)
lanzar (**c**) to launch; to let out; **lanzarse a** + *inf.* to set off (on), take off
lapicero mechanical pencil
lápiz *m.* pencil
largarse (**gu**) to begin (*to do something*)
largo long; **a largo plazo** in the long run; **a lo largo de** throughout; **en larga distancia** for long distance (calling)
lástima shame, pity
lastimar to hurt, injure
lata (tin) can, tin; **envase de lata** (tin) can
latifundio large landed estate
latigazo lash; reproof
latino *n., adj.* Latino, Latin American
Latinoamérica Latin America
latinoamericano *n., adj.* Latin American
latir to beat
latitud lattitude
laurel bay leaf
lavabo sink
lavanda lavender
lavaplatos *m. s., pl.* dishwasher

lavar to wash; **lavar los platos** to wash the dishes; **lavarse** to wash (oneself)

lazo bond, tie

lealtad loyalty

lección lesson

leche *f.* milk

lechera *adj.* dairy

lecho bed

lector reader

lectura reading

leer (*like* **creer**) to read

legalización legalization

legalizar (c) to legalize

legislatura legislature

legítimo legitimate

legumbre *f.* vegetable

lejano distant, far away

lejos far; **a lo lejos** in the distance

lema *m.* sound bite; slogan

lempira *monetary unit of Honduras*

lengua language; tongue

lenguaje language, speech

lentamente slowly

lentes *pl.* (eye)glasses; **lentes de sol** sunglasses

lentilla contact lens

lentitud: con lentitud slowly

lento slow

leña firewood

león lion

letra letter (*alphabet*); handwriting; **filosofía y letras** humanities; **letra** (*s.*) **cursiva** italics; **sopa de letras** word search puzzle

levantar to raise, pick up; **levantarse** to get up; to stand up

leve slight

ley *f.* law; **violar la ley** to break the law

leyenda legend

liberación liberation, freedom

liberar(se) to liberate, free (oneself)

libertad freedom

libra pound

libre free; **estado libre asociado** commonwealth; **libre comercio** free trade; **tiempo libre** free time

librería book store

libro book; **libro grabado en cinta** book on tape

licencia permission; **licencia de conducir** driver's license

licenciado person holding a university degree

líder leader

liderar to lead

lienzo canvas

ligarse (gu) to join together

ligero slight; light; unburdened

lima file (*tool*)

limitar to limit

límite limit; **límite de velocidad** speed limit

limón lemon

limonada lemonade

limosna: pedir (pido) (i) limosna to panhandle

limpiar to clean

limpio clean

limpieza cleanliness

linaje lineage

linchamiento hanging, lynching

línea line; **en línea** on-line; **infantería de línea** infantry of the line; **línea de conducta** course of action

lingüístico linguistic

lío mess

lírico lyrical

lirismo lyricism

lista list

listo ready; bright, smart

literalmente literally

literario literary

literatura literature

litro liter

liviano light

llama *m.* llama

llamador caller

llamar to call; **llamar a la puerta** to knock at the door; **llamar por teléfono** to call on the telephone; **llamarse** to call oneself, be named

llano *n. pl.* plains; *adj.* flat

llanta tire; **llanta auxiliar / de repuesto** spare tire; **llanta desinflada** flat tire

llanto crying; sob; lament

llanura plain, prairie

llave *f.* key

llegada arrival

llegado: recién llegado newcomer

llegar (gu) to arrive, reach; **llegar a** + *inf.* to manage to, get to (*do something*); **llegar a ser** to get to be, become; **llegar a un acuerdo** to reach an agreement

llenar to fill (out)

lleno full

llevar to carry; to wear; to take; **llevar a cabo** to carry out; to fulfill; **llevar una vida (feliz/difícil)** to lead a (happy/difficult) life; **llevarse bien/mal (con)** to get along well/poorly (with)

llorar to cry

Llorona *legendary figure of a weeping woman*

llover (llueve) to rain

lluvia rain

lluvioso rainy

lobo wolf

local place; premises; **red local** local area network

localidad location

loco crazy

locución locution, public speaking

locura madness, insanity

lógico logical

lograr to achieve

logro achievement

loma hill

lombriz earthworm

Londres London

longitud longitude

lotería lottery

lucha fight, struggle

luchar to fight, struggle

luciente shining, twinkling

lucir (luzco) to look

lucrativo lucrative

luego then, next, later; **hasta luego** see you later

lugar place; **en primer lugar** in the first place; **tener lugar** to take place

lujo luxury

lujoso luxurious

luminoso shining; **señal** (*f.*) **luminosa** traffic light, signal

luna moon

luz light; **dar a luz** to give birth; **salir a la luz** to come to light

M

machismo male chauvinism

machista *n. m., f.* male chauvinist; *adj.* male-chauvinistic

madera wood

madrastra stepmother

madre *f.* mother; **Día** (*m.*) **de la Madre** Mother's Day; **madre patria** mother country; **madre soltera** single mother

madrileño *adj.* of or from Madrid

madrina: hada (*f.,* but **el hada**) **madrina** fairy godmother

madrugada dawn

madurez maturity; adulthood

maduro mature

maestría master's degree

maestro teacher; **maestro particular** tutor

magia *n.* magic

mágico *n., adj.* magic; **realismo mágico** magical realism

magnetofónico *adj.* (audio) tape

magnífico magnificent

maíz *m.* corn; **máquina para hacer palomitas de maíz** popcorn popper; **palomitas de maíz** *pl.* popcorn

mal *n.* evil; illness; *adv.* badly; **caer mal** to strike (one) badly, make a bad impression; **hacer mal tiempo** to be bad weather; **mal educado** ill-mannered; poorly educated; **portarse mal** to misbehave

mal, malo *adj.* bad; sick

malcriado bad-mannered, ill-mannered

maldecir (*like* **decir**) to curse

maldito cursed, damned

maleducado *n.* bad/ill-mannered person; *adj.* bad/ill-mannered

maleta suitcase; **hacer la maleta** to pack a suitcase

maletín small case, bag

malévolo evil

malgastar to waste, misspend

malhablado foulmouthed

malicioso malicious, spiteful

maligno evil

Malinche *interpreter to Cortés, considered a traitor to the Mexican people*

maltratado ill-treated

maltrecho battered

malvado wicked

mamá mother, mom

mancha stain

manchar(se) to stain (oneself)

mandados groceries

mandamiento commandment

mandar to order, command; to send

mandarina mandarin orange

mandato command, order; **mandato informal** *gram.* informal command

mandón *n.* foreman; *adj.* bossy

mandrágora mandrake

manejar to drive; to handle; to manage

manera way, manner; **de manera que** *conj.* so that

manga sleeve

manifestación demonstration, protest, rally

manifestar (manifiesto) to demonstrate, show, express

manipulación manipulation

manipular to manipulate

mano *f.* hand; **a mano** by hand; **darse la mano** to shake hands; **de segunda mano** secondhand; **estrechar(se) la mano** to shake hands; **hecho a mano** handmade; **mano de obra** workforce; **pedir (pido) (i) la mano** to propose

manso tame; docile

mantel tablecloth

mantener (*like* **tener**) to maintain; to support

mantenimiento maintenance

manuable manageable

manual: trabajo manual manual labor

manuscrito manuscript

manzana apple; Adam's apple

mañana morning; tomorrow; **cada mañana** every morning; **por la mañana** in the morning

mapa *m.* map

maquillarse to put on makeup

máquina machine; **máquina de escribir** typewriter; **máquina para hacer palomitas de maíz** popcorn popper

maquinalmente mechanically

mar *m., f.* sea; **dar al mar** to face the sea; **en alta mar** *s.* on the high seas

maratón marathon

maravilla wonder

maravillar to amaze

maravilloso wonderful, marvelous

marca brand

marcar (qu) to mark; to dial (*a telephone*)

marcha march

marchar to proceed; **marcharse** to leave, go away

marchito withered

marco frame

margen: al margen de to the side of

marginado marginalized

marginación marginalization

maricón *coll.* sissy, wimp

marido husband

marielito *immigrant to the United States who had been in Mariel prison in Cuba*

marihuana marijuana

marinero sailor

marino *adj.* sea, marine

mariposa butterfly

mármol marble (*stone*)

martillazo blow from a hammer

martillo hammer

martirizar (c) to torment

más more; **cada vez más** more and more; **el más allá** the hereafter, life after death; **más allá** further; **más allá de** beyond; **más que nada** more than anything; **más tarde** later

masacre massacre

masaje massage

masculino masculine; **sastrería masculina** tailor's trade

masivo massive

masticar (qu) to chew

mata bush

matar to kill; **matar a puñaladas** to stab to death

matemáticas *pl.* mathematics

materia subject (*school*); **materia prima** raw material

materialista *n. m., f.* materialist

maternidad maternity

materno maternal

matrícula tuition

matricularse to register, enroll

matrimonio matrimony; married couple

máximo maximum

maya *adj. m., f.* Mayan

mayor *n.* elder; *adj.* older; greater; greatest; **la mayor parte** most, the majority

mayoría *n.* majority

mayorista *m., f.* wholesaler

mayoritario *adj.* majority

mecánica mechanics

mecánico mechanic

mecanismo mechanism

mecanización mechanization

medallón medallion

media average, mean; stocking

mediano medium

medianoche *f.* midnight

mediante through

medicamento medicine (*drug*)

medicina medicine (*practice; drug*)

médico *n.* doctor; *adj.* medical; **asistencia médica** health benefits; **receta médica** prescription

medida measure, means; **a la medida** in accordance with; **a medida que** as, at the same time as; in proportion to, according to

medio *n.* middle; half; means; environment, milieu; **clase** (*f.*) **media** middle class; **Edad Media** Middle Ages; **medio ambiente** environment; **medios de comunicación** media; *adj.* average; half; middle, mid; **Oriente Medio** Middle East

mediodía *m.* midday, noon

medir (mido) (i) to measure

mejilla cheek

mejillón mussel

mejor better; best

mejora improvement

mejoramiento improvement

mejorar to improve

melancolía *n.* melancholy

melancólico *adj.* melancholy

melaza molasses

mellizo twin

melocotón peach

melodía melody

memoria memory; **aprender de memoria** to memorize; **saber de memoria** to know by heart

memorizado memorized

mencionar to mention

mendigar (gu) to beg

mendigo beggar

menonita *n. m., f.* Mennonite

menor *n.* minor; *adj.* smaller, smallest; younger, youngest

menos less, lesser, least; **a menos que** *conj.* unless; **cada vez menor** fewer and fewer; younger and younger; **echar de menos** to miss, long for; **ni mucho menos** not by any means; **por lo menos** at least

menospreciar to underestimate

mensaje message

mensajero messenger

mensual monthly

mente *f.* mind

mentir (miento) (i) to lie

mentira lie

mentiroso lying, deceitful

menudo: a menudo often

mercado market

mercancía merchandise

mercantil: contabilidad mercantil mercantile bookkeeping

mercantilismo mercantilism, commercialism
merecer (merezco) to deserve
mérito merit
mermelada marmalade
mes month: **cada mes** every month; **hace un mes** one month ago; **mes pasado** last month
mesa table; **poner la mesa** to set the table
mesero waiter
meseta plateau
mestizo of mixed race
meta goal, aim
metafórico metaphorical
metálico metallic
metamorfosis metamorphosis
meterse to get into, enter
metódico methodical
método method
metro meter
metrópolis metropolis
metropolitano metropolitan
mexicano *n., adj.* Mexican
mexicanoamericano *n., adj.* Mexican American
México Mexico
mezcla mixture
mezclar to mix
mezquita mosque
micrófono microphone
microondas: horno microondas microwave oven
miedo fear; **dar miedo** to frighten; **tener miedo** to be afraid
miel *f.* honey
miembro member
mientras *adv.* meanwhile; **mientras que** *conj.* while, as long as
miércoles *m.*: **Miércoles de ceniza** Ash Wednesday
miga: bolita de miga bread crumb
migración migration
migrante *n. m., f.* migrant
migratorio migratory, migrating
milagro miracle
milagroso miraculous
milanesa chicken-fried steak
milicia militia
militar *n.* career military person; *adj.* military; **junta militar** military junta
milla mile
millonario millionaire
mimar to indulge, spoil (*a person*)
mina mine
minero miner
minidiálogo minidialogue
mínimo minimum
ministerio ministry
ministro minister
minoría *n.* minority
minoritario *adj.* minority
minuciosamente meticulously

minuta *breaded cutlet of fish, fowl, or meat*
minuto minute
miopía nearsightedness
mirada look
mirador watchtower; balcony
mirar to watch; to look (at); **¡mira!** look (here)!
misa Mass
miseria misery
misión mission
misionero missionary
mismo self; same; **ahí mismo** right there; **ahora mismo** right now; **al mismo tiempo** at the same time; **lo mismo** the same thing
misterio mystery
misterioso mysterious
mitad *n.* half
mitigador mitigating, alleviating
mitigar (gu) to alleviate
mitigativo mitigating, moderating
mito myth
mitología mythology
mobilario set of furniture
mochila backpack
moda fashion
modales *pl.* manners, behavior
modelante *adj.* molding
modelo model
moderación moderation
moderado moderate
modernización modernization
modernizar (c) to modernize
moderno modern; **lo moderno** modern things
modesto modest
módico reasonable, moderate
modificación modification
modificar (qu) to modify
modistería ladies' dress wear
modo way, manner; mood (*gram*); **a su modo** in his/her own way; **de modo que** *conj.* so that
mofa mockery
mofletudo chubby cheeked
mojado wet
mojar(se) to get wet
molde mold
moler (muelo) to grind
molestar to bother, annoy
molestia annoyance
molesto annoyed
momentáneo momentary; temporary
momento moment
moneda coin
monetario monetary
monja nun
monje monk
mono monkey
monopolio monopoly
monotonía monotony
monótono monotonous

monstruo monster
montaña mountain; **Montañas Rocosas** Rocky Mountains
montañero mountaineer, climber
montañismo mountain climbing
montar to ride
monte mountain, mount
morado purple
moreno dark-skinned
morir (muero) (u) (*p.p.* **muerto**) to die; **morirse de ganas** to be dying (*to do something*)
mortalidad mortality; **tasa de mortalidad infantil** infant mortality rate
mosca fly
mostrador counter (*in a shop*)
mostrar (muestro) to show
motivación motivation
motivar(se) to motivate; to provide a reason for
motivo motive; cause
moto(cicleta) *f.* motorcycle
mover(se) (**[me] muevo**) to move (*an object or body part*)
móvil mobile; **teléfono móvil** cellular telephone
movilizar (c) to mobilize
movimiento movement
mozo young man
muchacha girl
muchacho boy
muchedumbre *f.* crowd, multitude
mucho much, a lot; **muchas veces** often, frequently; **ni mucho menos** not by any means
mudarse to move (*residence*)
mudo silent
mueble piece of furniture
muerte *f.* death; **pena de muerte** death penalty
muerto *n.* dead person *adj.* (*p.p.* of **morir**) dead; **Día** (*m.*) **de los Difuntos/Muertos** All Souls' Day; Day of the Dead
muestra sample
mujer *f.* woman; wife; **mujer bombero** (female) firefighter; **mujer de negocios** businesswoman; **mujer policía** (female) police officer; **mujer soldado** (female) soldier
mulero mule driver
mulo mule
multa fine; **poner una multa** to (give a) fine
multinacional multinational
múltiple multiple
multiuso *coll.* detergent
mundial *adj.* world, worldwide
mundo world
municipio municipality
muñeca doll
muralismo muralism
muralista *m., f.* muralist

muralla wall
murciélago bat (*animal*)
muro wall
museable museum piece
museo museum
música music
musicalizar (c) to add music to
músico musician
musulmán *n., adj.* Muslim
mutilación mutilation
mutilar to mutilate
mutuo mutual
muy very

N

nacer (nazco) to be born
nacido: recien nacido newborn
naciente growing, emerging
nacimiento birth
nación nation
nacional national
nacionalidad nationality
nacionalismo nationalism
nacionalización nationalization
nacionalizar (c) to nationalize
nacionalizado naturalized
nada nothing; **más que nada** more than anything
nadar to swim
nadie no one
náhuatl Nahuatl (*indigenous language of the Aztecs*)
nalgada slap on the buttocks
naranja orange
naranjo orange tree
narcóticos *pl.* narcotics
nariz nose
narración narration
narrador narrator
narrar to narrate
narrativo narrative
natal *adj.* native; pertaining to birth
natalidad: control de la natalidad birth control; **tasa de natalidad** birth rate
nativo *adj.* native
natural: calamidad natural natural disaster; **recurso natural** natural resource
naturaleza nature
naturalización naturalization
naturismo natural energy, healing
naufragar (gu) to shipwreck
náuseas: con náuseas nauseous
navaja knife
navegar (gu) to navigate; **navegar la red** to surf the net
Navidad Christmas
neblina mist, thin fog
necesario necessary
necesidad necessity; **tener necesidad** to have a need
necesitar to need

necio foolish
negar (niego) (gu) to deny; **negarse a +** *inf.* to refuse to (*do something*)
negativo negative
negociación negotiation
negociante *m., f.* negotiator
negociar to negotiate
negocio business; **hombre de negocios** businessman; **mujer** (*m.*) **de negocios** businesswoman
negro black; **tener el pelo negro** to have black hair
negruzco blackish in color
nene baby
neolítico neolithic
neoyorquino New Yorker
nerviosidad nervousness
nervioso nervous
neurótico neurotic
neutro neutral
nevada snowfall
ni nor; **ni... ni...** neither . . . nor . . .; **ni mucho menos** not by any means; **ni siquiera** not even
nicaragüense *n.* Nicaraguan
nicho niche
nicotina nicotine
niebla fog
nieta granddaughter
nieto grandson; *pl.* grandchildren
nieve *f.* snow
Nilo Nile
ningún, ninguno none, no; **ningún lado** nowhere
niña little girl
niñero babysitter
niñez childhood
niño little boy; *pl.* children; **de niño** as a child
nivel level; standard
no obstante nevertheless
noche *f.* night; **cada noche** every evening/ night; **esta noche** tonight; **por la noche** in the evening, at night
noción notion
Noél: Papá Noél Santa Claus
nogal walnut tree
nombrar to name
nombre name; **nombre de pila** first name
nopal *a type of cactus*
noreste northeast
norma norm, standard
noroeste northwest
norte north
Norteamérica North America
norteamericano *n., adj.* North American
nostálgico nostalgic
nota grade
notar to notice, note
notario notary public
noticia (piece of) news; **hacer noticia** to make the news

notorio notorious
novedad: no es gran novedad it's nothing new
novedoso new, novel
novela *n.* novel; **novela rosa** romance novel
novia girlfriend; fiancée; bride
noviazgo courtship; engagement
novio boyfriend; fiancé; bridegroom; *pl.* (engaged) couple; bride and groom
nube *f.* cloud
nudo knot
nudoso knotty
nuera daughter-in-law
Nueva York New York
nuevo new; **de nuevo** again; **Nuevo Testamento** New Testament
numeración numbering
número number
numeroso numerous
nunca never, not ever
nutrición nutrition
nutrido abundant
nutriente nutrient, nourishment
nutrimento nourishment

O

o or
oaxaqueño person from Oaxaca
obedecer (obedezco) to obey
obediencia obedience
obediente obedient
obesidad obesity
objetividad objectivity
objetivo goal, objective
objeto object, target
oblicuo oblique
obligación obligation
obligar (gu) (a) to oblige, force
obligatorio compulsory
obra work, piece of work; **mano** (*f.*) **de obra** workforce; manual labor
obrero worker
obsenidad obscenity
observación observation
observador observer
observar to observe
obsesión obsession
obstáculo obstacle
obstante: no obstante nevertheless
obtener (*like* **tener**) to obtain
obviamente obviously
obvio obvious
ocasión occasion
ocasionar to cause
occidental western
océano ocean; **Océano Atlántico** Atlantic Ocean; **Océano Pacífico** Pacific Ocean
ocio leisure time, relaxation
ocioso idle, lazy
ocultar to hide

ocupación occupation
ocupado busy
ocupar to occupy
ocurrencia occurrence
ocurrir to occur
odiar to hate
odio hatred
oeste west
ofender to offend; **ofenderse** to get one's feelings hurt, be offended
ofensa insult, offense
oferta offer
oficial official
oficina office (*general*)
oficinista *m., f.* office clerk
oficio trade, occupation
ofrecer (ofrezco) to offer
ofrenda offering
oír to hear; **¡oye!** *interj.* hey!, listen!
ojalá I wish that; I hope that
ojera dark circle under the eye
ojillo little eye
ojo eye; **¡ojo!** *interj.* watch out!
ola wave (*ocean*)
oleada wave
oler to smell
olfato sense of smell
olivo olive
olla pot
olor smell
oloroso a smelling like
olvidar(se) (de) to forget
olvido oblivion, obscurity
ombligo navel; **curar el ombligo** to tie off the umbilical cord at birth
ominoso ominous
omitir to omit
onda wave
ondular to undulate
opción option
ópera opera
operación operation
opinar to think, have an opinion
opinión opinion; **cambiar de opinión** to change one's mind
opíparamente sumptuously, lavishly, abundantly
oponerse a (*like* **poner**) to be opposed to
oportunidad opportunity
oposición opposition
opositor *n.* opponent; *adj.* opposing
opresión oppresion
optimista *n. m., f.* optimist; *adj.* optimistic
opuesto (*p.p. of* **oponer**) opposite
oración sentence; prayer
orar to pray
oratoria public speaking
orden *m.* order, arrangement; *f.* order, command; **a sus órdenes** at your service
ordenación arrangement, putting in order
ordenador computer (*Sp.*)

ordenar to order
ordinario ordinary
organismo organism
organización organization
organizador organizer
organizar (c) to organize
órgano organ (*of the body*)
orgullo pride
orgulloso proud
orientación orientation, direction
orientado (a) directed (at)
orientar to orientate
oriente east; **Oriente Medio** Middle East
origen origin; **dar origen a** to cause
originalidad originality
originar to originate
originario originating
orilla shore; (*river*) bank
orillar to skirt, go around the edge of
oro gold
ortodoxo orthodox
ortografía spelling
osadía audacity
oscurecer (oscurezco) to get dark
oscuridad darkness
oscuro dark; obscure
oso bear
ostentoso ostentatious
otoñal autumnal
otoño autumn
otorgar (gu) to grant, award
otro another; other; **el uno al otro** one another; **otra vez** again; **por otra parte** on the other hand; **por otro lado** on the other hand
ovación ovation
oxigenado oxygenated; bleached (*hair*)

P

paciencia patience
paciente *n., adj. m., f.* patient
pacífico peaceful; **Océano Pacífico** Pacific Ocean
pacifista *n. m., f.* pacifist
padecer (padezco) to suffer
padre father; priest; **Día** (*m.*) **del Padre** Father's Day
Padrenuestro Lord's Prayer
paella *rice dish from Spain*
pagano *n.* pagan
pagar (gu) to pay for; **pagar a plazos** to pay in installments; **pagar en efectivo** to pay in cash; **pagar la cuenta** to pay the bill
página page; **página Web** Web page
país *m.* country
paisaje landscape
pájaro bird
palabra word; **a buen entendedor pocas palabras** a word to the wise is enough
palacio palace

paladear to taste
palenque palisade, enclosure
pálido pale
paliza beating
palmada: darse palmadas en la espalda to pat on the back
palmear to slap (*someone*) on the back
palmera palm tree
palo stick
paloma dove
palomitas (*pl.*) **de maíz** popcorn; **máquina para hacer palomitas de maíz** popcorn popper
palpar to touch, feel
palustre *m.* trowel
pan *m.* bread; **barra de pan** baguette; **pan de avena** oatmeal bread; **ser pan comido** to be a piece of cake
panameño *n.* Panamanian
pancarta placard
pancita *dim.* little belly
pandilla gang
pantalla screen
pantalón *m. s., pl.* pants
pañal *m.* diaper
pañuelo handkerchief
papa *m.* Pope; *f.* potato
papá *m.* dad, father; **Papá Noél** Santa Claus
papada double chin
papel paper; role; **desempeñar un papel** to play (fulfill) a role; **hoja de papel aparte** separate sheet of paper
papelina *coll.* sachet, sheet (*containing drugs*)
paquete package
par pair; **un par de** a couple of
para for; in order to; toward; by; **estar para** + *inf.* to be about to (*do something*); **para que** *conj.* so that; **para siempre** forever
parabólica: antena parabólica satellite TV
parabrisas *m. s., pl.* windshield
paradójico paradoxical
paraguas *m. s., pl.* umbrella
paraguayo *n.* Paraguayan
paraíso paradise
paramilitar *adj.* paramilitary
páramo *s.* plains
parar to stop, halt; **pararse** to stand up
parasicología parapsychology
parcela plot, parcel (*of land*)
parcial partial; **tiempo parcial** part-time
parecer *n.* opinion; **a mi parecer** in my opinion
parecer (parezco) to seem, appear; **parecerse a** to look like, resemble
parecido *n.* likeness; *adj.* **parecido a** resembling
pared wall
pareja pair; couple; partner
parejo even

paréntesis *s., pl.* parentheses
pariente relative (*family*)
parodia parody
parque park; **parque de atracciones** amusement park
parqueadero parking (*lot*)
parquear to park
párrafo paragraph
parricidio parricide
parrilla *grilled meats*
parroquial parochial, pertaining to the parish
parroquiano parishoner
parte *f.* part; **en parte** in part; **en/por todas partes** everywhere; **formar parte** to make up; **la mayor parte** most, the majority; **por otra parte** on the other hand; **por parte de** by; **por una parte** on the one hand
participación participation
participante *m., f.* participant
participar to participate
participio *gram.* participle
particular particular; private; **maestro particular** tutor
particularmente individually
partida: punto de partida starting point
partidario supporter, follower
partido game, match; (political) party
partir to leave, depart; **a partir de** as of, starting from
parto childbirth
pasa raisin
pasado *n.* past; *adj.* past, last; **año/mes pasado** last year/month; **semana pasada** last week
pasador bolt, lock
pasaje passage; **pasaje de ida** one-way passage/ticket
pasaporte passport
pasar to pass; to spend (*time*); to happen; **pasarlo bien** to have a good time
pasatiempo pastime, hobby
Pascuas *pl.* Easter
pasear to take a walk/ride
paseo walk; ride; **sacar de paseo** to take for a walk/ride; **salir de paseo** to go on a walk; to take a ride
pasillo hallway
pasivo passive; nonworking
pasmar to astonish
paso step; **abrir el paso a** to make way for; **dar pasos** to take steps
pasta paste
pastel pastry
pastilla pill
pastor shepherd; pastor
pata paw; leg
patata potato; **patatas fritas** French fries
patear to kick
paterno paternal

patéticamente pathetically
patilla sideburn
patinar to skate
patria country; native land; **madre** (*f.*) **patria** mother country
patriótico patriotic
patrocinar to sponsor
patrón boss; patron; **santo patrono** patron saint
pausa pause, break
pauta standard, guide
pavada trivial thing
payaso clown
paz peace; **dejar en paz** to leave alone; **hacer las paces** to make up; to make peace; **que en paz descanse** rest in peace
peca freckle
pecho chest
pedagógico pedagogical
pedalear to pedal
pedazo piece
pedir (pido) (i) to ask for; **pedir consejos** to ask for advice; **pedir disculpas** to apologize; **pedir la mano** to propose; **pedir limosna** to panhandle; **pedir prestado** to borrow; **pedir un préstamo** to request / take out a loan
pegar (gu) to stick
pegatina sticker
peinado hairstyle
peinarse to comb one's hair
pelado toothless (*fig.*)
pelaje fur
pelar to peal
pelea fight
pelear(se) to fight
película movie; **ver una película** to watch a movie
peligro danger
peligrosidad dangerousness
peligroso dangerous
pelirrojo red-head; red-headed
pellejo skin, hide; **jugar (juego) (gu) el pellejo** to risk one's skin
pelo hair; **secador de pelo** hair dryer; **tener el pelo negro/rojo/rubio** to have black/red/blond hair
pelota ball; *coll.* soccer
peluquería hair salon
pena embarassment; sorrow; shame; **a penas** hardly, barely; **pena capital** capital punishment; **pena de muerte** death penalty; **valer** (*like* **salir**) **la pena** to be worthwhile
penal *adj.* criminal; **antecedentes penales** criminal record
pender to hang
pendiente *n.* earring; *adj.* pending
penetrante penetrating, piercing
penetrar to penetrate
penicilina penicillin

penoso difficult; embarassing
pensamiento thought
pensar (pienso) to think; **pensar** + *inf.* to plan to (*do something*); **pensar de** to think of (*opinion*); **pensar en** to think about, focus on
penúltimo next-to-last
penumbra semi-darkness
peón laborer; **peón de chacra** farm worker
peor worse, worst
pequeño small
percepción perception
perceptible audible
percibir to perceive
perder (pierdo) to lose; to miss (*an opportunity, deadline, or train*); **perder tiempo** to waste time; **perder el trabajo** to lose one's job; **perderse** to get lost
pérdida loss; waste (*of time*)
perdón pardon, forgiveness
perdonar to forgive
pereza laziness
perezoso lazy
perfección perfection
perfeccionar to perfect
perfecto perfect
perfume fragrance, smell
periferia periphery
periódicamente periodically
periódico newspaper
periodismo journalism
periodista *m., f.* journalist
período period (*time*)
perito expert
perjudicar (qu) to harm
perjudicial damaging, harmful
perla pearl
permanecer (permanezco) to remain, stay
permiso permission
permitir to allow
pero but
perpetuo perpetual; **cadena perpetua** life imprisonment
perplejo perplexed
perro dog
persecución persecution
perseguido pursued
perseguir (*like* **seguir**) to pursue
persona person
personaje character (*in fiction*); personality, personage
personalidad personality
perspectiva perspective
persuadir to persuade
pertenecer (pertenezco) to belong
Perú *m.* Peru
peruano *n.* Peruvian
pesadilla nightmare
pesado heavy; dull, uninteresting; **broma pesada** practical joke
pesar to weigh; **a pesar de** despite, in spite of

pesca fishing
pescado fish (*to eat*)
pese a despite
pesimismo pessimism
pesimista *n. m., f.* pessimist; *adj.* pessimistic
peso weight; *monetary unit of Mexico;* **bajar de peso** to lose weight; **subir de peso** to gain weight
pestaña eyelash
pestañear to blink
pétalo petal
petición petition
petroleo petroleum
petrolero *adj.* oil
pez *m.* fish (*live*)
pianista *m., f.* pianist
picadillo hash
picante spicy
picaporte doorknob
picar (qu) to chop
picnic: **hacer** *picnic* to have a picnic
pie foot; **a pie** on foot; **al pie de** at the bottom of (*page*); **de pie** standing; **dedo de pie** toe
piedad mercy; **sentir (siento) (i) piedad** to feel compassion, pity
piedra stone; **piedra imán** lodestone
piel *f.* skin
pierna leg
pieza piece; **traje de tres piezas** three-piece suit
pijama *m. s.* pajamas
pila battery; pile; **nombre de pila** first name
Pilato: Poncio Pilato Pontius Pilate
píldora pill
piloto pilot
pimiento pepper
pino cepillado scrubbed pine
pintar to paint; **pintarse** to put on makeup
pintor painter
pintura paint
pío: ni pío (not) anything at all
pipa pipe
pirata *m., f.* pirate
piratería piracy
piscina swimming pool
piso floor; apartment
pista trail; clue
pistola pistol, gun
pitar to whistle
pizarra chalkboard
pizzería pizza parlor
placa plaque
placentero pleasant
placer pleasure
plácido placid, calm
plagar (gu) to plague
plagiar to plagiarize
plagio plagiarism
planchar to iron

planear to plan
planeta *m.* planet
planificar (qu) to plan
planilla electoral electoral slate
plano map
planta plant
plantación plantation
plantado: dejar plantado to stand someone up
plantear to raise, pose (*problems*)
plástico *n., adj.* plastic; **cirugía plástica** plastic surgery
plata silver
plataforma platform
plateado *adj.* silver
platillo volador/volante flying saucer
plato plate; dish; **lavar los platos** to wash the dishes
playa beach
plaza (main/town) square
plazo: a largo plazo in the long run; **pagar a plazos** to pay in installments
plenamente fully, completely
pleno full
plomizo grayish, lead-colored
pluma feather
pluscuamperfecto *gram.* pluperfect, past perfect
población population
poblador settler
poblar (pueblo) to populate; **poblarse de** to be covered with
pobre *n. m., f.* poor person; *adj.* poor
pobreza poverty
poco *n.* a little bit; *adj., adv.* little, few; **poco a poco** little by little
poder *n.* power
poder to be able to, can; **poder** + *inf.* to be able to + *inf.*
poderoso powerful
podrida: armar una podrida to cause trouble
poema *m.* poem
poesía poetry
poeta *m., f.* poet
poetisa poetess
polaco *n.* Pole; *adj.* Polish
polémica *n.* debate, controversy
polémico *adj.* controversial
policía *f.* police (force); *m.* police officer; **mujer (f.) policía** (female) police officer
poliéster polyester
polígono handball court
política *s.* politics; policy
político *n.* politician; *adj.* political; **hermanos políticos** brothers- and sisters-in-law; **hijos políticos** sons- and daughters-in-law
pollo chicken; **asopao de pollo** *a spicy, brothy soup from Puerto Rico, composed mainly of rice and chicken;* **pollo en**

fricasé chicken fricassee; **pollo frito** fried chicken
polvo dust
polvoriento dusty
Poncio Pilato Pontius Pilate
ponderado exaggerated
poner to put; to turn on; **poner énfasis** to emphasize; **poner la mesa** to set the table; **poner una multa** to (give a) fine; **ponerse** to put on (clothing); to become; **ponerse al día** to bring oneself up-to-date; **ponerse colorado** to blush; **ponerse de acuerdo** to come to an agreement
popularidad popularity
por for; because of; by; through; per; **por anticipado** in advance; **por causa de** because of; **por ciento** percent; **por completo** completely; **por consiguiente** consequently; **por correo electrónico** by e-mail; **¡por Dios!** for goodness sake!; **por ejemplo** for example; **por eso** for that reason; **por favor** please; **por fin** finally; **por fuera** from the outside; **por la mañana/noche/ tarde** in the morning/evening (at night)/afternoon; **por lo general** in general; **por lo menos** at least; **por lo tanto** therefore; **por otra parte** on the other hand; **por otro lado** on the other hand; **por primera vez** for the first time; **por supuesto** of course; **por teléfono** by telephone; **por todas partes** everywhere; **por último** finally; **por un lado** on one hand; **por una parte** on the one hand
¿por qué? why?
porcelana porcelain
porcentaje percentage
porción slice (*of pie, pizza*); portion
pordiosero beggar
pormenor detail
poro pore
porque because
portarse bien/mal to behave/misbehave
portavoz *m., f.* spokesperson
portón gate
portugués *n.* Portuguese (*language*); *adj.* Portuguese
porvenir *n.* Future
posada inn
posadero innkeeper
posarse to alight
poscomunista post-Communist
poseer (*like* **creer**) to possess
posesión possession; **toma de posesión** taking over of power
posgrado postgraduate
posguerra postwar
posibilidad possibility
posibilitar to make possible
posible possible

posición position
positivo positive
postal: código postal zip code; **tarjeta postal** postcard
posterior subsequent
posteriormente after, later
postigo window shutter
postre dessert
postularse to apply *(for a position or job)*
postura stance
potable drinkable; **agua potable** drinking water
potencial *n.* potential
potente potent
potrero field, pasture
potro leather
poyo stone bench
pozo pit; well
práctica practice
practicante *m., f.* believer, person practicing a religion
practicar (qu) to practice
práctico practical
pragmático pragmatic
precaución precaution
preceder to precede
preciar to value
precio price
precipicio cliff
precipitadamente hastily
preciso precise
precolombino pre-Columbian
preconcebido preconceived
predecir (*like* **decir**) to predict
predicador de barricada soapbox preacher
predicar (qu) to preach
predicción prediction
predilección predilection
predominar to prevail, predominate
predominio predominance
preescolar pre-school
preferencia preference
preferible preferable
preferir (prefiero) (i) to prefer
pregunta question; **hacer una pregunta** to ask a question
preguntar to ask (a question)
prehistórico prehistoric
prejuicio prejudice
prematuro premature
premio prize
premura hurry, haste, urgency
prenda garment
prendido full
prensa press
preocupación worry, concern
preocupado worried
preocupar(se) to worry
preparación preparation
preparar to prepare; **prepararse** to get ready, prepare oneself

preposición *gram.* preposition
prescindir to do without
presencia presence
presenciar to witness
presentación presentation
presentador host
presentar to present, introduce
presente *n., adj.* present *(time)*
presentimiento feeling
presentir (*like* **sentir**) to have a presentiment, foreboding of
preservativo: preservativo artificial artificial preservative
presidencia presidency
presidencial presidential
presidente president
presidir to preside
presión pressure; **grupo de presión** lobbyist
presionar to press
preso *n.* prisoner; *adj.* imprisoned
prestado: pedir (pido) (i) prestado to borrow; **tomar prestado** to borrow
préstamo loan; **pedir (pido) (i) un préstamo** to request / take out a loan
prestar to lend; **prestar atención** to pay attention
prestigio prestige
prestigioso prestigious
presunto supposed
presupuesto budget
pretender to seek, endeavor
pretérito *gram.* preterite
prevalecer (prevalezco) prevail
prevención prevention
prevenir (*like* **venir**) to prevent
previo previous
previsible forseeable
previsión foresight
primario primary; **bosque primario** old-growth forest; **escuela primaria** elementary school
primavera spring
primer, primero first; **en primer lugar** in the first place; **por primera vez** for the first time; **primer día** first day
primicia early results, news
prima: materia prima raw material
primo cousin
primogénito *n.* first-born
princesa princess
principal main
príncipe prince
principio beginning; **a principios de** at the beginning of; **al principio** at first, in the beginning
prisa haste; **tener prisa** to be in a hurry
prisionero prisoner
privación lack, want
privado private; deprived; **investigador privado** private investigator
privilegio privilege

probar (pruebo) to try; to test; to taste; **probarse** to try on
problema *m.* problem
problemático problematic
procedente de coming from
procedimiento procedure
procesador de texto word processor
procesión procession
proceso process
proclamar to proclaim
prodigioso prodigious
producción production
producir (*like* **conducir**) to produce
productivo productive
producto product; **producto desechable** disposable product; **producto lácteo** dairy product
profesión profession
profesional professional
profesor teacher, professor
profundidad depth
profundo deep
progenitor ancestor
programa *m.* program
programación programming
programador programmer
programar to program (a computer)
progresar to progress
progresivo progressive
progreso progress
prohibir (prohíbo) to outlaw, prohibit
prolífico prolific
promedio *n., adj.* average
promesa promise
prometedor hopeful, promising
prometer to promise
promoción promotion
promocional promotional
promocionar to promote, advertise
promover (*like* **mover**) to promote
pronombre *gram.* pronoun; **pronombre de complemento directo/ indirecto** direct/indirect object pronoun
pronominal: complemento pronominal *gram.* object pronoun
pronto soon; **de pronto** suddenly; **tan pronto como** as soon as
pronunciar to pronounce
propaganda comercial advertisement
propiamente exactly, precisely
propiedad property
propietario owner, landlord
propina tip
propio one's own; appropriate
proponente *m., f.* supporter
proponer (*like* **poner**) to propose
proporcionar to provide
propósito purpose; end; goal; **a propósito** by the way
proscenio *theatre* proscenium
prosperar to prosper
prosperidad prosperity

próspero prosperous
prostituta prostitute
protagonista *m., f.* protagonist
protección protection
protector protective
proteger (protejo) to protect
proteína protein
protesta protest
protestante *n., adj. m., f.* Protestant
protestantismo Protestantism
protestar to protest
provechoso profitable
provincia province
provisión provision
provocación provocation
provocar (qu) to provoke
proximidad proximity
próximo next; upcoming
proyectar to plan
proyecto project
prudencia prudence
prudente cautious, prudent
publicación publication
publicar (qu) to publish
publicidad *n.* publicity, advertising
publicitario *adj.* advertising, publicity
público *n., adj.* public; audience
pudridero rotting room; dump
pueblo town; people; nation
puerta door; **llamar a la puerta** to knock at the door
puertecilla little door
puerto port
puertorriqueño *n., adj.* Puerto Rican
pues then; well
puesto job, position; (*p.p. of* **poner**) placed; put; set; **puesto que** *conj.* since, given that
¡puf! *interj.* ugh!
pulcritud neatness; perfection
pulcro neat, orderly
pulgada inch
pulido polished
pulir to polish
pulmón lung
pulpa pulp
pulpo octopus
pulular to swarm
puna high Andean plateau
punta del pie tiptoe
puntaje score
puntiagudo pointy
puntita tip, point
punto point; **a punto de** about to, on the verge of; **punto de partida** starting point; **punto de vista** point of view
puntuación punctuation
puntual punctual
punzó bright red (color)
puñal dagger
puñalada: matar a puñaladas to stab to death

puñetazo stab
puro pure
putear to curse, say bad words; to insult

Q

quechua Quechua (*language*)
quedar to be left; to have left; to fit (*clothing*); to meet; **quedarse** to stay, remain
quehacer household chore
queja complaint
quejarse (de) to complain (about)
quemar to burn
querer to want; to love; **no querer** (*preterite*) to refuse; **querer decir** to mean
querido *adj.* dear
queso cheese
quiebra bankruptcy
quien(es) who, whom
¿quién(es)? who?, whom?
quieto still, calm
química chemistry
químico *n.* chemist; *adj.* Chemical
quinceañera *special celebration of a girl's fifteenth birthday*
quinta (estate) house
quirúrgico surgical
quitar to remove, take away; **quitarse** to take off (*clothing*)
quizá(s) perhaps

R

rabia anger, rage
rabino rabbi
racimo cluster, bunch
racional *adj.* rational
racionamiento rationing
racismo racism
racket: cancha de racket racquetball court
radiante radiant
radicado established
radicalmente radically
radio *m.* radio (*instrument, set*); radium; *f.* radio (*medium*)
radiografía X-ray
raíz root
rana frog
rancho ranch
rapar to shave
rápido *adj.* fast, rapid; *adv.* quickly, rapidly
raptar to abduct
raqueta racket
raro strange, odd; rare
rascacielos *m. s., pl.* skyscraper
rasgar (gu) to scrape
rasgo trait, feature
rasguño scratch
rastreo tracking

rastro trace
rato brief period of time
ratón mouse
raya stripe
rayo ray
raza race (*ethnic*)
razón *f.* reason; **tener razón** to be right
razonamiento reasoning
reacción reaction
reaccionar to react
reaccionario *n.* reactionary
real real; royal
realidad reality
realista *m., f.* realistic
realización accomplishment, carrying out
realizar (c) to accomplish, carry out; **realizarse** to be realized/completed
reanimar to revive
reanudar to renew, resume
reaparición reappearance
rebanada slice
rebelarse to rebel
rebelde *n. m., f.* rebel; *adj.* rebellious
rebeldía rebellion
rebelión rebellion
rebosante dripping
rebotar to bounce; **rebotar la pelota** to bounce the ball
recado message, note
recámara bedroom
recelo distrust
recepcionista *m., f.* receptionist
receptividad receptivity
receptivo receptive
recesión recession
receta médica prescription
rechazar (c) to reject
rechazo rejection
rechoncho chubby
recibir to receive
reciclaje recycling
reciclar to recycle
recién + *p.p.* recently, newly + *p.p.*; **recién llegado** newcomer; **recién nacido** newborn
reciente recent
recipiente container
recíproco reciprocal
recitar recite
recluta *m., f.* recruit
recobrar to recover
recoger (*like* **coger**) to pick up; to collect, gather
recolección harvest
recomendación recommendation
recomendar (recomiendo) to recommend
reconciliar to reconcile
reconfortado comforted
reconocer (*like* **conocer**) to recognize
reconquistar to reconquer
reconstrucción reconstruction
recopilar to compile

recordar (recuerdo) to remember
recorrer to travel through or across
recorrido route
recortar to outline
recorte newspaper clipping
recreativo recreational
rectificar (qu) to rectify
rector president (*of a university*)
recuerdo memory
recuperar to recuperate
recurrir a to resort to
recurso resource; **recurso natural** natural resource
red *f.* net(work); **navegar (gu) la red** to surf the net; **red local** local area network; **trabajar en red** to be networked
redacción (essay) writing
redactar to edit
redoble pounding
redondo round
reducción reduction
reducir (like conducir) to reduce
reemplazado replaced
reencarnación reincarnation
referencia reference; **hacer referencia a** to refer to; **punto de referencia** point of reference
referirse (me refiero) (i) (a) to refer (to)
refinado refined
refinar to refine
reflejar to reflect
reflejo reflection
reflexión reflection
reflexivo reflexive
reforma reform
reformular to reformulate
reforzar (like forzar) to reinforce
refrenar to curb
refrendado authenticated
refrescante refreshing
refresco refreshment
refrigerador refrigerator
refugiado refugee
refugiarse to take refuge
refugio refuge
regalar to give (*a gift*)
regalo gift; **dar regalos** to give gifts
regaño nagging; scolding
régimen special diet; regime
regio *fig.* super, fantastic
región region
regionalismo regionalism
registrar to search
registro register
regla rule
reglamento regulation
regresar to return
regular to regulate
regularidad regularity
rehacerse (like hacer) to pull oneself together
rehén hostage

rehuir (rehúyo) to avoid
reina queen
reino reign; realm
reinventarse to reinvent oneself
reír(se) ([me] río) (i) to laugh
rejas *pl.* bars (*of prison*)
rejilla caned work
rejuvenecer (rejuvenezco) to rejuvenate
relación relation
relacionado (con) related (to)
relacionar to connect, relate
relajar(se) to relax
relatar to relate, recount
relativo *adj.* relative
relevante relevant
religión religion
religioso religious
relleno stuffed, filled
reloj *m.* clock; watch; **reloj despertador** alarm clock
relojería watch making, clock making
reluciente shining
remedio solution
rememorar to recall
remesa remittance
remolino swirling
remontarse to go back (*in time*)
remoto remote
remozado rejuvenated
Renacimiento Renaissance
rendir (rindo) (i) culto to worship
rendirse (me rindo) (i) to surrender
renombrado renowned
renta income
rentabilidad profitability
renunciar (a) to quit
reparación repair
reparar to repair
repartir to distribute, divide up
repasar to review
repaso review
repente: de repente suddenly
repercusión repercussion
repetición repetition
repetir (repito) (i) to repeat
reponer(se) (like poner) to recover
reportar to report
reporte report
reportero reporter
reposado calm
reposo repose, rest
represalia retaliation
representación representation
representante *n. m., f.* representative; **Cámara de Representantes** House of Representatives
representar to represent
representativo *adj.* representative
represión repression
represivo repressive
reproducido reproduced
reproducirse (like conducir) to reproduce

reproductor (CD) player
república republic; **República Dominicana** Dominican Republic
republicano *n.* Republican
repudiar to repudiate
repuesto: llanta de repuesto spare tire
requerir (like querer) to require
requeterrico very, very rich
requisito requirement
res: carne (*f.*) **de res** beef
resaca hangover
resbalar to glide
rescafado rescued
rescate rescue
reseco thoroughly dry
resentamiento resentment
reservar to reserve
resfriado common cold
residencia residence; **residencia estudiantil** dormitory
residencial residential
residente *m., f.* resident
resignación resignation
resistencia resistance
resistir to resist
resolución resolution
resolver (resuelvo) (*p.p.* **resuelto**) to solve; to resolve
respaldo backing
respectivo respective
respecto: al respecto in regard to the matter; **con respecto a** with respect to, with regard to
respetar to respect
respeto respect
respirar to breathe
respiratorio respiratory
respiro rest
resplandor brightness
responder to answer, respond
responsabilidad responsibility
responsable responsible
respuesta answer, response
restablecido reestablished
restauración restoration
restaurado restored
restaurante restaurant
resto rest
restricción restriction
resuelto determined
resultado result
resultante resulting
resultar to turn out to be
resumen summary
resumir to summarize
resurgimiento resurgence
retardado mentally handicapped, retarded
retener (like tener) to retain
retirar (fondos) to withdraw (funds)
reto challenge
retocado touched up, refinished

retocar (qu) to touch up
retoño fig. child, kid
retornar to return, go back
retraso delay
retratar to portray
retrato portrait
retroceder to back up
reunión meeting; reunion
reunir (reúno) to unite, assemble; **reunir fondos** to raise funds; **reunirse** to meet, get together
revelar to reveal
revista magazine
revocar (qu) to plaster or whitewash
revolcarse (me revuelco) (qu) to roll over, roll around
revolución revolution
revolucionario revolutionary
revolver (like **volver**) to stir up; to turn over
rey m. king
rezar (c) to pray
ribeteado trimmed
rico rich; delicious
ridiculizar (c) to ridicule, make fun of
ridículo ridiculous
riesgo risk; **bajo riesgo** at risk; **tomar riesgos** to take risks
riflero rifleman
rincón corner
riña quarrel, dispute
río river
riqueza wealth, riches
risa laughter
ritmo rhythm; pace
rival n. m., f. rival
rivalidad rivalry
robar to rob, steal
robo theft, robbery
roca rock
roce rubbing
rocoso: Montañas Rocosas Rocky Mountains
rodar (ruedo) (de) to pass (from); to roll, go round
rodear to surround; **rodearse de** to be surrounded by
rodeo twist, turn
rodilla knee
rogar (ruego) (gu) to beg
roído damaged
rojo red; **Caperucita Roja** Little Red Riding Hood; **tener el pelo rojo** to have red hair
rollo roll
romance (love) affair; **romance de gracias** expression of gratitude
romántico romantic
romesco: salsa romesco a popular Spanish sauce originating in Tarragona, northeastern Spain, consisting mainly of roasted red peppers, tomato, ground

almonds, garlic, olive oil, and vinegar, which can accompany meat and vegetables
romper (p.p. **roto**) to break; to tear
ropa clothing; **ropa vieja** braised shredded beef
ropero closet
roquero rock musician
rosa rose; **color rosa** pink; **novela rosa** romance novel
rosado pink
rosbif m. roast beef
rosquilla sweet fritter
rostro face
rozar (c) to rub
rubio blond; **tener el pelo rubio** to have blond hair
ruborizar (c) to blush
rueda wheel
rugido roar
ruido noise
ruidoso noisy
ruina ruin
rumano Rumanian (language)
rumbo a on the way to
ruptura break
rural rural; **despoblación rural** movement away from the countryside
ruso n., adj. Russian
ruta route
rutina routine

S

S.A. abbrev. of **sociedad anónima** corporation (Inc.)
sábana sheet
sabelotodo m., f. know-it-all
saber n. learning, knowledge; lore
saber to know; (preterite) to find out; **saber** + inf. to know how to (do something); **saber de memoria** to know by heart
sabiduría knowledge, wisdom
sabio n. wise, learned (person); adj. wise
sabor taste, flavor
saborear to taste
sabroso delicious
sacar (qu) to take out; to obtain, get; **sacar de paseo** to take for a walk/ride; **sacar de una apura** to get out of a pinch; **sacar la basura** to take out the trash; **sacar una foto** to photograph, take a picture
sacarosa sucrose
sacerdote priest
sacramento: Santo Sacramento Holy Sacrament
sacrificar (qu) to sacrifice
sacrificio sacrifice
sacudir to shake
sagrado sacred

sala room; **sala de belleza** beauty parlor/salon; **sala de espera** waiting room; **sala de estar** living room
salario salary
salida way out; departure; exit
saliente outgoing, exiting
salir to leave, go out; **salir a la luz** to come to light; **salir adelante** to get ahead
salmón adj. m., f. salmon-pink
salón room, salon, reception room; **salón de belleza** beauty parlor/salon; **salón de billar** pool hall
salpicar (qu) to sprinkle
salsa romesco a popular Spanish sauce originating in Tarragona, northeastern Spain, consisting mainly of roasted red peppers, tomato, ground almonds, garlic, olive oil, and vinegar, which can accompany meat and vegetables
saltado cracked
saltar to jump
salto n. jump
salud health
saludable healthy
saludar to greet
salvación salvation
salvadoreño n. Salvadorean
salvaje savage
salvar to save
salvavidas m., f. s., pl. lifeguard (person)
salvo: a salvo out of danger
sanatorio sanitarium; hospital
sanción sanction
sancionar to sanction
sandalia sandal
sándwich m. sandwich
sangre f. blood
sangriento bloody
sanguinario bloodthirsty
sanidad health
sano healthy
santería a class of religious rites or practices originating from West Africa, a form of voodoo
santidad: Su Santidad His Holiness
santo n. saint; **Día de Todos los Santos** All Saints' Day; adj. holy; **santo patrono** patron saint; **Santo Sacramento** Holy Sacrament; **Semana Santa** Holy Week; **Tierra Santa** Holy Land
saqueo sacking, pillaging
sardina sardine
sargento sergeant
sastrería masculina tailor's trade
satisfacción satisfaction
satisfecho (p.p. of **satisfacer**) satisfied
saturado saturated
secador de pelo hair dryer
secar(se) (qu) to dry
sección section
seco dry

secretariado secretaryship; **secretariado comercial** commercial secretaryship
secretario secretary
secreto secret; **agente** (*m., f.*) **secreto** secret agent
secta sect
secuaz henchman
secuencia sequence
secuestrar to kidnap, hijack
secuestro kidnapping; hijacking
secundario: escuela secundaria middle/high school
sed *f.* thirst; **tener sed** to be thirsty
seda silk
sede headquarters, seat
sedentario sedentary
segmento segment
seguida: en seguida immediately, right away
seguidamente immediately, forthwith
seguir (sigo) (i) (g) to follow; to continue
según according to
segundo second; **de segunda mano** secondhand
seguridad security; **cinturón de seguridad** safety belt
seguro *n.* insurance; *adj.* sure
selección selection
sellar to seal
selva jungle; **Selva Amazónica** Amazon Forest/Jungle
semáforo traffic light
semana week; **cada semana** every week; **fin de semana** weekend; **semana pasada** last week; **semana que viene** next week; **Semana Santa** Holy Week
semántico semantic
sembrado planted field
semejante similar
semejanza similarity
semestre semester
semicerrado half-closed
seminario seminarian
senado Senate
sencillo simple
sendero path
senectud old age
sensación sensation
sensibilidad sensitivity
sensible sensitive
sentarse (me siento) to sit down
sentencia judgment, sentence (*law*)
sentido sense (*physical*); meaning; **tener sentido** to make sense
sentimental emotional
sentimiento feeling
sentir (siento) (i) to feel (*with nouns*); to regret; **lo siento** I'm sorry; **sentirse** to feel (*with adjectives*)
seña sign, gesture; *pl.* address, directions
señal *f.* signal; **señal luminosa** traffic light, signal

señalar to point out
señalización system of signs, signals (*traffic*)
señor (*Sr.*) Mr.; man
señora (*Sra.*) Mrs.; lady
señorita (*Srta.*) Miss; young lady
separación separation
separar to separate
septicemia blood poisoning
sepulcro tomb
sepultado buried
sepultura: dar sepultura to bury
sequía drought
ser *n.* being; **ser humano** human being
ser to be; **es decir** that is to say; **llegar a ser** to get to be, become; **ser pan comido** to be a piece of cake
serbio Serb
sereno calm
serie *f.* series
serio serious
sermón sermon
serpiente *f.* snake
servicio service
servidumbre *f.* servitude; inevitable obligation
servir (sirvo) (i) to serve
sesión session
severidad severity
severo severe
sevillano person from Seville
sexismo sexism
sexo sex
si if
sí yes
sicología psychology
sicológico psychological
sicólogo psychologist
SIDA *m. s.* (*abbrev. for* **síndrome de inmunodeficiencia adquirida**) AIDS (acquired immune deficiency syndrome)
siempre always; **para siempre** forever
siervo servant
siesta nap
sigla acronym; abbreviation
siglo century
significado meaning
significar (qu) to mean
significativo significant, meaningful
signo sign, mark
siguiente following; **al día siguiente** (on) the following day
sílaba syllable
silabario primer (*book to teach spelling*)
silencio silence
silencioso quiet
sílfide *f.* sylph, nymph
silla chair
sillón armchair
silvestre wild
simbólico symbolic

simbolizar (c) to symbolize
símbolo symbol
simetría symmetry
similitud similarity, resemblance
simpatía sympathy
simpático nice
simpatizante sympathizer
simplemente simply
simplista *m., f.* simplistic
simultáneamente simultaneously
sin without; **sin duda** doubtless; **sin embargo** nevertheless, however; **sin que** *conj.* without
sinagoga synagogue
sincero sincere
sincretismo syncretism
sindicalista *m., f.* union leader
sindicato labor union
síndrome de inmunodeficiencia adquirida (SIDA) acquired immune deficiency syndrome (AIDS)
sinfín endless number
sino but, except, but rather; **sino que** *conj.* but rather
sinónimo synonym
síntesis synthesis
síntoma *m.* symptom
sintonía theme song
sintonizar (c) to tune in to
siquiera: ni siquiera not even
sirviente servant
sistema *m.* system
sistemático systematic
sitio place
situación situation
situado located
SMS (*short message service*) text message
sobornar to bribe
soborno bribery
sobre over; on; about; regarding
sobredosis *f. s., pl.* overdose
sobremanera exceedingly
sobrenatural supernatural
sobrenombre nickname
sobrepoblación overpopulation
sobrepoblado overpopulated
sobresalir (*like* **salir**) to stand out
sobresalto shock, fright
sobresaltado shocked, startled
sobresaturado supersaturated
sobreviviente *m., f.* survivor
sobrevivir to survive
sobrina niece
sobrino nephew; *pl.* nieces and nephews
socialista *m., f.* socialist
socialización socialization
socializar (c) to socialize
sociedad society; **sociedad anónima (S.A)** corporation (Inc.)
socio partner, associate
socioeconómico socioeconomic
sociólogo sociologist

sociopolítico sociopolitical

soez filthy

sofá m. sofa

sofisticado sophisticated

sol sun; *unit of currency of Peru;* **hacer sol** to be sunny; **lentes de sol** sunglasses; **tomar el sol** to sunbathe

solamente only

solar: energía solar solar energy

soldado soldier; **mujer** (f.) **soldado** (female) soldier

soledad solitude; loneliness

solemne solemn

soler (suelo) to be in the habit of

solicitar to apply (*for a job*); to request

solicitud application

solidaridad solidarity

solitario alone

sollozar (c) to sob

sollozo moan, sob

solo *adj.* alone; only, sole; **a solas** by oneself; *adv.* only

soltar (suelto) (*p.p.* **suelto**) to let go

soltero *adj.* single, unmarried; **madre** (f.) **soltera** single mother

soluble soluble, solvable

solución solution

solucionar to solve

sombra shadow

sombrerera hat box

sombrero hat

sombrilla parasol

someter to submit; to subdue; **someter a juicio** to try (*in court*)

sonar (sueno) to ring; to sound; to go off; **sonar a** (+ *noun*) to sound like; **sonarse** to blow one's nose

sondeo survey; **hacer un sondeo** to conduct a survey

sonreír (*like* **reír**) to smile

sonriente *adj.* smiling

sonrisa smile

soñador dreamy, dreaming

soñar (sueño) (con) to dream (about)

soñoliento sleepy, drowsy

sopa soup; **sopa de letras** word search puzzle

soportar to tolerate, put up with; to bear, endure

soporte base; support

sórdido sordid

sordo deaf; dull

sorprendente surprising

sorprender to surprise

sorprendido surprised

sorpresa surprise

sorpresivamente unexpectedly

sosegar (sosiego) (gu) to calm, quiet

sospecha suspicion

sospechar to suspect

sospechoso suspicious

sostener (*like* **tener**) to hold up, support; to maintain

soviético: Unión Soviética Soviet Union

squash: cancha de squash squash court

suave soft; smooth

suavecito very smooth

subir to raise; to go up, climb; to take up; **subir de peso** to gain weight

súbito: de súbito suddenly

subjuntivo *gram.* subjunctive

subordinación subordination

subordinado subordinate: **cláusula subordinada** *gram.* subordinate clause

subrayar to underline

suburbio suburb; slum

subvención subsidy

subversivo subversive

suceder to happen, occur

sucesión succession

sucesivo successive

suceso event, happening

sucio dirty

Sudamérica South America

sudamericano *adj.* South American

sudar to sweat

sudor sweat

suegra mother-in-law

suegro father-in-law; *pl.* in-laws

sueldo salary

suelo floor; ground

sueño dream; **tener sueño** to be sleepy

suerte f. luck: **tener suerte** to be lucky

suéter sweater

suficiente enough, sufficient

sufrimiento suffering

sufrir to suffer; to undergo

sugerencia suggestion

sugerir (sugiero) (i) to suggest

Suiza Switzerland

suizo *adj.* Swiss

sujetar to hold down

sujeto subject

sumamente extremely

sumar to add up

sumatoria *n.* sum total

sumergir (sumerjo) to submerge

suministrar to supply, provide

sumiso submissive

superar to overcome; to surpass

superficie f. surface

superfluo superfluous

superior higher; superior

superioridad superiority

superlativo *gram.* superlative

supermercado supermarket

supermoderno very modern

supersensible hypersensitive

superserio very serious

superstición superstition

supervisado supervised

supervivencia survival

suplemento supplement

suplicar (qu) to entreat, implore

suponer (*like* **poner**) to suppose, assume

supremo: Corte (f.) **Suprema** Supreme Court

suprimir to supress

supuestamente supposedly

supuesto: por supuesto of course

sur south

surcado furrowed

sureste southest

surgir (surjo) to arise, come forth

suroeste southwest

suscitar to provoke

suspender to fail, flunk (*someone*); to suspend

suspenso suspense

suspirar to sigh

sustancia substance

sustantivo *gram.* noun

sustituir (*like* **construir**) to substitute

susurrante rustling

susurro whisper, murmur

sutil subtle, fine

T

tabaco tobacco; cigarettes

taberna tavern

tabla table, chart; plank

tabú taboo

tacaño stingy

taco stud (*construction*)

tacón heel

táctica tactic

tal such (a); **con tal (de) que** provided that; **tal como** such as; **tal vez** perhaps, maybe

tala de árboles logging

talco powder, talc

talento talent

talla size (*clothing*)

taller shop, workshop

tamaño size

tambalear to totter

también also

tampoco neither, not either

tan so, as; such **tan... como** as . . . as; **tan pronto como** as soon as

tantito a tiny bit

tanto so much; as much; *pl.* so many; as many; **por lo tanto** therefore; **tanto... como...** both . . . and . . .

tapar to cover (up)

taparrabo loincloth

taquito building block (*toy*)

tararear to hum

tardar (en) to take (*time*)

tarde *n.* f. afternoon; *adv.* late; **tarde o temprano** sooner or later

tarea homework; task; **tarea doméstica** household chore

tarjeta card; **tarjeta de cajero** ATM card; **tarjeta de crédito** credit card; **tarjeta postal** postcard

tarro jar, ceramic pot

tasa rate; **tasa de mortalidad infantil** infant mortality rate; **tasa de natalidad** birth rate

tatuaje tattoo

tatuarse (me tatúo) to get a tattoo

taza cup

teatro theater

techo roof

tecla key (*computer, piano*)

teclado keyboard

técnica technique; technology; **adelanto de la técnica** technological advance

técnico *n.* technician; *adj.* technical

tecnología technology

tecnológico technological

tecnólogo technologist

teja roof tile

tejer to weave

tela fabric, cloth

tele *f.* TV

teleadicción addiction to television

teleadicto television addict

telefónico *adj.* telephone

teléfono telephone; **llamar por teléfono** to call on the telephone; **por teléfono** by telephone; **teléfono celular/móvil** cellular telephone; **teléfono inalámbrico** cordless telephone

telemaratón telethon

telenovela soap opera

televisión television (*programming*)

televisor television (*set*), TV (*set*)

tema *m.* theme; subject

temblar to tremble

temblor *n.* trembling, shudder

tembloroso trembling

temer to fear

temerario foolhardy

temeroso afraid

temible frightening

temor fear

temperatura temperature

templado temperate; soft

templo temple

temporada season

temporal temporary

temporáneo temporary

temprano early; **tarde o temprano** sooner or later

tempranito very early

tenaz tenacious

tenaza tong

tendencia tendency

tender (tiendo) (a) to tend to (*do something*); **tenderse** to stretch out

tener to have; **no tener inconveniente** to have nothing against **tener... años** to be ... years old; **tener aceso a** to have

access to; **tener calor/frío** to be hot/cold; **tener confianza en** to have confidence in, trust; **tener cuidado** to be careful, cautious; **tener el pelo negro/rojo/rubio** to have black/red/blond hair; **tener en cuenta** to take into account; to keep in mind; **tener éxito** to be successful; **tener fama de** to have a reputation for; **tener ganas de** + *inf.* to feel like (*doing something*); **tener hambre** to be hungry; **tener lugar** to take place; **tener miedo** to be afraid; **tener necesidad** to have a need; **tener prisa** to be in a hurry; **tener que** + *inf.* to have to (*do something*); **tener que ver con** to have to do with; **tener sentido** to make sense; **tener sueño** to be sleepy; **tener suerte** to be lucky; **tener tiempo** to have time

tenis tennis

tenista *m., f.* tennis player

tensión tension

tentación temptation

tentativa tentative

teñirse (me tiño) (i) to dye

teoría theory

terapéutico therapeutic

tercer, tercero third

tercio *n.* third

terminar to finish, end

término term

terrateniente landholder

terraza terrace

terreno terrain, land

terrestre terrestrial, earthly

territorio territory

terrorismo terrorism

terrorista *n., adj. m., f.* terrorist

terroso earthy

terso smooth

tesis *f. s., pl.* thesis

tesoro treasure

testamento: Nuevo Testamento New Testament

testigo *m., f.* witness

testimonio testimony

tetera teapot

texto text; **procesador de texto** word processor

tía aunt

tibio lukewarm

tiempo time (*general*); weather; tense (*gram.*); **a tiempo** on time; **al mismo tiempo** at the same time; **hacer buen/mal tiempo** to be good/bad weather; **perder (pierdo) tiempo** to waste time; **tener tiempo** to have time; **tiempo completo** full-time; **tiempo libre** free time; **tiempo parcial** part-time

tienda store

tierno tender

tierra land, earth; Earth (*planet*); **Tierra Santa** Holy Land

timbre doorbell

tímido shy, timid

tinaja big jar

tinto: vino tinto red wine

tío uncle; *pl.* aunts and uncles

típico typical

tipo type, kind, sort; guy

tiquete ticket

tira: tira adhesiva adhesive strip; bandage; **tira cómica** comic strip

tiranía tyranny

tirante iron rod

tirar to throw

tiro: cancha de tiro shooting range

titubear to stammer, stutter

titular capital letter; title

título title

tobillo ankle

tocadiscos *m. s., pl.* record player, stereo

tocar (qu) to touch; to knock (at the door); to play (*an instrument*); **tocar a** to be someone's turn

todavía still, yet

todo all, everything, all of; **ante todo** above all; **Día** (*m.*) **de Todos los Santos** All Saints' Day; **en/por todas partes** everywhere; **todo el día** all day; **todos los años** every year; **todos los confines** every-where; **todos los días** every day

tolerancia tolerance

tolerar to tolerate

toma intake; taking

tomar to take; to drink; to eat; **tomar el sol** to sunbathe; **tomar riesgos** to take risks; **tomar una copa** to have a drink; **tomar una decisión** to make a decision; **tomar (unas) vacaciones** to take a vacation

tomatazo blow or hit with a tomato

tomate tomato

tomillo thyme

tomo volume (*in a series*)

tono tone

tontería stupid thing

tonto silly, dumb

torcido twisted; turned up

torero bullfighter

tormenta storm

tormento torment

tornero lathe operator

torno pottery wheel

toro bull

toronja grapefruit

torpe clumsy, awkward

torre *f.* tower

torrente torrent

tortuga turtle

tortura torture

torturar to torture

tosco rough

toser to cough

toxicomanía (drug) addiction

toxicómano (drug) addict

trabajador *n.* worker; *adj.* hardworking

trabajar to work; **trabajar en red** to be networked

trabajo job; work; paper (*academic*); **compañero de trabajo** coworker; **perder (pierdo) el trabajo** to lose one's job; **trabajo manual** manual labor

trabajosamente laboriously

tradición tradition

tradicional traditional; **lo tradicional** traditional things

traducción translation

traducir (*like* **conducir**) to translate

traer to bring

traficante *m., f.* drug dealer

tráfico traffic

tragar (gu) to swallow

tragedia tragedy

trágico tragic

traición treason, betrayal

traicionar to betray

traicionero treacherous

traje suit

trama *m.* plot

tramo flight (of stairs)

trampa: hacer trampa(s) to cheat

tramposo cheater

tranquilidad tranquility

tranquilo calm, tranquil

transacción transaction

transbordador espacial space shuttle

transcrito (*p.p. of* **transcribir**) *adj.* transcribed

transcurrir to pass (*time*)

transfigurado transfigured

transformar to transform

transición transition

tránsito traffic

transitoriamente temporarily

transmitido passed on

transmitir to transmit; to broadcast

transparente transparent

transplante transplant

transportar to transport

transporte transportation

tranvía tram, trolley car

traquetear to clatter, rattle

tras *prep.* after, behind

trasladar(se) to move, transfer (*to another place*)

trasnochar to stay up all night

trastornado upset

tratado treaty

tratamiento treatment

tratar to treat; **se trata de** it's a question of, it's about; **tratar de** + *inf.* to try to (*do something*); **tratar de** + *noun* to deal with (*a topic*)

trato treatment

través: a través de through, across

travesura trick, prank; **hacer travesuras** to play pranks

travieso mischievous

trébol clover

trecho: a trechos partially; at intervals

tregua break; truce

tremendo tremendous

trémulo trembling

tren train

tribu *f.* tribe

tribunal court

tricolor *traffic signals consisting of three colors: red, yellow, and green*

trigo wheat

trimestre trimester

trineo: deslizarse en trineo to go sledding

trino trill

triplicar (qu) to triple

tripulante *m., f.* rider

triste sad

tristeza sadness

triunfar to triumph

triunfo triumph

trompeta trumpet

trono throne

tropa troupe

tropezar (c) con to run into

trotar to trot

trozo piece, chunk

truco trick; **hacer trucos** to play tricks

tubería tubing, pipes

tumba tomb, grave

tumbar to knock down, knock over

túnel tunnel

turbar to disturb

turbio cloudy

turbulento turbulent

turco Turkish bath

turismo tourism

turista *n. m., f.* tourist

turno (work) shift; turn

U

u or (*used instead of* **o** *before words beginning with* **o** *or* **ho**)

ubicarse (qu) to be located

ubicuo ubiquitous

ufano self-satisfied

últimamente lately

último last; most recent, latest; **por último** finally

ultraconservador ultraconservative

ultraliberal ultraliberal

umbral doorway; threshold

único only, sole; unique; **hijo único** only child

unidad unit

unido: Estados Unidos United States

uniforme *n., adj.* uniform

unión union; marriage

Unión Soviética Soviet Union

unir to join, unite; **unirse a** to join together

universidad university

universitario *adj.* university, pertaining to the university

universo universe

uña (finger) nail

urbanismo urban development

urbanista *m., f.* developer, city planner

urbanización migration into the cities; subdivision or residential area

urbanizar (c) to urbanize

urbano urban

urgente urgent

uruguayo *n.* Uruguayan

usar to use

uso use

usuario user

útil useful

utilizar to use, utilize

uva grape

V

vaca cow

vacaciones *pl.* vacation; **estar de vacaciones** to be on vacation; **ir de vacaciones** to take a vacation; **tomar (unas) vacaciones** to take a vacation

vacante vacant

vacilación hesitation

vacilante hesitant

vacilar to hesitate

vacío empty

vagabundo bum

vagamente vaguely

vagar (gu) to wander

vagón train car

vainilla vanilla

valentía bravery

valer to be worth; **valer la pena** to be worthwhile

válido valid

valiente brave

valija valise; luggage

valioso valuable

valle vally

valor value; **valores al cobro** accounts payable

valorar to value

vampiro vampire

vanidad vanity

vano opening

vapor steam

vaporoso light, sheer

vaquera cowgirl

vaquero cowboy; **pantalones vaqueros** jeans

variado varied

variante varying
variar (varío) to vary
variedad variety
varios several
vasco *adj.* Basque
vascuence Basque (*language*)
vaso glass
vasto vast, immense
¡vaya! *interj.* well!; really!
vecindario neighborhood
vecino *n.* neighbor; *adj.* neighboring
vedar to forbid, ban
vegetariano vegetarian
vehemente vehement
vehículo vehicle
vejez old age
vela candle
velar to watch over, protect
velo veil
velocidad speed; **límite de velocidad** speed limit
vena vein
vencer (venzo) to conquer, beat; **vencerse** to control or restrain oneself
vendado bandaged
vendaje bandage
vendedor salesperson; **vendedor ambulante** street vendor
vender to sell
venezolano *n., adj.* Venezuelan
vengador *n.* avenger; *adj.* vengeful
venir to come; **la semana que viene** next week
venta sale; **estar a la venta** to be on/for sale
ventaja advantage
ventana window
ventanilla ticket window
ver to see; **tener que ver con** to have to do with; **verse colmado** to reach one's highest point
veraneo summering, vacation
verano summer
veras: de veras really, truly
verbo *gram.* verb
verdad truth
verdadero real, genuine; true
verde green
verdugo hangman, executioner
verdura vegetable
veredicto verdict
vergonzoso shameful
vergüenza shame
vericueto rough part
verificar (qu) to verify
versión version
verso verse; line of poetry
vestido dress

vestigios remains
vestir(se) ([me] visto) (i) to dress
veterano veteran
vez time, instance; **a la vez** at the same time; **a su vez** in turn; at times; **a veces** sometimes; **alguna vez** sometime; once; ever (*with a question*); **algunas veces** sometimes; **cada vez más** more and more; **cada vez mayor** greater and greater; **cada vez menor** fewer and fewer; younger and younger; **cada vez menos** fewer and fewer; **cada vez que** whenever, every time that; **de vez en cuando** once in a while; **en vez de** instead of; **muchas veces** often, frequently; **otra vez** again; **por primera vez** for the first time; **tal vez** perhaps, maybe; **una vez** once
vía: en vías de desarrollo developing; **vía férrea** railway, railroad
viajar to travel
viaje trip; **hacer un viaje** to take a trip
vicio bad habit, vice
víctima victim
vida life; **llevar una vida (feliz/difícil)** to lead a (happy/difficult) life
video video
videocasetera videocassette recorder (VCR)
videojuego video game
vidrio glass; **envase de vidrio** (glass) jar
viejo *n.* old person; *adj.* old; **ropa vieja** braised shredded beef
viento wind
vientre womb
vigilante vigilant
vigilar to watch; to guard
vil vile
vincha hair band
vinculado tied, bound
vínculo link, bond; **vínculo fraternal** fraternal bond
vino wine; **vino tinto** red wine
violación rape
violar to rape; **violar la ley** to break the law
violencia violence
violento violent
virreinato viceroyalty
virtud virtue
visión vision
visita visit; **estar de visita** to be visiting; **hacer una visita** to pay a visit
visitante *m., f.* visitor
visitar to visit
víspera eve, day before
vista: punto de vista point of view
viuda widow

viudo widower
víveres *m. pl.* foodstuffs
vivienda housing, dwelling place
vivir to live
vivo alive; vivid
vizcacha viscacha (*a type of rodent that looks like a rabbit*)
vocabulario vocabulary
vocal *f.* vowel
volador: platillo volador flying saucer
volante: platillo volante flying saucer
volar (vuelo) to blow up; to fly
volcán volcano
volumen volume
voluntad will; **a voluntad** as you wish; **de buena voluntad** willingly
voluntario volunteer
volver (vuelvo) (*p.p.* **vuelto**) to return, come/go back; **volver a** + *inf.* to (*do something*) again; **volverse** to become
votar to vote
voto vote
voz voice; **a grandes voces** in a loud voice; **en voz alta** in a loud voice; aloud; **en voz baja** in a low/quiet voice
vuelo: asistente (*m., f.*) **de vuelo** flight attendant; **auxiliar** (*m., f.*) **de vuelo** flight attendant
vuelta return

W

Web: página Web Web page

Y

y and
ya already; right away; now; **ya no** no longer; **ya que** since, given that
yacimiento bed, field (*geology*)
yanqui *n., adj.* Yankee
yema del dedo fingertip
yerno son-in-law

Z

zafío boorish
zaguán doorway
zambullirse to dive, plunge
zanja ditch, trench
zapatería shoe store
zapatilla dress shoe; slipper
zapato shoe (*general*)
zona area, zone
zorro fox
zozobrar to sink
zumbar to buzz
zumo juice
zurrón shepherd's bag, pouch

INDEX

PHOTO CREDITS

Mary Lee Bretz is Professor Emerita of Spanish and former Chair of the Department of Spanish and Portuguese at Rutgers University. Professor Bretz received her Ph.D. in Spanish from the University of Maryland. She has published numerous books and articles on nineteenth- and twentieth-century Spanish literature and on the application of contemporary literary theory to the study and teaching of Hispanic literature.

Trisha Dvorak is Senior Program Manager with Educational Outreach at the University of Washington. She has coordinated elementary language programs in Spanish and taught courses in Spanish language and foreign-language methodology. Professor Dvorak received her Ph.D. in Applied Linguistics from the University of Texas at Austin. She has published books and articles on aspects of foreign-language learning and teaching, and is coauthor of *Composición: Proceso y síntesis,* a writing text for third-year college students.

Carl Kirschner is Professor of Spanish and Dean of Rutgers College. Formerly Chair of the Department of Spanish and Portuguese at Rutgers, he has taught courses in linguistics (syntax and semantics), sociolinguistics and bilingualism, and second-language acquisition. Professor Kirschner received his Ph.D. in Spanish Linguistics from the University of Massachusetts. He has published a book on Spanish semantics and numerous articles on Spanish syntax, semantics, and bilingualism, and edited a volume on Romance linguistics.

Rodney Bransdorfer received his Ph.D. in Spanish Linguistics and Second-Language Acquisition from the University of Illinois at Urbana-Champaign. He has taught at Purdue University, the University of Illinois at Chicago, and Gustavus Adolphus College. He is currently Professor of Spanish at Central Washington University, where he also serves as Chair of the Department of Foreign Languages. He has presented papers at national conferences such as AATSP and AAAL. In addition to his work on *¡Avance!* and the *Pasajes* series, he has authored or coauthored several other McGraw-Hill titles including: *¿Qué te parece?,* Third Edition (2005), the instructor's annotations for *Nuevos Destinos: Spanish in Review* (1998), and the instructor's annotations for *Destinos: Alternate Edition* (1997).

Constance Moneer Kihyet is Professor of Spanish at Saddleback College in Mission Viejo, California. She received her Ph.D. in Spanish at Florida State University in 1979, specializing in Golden Age literature. Her interests and publications include studies of Golden Age and nineteenth-century Spanish literature, as well as aspects of second-language acquisition and teaching methodology. Professor Kihyet is coauthor of *El mundo hispano, An Introductory Cultural and Literary Reader,* and *Con destino a la comunicación,* and a contributing writer on various components of the McGraw-Hill intermediate Spanish program *Pasajes.*

NICARAGUA

MAR CARIBE

COSTA
RICA

PANAMÁ

Barranquilla

Maracaibo

Caracas

*OCÉANO
ATLÁNTICO*

Medellín

VENEZUELA

Georgetown

Paramaribo

GUYANA

Cayenne

Bogotá

Cali

GUAYANA FRANCESA

COLOMBIA

SURINAME

Quito

ECUADOR

Ecuador

Guayaquil

Manaus

Belém

Río Amazonas

*OCÉANO
PACÍFICO*

PERÚ

BRASIL

Recife

Lima

▲Machu Picchu
Cuzco

Lago Titicaca

BOLIVIA

La Paz

Brasília

OCÉANO PACÍFICO

Sucre

Isla Pinta

Isla Marchena

Arequipa

Isla San Salvador

Isla Santa Cruz

*Isla
Isabela*

Isla San
Cristóbal

Puerto
Baquerizo
Moreno

PARAGUAY

*LAS ISLAS
GALÁPAGOS
(ECUADOR)*

Antofagasta

São Paulo

Asunción

Puerto Iguazú

Rio de Janeiro

*Trópico de
Capricornio*

0   100 MILLAS

CHILE

0   100 KILÓMETROS

0   8 MILLAS

0   8 KILÓMETROS

Córdoba

*OCÉANO
ATLÁNTICO*

Valparaíso

*Cabo
Cummings*

Rosario

URUGUAY

Santiago

Hanga Roa

Mataveri

ARGENTINA

Buenos
Aires

Montevideo

Cabo Sur

*OCÉANO
PACÍFICO*

Concepción

Bahía Blanca

*ISLA DE PASCUA
(CHILE)*

San Carlos de
Bariloche

AMÉRICA DEL SUR

0   250   500   750 MILLAS

0   250   500   750 KILÓMETROS

*OCÉANO
PACÍFICO*

*Estrecho de
Magallanes*

Islas
Malvinas

ELEVACIÓN

METROS	PIES
3050	10000
1525	5000
610	2000
305	1000
152.5	500
0	0

Punta Arenas

Tierra del Fuego

Cabo de Hornos

CORDILLERA DE LOS ANDES

¡AVANCE!

is informed by student and faculty research, class tests at a variety of institutions, and years of experience.

¡Avance! motivates **students** to advance their **communication skills** and **prepares them for success** in their major/minor coursework.

¡Avance! addresses **students'** varying levels of **language proficiency.**

"*¡Avance!* is an intermediate textbook that takes into account the varying levels of students who enter our classrooms, allows them to perform online individualized activities while giving them the cultural and literary knowledge they will need to continue their language study."
Dr. Kristi Hislope, *North Georgia College & State University*

"For my first test, I didn't use LearnSmart as I should have. [For] the next test I did extra modules and my grade was 17 points higher [...]!"
Autumn Bridges, *Spanish student, Indian River State College*

LearnSmart

"[LearnSmart] give[s] students the opportunity to become interactive with the program instead of simply looking at the book and identifying word translations."
Ximena Keogh, *University of Colorado at Boulder*

"*¡Avance!* uses the latest technological tools to help students assess their own abilities and to enable them to remedy their deficiencies, thus allowing instructors to focus more on expansion and less on review" Colleen R. Baade, *Iowa State University*

"*Avance* is a technologically smart, communicatively organized intermediate-level textbook." Dr. Sharon E. Knight, Presbyterian College

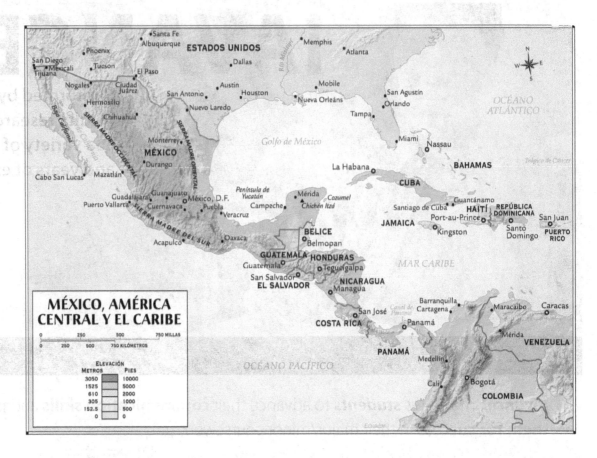

MÉXICO, AMÉRICA CENTRAL Y EL CARIBE

ELEVACIÓN

METROS	PIES
3050	10000
1525	5000
610	2000
305	1000
152.5	500
0	0

ESPAÑA

ELEVACIÓN

METROS	PIES
3050	10000
1525	5000
610	2000
305	1000
152.5	500
0	0

ISLAS CANARIAS

Credits

About the Authors: *Chapter from ¡Avance! Intermediate Spanish, Third Edition by Bretz, Dvorak, Kirschner, Bransdorfer, Kihyet, Johnson, Lemley, 2014* AA-1

Endsheet: *Chapter from ¡Avance! Intermediate Spanish, Third Edition by Bretz, Dvorak, Kirschner, Bransdorfer, Kihyet, Johnson, Lemley, 2014* 455

Online Supplements

Connect Spanish with LearnSmart (with WBLM) Intermediate Spanish 720 day Online Access for Avance, Third Edition: *Media by Bretz* 458

Access Code for the Online Supplements 459

Online Supplements

Connect Spanish with LearnSmart (with WBLM) Intermediate Spanish 720 day Online Access for Avance, Third Edition

McGraw-Hill Connect is a digital teaching and learning environment that improves performance over a variety of critical outcomes. With Connect, instructors can deliver assignments, quizzes and tests easily online. Students can practice important skills at their own pace and on their own schedule.

HOW TO REGISTER

Using a Print Book?
To register and activate your Connect account, simply follow these easy steps:
1. **Go to the Connect course web address provided by your instructor or visit the Connect link set up on your instructor's course within your campus learning management system.**
2. **Click on the link to register.**
3. **When prompted, enter the Connect code found on the inside back cover of your book and click Submit. Complete the brief registration form that follows to begin using Connect.**

Using an eBook?
To register and activate your Connect account, simply follow these easy steps:
1. **Upon purchase of your eBook, you will be granted automatic access to Connect.**
2. **Go to the Connect course web address provided by your instructor or visit the Connect link set up on your instructor's course within your campus learning management system.**
3. **Sign in using the same email address and password you used to register on the eBookstore. Complete your registration and begin using Connect.**

Note: Access Code is for one use only. If you did not purchase this book new, the access code included in this book is no longer valid.

Need help? Visit mhhe.com/support